D0477528

Ulrich Raulff

DAS LETZTE JAHRHUNDERT
DER PFERDE

Ulrich Raulff

DAS LETZTE JAHRHUNDERT
DER PFERDE

Geschichte einer Trennung

C.H.Beck

Mit 1 Frontispiz, 85 Abbildungen im Text
und 36 Abbildungen auf Farbtafeln

© Verlag C.H.Beck oHG, München 2015
Satz: Fotosatz Amann, Memmingen
Druck und Bindung: GGP Media GmbH, Pößneck
Umschlaggestaltung: Kunst oder Reklame, München
Umschlagabbildung: Théodore Géricault, «Kopf eines Schimmels»,
um 1815. Paris, Musée du Louvre, © akg-images / Erich Lessing
Gedruckt auf säurefreiem, alterungsbeständigem Papier
(hergestellt aus chlorfrei gebleichtem Zellstoff)
Printed in Germany
ISBN 978 3 406 68244 5

www.beck.de

INHALT

DER LANGE ABSCHIED 7

A. DER KENTAURISCHE PAKT. *ENERGIE* 24
Die Pferdehölle 29
Ein Unfall auf dem Land 55
Ritt nach Westen 79
Der Schock 104
Die jüdische Reiterin 131

B. EIN PHANTOM DER BIBLIOTHEK. *WISSEN* 147
Blood and speed 152
Die Anatomiestunde 174
Kenner und Täuscher 197
Die Forscher 220

C. DIE LEBENDIGE METAPHER. *PATHOS* 247
Napoleon 251
Der vierte Reiter 269
Die Peitsche 288
Turin, ein Wintermärchen 317

D. DER VERGESSENE AKTEUR. *HISTORIEN* 340
Zahn und Zeit 343
Land nehmen 360
Das elliptische Tier 379
Herodot 393

ANHANG
Dank 406
Anmerkungen 408
Bildnachweis 451
Register 455

DER LANGE ABSCHIED

Wer um die Mitte des 20. Jahrhunderts auf dem Land geboren wurde, wuchs in einer alten Welt auf. Sie unterschied sich wenig von derjenigen, die hundert Jahre früher da gewesen war. Agrarische Strukturen sind von Natur aus träge. Das Land dreht sich in langsameren Rhythmen. Für Stadtkinder sah die Umwelt anders aus. Sie war geprägt von Maschinen – und von Ruinen, die ihrerseits das Resultat mechanischer Zerstörung waren. Das Land in seiner Zurückgebliebenheit hatte sich dem Sprung in die technische Moderne noch fast ein Jahrhundert lang entzogen. Gewiss, auch hier hatten die Maschinen, die um die Mitte des 19. Jahrhunderts seltene, experimentelle Ausnahmen gewesen waren, der Zahl nach zugenommen. Überdies waren sie kleiner, praktischer, alltäglicher geworden und sahen nicht mehr aus wie mittelalterliche Belagerungsmaschinen oder Saurier aus Jurassic Park. Immer häufiger kam es vor, dass sie von kleinen Traktoren gezogen wurden, Geräten, die das 19. Jahrhundert noch nicht oder allenfalls in Gestalt enormer Dampfmaschinen gekannt hatte. Die Traktoren um die Mitte des 20. Jahrhunderts leisteten 15 oder 20 PS, hatten kurze, einprägsame Namen wie Fendt, Deutz, Lanz oder Faun und waren mit wenigen Ausnahmen wie etwa dem grauen Lanz grün lackiert. Im Rückblick wirken sie wie fragile Grashüpfer, verglichen mit den Mammuts von heute mit 200 PS und schalldichter Kabine.

7

Abgesehen von diesen Vorreitern der Mechanisierung auf dem Land, deren ruckhafte Bewegungen und deren Lärm nicht ins romantische Bild des 19. Jahrhunderts passten, hatte sich nicht viel geändert. Immer noch waren Pferde, schwere belgische Kaltblüter, starke Trakehner und stämmige Haflinger, das am weitesten verbreitete und am meisten gebrauchte Transport- und Zuggerät auf den schmalen, gewundenen Straßen wie an den Abhängen der Felder und in den Schluchten der Wälder. Über den Winterbildern meiner Erinnerung steht der Dampf ihres Atems und ihrer erhitzten Flanken, über den Sommerbildern liegt der Duft ihrer braunen Felle und hellen Mähnen. Immer noch spüre ich das Entsetzen, mit dem ich zusah, wie ihnen beim Beschlagen vierkantige Eisennägel in das, was ich für ihre Fußsohlen hielt, getrieben wurden. Szenen von solcher Drastik hatte ich bis dahin nur in Kirchen, auf Bildern der Passion Christi erblickt. Immer wenn ich später von jemandem sagen hörte, er sei «beschlagen», was soviel bedeutete wie: er sei gebildet oder belesen, tauchten vor meinen Augen die Vierkantnägel auf.

In den Ställen der Bauern, die noch von den Erträgen des Landes lebten und ihre bescheidene Wirtschaft nicht gegen einen Arbeitsplatz in der Fabrik eingetauscht hatten, nahmen die Boxen der Pferde den kleineren, aber nobleren Teil ein. Die Kühe, Rinder, Kälber, Schweine und Hühner machten sich breiter, sie stanken heftiger und führten das große Wort, sie waren, mit einem Wort, die Plebs im Stall; die Pferde waren selten, kostbar und wohlriechend, sie aßen manierlicher und litten spektakulärer, besonders ihre Koliken waren gefürchtet. Wie lebendige Skulpturen standen sie in ihren Verschlägen, nickten mit den schönen Köpfen und signalisierten mit ihren Ohren Misstrauen oder Verdacht. Die Pferde hatten ihren eigenen Campus, auf den sich nie eine Kuh verirrte, von Schweinen oder Gänsen ganz zu schweigen. Kein Bauer wäre auf die Idee gekommen, die Weide der Pferde mit Stacheldraht zu umgeben, hinter dem sich Kühe und vor allem Schafe nicht selten fanden. Bei den Pferden genügte ein bisschen Holz oder ein leichter Elektrozaun. Aristokraten sperrt man nicht ein, man erinnert sie an ihr Ehrenwort, auf Flucht zu verzichten.

Ich sehe uns, meinen Großvater und mich, an einem Tag Mitte der Fünfziger auf einer Anhöhe stehen, von der sich unser Hof, das umlie-

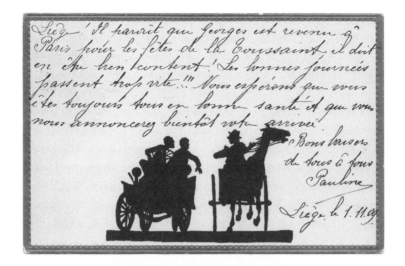

Der kurze Gruß zum langen Abspann: Die Wege trennen sich.

Konkurrenz der Pferdestärken: Das Dieselross hat 12 PS, der Hafermotor nur zwei, die aber besser riechen.

gende Land und sogar ein Stück des fernen Laubwaldes, durch den sich eine schmale Straße den Berg hinaufwand, überblicken ließen. Seit einer Weile war die Stille über der ländlichen Einsamkeit zerrissen von etwas, das wie eine bucklige Ameise aussah, die sich langsam und geräuschvoll den Berg hinauf quälte. Im Näherkommen gab sich die Ameise als der altertümliche Mercedes Diesel eines meiner Onkel zu erkennen. Mit olympischer Gravität näherte sich der schwere Wagen. Mein Großvater machte eine abschätzige Bemerkung über den Diesel, in der das Wort *Dreschkasten* vorkam, und sah mit wachsender Skepsis zu, wie mein Cousin, der Mann am Volant, den festen Weg verließ und quer über das Weideland direkt auf uns zusteuerte. Schon nach wenigen Metern auf dem feuchten Gras verlor er die Kontrolle über sein Gefährt. Der Wagen brach seitlich aus, kam ins Gleiten und verwickelte sich in den Elektrozaun, der die Pferdeweide umgab, bis er endlich, von einer dunkelblauen Wolke umgeben, vor einem Baumstumpf zum Stehen kam. Unter der abziehenden Wolke kam der Olympier zum Vorschein, der jetzt seine Blitze nach innen schleuderte: Der Gefangene des Elektrozauns hatte sich in eine Art umgekehrten Faradayschen Käfig verwandelt, der über die zahlreichen Eisenteile jeden Stromstoß an seinen Insassen weitergab.

Nachdem alle Versuche zur Selbstbefreiung von Fahrer und Wagen fehlgeschlagen waren, betrat als Nothelfer ein schwerer belgischer Kaltblüter die Szene. Vor die hintere Stoßstange des Diesel gespannt, zog er mit den Bärenkräften eines gutmütigen Riesen das havarierte Automobil auf festen Grund zurück. Jeder kennt das Bild von William Turner, auf dem ein qualmender Dampfschlepper ein stolzes Kriegsschiff unter gerefften Segeln, die *Fighting Temeraire*, zu ihrer letzten Anlegestelle im Abwrackdock schleppt. In unserem Fall hatte das Schicksal, ironisch wie so oft, noch einmal das historische Blatt gewendet: Hier war es der Gaul, das von der Geschichte pensionierte Schlachtross, das jetzt das Auto zog: Noch einmal legte die alte Welt sich für die neue ins Geschirr.

Tatsächlich war zu diesem Zeitpunkt die Sache definitiv entschieden: Mensch und Pferd hatten getrennte Wege eingeschlagen. Da der Mensch es künftig vorzog, die seinen mit Kraftwagen zu befahren,

hatte er sie planiert und asphaltiert. Das Pferd war buchstäblich über-
holt. Es gehörte zu jenem Teil der Wirklichkeit, den Condoleeza Rice,
die vormalige amerikanische Außenministerin, als *the roadkill of history* bezeichnet hat; es gehörte zu denen, die die Geschichte überfahren hatte. Jahrhunderte lang hatte sich die Menschheit das Schicksal
des Besiegten immer im Bild dessen gedacht, der unter die Hufe des
Siegers gerät und von diesem *überritten* wird. Jetzt, im Übergang vom
19. zum 20. Jahrhundert, war es das Pferd, das sich von der Geschichte
überritten oder vielmehr überfahren fand. Während der längsten Zeit
der aufgezeichneten Geschichte hatte das Pferd dem Menschen gehol-
fen, seinen gefährlichsten Feind zu besiegen, den anderen Menschen;
jetzt lag es selbst am Rand der Straße und sah den Sieger über sich
hinwegrollen. Sechshundert Jahre Schießpulver hatten dem Pferd
nicht seinen angestammten Platz als wichtigste Kriegswaffe des Menschen streitig gemacht – einhundert Jahre Mechanisierung des Krieges
genügten, es obsolet zu machen. Das Pferd war einer der Besiegten der
jüngsten Geschichte.

So einfach und glatt, wie man sich die Trennung von Mensch und
Pferd, von mechanischer und animalischer Kraft vorstellt, ist sie
indessen nicht verlaufen. Der Mensch war nicht an einem Tag Reiter
und Kutscher und am nächsten Tag Kraftfahrer und Automobilist.
Die Trennung ereignete sich in mehreren Phasen, die sich über einen
Zeitraum von anderthalb Jahrhunderten verteilen, vom frühen
19. Jahrhundert, das verschiedene Techniker mit dampfgetriebenen
Fahrzeugen und Laufrädern experimentieren sah, bis in die Mitte des
20. Jahrhunderts, als das Automobil mit Verbrennungsmotor das
Pferd als Antriebsmaschine auch zahlenmäßig überholte. Das auf
den ersten Blick Überraschende ist, dass während der längsten Strecke dieses Zeitraums der Verbrauch an Pferden immer weiter stieg,
statt, wie man erwarten könnte, zu sinken. Erst gegen Ende des Zeitraums, Jahre nach dem Zweiten Weltkrieg, geht der Verbrauch an
Pferden zurück, dann allerdings rapide. Insofern erlebt das letzte
Jahrhundert des Pferdezeitalters nicht nur den Exodus des Pferdes
aus der Menschengeschichte, sondern zuvor noch seine Apotheose:
Nie zuvor war die Menschheit so stark auf Pferde angewiesen wie zu

der Zeit, als in Mannheim und Cannstadt schon die Verbrennungsmotoren knatterten.

Wenn ich trotz der besagten anderthalb Jahrhunderte gelegentlich
vom *letzten Jahrhundert der Pferde* spreche, geschieht dies nicht aus
Gründen gedanklicher Faulheit oder weil es griffiger klingt. Dem Prinzip nach deckt sich das Ende des Pferdezeitalters ziemlich genau mit
dem, was man als das *lange 19. Jahrhundert* zu nennen sich angewöhnt
hat: Es beginnt mit Napoleon und endet mit dem Ersten Weltkrieg.
Seitdem sind oder werden praktisch alle technischen Systeme, vom
Verkehr bis zur Armee, denen das Pferd die nötige Traktionsenergie
geliefert hatte, auf Verbrennungs- oder Elektromotoren umgestellt.
Praktisch zieht sich diese Konversion aber erheblich in die Länge[1]; die
beiden Weltkriege treiben den Verbrauch von Pferden noch einmal auf
grausame Weise in die Höhe, und erst seit der Jahrhundertmitte steht
ausreichend billige Traktionsenergie zur Verfügung, um die Zahl der
Pferde in Europa drastisch abstürzen zu lassen. Jetzt erst ist die Trennung nicht nur beschlossene Sache, jetzt ist sie auch vollzogen.

Mit den Augen eines Historikers betrachtet, erscheint die Trennung
von Mensch und Pferd als das zentrale Kapitel in der Geschichte vom
Ende der agrarisch geprägten Welt. Bis in die Mitte des 20. Jahrhunderts war das Bild auch der mechanisierten und technisch fortgeschrittenen Zivilisationen der westlichen Welt noch stark von ruralen
Strukturen, von Bauerndörfern, Märkten, Viehherden und Kornfel-
dern bestimmt. Geht man um weitere fünfzig Jahre in der Zeit zurück,
bis an den Anfang des vergangenen Jahrhunderts, wird die Dramatik
des Auszugs aus dem pastoral anmutenden Naturraum noch augenfälliger: «Um 1900», schreibt der Philosoph Michel Serres, «arbeiteten
die meisten Menschen auf unserem Planeten in der Land- und Ernäh-
rungswirtschaft; heute machen in Frankreich wie in vergleichbaren
Ländern die Bauern gerade noch ein Prozent der Bevölkerung aus.
Zweifellos wird man darin einen der tiefsten historischen Brüche seit
dem Neolithikum erkennen müssen.»[2]

In diese Perspektive einer radikalen Umwälzung der traditionellen
Lebens- und Arbeitsverhältnisse in den Ländern der fortgeschrittenen
Industrialisierung muss man auch den Abschied von den Pferden ein-

tragen: als eine Phase im Auszug der Menschen aus der analogen Welt. Zu den verstörendsten Erfahrungen, die die Zeitgenossen des 19. Jahrhunderts machten, Nietzsche hat dafür das Wort vom Tod Gottes gefunden, gehörte der Verlust einer für sicher geglaubten transzendenten Sphäre: Die Menschen spürten, dass ihnen das Jenseits entglitt. Die Bürger des 21. Jahrhunderts kennen ein ähnliches Unbehagen: Sie sind dabei, das Diesseits zu verlieren.

In einem traditionsreichen Agrarland wie Frankreich, in dem die antike, die römische Bedeutung von *Kultur*, nämlich Bodenkultur, Landbau und Weinbau zu sein, nie in Vergessenheit geraten ist[3], wird der Bruch naturgemäß als besonders dramatisch empfunden. Die Wein- und Obstgötter haben sich zurückgezogen, und mit ihnen verschwand die alte humane Lebenswelt. Der Abschied von den Pferden wird zu einem Geschichtszeichen für den Verlust der ländlichen Welt. «Ich gehöre zu einem verschwundenen Volk», klagt der Kunsthistoriker und Schriftsteller Jean Clair. «Bei meiner Geburt machte es noch an die 60 Prozent der französischen Bevölkerung aus. Heute sind es keine 2 Prozent mehr. Eines Tages wird man anerkennen, dass das wichtigste Ereignis des 20. Jahrhunderts nicht der Aufstieg des Proletariats war, sondern das Verschwinden des Bauerntums.»[4] Verschwunden sind die Bauern und Erzeuger, und mit den Bauern, manchmal noch vor ihnen, gingen die Tiere: «Die Pferde waren die ersten, die gingen, Ende der fünfziger Jahre. Sie waren nutzlos geworden und verschwanden für immer.»[5]

Durch die Brille der Geschichtsphilosophie betrachtet, erscheint die Trennung von Mensch und Pferd als Auflösung einer singulären Arbeitsgemeinschaft: In gemeinschaftlicher, wenngleich einseitig erzwungener Anstrengung haben die beiden Spezies vollbracht, was Hegel das *Werk der Geschichte* nannte. Ein seltsamer Zufall, der zu spekulativen Deutungen einlädt, hat es gefügt, dass sich die Auflösung dieser alten Arbeitsgemeinschaft ziemlich exakt in dem Zeitraum vollzog, der Hegels «Vorlesungen über die Philosophie der Weltgeschichte»[6] von jenen Theorien trennt, in denen sich um die Mitte des 20. Jahrhunderts zuerst der Gedanke von einem «Ende der Geschichte» aussprach.[7] Genau fünfzehn Jahrzehnte sind es, die das Ende des Pferdezeitalters von seinem ersten Vorschein im frühen 19. Jahrhundert bis zur endgültigen Ratifizierung in der Mitte des zwanzigsten überspannt. Sie reichen von Hegel, der 1807 den Kaiser der Franzosen als «Weltseele zu Pferde» apostrophierte, bis zu Arnold Gehlen, der in den fünfziger und sechziger Jahren des 20. Jahrhunderts seine Lehre von der *posthistoire* entwickelte.

Drei Weltzeitalter unterschied der Philosoph und Anthropologe Gehlen: Auf eine sehr lange Zeit der Vorgeschichte folgte die Phase der eigentlichen, agrarisch geprägten Geschichte, welche wiederum von der Industrialisierung und dem Eintritt in die Nachgeschichte abgelöst worden war.[8] Als knüpfe er an dieses Schema an, unterschied auch der Historiker Reinhart Koselleck, als er 2003 erstmals über das *Pferdezeitalter* sprach, drei große Weltepochen: Die Gesamtheit der vergangenen Zeit unterteile sich in ein Vor-Pferdezeitalter, ein Pferdezeitalter und ein Nach-Pferdezeitalter.[9] Die Simplizität dieser chronologischen Dreifelderwirtschaft nahm der Historiker in Kauf, weil er sich von ihr eine neue Perspektive auf die Weltgeschichte versprach: «Wohl wissend, daß alle Periodisierungen ... von perspektivisch ordnenden Fragestellungen abhängen, suche ich nach einem Kriterium, das alle Abgrenzungen zwischen alter, mittlerer und neuerer ... Geschichte unterläuft.»[10]

Mit meinem Versuch über das *Ende* des Pferdezeitalters teile ich Kosellecks Erwartungen. Anders als er lenke ich allerdings den Blick auf die relativ schmale Übergangszone, in der sich dieser eigentümliche Auszug aus der Geschichte vollzieht. Die Geschichte der *Entpferdung*, wie Isaac Babel den Prozess nannte[11], hat ihre eigene Dauer und historische Mächtigkeit. Sie vollzieht sich als eine Folge von Ablösungs- und Transformationsprozessen, die sich über mehr als ein Jahrhundert hinzogen und in gewisser Hinsicht bis heute nicht abgeschlossen sind. Nicht nur auf Kosellecks Narrativ von 2003 lag noch der lange Schatten des Pferdezeitalters. Er liegt auch auf unseren Erzählungen, den Bildern unseres Alltags und den Figuren unserer Rede. Tatsächlich überspannt das Ende des Pferdezeitalters nicht nur einen relativ langen Zeitraum, sondern auch eine Fülle von Realien und Beobachtungen aus den unterschiedlichsten Wirklichkeitsbereichen. Kein anderes historisch-natürliches Wesen, der Mensch ausgenommen, verlangt so zwingend nach einer *histoire totale* wie das Pferd.

Zahllose Geschichten unterschiedlichster Art ließen sich erzählen, in denen das Pferd eine Hauptrolle spielte: Technikgeschichten, Verkehrsgeschichten, Agrar-, Kriegs- und Stadtgeschichten, Energiegeschichten. Aber mit diesen «realen» Geschichten der materiellen Welt drängen sogleich andere Historien herbei, die ebenfalls erzählt sein wollen: Wissens- und Symbolgeschichten, Kunst-, Ideen- und Begriffsgeschichten. Selbst jüngste Ansätze in der Geschichtsschreibung wie die *sound history*, die Geschichte vom akustischen Relief vergangener Lebenswelten, fänden im Pferd ein privilegiertes Sujet. All diese Narrative sind plausibel, all die Pferde, von denen sie berichten, hat es irgendwann gegeben, sie mögen Produkte der Zucht gewesen sein, Geschöpfe der Forschung oder Kreaturen der Kunst; keines dieser Wesen ist wirklicher oder gültiger als das andere. Ein Graffito an der Wand, eine Metapher, der Schatten eines Traums ist nicht weniger wirklich als ein Wesen aus Fleisch und Blut; von den einen wie von den anderen lebt die Geschichte – und nicht nur diejenige des Pferdes. Jules Michelet hat einmal gesagt, in seinen Anfängen sei ihm die Geschichte gleichzeitig zu wenig materiell und zu wenig spirituell erschienen. Das ist die Wette, die es anzunehmen gilt, eine Geschichte des Pferdes zu schreiben, die beides wäre, materiell und sinnlich – und gleichzeitig spirituell, heute würde man sagen intellektuell.

* * *

Am Anfang des Pferdezeitalters steht ein Paradox, gleichsam das Urparadox der ganzen Geschichte. Ein intelligentes Säugetier, der Mensch, bemächtigt sich eines anderen Säugetiers, des Pferdes. Er zähmt und züchtet es, freundet sich mit ihm an, benutzt es zu seinen Zwecken. Das Erstaunliche an der Sache ist, dass sie auch dann noch funktioniert, wenn die Zwecke des Menschen der Natur seines vierbeinigen Kollegen konträr zuwider laufen. Anders nämlich als der Mensch ist das Pferd ein *Fluchttier*. Wenn es nicht mit seinesgleichen in erotischen Belangen konkurriert (die berühmten kämpfenden

Hengste), sucht es weder Krieg noch Streit; der Instinkt für *Beute* ist dem großen Vegetarier fremd. Die *Geschwindigkeit*, mit der es seine Flucht bewerkstelligt, ist es, wodurch es sich der Bedrohung durch die Jäger und Fleischfresser entzieht. Dies aber ist genau der Punkt, durch den es die Aufmerksamkeit eines anderen Säugetiers erweckt, das Interesse des Menschen. Nicht als Proteinlieferant, ja nicht einmal als Zug- und Tragetier tritt das Pferd zuerst ins Licht und bald schon ins heiße Zentrum der Menschengeschichte. In der Funktion des Lastenbewegers verharrt es mit Ochs und Esel im Hinterhof der Geschichte, gleichsam am Lieferanteneingang. Erst als schnelles Fluchttier rückt das Pferd an die Spitze aller historischen Symbiosen von Geschichte und Natur. Ein Platz, den es, allen historischen Teilerfolgen von Kamel und Elefant zum Trotz, sechstausend Jahre lang unangefochten behaupten sollte.

Die wichtigste Leistung, die mit dem Pferd in die Geschichte kommt, ist die *Geschwindigkeit*; Oswald Spengler hat dies klar gesehen. Fast sechs Jahrtausende lang verband sich die Erfahrung starker Beschleunigung und hoher Geschwindigkeit mit dem Pferd, im arabischen Raum auch mit dem Kamel. Schnell sein hieß beritten sein – eine historische Erfahrung, die fünf Generationen nach der Erfindung des Automobils, vier nach der des motorisierten Fliegens, weitgehend vergessen ist. Das Pferd war die *Tempomaschine* par excellence; als solche ermöglichte es Herrschaft in einem territorialen Umfang, wie sie ohnedem undenkbar gewesen wäre. Dank dem Pferd ließen sich weite Territorien erobern und ausgedehnte Herrschaften errichten; mehr noch, sie ließen sich auch sichern und aufrechterhalten. Spengler nennt das, anknüpfend an Nietzsche, die *große Politik*: Mit dem Pferd war historisch die Möglichkeit da, Machtpolitik, Eroberungspolitik im großen Stil zu betreiben. Als Tempomaschine wurde das Pferd zur Kriegsmaschine ersten Ranges; als Distanzvernichter schaffte es die Möglichkeit zu potenziert erweiterten Kommunikationsräumen. Als zähmbares und züchtbares, als von Menschen lenkbares Geschwindigkeitstier, mit einem Wort: als *animalischer Vektor* wurde das Pferd zum *politischen Tier* und zum wichtigsten Gefährten des Homo sapiens.

Damit kehrt das anfängliche Paradox zurück. In seiner Vektorfunktion muss nicht selten das zivile Reit- oder Zugpferd sich in das
militärische Schlachtross verwandeln. Oft genug muss der friedliche
Grasfresser, seine Instinkte verleugnend, den Menschen ins Gefecht
begleiten und dessen Feinde in den Staub treten. Gegen seine Natur
muss das schreckhafte Fluchttier zur Inkarnation eines Schreckens
werden, der auch das Beutetier Mensch scharenweise in die Flucht
schlägt: Wer will schon unter die Räder oder vielmehr unter die Hufe
kommen? Das Fluchttier, eingesetzt als physisch überlegene Waffe im
Kampf des Beutetiers Mensch gegen seinesgleichen – dies ist die ori-
ginäre Dialektik des Pferdezeitalters, der Spannungsbogen, der dem
kentaurischen Pakt zugrunde liegt.

Verglichen mit dieser historischen Allianz waren alle anderen Bündnisse, die der Mensch in seiner Geschichte einging, fragil und ephe-
mer; nicht einmal die Beziehungen zu seinen Göttern wiesen ein vergleichbares Maß an Stabilität auf. Umso bemerkenswerter war sein
Ende: Im selben Augenblick, in dem das Bündnis seine höchste Dichte
und Virulenz erreichte, begann es unaufhaltsam zu zerfallen. Beinahe
geräuschlos und von den meisten Zeitgenossen unbemerkt löste es
sich in seine Bestandteile auf. Die große dramatische Figur zerfiel,
sechs Jahrtausende kentaurischer Gemeinschaft gingen sang- und
klanglos zu Ende. Was danach passierte, war kaum ein Satyrspiel zu
nennen: Während die eine Partei, der menschliche Teil der alten Allianz,
kurzlebige Bündnisse mit Maschinen aller Art, Automobilen, Flug-
objekten und mobilen Rechnern, einging, wechselte die andere als
Sport- und Therapiegerät, Prestigesymbol und Assistenzfigur der weiblichen Pubertät in den historischen Ruhestand. Nur gelegentlich sollte
dem Pferd noch ein Auftritt im archaischen Schreckensfach vergönnt
sein, etwa wenn es galt, demonstrierende Arbeiter niederzureiten oder
Protestierende aus den Einkaufszonen zu vertreiben.

Parallel zu seinem finalen Aufstieg und Fall erlebte das Pferd im
19. Jahrhundert eine enorme literarische und ikonografische Karriere.
Die großen Romane in diesem letzten Jahrhundert der Pferde sind,
sofern sie nicht auf hoher See, sondern auf dem Land spielen, zum
großen Teil Pferderomane; sie sind von Pferdemotiven und Pferde-

geschichten wie von Sehnen und Adern durchzogen. Das gilt selbst für die urbansten Schriftsteller jener Zeit, man denke an Stendhal, Balzac, Flaubert, Tolstoi und Stevenson. Alle großen Ideen, die das 19. Jahrhundert zu Triebkräften der Geschichte gemacht hat: Freiheit, menschliche Größe, Mitleid, aber auch die Unterströme der Geschichte, die seine Zeitgenossen entdeckten, die Libido, das Unbewusste und das Unheimliche, führen über kurz oder lang zurück zum Pferd. Natürlich ist das Pferd nicht die Sphinx. Wohl aber ist es der große Ideen- und Bildträger des 19. Jahrhunderts, sein Denkhelfer, sein Logopäde. Wann immer sie gedanklich nicht mehr weiter wissen oder emotional nicht weiter kommen, rufen die Menschen des 19. Jahrhunderts das Pferd zu Hilfe: Es ist ihr Ideenfluchttier und ihr Leidtragetier.

Im Hintergrund der Trennungsgeschichte, die ich auf den folgenden Seiten erzähle, verläuft ein Prozess der *Sublimation*. Im selben Maß, in dem unter dem Druck einer sich mechanisierenden Zivilisation die alte, solide Welt der Pferde, Kutschen und Kavalleristen sich aufzulösen beginnt, gewinnen die Pferde an imaginärer und schimärischer Präsenz: Sie werden zu Gespenstern der Moderne, und je mehr sie an weltlicher Präsenz einbüßen, umso heftiger spuken sie in den Köpfen einer Menschheit, die sich von ihnen abgewandt hat. Vielleicht ist dies der Preis, den wir für den «enormen Verlust an naiver geschichtlicher Tradition» entrichten, den Hermann Heimpel auf dem Historikertag 1956 in Ulm beklagte: «Mit jedem Pferd verschwindet ein Zustand, der unsere Zeit mit der Zeit Karls des Großen noch verbindet.»[12]

Wenn ein Zeitalter endet, kann frei nach Marx, der wieder frei nach Hegel zitiert, das historische Drama als Komödie wiederkehren. So hat auch das Pferdezeitalter im Heraufdämmern seines Endes ein letztes komisches Aufglühen erlebt. Es stammte von einem rötlichen *Roßschwanz*, der lockend auf und nieder wippte, während hinter ihm die Tür der Geschichte ins Schloss fiel. Man schrieb das Jahr 1957, soeben war die Erzählung *Homo faber* von Max Frisch erschienen. Das schwere Zeitalter der Kentauren war vorbei, das jugendliche der Schulmädchen-Amazonen in Cowboyhosen brach an, und der Autor arbeitete hart an der Kontur: «Ihr rötlicher Roßschwanz, der über den

Die alte Zeit rettet die neue vor dem Untergang: Pferde schleppen ein in Seenot geratenes Auto auf den Ostseestrand.

Geschichte im Rückspiegel: Robert Doisneau, Les Embarras des Petits Champs, Paris 1968.

Rücken baumelt, unter ihrem schwarzen Pullover die zwei Schulter-
blätter, die Kerbe in ihrem straffen und schlanken Rücken, dann ihre
Hüften, die jugendlichen Schenkel in der schwarzen Hose, die bei den
Waden gekrempelt sind, ihre Knöchel» – aber alle diese sekundären
Merkmale, Rücken, Hüften, Waden, Knöchel, sind tertiär gegenüber
dem schaukelnden Sturmzeichen, in dem sich Unschuld mit Animali-
tät verbindet. Noch werden sieben Jahre vergehen, bis mit dem Ford
Mustang das passende Gerät für den Ritt nach Westen bereitsteht.
Doch schon wippt und lockt das Geschichtszeichen, unter dem eine
alte Epoche endet und eine neue beginnt.

* * *

Die grandiosen Leistungen, die das Pferd erbrachte, solange der kentaurische Pakt hielt, geraten jetzt, im Nachpferdezeitalter, rasch in
Vergessenheit. Tatsächlich ist das Pferd nicht *la part maudite* der
Geschichte, ihre verfemte oder verworfene Seite, es ist bloß ihr verges-
sener Teil. Ein allerdings umfangreicher und komplexer Teil: Die Versuchung ist groß, sämtliche Aspekte der Pferdegeschichte in einem
Atemzug erzählen zu wollen. Sich gleichsam hineinzustürzen und treiben zu lassen, zwischen Realien und Ideen, Romanen und Remonten,
Trensen und Triebschicksalen. Ästhetisch mag das reizvoll sein, praktisch ist es nicht. Um einer gewissen Systematik willen werde ich
Geschichten, die richtiger parataktisch erzählt sein sollten, nacheinander behandeln. Das soll in vier längeren Kapiteln geschehen.

Im ersten Kapitel erzähle ich *Realgeschichten*: von Städten, Straßen
und Unfällen, von Landärzten und Kavalleristen, von Räumen, Wegen
und Energien. Im zweiten *Wissensgeschichten*: von den Figuren des
Wissens über die Equiden, Figuren, die Kenner, Züchter, Maler und
Forscher im Lauf der letzten Jahrhunderte gebildet haben, und die
heute teilweise wenn nicht ganz vergessen sind. Im dritten dann *Meta-
phern-* und *Bildergeschichten*: Repräsentationen, in denen das 19. Jahrhundert seine Ideen von Macht, Freiheit, Größe, Mitleid und Terror
entwickelt hat. In dieser Abfolge reflektieren sich die *drei Ökonomien*,
in denen das Tier seine alte, zentrale Rolle als Beweger spielte, als gro-

20

ßer Umwandler von Energie, Wissen und Pathos. Im vierten und letzten Kapitel schließlich sammle und erzähle ich *Historien* von Pferden und Menschen, die ich gehört, gelesen und erlebt habe. Ich systematisiere sie so gut ich kann, indem ich den Linien der drei Ökonomien folge, zeige, wie andere Historiker das Pferd und seine Geschichte dargestellt haben, und mache eigene Vorschläge für Erzählungen.

Welchen Dreh soll man dieser gesamten Geschichte geben? Soll man sie als Tragödie oder als Komödie erzählen? Als Aufstieg oder als Verfall? Kulturkritisch oder cool und struktural? Angesichts einer Trennungsgeschichte läge es nahe, sich für die ästhetische Form des *Abschieds* zu entscheiden. Heißt es nicht Abschied nehmen von einer humanen Lebenswelt, einer naturnahen Zivilisation, einer raffinierten Kultur, einer analogen Welt? Aber der Abschied, sagten wir, sei längst genommen, die Geschichte seit einem halben Jahrhundert definitiv beendet. Drängt demzufolge nicht alles zur dramatischen Form des *Epilogs*? Verführerisch sind beide Formen, und an ihrer Bühnenwirksamkeit besteht kein Zweifel. Dem Gefühl geben sie viel, aber wie viel geben sie der Erkenntnis? Wer wissen will, wie sich die Geschichte abgespielt und was sie uns noch zu sagen hat, hält sich im Zweifelsfall besser an offenere, brüchigere Formen. Mehr Komparatistik, weniger letzte Worte.

Für letzte Worte ist die Geschichte von den Pferden ohnehin nicht gemacht. Der Gegenstand rufe nach einer *histoire totale*, schrieb ich oben und gab damit wieder, was ich mir zu einem frühen Zeitpunkt meiner Überlegungen zurechtgelegt hatte. Wie wenig wusste ich damals von den Geistern, die ich rief! Ströme von Tinte hat das Pferd zum Fließen gebracht und einen Ozean von gedruckter Literatur entstehen lassen. Nie wird eine Synthese, wie ich sie mit diesem Buch wage, dem Labyrinth des Gedruckten entkommen; das Archiv bleibt ein ferner Traum. Das Pferd ist nicht in Troja geboren, sondern in Alexandria, es ist ein Phantom der Bibliothek, und wer sich einmal auf die Bild- und Textformen eingelassen hat, in denen es die Köpfe der Künstler, Schriftsteller und Gelehrten besetzt, ja, bis zur Besessenheit besiedelt hat, wird Mühe haben, die raue Welt der Ställe, Manegen und Weiden wiederzufinden.

Das ist noch nicht alles. Die epistemischen Probleme gehen tiefer und stellen die Möglichkeit der Darstellung selbst in Frage. Wer über zwei- oder dreihundert Jahre Pferdegeschichte schreibt, sieht sich vor dichten Schichten von Literatur über die Rolle des Pferdes in unterschiedlichen, hoch differenzierten kulturellen Kontexten. Mit jedem Schritt, den er tut, bewegt er sich über Abgründen von Forschungskontroversen, die er unmöglich überblicken, geschweige denn wiedergeben kann. Hundert Jahre Indianerforschung der nordamerikanischen Anthropologie lassen sich nicht auf einer Handvoll Seiten zusammenfassen. Schon mancher ist als Franz Boas gesprungen und als Karl May gelandet. Dieses generelle Problem der Bodenlosigkeit kennen alle Autoren historischer Synthesen, allen voran die Globalhistoriker. Mit einer Vielzahl von Fußnoten, wie ich sie meinem Text mitgebe, legt man zwar, so weit es geht, die Karten auf den Tisch. Aber die Fragen der Bewertung sind damit eher umgangen als beantwortet; weniger als eine positive Habe zeigen sie Desiderate an. Und je geschwätziger die Diskurse der Forschung und der Spezialliteraturen plappern, umso unüberhörbarer wird auf der anderen Seite das Schweigen des eigentlichen Protagonisten: Das Pferd bleibt stumm.

Le cheval n'a pas de patrie, das Pferd hat kein Vaterland, hat Marschall Ney gesagt, aber wäre es nicht an der Zeit, ihm Bleiberecht in unseren Erzählungen von der Vergangenheit zu geben? Fast zwei Jahrzehnte ist es her, dass ich auf die Idee kam, eine Geschichte des langen 19. Jahrhunderts zu schreiben, in deren Mittelpunkt nicht die üblichen Verdächtigen, von Napoleon und Metternich bis Bismarck ständen, sondern der geheime Held und Protagonist dieses Jahrhunderts – das Pferd. Damals träumte ich noch davon, der historischen Hauptperson selbst zu Wort und Stimme zu verhelfen. Dieser Traum ist nicht an der Obskurität des Gegenstandes und dem Mangel an Daten, sondern im Gegenteil am überladenen Speicher der Diskurse gescheitert. Man schreibt nie vom Stall aus, sondern immer von der Bibliothek her, und wer, wie manche einfühlsame Autoren der Pferde- und der Weltliteratur, von Théodore Sidari (*Mémoires d'un cheval d'escadron, dictées par lui-même*, Paris 1864), John Mills (*Life of a Racehorse*, 1865), Anna Sewell (*Black Beauty*, 1877) über Leo Tolstoi (*Der Leinwand-*

messer, 1886), Mark Twain (*A Horse's Tale*, 1905) und D. H. Lawrence (*St Mawr*, 1925) bis Michael Mopurgo (*War Horse*, 1982), dem Pferd die Hauptrolle oder die erste Person Singular überlässt, hat deswegen die Bibliothek noch lange nicht verlassen. Damit ist nicht gesagt, man könne der speziellen Intelligenz und dem Gefühlsleben des Pferdes nicht nähertreten; mit einigen knappen Hinweisen am Schluss versuche ich, solche Möglichkeiten immerhin anzudeuten. Mit meiner anfänglichen Hoffnung bin ich allerdings gescheitert. Mein erstes echtes Pferdebuch muss warten bis zu meiner Wiedergeburt als Pferd. Dasjenige, das der Leser jetzt in Händen hält, ist kein Pferdebuch, sondern das Buch eines Historikers über das Ende des Zeitalters, in dem Menschen und Pferde gemeinsam Geschichte machten. Wohlgemerkt, nicht schrieben, sondern *machten*, denn *geschrieben* hat immer nur der eine Teil des Paares, und ein Menschenleben reicht nicht aus, um alles zu lesen, was er über den anderen zu sagen hatte.

Lange Zeit dachte ich, ich müsste dieses Buch für die Historiker schreiben. Als ginge es darum, den Kollegen zu zeigen, welche historische Hauptperson sie all die Jahre übersehen und welche Erkenntnischance sie vertan hatten. Immer noch würde ich mich freuen, wenn einer von ihnen jetzt mein Buch läse und etwas damit anzufangen wüsste. Geschrieben habe ich es aber am Ende, um eine schöne, unbescheidene Dedikation zu zitieren, für Alle und Keinen. Auch das stimmt freilich nur zum Teil. Geschrieben habe ich es für meine Mutter, die die Pferde liebte und verstand. Ob es ihr gefallen hätte, werde ich nie mehr erfahren. Zehn Jahre sind vergangen, seit ich es sie zuletzt hätte fragen können.

DER KENTAURISCHE PAKT
ENERGIE

Wenn ich sechs Hengste zahlen kann,
Sind ihre Kräfte nicht die meine?
Ich renne zu und bin ein rechter Mann,
Als hätt' ich vierundzwanzig Beine.
Goethe, Faust I

Wie ein Wahrzeichen steht über dem 19. Jahrhundert die Figur des Kentauren. Keine andere Gestalt aus dem sagenhaften Figurenpark der Griechen verkörpert wie er die Laufrichtung eines Zeitalters, das verhext ist von den Versprechen gesteigerter Energie. Es ist die Zeit der Rossmenschen, der Mehr-als-Menschenwesen. Der Kentaur ist der Energetiker par excellence, der Unhold im Mythenzoo, ein rauer Bursche, der gern zecht und sich prügelt; wer ihn zum Essen einlädt, riskiert mehr als zerbrochenes Geschirr. In keinem anderen mythologischen Wildling steckt tiefer die immer präsente Möglichkeit der Gewalt. Eine explosive Maschine aus Tempo und Trieb, in der sich Klugheit und List des Menschen mit der Kraft und Schnelligkeit des Pferdes verbinden, wilde Streitlust mit planvollem Drang. Was sich als kentaurische Aggressivität äußert, ist pure Ausbruchsenergie. Die Frau existiert in der Welt dieses Hufnarren nur als Beute und Schnäppchen, als Sabinerin, die man packt und wegschleppt. Er mag den

Gentleman geben und galant einer Schönen die Hand reichen zum Aufstieg auf seinen Pferderücken[1], im nächsten Augenblick wird er mit ihr davontoben, dass die Funken fliegen und die Luft erzittert von erotischer Energie. In Liebesdingen hat der Kerl seit Ovids Tagen nichts dazugelernt.

Der junge Kentaur, der seines ersten Menschen ansichtig wird, macht eine enttäuschende Entdeckung. Er erblickt ein Mängelwesen, eine halbierte Portion: «Eines Tages, da ich einem Tal nachging, in das die Kentauren wenig kommen, entdeckte ich einen Menschen», heißt es bei Maurice de Guérin: «Es war der erste, der mir zu Gesicht kam, ich verachtete ihn. Das ist höchstens die Hälfte meines Wesens, sagte ich mir ... Ohne Zweifel, das ist ein Kentauer, den die Götter gestürzt haben und herabgesetzt, sich so fortzuschleppen.»[2] Der Mensch ist sich seiner Niedrigkeit und Schwäche wohl bewusst. Deshalb zähmt und züchtet, hütet und formt er Pferde, den animalischen Part seiner beweglichen Existenz. Je enger und fester der Zusammenschluss der beiden Partner, je «kentaurischer» ihre Verbindung, desto größer das Maß an Energie, Kraft und Tempo, über das der Lenker verfügt. Es konnte nicht ausbleiben, dass auch in der hereinbrechenden Dämmerung des Pferdezeitalters noch einmal eine neue kentaurische Kultur entstand: In ihren Reiterkriegen um den amerikanischen Westen haben Indianer und Cowboys – nach Mongolen, Kosaken und Mamelucken – ein letztes Mal die alte Verschmelzungsphantasie in die Wirklichkeit getragen. Und wie nebenher Generationen von Kinderhirnen kolonisiert.

Der Diskurs über das bevorstehende Ende des Reitens und Reisens mit Pferden setzt früh ein, ein Menschenleben, bevor das erste Automobil zögernd auf die Straße rollt. Die Ursache für den Diskurs ist eine Katastrophe, sein Auslöser eine Erfindung. 1815 hatte der Ausbruch des Tambora, eines Vulkans östlich von Bali, den Himmel zunächst über der südlichen, im folgenden Jahr auch über der nördlichen Hemisphäre so gründlich verdunkelt, dass es zu einem Temperatursturz und einer Serie von Missernten kam. Die Folgen waren Hungersnöte und steigende Haferpreise: «Die Pferde konkurrierten um das knappe Getreide und Heu und wurden notgeschlachtet und verzehrt oder verendeten aus Futtermangel.»[3] Dies war, wie der Technikhistoriker Hans-Erhard Lessing eindringlich dargelegt hat, die Stunde des Erfinders: 1817 präsentierte Karl Drais das erste Modell seiner «Laufmaschine», von ihm selbst als «Fahrmaschine ohne Pferd» beschrieben und von vornherein dazu gedacht, den alten kentaurischen Pakt, einseitig geschlossen, wie er war, einseitig aufzukündigen. Einmal in die Welt gesetzt, sollte der Diskurs über das bevorstehende Ende des Pferdezeitalters nie mehr gänzlich verstummen; Erfindergeist und Technikphantasien hielten ihn am Leben, bis gegen Ende des 19. Jahrhunderts die realen Ablösungs- und Ersetzungsprozesse, sowohl durch Elektro- wie durch Verbrennungsmotoren, einsetzten und rasch an Dynamik gewannen.

Den Abgesang auf die alte, nunmehr versunkene Pferdewelt veröffentlichte im Jahr 1935 unter dem Titel *Reiterbuch* ein seinerzeit unbekannter Autor. Es war Alexander Mitscherlichs Erstling. Der junge Mann, aus der Entourage Ernst Jüngers kommend in diejenige Ernst Niekischs gewechselt, verklärte die «Gestalt» des Reiters und folgte dem Zug seiner wechselnden Erscheinungen durch die Jahrtausende. Über allen Gipfeln lag der Glanz historischer Abendröte und der süße Ton der Elegie: «Es ist nicht mehr das Licht der großen Bühne, das heute auf Roß und Reiter fällt ... Ihr Marschrhythmus ist verklungen. Die Spuren der Hufe sind verweht. Klein ist die Domäne des Pferdes geworden. (...) In neuen Spuren geht der Mensch, seit er sich den Takt der Motoren zugesellt.»[4]

Mitscherlichs geschichtliche «Schau» mündete in eine Kritik der maschinellen und motorisierten Zivilisation. Im Gegensatz zu den «ewigen Werkzeugen» des Menschen wie Schwert und Ross, in denen dieser die natürliche Erweiterung und Steigerung seiner Kräfte, «Eingebung seines *ursprünglichen* Denkens»[5], gefunden hatte, beraubte die Maschine den Menschen seines lebendigen Ausdrucks: «... der Mensch (gibt) den Ausdruck und die Bewegung seiner Gestalt an ihre Neutralität ab, versteckt sich *in* der Apparatur.»[6] In den «Totalprothesen» der Gegenwart hockte ein sich selbst entfremdetes, geschwächtes Wesen: «... je zahlreicher die Prothesen in Dienst genommen werden, desto schwächer wird die Gestalt selbst, der sie dienen.»[7] Mitscherlichs Epilog auf den Reiter, der vom Ross gestiegen und in der Kabine seiner Fahrzeuge verschwunden war, gehörte nach seinen Stichworten und Denkfiguren – Technik als Prothetik, Neutralität der technisch generierten Energie, Entmachtung des Subjekts – in den Kontext konservativer Kultur- und Technikkritik um 1930. Eine Fußnote zu Jüngers *Arbeiter* – und gegenüber dessen aggressiver Technovision ein sentimentales Kalenderblatt.

Wenn ich auf den folgenden Seiten beschreibe, wie sich die Ersetzung des animalischen Energielieferanten Pferd und der auf ihn zentrierten Systeme (Ernährung, Transport, Verkehr, Militär...) in verschiedenen Lebenswelten *realgeschichtlich* abspielte, werden Elegie und Kulturkritik nicht den Ton angeben. Die Auflösung des kentaurischen Pakts geht nicht einher mit dem völligen Verschwinden der Pferde.[8] Im Gegenteil, seit dem historischen Tiefstand des Jahres 1970 mit 250 000 Pferden ist deren Zahl in Deutschland wieder angestiegen und wird heute auf über eine Million geschätzt. Ebenfalls über eine Million Männer und Frauen in Deutschland treiben regelmäßig Pferdesport – mit einer signifikanten Asymmetrie zugunsten der Frauen und der Mädchen. 300 000 Menschen arbeiten in Deutschland in der Pferdewirtschaft. Sie verdienen ihr Geld mit der Zucht von Pferden, ihrer Haltung, Heilung, Ausbildung und Pflege. Sie verkaufen Ausrüstungsstücke, erteilen Reitunterricht, organisieren Turniere und Reiterferien, sie schreiben für Pferdezeitschriften: Zwei Dutzend Periodika für Ross und Reiter hat die durchschnittliche Bahnhofsbuchhandlung im Angebot. Nicht zu vergessen das Fach Pferdewissenschaft, das man an mehreren Hochschulen der Bundesrepublik studieren und in Berlin, Osnabrück und Nürtingen mit dem Bachelor, in Göttingen sogar mit dem Master abschließen kann.

Außer für diejenigen, die von der Pferdewirtschaft leben, hat dieses sportliche und zärtliche Nachleben des Pferdezeitalters seinen historischen Ernst verloren. Die Verbindungen zwischen Menschen und Pferden, die heute eingegangen werden, sind Liebesbeziehungen, Herzensgemeinschaften und Sportskameradschaften. Demgegenüber war der kentaurische Pakt aus härterem Holz geschnitzt. Es war ein Bund der alten Art, den noch das Gesetz der Notwendigkeit regierte. Menschen und Pferde waren Schicksalsgefährten – bis zu dem Tag, an dem sie beschlossen, in Zukunft getrennte Wege zu gehen. Wie es dazu kam und was danach geschah, wird Gegenstand der folgenden Seiten sein.

Die Pferdehölle

Seit wir die Eisenbahnen haben, laufen die Pferde schlechter.
Fontane, Der Stechlin

Dreisatz mit Dante

Als der seit langem todkranke Schiller im Mai 1805 stirbt, hinterlässt
er eine lange Reihe unausgeführter Dramenprojekte. Eines der geplanten Stücke trägt den Titel *Die Polizey*. Schauplatz des Trauerspiels ist
das vorrevolutionäre Paris, eine gigantische Szenerie der Überwachung
von Menschen und der Kontrolle von Information. In ihrem Mittelpunkt steht das Büro des allmächtigen Polizeichefs. Sein eigentlicher
Gegner ist nicht die Schattenwelt des Verbrechens, sondern die Intrige
der nächtlichen Stadt. Paris, die Bühne des Geschehens, wird zum
übermenschlich großen Mitspieler in diesem Drama. Wie in den meisten Plänen des Frühverstorbenen hat auch im Polizeiprojekt die Arbeit
der Poesie noch nicht begonnen, kein Vers ist überliefert. Wie das
Skelett eines Stückes liegt die Prosaskizze da, umschwirrt von Exzerp-
ten, drapiert mit Lesefrüchten und bizarren Funden. Einer der schönsten lautet: *Paris der Frauen Paradies, der Männer Fegefeuer, Hölle der
Pferde.*[9]

Friedrich Schiller hat den einprägsamen Dreisatz nicht erfunden,
nur seinen Rhythmus leicht verändert. Louis-Sébastien Mercier, den er

zitiert, spricht von *le paradis des femmes, le purgatoire des hommes &*
l'enfer des chevaux.[10] Für sein Parisdrama findet der Dichter in Merciers *Tableau de Paris* einen unerschöpflichen Fonds an Zitaten und
Beobachtungen. Das modern wirkende Bild des Polizeiapparats als
große Maschine übernimmt er aus Mercier, ebenso das der Stadt als
Moloch, dessen eigentliches Medium die Nacht ist. Dass Schiller den
demographischen Kontext von Merciers Aperçu nicht übersehen hat,
zeigt sich schon im nächsten Satz seiner Notizen: *Mortalität zu P. jährlich 20 000.*[11] Auch das stammt von Mercier, der unter der Überschrift
Population de la capitale den Nachweis führt, dass die Männer in
Paris früher und jünger sterben als die Frauen. Deswegen, so Mercier,
spricht das kleine Volk von Paris als dem Paradies der Frauen und
dem Fegefeuer der Männer. Schneller als diese sterben nur die Pferde
und die Fliegen.

Auch Mercier hat das schöne Zitat nicht erfunden. Schon zwei
Jahrhunderte vor seiner Zeit war der Dreisatz von den Frauen, den
Pferden und den Männern geläufig. Allem Anschein nach taucht er
1558 erstmals bei Bonaventure Des Périers auf. In der 31. Novelle seiner postum veröffentlichten *Nouvelles récréations et joyeux devis* heißt
es, Paris sei «das Paradies der Frauen, die Hölle der Maultiere und das
Fegefeuer der Bittsteller.»[12] Gegen Ende des 16. Jahrhunderts sorgt
John Florio in seinen *Second Fruits* erstmals für die klassische Rol-
lenverteilung: das Paradies den Frauen, das Fegefeuer den Männern,
die Hölle den Pferden.[13] Und wieder dreißig Jahre später, 1621, holt
Robert Burton das Paradies der Frauen und die Hölle der Pferde zurück nach England, um sein Land mit Italien zu konfrontieren, wo
alles umgekehrt ist und das Paradies den Pferden gehört.[14] Aber erst
Mercier bringt das einprägsame Wort so recht in Verbreitung. Dante
ist immer rasch zur Stelle, wenn die Hölle an die Wand gemalt wird,
und das Trikolon haftet im Gedächtnis. Doch die Kunden bedienen sich
in selektiver Weise. Der Hamburger Domherr F. J. L. Meyer, der nach
seiner Frankreichreise 1802 *Briefe aus der Hauptstadt und dem Innern
Frankreichs* erscheinen lässt[15], rühmt die Qualität der Polizei und beklagt die Lage der Pferde namentlich in der Stadt Paris. Man fahre dort
sehr billig, aber Pferde und Geschirr seien elend. Frauen, Männer,

Wilde Energien: Kentaurin, Federzeichnung von Eugène Fromentin.

«*Winters und sommers ritt Tolstoi häufig aus. Morgens arbeitete er, trank Kaffee, dann trat er aus dem Haus, raffte mit geübter Hand die Pferdemähne am Widerrist mit den Zügeln zusammen, stieg in den Steigbügel, warf ein Bein über den Pferde- rücken und saß leicht und elastisch auf. – Kramskoi sagte, Tolstoi zu Pferde sei der schönste Mann von allen, die er gekannt habe.*» *(V. Schklowski, Leo Tolstoi). Tolstoi auf seinem Pferd Demir, 1908.*

Sterblichkeit, der ganze demographische Kontext ist von der Bildfläche verschwunden, geblieben ist das Elend der Pferde, das fortan als Topos durch die Parisliteratur des 19. Jahrhunderts wandert.

So taucht es auch bei Eduard Kollof wieder auf, dem Pariser Korrespondenten von Cottas *Morgenblatt für gebildete Leser*, der im Jahr 1838 über «Das Pariser Fuhrwesen» berichtet und mit einem Bild des Höllenverkehrs in der Hauptstadt einsetzt: «Wenn man die Masse von Wagen sieht, welche von Morgens früh bis Abends spät unablässig in den Straßen von Paris herumrollen, so wundert man sich über Eins, daß man nämlich auf den Trottoirs noch Fußgänger antrifft. Cabriolets, Fiaker, Delta's, Lutetiennes, Tilbury's, Kaleschen, Kutschen, Coupé's, Landau's, Einspänner, Zweispänner, Postchaisen mit vier Pferden, Diligencen mit sechs Pferden – dies Alles fährt Tag und Nacht in, unter, durch, an und auseinander, bricht die Achsen, wirft um und veranlasst tausend Unfälle in der Hauptstadt Frankreichs, welche seit langer Zeit *Frauenparadies* genannt wird, mit mehr Recht aber ihren anderen Beinamen, *Pferdehölle*, verdient und ganz füglich auch *Fußgängerhölle* heißen könnte.»[16]

Auch arabischen Diplomaten und Schriftstellern ist die Parole von der Pferdehölle geläufig. Zu ihnen gehört der Wesir Idriss ibn Muhamed al-'Amraoui, der sich im Jahr 1860 als Emissär des Sultans Mohamed IV. (1859–1873) an den Hof Napoleons III. begibt. Amraoui übernimmt die Formel von einem gelehrten Vorgänger, dem ägyptischen Scheich Rifa'a Rafi'a al-Tahtawi, der einige Jahre früher Frankreich bereist hat.[17] Der Wesir interessiert sich nicht für die Demographie von Paris und wenig für die Verkehrsverhältnisse in der Kapitale. In seinen Augen bringt die Formel vom *Paradies der Frauen* und der *Hölle der Pferde* etwas Anderes, Wichtigeres auf den Punkt: die Herrschaft, die die Frau innerhalb des Hauses ausübt, und die manchmal sogar über dessen Mauern hinausreicht.[18] In der Macht der Frau wittert der Orientale eine kulturelle Gefahr, die es ratsam erscheinen lässt, auf Distanz zum Okzident zu halten. Die Pferde der Franzosen hingegen streift der Kennerblick des Arabers mit Herablassung: «So hervorragende Pferde wie bei uns haben wir dort drüben nicht gesehen.»[19]

Leise Berührungen

Merciers Panorama von Paris, das in den achtziger Jahren des 18. Jahrhunderts, kurz vor der Revolution, entsteht, besteht aus zahlreichen Prosastücken oder Essays, die sich wie Bildbeschreibungen lesen. Kaleidoskopisch zerfällt das Ganze in eine Reihe von Einzelbildern, die allesamt von Unruhe erfüllt sind, Geschrei, Gedränge, Hektik, Gestik, gelegentlich Geruch und Ausdünstung. Wie auf den Wimmelbildern in Kinderbüchern meint man in Merciers Detailaufnahmen Figuren wiederzuerkennen, vertraute Gesichter, bekannte Szenen. Darunter ist auch ein heimlicher Protagonist des *Tableau de Paris*. Man begegnet ihm in jedem Winkel des verschachtelten Stadtbildes, gleichgültig wie das jeweils angeschlagene Thema des Essays heißt, Geist, Luxus, Ökonomie, Zustand der Stadt oder Sitten und Gesundheit seiner Bewohner. Wie immer die Rubrik heißt und wovon die Rede ist, unvermutet taucht das Pferd auf.

In diesen Augenblicken wird Merciers großes Stadtbild zum Roman zweier Spezies, die sich einen gemeinsamen Raum teilen. Aus dem *Tableau* wird die Fabel von den *grandeurs et misères* einer überaus engen Lebensgemeinschaft. Man spricht von einer *Biozönose,* wenn mehrere Arten zusammen auf einem Raum, in einem Biotop leben. Im vorliegenden Fall sind es nur zwei Arten, die sich das Biotop teilen, alle anderen Mitbewohner, Hunde, Katzen, Ratten, Tauben, spielen historisch gesehen kaum eine Rolle. Im Raum der Stadt realisiert sich das Zusammenleben von Menschen und Pferden als *ménage à deux*. Freilich leben auch auf dem Land Mensch und Tier aufs Engste zusammen, sie tun das seit alters her und sogar unter einem Dach, in Hausgemeinschaft oder *Synoikismos*. Doch in der Hütte des Bauern ist das Pferd nicht der einzige Hausgenosse des Menschen. Kühe, Ochsen, Schafe, Ziegen, Schweine, Gänse und Hühner tun es ihm gleich, von den Mäusen, Läusen und anderen Parasiten ganz zu schweigen. Oft ist das Leben von Menschen und Tieren nur durch eine dünne Wand geteilt; man hört einander essen und sprechen, man riecht einander und verjagt dieselben Fliegen. Die Stadt mit ihrer reduzierten Artenvielfalt scheint Menschen und Pferden größeren Abstand zu gewähren. In Wahrheit schweißt sie sie enger zusammen und oktroyiert ihnen eine gemeinsame Lebenswelt. Sie verbindet die beiden Stämme ihrer Bewohner in einer gemeinsamen Schicksalsfigur.

Das geht nicht ohne Reibungen und Widerstände. Die Parisberichte des ausgehenden 18. und des 19. Jahrhunderts hallen wider von Klagen über Enge und Gestank der Stadt, die Gefahren für den Fußgänger, den Lärm der von Pferden gezogenen Fuhrwerke. Noch heute kann man in Europa erfahren, wie eine von Pferden mitbewohnte Stadt aussieht und riecht; in Wien und Rom gibt es Plätze, auf denen Fiaker mit dösenden Pferden auf die Touristen warten. Aber wer stellt sich vor, wie eine Stadt des 19. Jahrhunderts ausgesehen und wie sie geklungen hat? Jeder weiß, wie sich das Moped des Zeitungsboten auf der nächtlichen Straße anhört, das Kreischen der Straßenbahn, das Hupen der Taxis und das Sterbelied abbremsender Busse. Aber wer stellt sich vor, wie Peitschenknallen, Wagenräder und Hufeisen auf Kopfsteinpflaster klingen, in den frühen Morgenstunden, wenn der Schlaf dünn und flüchtig ist? Der Lärm der Stadt wird unerträglich, wenn die beiden Spezies, Pferde und Menschen, einander zu nahe kommen, wenn rohe Kutscher auf ihre müden Zugtiere eindreschen. Arthur Schopenhauer hat das Peitschengeknall als «den unverantwortlichsten und schändlichsten Lerm» denunziert, der die Meditation des Kopfarbeiters zerstöre: «Dieser plötzliche, scharfe, hirnzerschneidende und gedankenmörderische Knall muß von Jedem, der nur irgend etwas, einem Gedanken Ähnliches im Kopfe herumträgt, schmerzlich empfunden werden ... Die durch dasselbe beabsichtigte psychische Wirkung auf die Pferde ... ist durch die Gewohnheit, welcher der unablässige Missbrauch der Sache herbeigeführt hat, ganz abgestumpft und bleibt aus: sie beschleunigen ihren Schritt nicht danach; wie besonders an leeren und Kunden suchenden Fiakern, die, im langsamsten Schritt fahrend, unaufhörlich klatschen, zu ersehn ist: die leiseste Berührung mit der Peitsche wirkt mehr.»[20]

Das Getöse der Pferde, Kutschen und Wagen liefert den Rhythmus, in dem die Stadt erzittert. Mercier beschreibt, wie sich zu jeder Stunde des Tages das Geräusch der Stadt verändert. Vom frühen Morgen an ändert sich ihr Klangdiagramm beinah im Stundentakt. Am schlimmsten wird der Krach gegen fünf Uhr nachmittags, wenn alles umeinander fährt und auseinander strebt und sämtliche Straßen verstopfen. Um sieben Uhr abends erlischt der Lärm, die Stadt wird still. Die Arbeiter gehen zu Fuß nach Haus, aber schon um neun hebt der Lärm von neuem an, jetzt fährt der Bourgeois ins Theater. Gegen Mitternacht ist wieder Stille, zerrissen nur vom Geräusch der Kutschen derer, die nicht spielen, sondern heimkehren. Um ein Uhr nachts fallen sechstausend Bauern in die Stadt ein, mit ihren Ladungen von Gemüse, Früchten, Blumen. Von zwei Uhr an reißen die Wagen und Kutschen der spät nächtlich Heimkehrenden die Pariser aus dem Schlaf …²¹ Aus Mercier klingt freilich nicht nur das Poltern der Karossen und der Trott der Hufeisen auf dem Pflaster, sondern auch die erwachende Empfindlichkeit des Stadtbewohners gegen den Lärm, den die Masse seiner tierischen Mitbewohner verursacht.²² An dieser Skandierung des Lebens durch den Lärm wird sich lange Zeit nichts ändern. Als Emile Zola hundert Jahre später den *Bauch von Paris* schreibt, hat der Krach, der Tag und Nacht die Hallen umgibt, immer noch dieselbe infernalische Qualität, und auch die, die ihn erzeugen, sind immer noch dieselben.

Der dreizehnte Franzose

Am 18. Januar 1766 kommt es am Rand der Place des Victoires zu einem Streit zwischen einem Droschkenkutscher und einem vornehmen Herrn, dessen Folgen die Polizei untersuchen und das Archiv festhalten wird.²³ Der Kutscher hat angehalten, um seinen Kunden aussteigen zu lassen; der Herr sieht sich und seinen Einspänner an der Weiterfahrt gehindert, entbrennt im Zorn, steigt aus dem Wagen, schlägt die Pferde mit dem Degen und sticht eines in den Bauch. Am Ende muss er für den angerichteten Schaden zahlen und für die Pflege des verletzten Pferdes aufkommen. Ein juristisches Dokument wird ausgefertigt, und der Jähzornige unterschreibt mit einem Namen, der im Gedächtnis der Nachwelt jede Grausamkeit beglaubigt: Marquis de Sade.

Bereits um die Mitte des 18. Jahrhunderts ist Paris die Hauptstadt der Pferde. Der politische, ökonomische und kulturelle Aufschwung, zu dem Paris ansetzt und der durch die Revolution kurz unterbrochen, dann aber nachhaltig gefördert wird, ist ohne eine hohe Zahl von Pferden in der Kapitale nicht denkbar. Das Pferd ist gleichsam die ökonomische und energetische Voraussetzung für alles, was sich in Paris jetzt erstmals zeigt und die Welt staunen macht, die neuen Formen symbolischer Politik und realer Kriegführung, die Ausübung kultureller Hegemonie, die rasche Zirkulation von Geld, Waren und Nachrichten, die Ausbreitung von Künsten und Moden und die Zurschaustellung von Reichtum und Lebensart. Knapp 80 000 Pferde bevölkern auf dem Höhepunkt der Pferdezeit um 1880 die Stadt.[24] In ihrer Kapitale spiegelt sich eine an Pferden reiche Nation: 1789, am Vorabend der Revolution, grasen auf den Weiden Frankreichs knapp 2 Millionen Pferde; bis 1850 ist ihre Zahl auf fast 3 Millionen gestiegen, ein Niveau, das mit geringen Schwankungen bis zum Ersten Weltkrieg erhalten bleibt.[25] Ohne den Verlust Elsass-Lothringens hätte Frankreich am Vorabend des Weltkriegs geschätzte 3,8 Millionen Pferde besessen. Freilich hat auch die menschliche Bevölkerung mitgezogen, von 36,5 Millionen im Jahr 1852 ist sie auf 41 Millionen im Jahr 1906 angestiegen.[26] Die Ratio von Pferd und Mensch, das Verhältnis der Spezies zueinander hat sich unterdessen nur um Promillpunkte verändert. Immer noch ist jeder dreizehnte Franzose ein Pferd.

Damit steht Frankreich keineswegs an der Spitze der nationalen Pferdepopulationen. In Großbritannien kommt im 19. Jahrhundert ein Pferd auf zehn Einwohner, in den USA beträgt das Verhältnis 1:4 und in Australien 1:2. In London leben gegen Ende des 19. Jahrhunderts 300 000 Pferde.[27] Obwohl die Stadt des 19. Jahrhunderts einen höheren Verbrauch an Pferden entwickelt als je ein Ort zuvor in der Geschichte, liegt die Zahl der Pferde pro Bewohner in den dicht besiedelten Agglomerationen niedriger als auf die Gesamtheit der Nation gerechnet. Auch zwischen den Städten ergeben sich Unterschiede, wie sich etwa in den USA zeigt: Die locker gestreuten, rural geprägten Städte des Mittleren Westens weisen eine weit höhere Rate an Pferden auf als die stark verdichteten Metropolen der Ostküste.[28] Doch selbst da, wo die Ratio bei «nur» 26.4 Einwohnern pro Pferd liegt, wie in New York im Jahr 1900, sind die absoluten Zahlen immer noch verblüffend. Man stelle sich vor, was es für das Leben in einer Stadt wie Manhattan bedeutete, dass dort gleichzeitig 130 000 Pferde arbeiteten.[29] Was mochte der Passant empfinden, der eines Tages den Broadway in New York verstopft fand mit toten Pferden und ineinander verkeilten Fahrzeugen?[30] Wie roch eine Stadt, auf die, wie auf New York um 1900, die Pferde täglich 1100 Tonnen Mist und 270 000 Liter Urin niedergehen ließen, und aus der jeden Tag zwanzig Pferdekadaver abtransportiert wurden?[31] Noch höher sind die Zahlen für das ungleich größere London: 26 000 Pferde jährlich werden von der Abdeckerei zu Katzenfutter und Dünger verarbeitet.[32] Fotos aus der damaligen Zeit vermitteln nur ein blasses Abbild von der Enge des Zusammenlebens, zu dem die Stadt des Fin de siècle die Arten der Menschen und der Pferde zwang (S. 41 u. 53).

Das Leben der einen Spezies ist der Tod der anderen. Für die Pferde, die in ihr leben und von ihr verbraucht werden, ist die vom Sturm der Mechanisierung erfasste Stadt des 19. Jahrhunderts kein gesundes Milieu. Ihre Muskeln, Sehnen und Hufe, ihre Gelenke sind der Schwere der Traktionsarbeit, die der städtische Verkehr ihnen aufbürdet, nur wenige Jahre gewachsen, dann werden sie weiterverkauft an Gewerbe mit leichterer Last oder kehren für ihre letzten Jahre zurück aufs Land. Stadtpferde rücken im Alter von fünf Jahren ein und haben eine durchschnittliche Lebensdauer von zehn Jahren. Das gilt für Omnibuspferde; Trampferde sind schon nach vier Jahren erledigt.[33] Für viele kommt das Ende schon früher durch dauernde Lahmheit, ein tristes Schicksal, das die Kugel des Veterinärs beschließt. Zwischen 1887 und 1897 erschossen die Angestellten der New Yorker ASPCA (*American Society for the Prevention of Cruelty to Animals*) jährlich zwischen 1800 und 7000 Pferde. Anders als es der landläufigen Vorstellung entspricht, bleibt das tote Tier nicht im Rinnstein liegen; auch seine Entsorgung ist mechanisiert: Eine mit Pferdekraft betriebene Winde zieht es auf einen Karren, auf dem es, von einer Plane zugedeckt, abtransportiert wird.[34] In den Städten europäischer Länder, in denen Pferdefleisch gegessen wird, sieht man häufig Gruppen von Pferden, viele auf drei Beinen hinkend, auf dem Weg zum Schlachthaus. In Frankreich pflegen die Besitzer ihre zum Schlachten vorgesehenen Pferde zu scheren, um sich das Rosshaar zu sichern. In Paris wächst seit der Mitte des Jahrhunderts die Empörung der Bevölkerung über den trostlosen Anblick der kahl geschorenen Pferde auf ihrem letzten Weg.[35]

Der steigende Verbrauch an Pferden, den die Ausweitung und Mechanisierung des städtischen Verkehrs nach sich zieht, verändert auch das Verhältnis der Stadt zum umliegenden Land. Nicht länger nur Lieferanten von Gemüse, Fleisch und Milch für den Konsum der menschlichen Population der Stadt, sehen sich die Bauern im Umland der Städte im Lauf des 19. Jahrhunderts zunehmend in die Ernährung und Zucht von Pferden eingespannt: In den Erfordernissen der Pferdewirtschaft entdecken sie neue, lukrative Geschäftszweige. «Eine auf Pferden beruhende Ökonomie», so die amerikanischen Historiker McShane und Tarr, «verlangte eine enorme Zufuhr von Land, Arbeitskraft und Kapital. (...) Die von Pferden getriebene Ökonomie benötigte gewaltige Flächen Land, sowohl als Weideland vor der Abwanderung der Tiere als auch zum Futteranbau danach.»[36] Die drei Millionen Pferde, die im Jahr 1900 die Städte der Vereinigten Staaten bevölkern, verzehren an die 8 Millionen Tonnen Heu und fast 9 Millionen Tonnen Hafer jährlich. Um das Futter zu erzeugen, werden um die 12 Millionen Acre Land beansprucht, etwa vier Acre pro Pferd.[37]

Nicht nur der innerstädtische Verkehr lässt den Bedarf an Pferden steigen, auch auf dem Land läuft seit dem Ende des 18. Jahrhunderts das Pferd endgültig dem Ochsen und dem Esel den Rang als Hauptlieferant animalischer Zugkraft ab. Die Hauptgründe dafür sind neben dem Ausbau und der Verbesserung des Straßennetzes und -belages[38] auch die Verbesserung der Fahrzeuge (Wagen, Kutschen) und der agrarischen Werkzeuge, namentlich des Pfluges und der Egge, später auch der Mähwerkzeuge. Geschwindigkeit ist zum wichtigsten Faktor der Ökonomie geworden, Zeitersparnis gleichbleibend mit Gewinn. Dank seiner Schnelligkeit kann das Pferd wettmachen, was ihm der Ochse an Zugkraft und Genügsamkeit voraushat. Den von jetzt an beständig wachsenden Bedarf an Pferden deckt eine ebenfalls steigende Zahl an Gestüten und Höfen, die sich auf Pferdezucht spezialisieren. Um die

Mitte des 19. Jahrhunderts steht die Pferdezucht im Mittelpunkt des Agrarsystems der meisten europäischen und nordamerikanischen Länder. Kein anderes landwirtschaftliches Produkt, ob Fleisch, Getreide oder Wolle, hat einen vergleichbar hohen systemischen Wert.

Das Pferd liefert etwas, was für die Ökonomie der Moderne wichtiger und elementarer sein wird als Eiweiß, Kohlehydrate oder Textilien, es liefert Energie. In reiner, unmittelbar abrufbarer Form, die keiner weiteren Transformation, keiner Übersetzung mehr bedarf. Wenn nach Michel Foucault das *régime scolaire* den Scholaren produziert, den Schüler oder Studenten, und das *régime pénitentiaire* den Häftling des modernen Strafsystems, so produziert das moderne Agrarregime neben dem bekannten Repertoire an Proteinen, Fetten und Kohlehydraten vor allem animalische Bewegungsenergie. Mit dem 19. Jahrhundert wird das Pferd zu deren wichtigstem Lieferanten. Die Energiemaschine Pferd liefert die Traktionsenergie, die das moderne Transport- und Verkehrssystem, namentlich in den expandierenden Städten, voraussetzt. Freilich hat die Zähmung und Züchtung eines zweiten habilen Tiers neben dem *homo habilis* auch ihren Preis, sie hat soziale und technische Voraussetzungen.

Pannen im System

Paris, die Hauptstadt des 19. Jahrhunderts, ist auch die Kapitale des Verkehrs: Kein Wunder, dass so viel von Unfällen die Rede ist: Wer vom Verkehr redet, spricht über kurz oder lang vom Unfall. Gleichgültig, wer oder was die Bewegungsenergie liefert, Pferd, Ochse, Lokomotive oder Verbrennungsmotor, immer steht der Unfall im Fluchtpunkt der Texte, die von den technischen Mitteln, den Kosten und Risiken der Fortbewegung handeln. Es beginnt mit Ikarus und endet nicht mit der Concorde: Jede Art der Fortbewegung bringt ihre Risiken und ihre spezielle Sorte von Unfällen mit sich. In der Geschichte der Technik hat jede Epoche ihr eigenes Kapitel «Von der Wahrheit». Darin spricht sie vom Unfall: Als enthülle sich in der Kollision, in der Havarie, im Absturz des Systems das wahre Wesen einer Technik.

Wieder bietet sich Mercier als früher und ergiebiger Gewährsmann an. «Die Fuhrwerke und die Berittenen verursachen zahlreiche Unfälle», schreibt er in dem Stück *Gare! Gare!*[39], «um die sich die Polizei nicht im geringsten schert.»[40] Um sich als Kritiker des Verkehrswesens zu legitimieren, schöpft Mercier aus eigenen Erfahrungen. Er hat einer der frühesten (jedenfalls der Überlieferung nach) innerstädtischen Massenkarambolagen beigewohnt: «Ich habe die Katastrophe vom 28. Mai 1770 gesehen. Sie wurde von einer Masse von Fahrzeugen verursacht, welche die Straße verstopften, über die sich der ungeheuerste Menschenstrom ergoss, eine gewaltige Masse im schwachen Licht der Boulevards. Um ein Haar hätte ich dabei mein Leben verloren. Zwölf bis fünfzehn Personen sind ums Leben gekommen, entweder auf der Stelle oder an den Folgen dieses schrecklichen Drucks. Dreimal wurde ich zu Boden geschleudert, jedes Mal von einer anderen Kutsche, und beinahe wäre ich lebendigen Leibes gerädert worden.[41]»

Nicht die Kriminalität eines Teils ihrer Bewohner macht die Stadt des ausgehenden 18. und des 19. Jahrhunderts zu einem gefährlichen Ort, sondern der forcierte *Kentaurismus,* der Straßenverkehr mit Pferden, das erzwungene enge Zusammenleben von Menschen und Pferden. Im Lauf des 19. Jahrhunderts steigt die Zahl der von durchgehenden Pferden, umstürzenden Wagen, Karambolagen und zu schnellem Fahren verursachten Unfälle in den Städten und auf den Landstraßen beständig an. Im Jahr 1867 fordert der auf Pferdekraft beruhende Straßenverkehr in New York im Schnitt wöchentlich vier Todesopfer und vierzig verletzte Fußgänger; auch in anderen Kapitalen liegt die Unfallrate weit über der im heutigen Autoverkehr üblichen.[42] Noch zu Beginn des 20. Jahrhunderts, als schon das Automobil auf die Straßen drängt, gehen die Unfälle überwiegend auf den Gebrauch und Missbrauch von Pferden zurück. 53 Prozent der Unfälle, die im Jahr 1903 in Frankreich registriert werden, werden von Pferdefuhrwerken verursacht, ein Drittel in den Städten, zwei Drittel auf den Landstraßen.[43] Berechnungen für die Vereinigten Staaten um die Jahrhundertwende gehen von jährlich 750 000 Unfällen und ernsten Schäden aus.[44] Die Literatur des 19. Jahrhunderts, namentlich die Stadtbeschreibungen

Broadway bei Regen, 1860.
Foto E. Anthony.

Paradies der Frauen, Fegefeuer der Männer, Hölle der Pferde: Paris um 1880.

und die Reiseliteratur, hallt wider von Klagen über rücksichtslose Fahrer, besoffene Kutscher, umstürzende Wagen, verletzte Passanten und zu Tode geängstigte Reisende. Nicht der Räuber ist der schlimmste Feind des Reisenden, sondern sein bester Freund, das Pferd.

Aber das Tier ist nicht der wahre Verursacher des Unfalls. Es ist das *System* des auf Pferdekraft beruhenden Verkehrs. Zu ihm gehören Menschen (Kutscher, Reiter, Reisende, Fuhrunternehmer und Polizisten) ebenso wie Fahrzeuge, Geschirr und anderes Gerät. Eine nicht unerhebliche Rolle spielen überdies das Netz der Wege und Straßen, ihr Zustand sowie die Kontrolle der Tempi der bewegten Teile innerhalb des Systems. Wer zu den Ursachen des Unfalls vordringen will, muss das *kentaurische System* als Ganzes sehen, muss die sämtlichen Teile des Ensembles Pferdeverkehr einzeln und in ihrem Zusammenspiel, in ihrer Artikulation betrachten. Das beginnt mit der Natur der Tiere. Pferde sind unruhige Fluchttiere, sie scheuen leicht und geben ihrem Fluchtreflex nach. Eine plötzliche Bewegung am Rand ihres Gesichtsfelds, verursacht durch ein anderes Tier, eine vom Wind aufgewirbelte Zeitung, und schon ist es passiert: Das Pferd scheut, verliert den Kopf, geht durch. Das Durchgehen eines Pferdes kann fatale Folgen haben, zumal im Gedränge der Stadt und wenn andere Pferde sich anstecken lassen. Der größte Pferdeverkehrsunfall in der Geschichte New Yorks im Jahr 1823 geht auf eine in Kettenreaktion ablaufende Pferdepanik zurück.[45]

Man muss die Pferde an den Verkehr und an die Stadt gewöhnen, so wie man sie in anderem Zusammenhang an Gewehrfeuer und Kanonendonner gewöhnt. Aber nicht nur das Tier bedarf neben seiner Züchtung einer speziellen Zähmung, auch der Mensch muss sich den neuen Verhältnissen, dem Leben in zunehmend komplizierten und schnell bewegten Systemen anpassen; auch das Menschentier muss für den modernen Verkehrspark abgerichtet werden. Der besoffene, gottteslästerlich fluchende und rücksichtslos fahrende Kutscher ist nicht länger bloß ein moralisches Ärgernis für empfindsame Seelen, er wird zum *Risiko*. Man muss ihn in die Schranken weisen, muss ihm Regeln auferlegen, deren Befolgung mit der Hilfe der Polizei, nötigenfalls der Gerichte durchgesetzt wird. Die Bemühungen, die Geschwindigkeit des Pferdeverkehrs zu regeln, gehen bis auf die Renaissance zurück: 1539 sprach Franz I. in einem Erlass erstmals von den Gefahren, die durch zu schnelles Fahren, Überholen und jähes Wenden auf den Straßen der Städte und den Wegen des Königreiches entständen.[46] Doch erst seit dem Ausgang des 17. Jahrhunderts kommt es zu ersten polizeilichen Schritten gegen überhöhte Geschwindigkeit und unbedachtes Fahren. Um 1780 tauchen sowohl in England als auch in Frankreich erstmal jene Latourschen Objekte[47] auf, in denen sich soziale Belange – der Schutz des städtischen Passanten – und technische Vorkehrungen – die Zweiteilung der Straße in Verbindung mit einem Niveauunterschied – nahtlos verbinden. Gemeint sind die *Trottoirs*, deren erhöhte Bordsteinkante den Fahrweg seitlich begrenzt und vom Raum des Fußgängers trennt, so dass zwei separate Kanäle für die beiden Ströme des Verkehrs entstehen.[48]

Der Bordstein, diese handbreite Trennwand, die einige Jahrzehnte später, zu diesem Zeitpunkt Hunderte von Kilometern lang, die ganze Stadt durchlaufen wird, ist nicht das einzige Stück städtischer Architektur, das auf die fortschreitende Kentaurisierung der Metropole und ihrer Bewohner antwortet. Wenn die Stadt des 19. Jahrhunderts die Ökologie des Landes und die Ökonomie der Landwirtschaft tiefgreifend verändert, indem sie das Pferd ins Zentrum des Agrarsystems stellt, so verändert umgekehrt auch das Pferd die Ökologie und Architektur der Stadt. Die Tausende und Zehntausende von Pferden, die in den Metropolen leben und arbeiten, müssen nicht nur gefüttert und getränkt, sie müssen auch untergebracht werden. In einem heute kaum noch vorstellbaren Ausmaß besteht die Stadt des 19. Jahrhunderts aus Pferdeställen, deren häufig nachlässige Bauweise, meist aus Holz und Backstein, Gefahrenquellen sowohl für die sanitären Verhältnisse wie für die Feuersicherheit der Stadt darstellen.[49] Für Boston im Jahr 1867 wurden 367 Ställe gezählt, in denen im Schnitt 7,8 Pferde standen. Diese Ställe verteilten sich über die gesamte Stadt, da die Arbeits- und Transportpferde in der Nähe des Hafens und der Bahnhöfe, die Reit- und Kutschpferde der Wohlhabenden aber in Reichweite ihrer Besitzer stehen sollten.[50] Ebenso wie die Kutscherhäuser samt zugehörigen Remisen, die sich bis heute in manchen Hinterhöfen von Stadthäusern erhalten haben, waren auch die Ställe meist hinter den Häusern oder im Zentrum von Häuserblocks untergebracht; die meisten waren ein- bis zweistöckig, vereinzelt kamen bis zu vierstöckige Pferdeställe vor (S. 53). Im größten Londoner Omnibusdepot in Farm Lane standen 700 Pferde auf zwei Stockwerken um einen riesigen quadratischen Innenhof.[51] So wie das enge Zusammenleben von Menschen und Pferden ehedem die Form, auch die bauliche Form adligen Lebens geprägt hatte – bis hin zum Einbau veritabler Pferdetreppen in die Palais –, so veränderte im 19. Jahrhundert die forcierte Kentaurisierung der Stadt deren architektonischen Körper.

Auch das Mobiliar der Straße erhielt Zuwachs: Seit Mitte des 19. Jahrhunderts bereicherten sich die europäischen und amerikanischen Großstädte um zusätzliche Trinkbrunnen für die Pferde. Bis 1890 hatte die amerikanische Tierschutzgesellschaft A.S.P.C.A. mehr als hundert solcher Brunnen aufstellen lassen.[52] Eine der raffiniertesten Pferdetränken entstand 1894 in New York auf der West 155th Street dank einem Vermächtnis des Unternehmers John Hooper. Der von George Martin Huss entworfene Brunnen umfasste neben einem großen Trinkbecken für die Pferde auch eine Reihe kleiner Trinkgefäße in Bodennähe für die Hunde und einen Wasserhahn für die Menschen in der Stadt.[53]

Das Goldene Zeitalter

Ein weiteres aussagekräftiges Objekt im Spannungsfeld von Stadt und Land, Technik, Gesellschaft und Luxus trägt den Namen einer Getreideart: *Hafer*. Neben Heu und Wasser ist Hafer der wichtigste Brennstoff in einer auf Pferdekraft basierenden Ökonomie. Hafer ist reich an Protein und dem empfindlichen Verdauungsapparat der Equiden zuträglich; auch das Haferstroh ist nahrhaft. Mit der Zunahme der Pferde blüht als deren Leib- und Magengetreide auch der Hafer auf; mit ihrem Rückgang verschwindet er.[54] Die Konjunktur des Mais als pflanzlicher Spritlieferant im aktuellen Regime der Energieversorgung erinnert an die Konjunktur des Hafers seit dem 18. Jahrhundert. Die Tatsache, dass Hafer die Vitalität der Pferde erhöht und ihr Fell zum Glänzen bringt, erklärt, weshalb die Pferdehaltung der gehobenen Schichten besonders haferintensiv ist: «Dank einer gehobenen Bevölkerung von 4000 adligen Familien in den achtziger Jahren des 18. Jahrhunderts», schreibt der Historiker Daniel Roche, «ist Paris das Schaufenster der schönen Pferde; es ist auch der Ort, an dem sich die raffinierteste Pflege zeigt.»[55]

Mit dem Pferd kommen nicht nur neue Gefahren in die Stadt des 19. Jahrhunderts, sondern auch eine neue Schönheit. Die Stadt quillt über von unscheinbaren und elenden Kreaturen, aber sie füllt sich auch mit schnellen, schönen Tieren und luxuriösen Fahrzeugen. Pferd und Fahrzeug werden zu Gegenständen der *conspicious consumption*, des ostentativ auftrumpfenden Konsums. «Das schnelle Pferd», schreibt Thorstein Veblen, «ist im ganzen teuer, verschwenderisch und als Arbeitstier unbrauchbar. Der Nutzen, den es als solches besitzen mag ... nimmt bestenfalls die Form eines Zurschaustellens von Kraft und Behendigkeit an, was wenigstens den ästhetischen Sinn befriedigt. Immerhin muss man zugeben, daß darin ein wesentlicher Nutzen liegt.»[56] Durch sein Verlangen, nicht zuletzt nach Abwechslung, regt der ästhetische Sinn die Erfindungsgabe der Handwerker und Unternehmer an. Schon Mercier bestaunt gegen Ende des 18. Jahrhunderts die Fülle an Wagentypen, die sich von Jahr zu Jahr vermehrt. 1838 schreibt Eduard Kollof, er könne, wenn er alle Fuhrwerke, die auf den Straßen der Hauptstadt rollen, beschreiben wollte, leicht einen Band füllen.[57] Allein zwischen dem Cabriolet und dem Fiaker seien letzthin zahllose leichte, meist offene «Bastardwagen» emporgekommen, «Françaises, Parisiennes, Eoliennes, Zéphyrines, Atalantes und Cabriolets compteurs»; gleichwohl sei der alte Fiaker «trotz seiner zahlreichen Cocurrenten und Nebenbuhler ... der Leibwagen der Familienväter, der Großmamas und der Liebenden geblieben».[58]

Am Ende des Pferdezeitalters, 1941, hat der italienische Autor Mario Praz noch einmal einen großen Päan auf die Zeit der Kutschen, ihre noble Eleganz und ihren «gleichmäßigen und feierlichen Rhythmus», den «kein Automobil jemals erreichen können» wird, geschrieben. So lange es prachtvolle Equipagen gab, konnten, so Praz, die

Aristokraten behaupten, «in jenem wie Trommelwirbel betäubenden Scharren und Stampfen ein äußerliches Symbol der auserwählten Klasse bewahrt zu haben – ein letztes Anbranden der alten Kavallerie an die Schwelle des modernen Zeitalters. Ein Zug von eleganten Wagen bildete einstmals einen Fries wie jenen der jungen Reiter der Panathenäen, wo die Menschen und die Pferde wie in einem unablässigen, wunderbaren, anmutigen und heiteren Tanz der Erde aufmarschierten ... Wien war eine Stadt ‹auf vier Rädern›; in den offenen Kutschen stellten die schönen Wienerinnen ihre eleganten Kleider zur Schau.»[59]

Die Mode ist die Kunst, feine Unterschiede zu machen, für die die Natur der Bedürfnisse keinen sachlichen Anhalt bietet. Die ausschließlich modisch, ästhetisch begründete Ausdifferenzierung setzt sich durch das gesamte Jahrhundert hindurch fort. Noch im Jahr 1910 produzierte die Firma Studebaker, der größte Kutschenbauer der Vereinigten Staaten, 115 verschiedene Typen von leichten, zweirädrigen Wagen und ebenso viele Arten von Kutschen. Im Schatten solcher Zahlen schleicht sich das Ende des Pferdezeitalters heran. Zwanzig Jahre später hat Studebaker, der schon seit 1895 mit *horseless carriages* experimentiert, vollständig auf Autoproduktion umgestellt.[60]

Neben der Landwirtschaft und den Armeen war die Stadt der stärkste Verbraucher von Pferden im 19. Jahrhundert. Die Militärs, gleichgültig ob sie die französische oder die Armeen anderer Nationen organisierten, erwiesen sich als gelehrige Schüler Napoleons; während sie die Heere kontinuierlich aufstockten, bauten sie insbesondere die Kavallerie und die bespannte, d. h. von Pferden gezogene Artillerie massiv aus. Um 1900 umfasste die Friedensstärke des französischen Heeres 145 000 Pferde, eine Zahl, die sich im Mobilisierungsfall binnen kurzem auf 350 000 erhöhte.[61] Trotz allen früh unternommenen Versuchen mit Dampfmaschinen stieg auch in der Landwirtschaft der Industrieländer der Verbrauch von Pferden beständig an. Maschinen wie die 1834 patentierte Mähmaschine senkten ihn nicht, sondern ließen ihn im Gegenteil steigen; die ersten Mähdrescher, die fünfzig Jahre später in Kalifornien auftauchten, wurden von 20 bis 40 Tieren gezogen, «ungefähr so viele Pferde ..., wie zum Transport eines Obelisken nötig waren», schreibt Siegfried Giedion und weckt wie beiläufig die

Erinnerung an die Wunderwerke der Antike.[62] Die landwirtschaftliche Maschine konnte menschliche Arbeitskraft nur einsparen, indem sie zugleich den Einsatz tierischer Arbeitskraft erhöhte. Da ein Hauptzweck der Landwirtschaft im 19. Jahrhundert die Erzeugung von Pferden und ihre Ernährung (als städtische, militärische und montanindustrielle Arbeitstiere) war, ergab sich an dieser Stelle eine Art Schleife oder Rückkopplung innerhalb der auf Pferdeenergie basierenden Ökonomie des 19. Jahrhunderts.

In der Stadt diente der Pferdegebrauch im Wesentlichen zwei Hauptzwecken, dem Lastentransport und der Beförderung von Personen. Das rasche Wachstum der Städte Westeuropas und Nordamerikas weckte den Bedarf nach *public transportation*, d. h. preiswerten und pünktlich auf festgelegten Strecken verkehrenden öffentlichen Verkehrsmitteln. Die von Pferden gezogenen Omnibusse, die in Paris seit Mitte der 1820er Jahre, in London seit den 1830ern zirkulierten, drangen gleichzeitig auch in Amerika vor; bereits 1833 wurde New York als «City of Omnibuses» apostrophiert.[63] Noch im selben Jahrzehnt eroberte das neue Verkehrsmittel praktisch das gesamte urbane Straßennetz der Vereinigten Staaten. Der Omnibus beförderte den Teil der Öffentlichkeit, der, wie McShane und Tarr schreiben, «den Fahrpreis bezahlen, aber sich keine Kutsche leisten konnte»[64]. Im selben Maß wie die Fahrpreise sanken und die mittleren und unteren Schichten wuchsen, nahm der Omnibusverkehr in den Städten zu. Konkurrenz erwuchs ihm in der zweiten Jahrhunderthälfte aus den Pferdebahnen, also Omnibussen, die auf Schienen liefen. Sie verbanden erhöhten Komfort für die Passagiere mit vermindertem Kraftaufwand für die Zugtiere; ein Wagen der Pferdebahn konnte etwa dreimal so viele Passagiere befördern wie ein Omnibus: Das wirkte sich auf den Fahrpreis aus. So wurde die Schiene, die auf ihre unscheinbare Art das Bild der Stadt verändern sollte wie einige Jahrzehnte später die Vertikale des Hochhauses, zum vollen Erfolg: Um 1880 beförderten die New Yorker *horsecars*, die von knapp 12 000 Pferden und Maultieren gezogen wurden, jährlich mehr als 160 Millionen Passagiere.[65] An den auch für kleinere Städte überproportional zur Bevölkerung wachsenden Zahlen von Passagieren, Zugtieren, Wagen und Schienenkilometern[66] lässt sich die *suburbanization* der Städte ablesen: Der Ausbau des öffentlichen Verkehrswesens machte den Pendler möglich, der in der City arbeitete und in der Vorstadt wohnte und schlief.

Dieselben Prozesse lassen sich, zeitlich leicht versetzt, auch in Europa und in Japan beobachten. Berlin, die verspätete Metropole, hinkt lange Zeit hinter der internationalen Entwicklung her, bevor auch sie vom Sturm der technischen Moderne erfasst wird. Die ersten Berliner Omnibusse tauchen 1846 auf und verbinden Berlin mit seinen Vorstädten wie Charlottenburg. Anfangs noch spärlich verkehrend, nehmen sie seit den sechziger Jahren einen Aufschwung, der wiederum durch die Konkurrenz der Pferdebahnen (seit 1865) gedämpft wird; die schnellere, komfortablere und billigere Schienenbahn drängt die Omnibusse, die nicht rascher fahren als ein Fußgänger geht (im Schnitt 5,6 km/h), zurück in die Innenstadt. Am 25. August 1923, nur ein Dreivierteljahrhundert nach der Einführung, fährt der letzte Berliner Pferdeomnibus vom Potsdamer Platz zum Bahnhof Halensee. Der kurze Sommer des städtischen Pferdeverkehrs ist schon vorüber.[67]

Die expandierende Pferdewirtschaft des 19. Jahrhunderts veränderte nicht nur den Lebens- und Bewegungsstil des Stadtbewohners, sie ließ neue Berufszweige und -profile entstehen, verteilte sie nach anderen als den überkommenen Standeskriterien und veränderte so das soziale Prestigegefüge. «Die Allgegenwart der Pferde», schreibt der französische Historiker Jean-Pierre Digard, «machte den Fuhrmann, den Kutscher, den Kürassier, den Abdecker, den Zureiter, den Husar, den Landarbeiter, den Pferdehändler, den Hufschmied, den Reitknecht, den Stallmeister, den Postkutscher, den Tierarzt zu vertrauten Figuren in der Gesellschaft des 19. Jahrhunderts. (...) Das Pferd war überall in die Gesellschaft eingedrungen, es hatte die gesamte Kultur durchtränkt.»[68] Seine Aufzucht, seine Haltung, sein Gebrauch waren zum Gegenstand sehr spezieller Kenntnisse und Fertigkeiten geworden, die es zu erlernen galt. Das auf die Pferde bezogene Wissen war nicht mehr das natürliche Privileg des Adels. Der *homme de cheval*, der im Lauf des 19. Jahrhunderts auftaucht, ist ein neuer Typ unbestimmter Herkunft.[69] Mit dem Pferd hat unbemerkt ein Agent der Demokratisierung die Szene betreten.

Dennoch war jenes Jahrhundert nicht das Goldene Zeitalter des Pferdes. Dazu waren die Opfer, die das Tier als universale Zugmaschine in Stadt und Land, als Kombattant auf dem Schlachtfeld und als Kumpel unter Tage bringen musste, zu hoch, zu grausam, zu schmerzlich. Das 19. Jahrhundert hat den Gebrauch und Verbrauch von Pferden in einem historisch einmaligen Maß gesteigert, und das 20. ist ihm darin zeitweise noch gefolgt.[70] Aber das 19. Jahrhundert hat die Pferde nicht nur verbraucht, gequält und geschlachtet, es hat sie auch studiert, gezüchtet, gepflegt und bewundert; auf seine Art und nach seinen Möglichkeiten hat es sie auch geliebt. Als seinen wichtigsten und universell verwendbaren Energielieferanten hat es sie – neben dem Arbeiter – ins Zentrum seiner Ökonomie gestellt und um dieses bipolare Zentrum herum sein System der Bedürfnisse, aber auch den Ausdruck seiner Wünsche und Leidenschaften, seiner Sensibilität und seines Sinns für das Schöne neu geordnet. Wenn man gewillt ist, dieses System, diese unerhört dichte Vernetzung von Ökonomie und Ökologie, Technik, Gesellschaft und Ästhetik, als *kentaurisches System* integral zu betrachten, dann allerdings wird man finden, dass das 19. Jahrhundert das Goldene Zeitalter dieses Systems gewesen ist. Will man genau sein, darf man nur von der zweiten Hälfte des 19. Jahrhunderts sprechen. Der große Anstieg des Pferdeverbrauchs beginnt erst gegen Ende der vierziger Jahre; seit der Jahrhundertwende mehren sich mit der Zahl und Potenz der mechanischen Konkurrenten, namentlich des Automobils und der elektrischen Straßenbahn, schon wieder die Auflösungserscheinungen. Das Goldene Zeitalter hat kaum ein halbes Jahrhundert gedauert. 1903 zählt man in Paris schon mehr als 70 Fabriken, in denen Automobile hergestellt werden.[71]

Der Preis der Energie

Wer von der *Industriellen Revolution* des 18. und 19. Jahrhunderts spricht, denkt in der Regel an die großen technischen Erfindungen, die Dampfmaschine, die *Spinning Jenny*, und die von ihnen ausgelösten Umwälzungen der Produktionsweise, der Arbeitsteilung und des gesellschaftlichen Lebens. In dieser Hinsicht sind auch die Zeitgenossen des 21. Jahrhunderts noch Kinder von Karl Marx. Dabei hat Siegfried Giedion, der Historiker des von der Technik geprägten modernen Lebens, die Sichtweise längst erweitert und seine Leser die Veränderungen sehen gelehrt, die sich durch die *Mechanisierung* so elementarer Prozesse des menschlichen Lebens wie des Gehens, Sitzens, Wohnens, Essens und Tötens vollzogen haben.[72] Gleichwohl hat auch Giedion, seiner Liebe zum Detail und zur anonymen Geschichte ungeachtet, den Beitrag nicht gewürdigt, den das Pferd als gedungener und gezwungener Geburtshelfer der Moderne zu erbringen hatte, ein historisches Werk enormer und bis heute kaum beachteter Größe, ein versunkener Kontinent, der auch nach allem, was die Geschichtsschreibung in Frankreich und in den Vereinigten Staaten in den letzten Jahren geleistet hat, noch immer seiner Entdeckung harrt: eine würdige Aufgabe für einen neuen, ökologisch, anthropologisch, bildwissenschaftlich und ideengeschichtlich informierten Realismus.

Die Industrialisierung der Produktion und die Mechanisierung der Lebenswelt haben vor allem den Bedarf an Energie sprunghaft gesteigert. Die Dampfkraft, die verbesserte Ausnutzung von Wasser und Wind, die Erzeugung und Nutzung der Elektrizität, die vermehrte Gewinnung und effizientere Nutzung fossiler Brennstoffe haben darauf geantwortet. Einen Hauptanteil des Energiebedarfs, namentlich an kinetischer Energie, mussten freilich Zugtiere erbringen. Denn mit den neuen Produkten, Rohstoffen und Märkten, mit dem rasch ansteigenden Bedarf an Transportkapazität für Menschen, Waren und nicht zuletzt Nachrichten, also Kommunikation, stieg auch der Bedarf an der für Traktion und Transport verfügbaren Energie. Dem vermochte die Dampfmaschine, sieht man von schwerfälligen Dampfpflügen und -traktoren ab, nur in Verbindung mit der Schiene zu genügen; erst mit Hilfe der relativ kleinen und leichten Verbrennungsmotoren von Otto und Diesel gelang der Sprung auf die Straße. Sowohl die räumliche Distanz (vom Bahnhof aus in die Tiefe des Landes) als auch die zeitliche Kluft von etwas mehr als einem Jahrhundert musste das Pferd überbrücken. Nachdem es gegen Ende des 18. Jahrhunderts, als die Geschwindigkeit des Verkehrs eine erste kritische Größe erreicht hatte, den langsameren Ochsen, seinen alten, starken Konkurrenten in Sachen Traktionsenergie, hinter sich gelassen hatte, stieg das Pferd zum König der Straße auf. Ein Jahrhundert lang war der *Hafermotor* das universelle und unersetzbare Antriebsaggregat einer sich forciert mechanisierenden Welt.

Mehr als drei Jahrhunderte sind vergangen, seit man zuerst daran gegangen ist, die Arbeitsleistung des Pferdes zu messen. Zu diesem Zweck hat man sie verglichen: Wer eine Kraft messen will, bedarf eines Maßstabs; den liefert ihm eine andere Kraft. Am Abend des 10. Juli 1688 diskutierten die Mitglieder der Akademie der Wissenschaften zu Paris über die Kraft des Pferdes und verglichen sie mit der des Menschen.[73] Ein Pferd, so stellten die Gelehrten mit Hilfe einer speziellen Apparatur fest, kann ein Gewicht von 75 kg in einer Sekunde einen Meter hoch heben – eine Leistung, die der von sieben Menschen entspricht. Ein Pferd gleich sieben Menschen. Die eine Hälfte des Kentauren spiegelt sein Vermögen in der Kraft der anderen. Aber steckt der Mensch nicht schon, auf seine schiere Masse reduziert, in der Versuchsanordnung; entsprechen nicht die 75 Kilogramm dem Durchschnittsgewicht eines erwachsenen Mannes? Obgleich es bei der Relation von 75 kg pro Metersekunde blieb, gilt James Watt als der Erfinder der Pferdestärke oder *Horsepower*, eine Bezeichnung, die sich bis heute, obwohl sie in den meisten Ländern längst durch die Messung in Kilowatt ersetzt wurde, als Maßstab für die Leistung von Fahrzeugmotoren gehalten hat. Ihre Vertrautheit, ihre Anschaulichkeit, aber auch die Zahlenmagie in der Relation der beiden Spezies haben sie lebendig erhalten: Ein Pferd gleich sieben Menschen.

Die sichtbare und messbare Wirkung der Energie, die Arbeitsleistung des Pferdes, hat nicht nur einen Maßstab, sie hat auch einen Preis. So lange keine praktikable Alternative zum Einsatz von Pferden in der Landwirtschaft, im Güter- und Personentransport, im Postwesen und unter Tage bestand, so lange war das Pferd als universeller Traktor unumstritten. Erst der Aufstieg der elektrischen Straßenbahn seit den achtziger Jahren und zwei Jahrzehnte später das Vordringen des Automobils (dem Autobus, Lastwagen, Traktor und alle Arten von Raupenfahrzeugen folgten), ließ den *Hafermotor* Pferd in die Kritik geraten. Dass die Eisenbahn dem Pferd an Leistung, Geschwindig-keit und Ausdauer weit überlegen war, dies zu realisieren hatten zwei Generationen Zeit gehabt. Die letzte Generation des 19. Jahrhunderts begriff, dass Pferde *kostspielige* Motoren waren, empfindlich und un-zuverlässig. Die von Pferden gelieferte animalische Energie war *teurer* als die elektrisch erzeugte oder von Verbrennungsmotoren gelieferte. «Die Maschinenkraft», hieß es 1899 in der Deutschen Verkehrszeit-schrift, «nicht zufrieden damit, das Pferd von den Schienen verdrängt zu haben, beginnt jetzt auch, es von den Straßen zu vertreiben. Das mechanische Pferd ist leichter, kräftiger, schneller, ausdauernder, rein-licher, lenkungsfähiger und unter gewissen Voraussetzungen jetzt schon billiger als jenes. Sobald die Bedingungen erfüllt sein werden, welche für eine größere Billigkeit der Selbstfahrer die Voraussetzung bilden, wird das Pferd als Zugtier auf den Straßen verschwinden.»[74]

Auf dem Land, wo das Pferd preiswerter dinierte und unaufwendi-ger logierte, fiel die Bilanz, verglichen mit dem Einsatz motorisierter Traktoren, noch lange Zeit zu seinen Gunsten aus. In der Stadt und im Transportwesen hingegen unterlag das Pferd bald seinen mechanisier-ten Konkurrenten. Diese waren ihm in dreifacher Hinsicht überlegen. Erstens ökonomisch: Das Motorfahrzeug bot höhere Leistung zu ge-ringerem Preis. Futter, Stall und Wasser kosteten, zumal in der Stadt, einen hohen Preis. Zweitens technisch: Pferde sind empfindliche Tiere, sie halten den Anstrengungen des städtischen Verkehrs nur wenige Jahre stand, und man kann ihre verbrauchten oder defekten Teile nicht austauschen.[75] Und drittens ökologisch oder hygienisch: Pferde belas-ten durch ihren Kot und Urin sowie durch die Fliegen, die sie anziehen, die Stadt des 19. Jahrhunderts in nicht unbeträchtlicher Weise. Wäh-rend in unseren Tagen das Automobil als Vergifter und Verschmutzer der Städte gilt, stand damals das Pferd im Ruf, die Stadt zu verunreini-gen und sanitär zu gefährden. Um die Jahrhundertwende setzte sich die Ansicht durch, das Pferd habe nach heutiger Redeweise ökonomisch und ökologisch einen zu breiten Fußabdruck. Mochte Wilhelm II. auch trotzig bekunden, er halte das Auto «für eine vorübergehende Erschei-nung» und glaube an die Zukunft des Pferdes – die größte Energie-wende seit dem Neolithikum war bloß noch eine Frage der Zeit.

Verkehrschaos in Chicago, ca. 1905.

Zweistöckiger Pferdestall eines Omnibusunternehmens, Berlin um 1900.

Wie ein Déjà vu wirkte es, als im Wahlkampf um das Amt des Bür-germeisters von New York im Jahr 2013 beide Kandidaten erklärten, sie würden nach ihrer Wahl die paar Dutzend noch aktiven Kutsch-pferde endgültig aus der Stadt verbannen. Während sich ihre Argu-mente aus dem vertrauten Arsenal des Tierschutzes speisten – die schlechte Luft, das harte Pflaster –, wiesen Kenner des örtlichen Immobilienmarkts auf andere denkbare Motive hin: Die Ställe der Pferde in der Nähe des Hudson, übrigens immer noch klassischer Weise über zwei Stockwerke verteilt, lägen auf attraktiven Grund-stücken, für die sich die Mäzene der Anti-Ross-Kampagne möglicher-weise spekulativ interessierten. Wie auch immer, der Kampf um die Pferde in der Stadt war entbrannt; Tierschützer und Medien übernah-men den Fall. Offensichtlich, schrieb der Korrespondent der Süddeut-schen Zeitung, sei «der modernste Trend, der von New York für die Zukunft ausgeht, das 19. Jahrhundert».[76]

Ein Unfall auf dem Land

Der Gott der Spatzen

Der kleine Ort in Westfalen wurde gegen Ende der fünfziger Jahre von zwei Banden beherrscht. Die eine hieß die Waldbande, die andere die Dorfbande. Beide Banden rekrutierten sich aus Jungen, die vor kurzem das zehnte Jahr überschritten hatten. Die guten Jungen gingen aufs Gymnasium, die schlimmen in die Banden, und dann gab es noch einige, die beides machten. Die Banden waren unterkomplexe soziale Gebilde mit schwacher Hierachie, sprich, es gab einen Häuptling, der Rest machte mehr oder weniger, was er wollte. Stark war nur das Ritual der Aufnahme in die Bande. Über das Initiationsritual der Waldbande kann ich keine präzisen Angaben machen, wohl aber über das der Dorfbande. Die Mutprobe, welche die Götter vor die Aufnahme in den erlauchten Verein gesetzt hatten, schöpfte ihre Objekte tief aus der damaligen Lebenswelt. Sie bestand darin, vor den Augen der arrivierten Bandenmitglieder ein prominentes ländliches Produkt zu essen. Das Produkt war ein Pferdeapfel.

So war es um 1960 noch üblich. Zehn Jahre später hätten andere Objekte der Bewährung herhalten müssen. Die Quellen waren versiegt, die Produzenten verschwunden. Eigentlich war das Pferdezeitalter im Jahr 1960 schon beendet, und es mag kein Zufall sein, dass es damals auf jenen Dörfern mit dem Verzehr eines Apfels endete: Unter ähnlichen Begleitumständen war schon einmal das Paradies geschlossen worden. 1960 befand sich die Zahl der Pferde in der Bundesrepublik im freien Fall. Grasten 1950 noch mehr als 1,5 Millionen Pferde in Deutschland, so waren es 1970 nur noch 250 000, ein Sechstel von ehedem. Noch tiefer scheint der Fall, wenn man sich vor Augen hält, dass vor dem Ersten Weltkrieg 4 Millionen Pferde in Deutschland lebten. Aber damals verteilten sie sich noch auf die Gesamtfläche eines Reiches, von dem nach dem Zweiten Weltkrieg nicht mehr viel übrig geblieben war.

Natürlich hat es nach 1960 noch Pferde in Deutschland gegeben. Seit 1970 ist ihre Zahl sogar wieder angestiegen. Damals begann die zweite historische Karriere des Pferdes als Freizeitartikel und Seelsorger der weiblichen Pubertät.[1] Aber der Ponyhof ist eine Enklave am Rande der wirklichen Welt. 1960 war auch das Jahr, in dem der Fernsehapparat das deutsche Wohnzimmer eroberte, der Ponyhof für den Sesselreiter, mit all den wunderbaren Pferdeserien der frühen Jahre, von *Fury* über *Bonanza* bis zu *Mister Ed*, dem sprechenden Pferd. Es war die Morgenröte einer neuen Pferdewelt und einer neuen Naturerfahrung, jenseits von Dorf und Wald. Von der historischen Realität der Partnerschaft von Mensch und Pferd war nur die eine, menschliche Hälfte übrig geblieben. Die andere, das Pferd, war in die sekundäre Realität der Medien entrückt, sie war zum *Bild* geworden. Außer in einigen rückständigen Dörfern Westfalens war um 1960 das Pferdezeitalter zu Ende. Das Pferd war zum Indianer der westlichen Welt geworden, einer Spezies, die in Reservaten überlebt.

Wie in die Stuben der Bürger zogen um 1960 die Fernsehapparate auch in die der Bauern ein, während sich gleichzeitig die Boxen, in denen bis vor kurzem noch die Pferde auf dem Stroh gescharrt und geschlafen hatten, zu leeren begannen. In Gegenden, in denen das Land schon vor langem begonnen hatte, zu einem agrarindustriellen Raum zu werden, mit endlosen Feldern, intensiver Düngung und umfassendem Maschineneinsatz, vollzog sich der Abschied von den Pferden relativ sang- und klanglos. Eines Morgens stand nur noch ein einsames Tier im Stall, auf dem der Bauer gelegentlich ausritt oder seine

Kinder reiten ließ, dafür war ein neuer, stärkerer Traktor in die Garage eingezogen. Dort wo das Leben auf den Dörfern noch in traditionellen Bahnen verlief und der Landbau kleinteilig und altmodisch war, mit Misthaufen vor der Tür und Apfelhöfen hinter dem Haus, vollzog sich der Abschied vom Pferd anders, langsamer und feierlicher. In manchen Dörfern des Allgäu etwa, in denen der traditionelle Osterritt der jungen Männer den rituellen Höhepunkt des Dorfjahres markiert hatte, fand dieser Ritt auch Jahre nach dem Auszug der Pferde noch statt, jetzt als Osterfahrt der jungen Traktoristen.

Der seit 1960 fühlbar werdende Mangel an Pferdeäpfeln machte nicht nur dem traditionsbewussten Teil der Dorfjugend schwer zu schaffen, er traf auch das kleine Volk der Spatzen schwer. Solange es Pferde gab, lebten die Spatzen, ob auf dem Land oder in der Stadt, wie Gott in Frankreich. Der Pferdekot enthielt immer noch beträchtliche, jedenfalls für einen Spatzenmagen erhebliche Reste dessen, was auch die Lieblingsspeise der Pferde war: Er war haferhaltig. Das liegt an der Natur des Haferkorns, das durch die umhüllenden Spelzen stabiler verpackt ist als die Körner anderer Getreidearten. Ähnlich wie jene kleinen Vögel, die mit den Herden großer Tiere in der afrikanischen Savanne wandern und die Nashörner und Büffel als Symbionten begleiten, so lebte der europäische Spatz, wenngleich mit mehr Distanz und vermittelt durch den Rossapfel, jahrhundertelang in Symbiose mit dem Pferd. Im Auge des Spatzen sah der liebe Gott aus wie ein Pferd. Umso tragischer war dessen Abgang: Mit der Götterdämmerung der Equiden versiegte eine der Hauptnahrungsquellen der europäischen Spatzheit.

Im selben Maß wie die Pferde verschwanden, ging auch der Haferanbau zurück. Bis ins 20. Jahrhundert hinein war Hafer neben Roggen die wichtigste und am meisten angebaute Getreidesorte in Deutschland gewesen; heute spielt der Haferanbau nur noch eine geringe Rolle. Sein Aufstieg unter die wichtigsten Futterpflanzen hatte begonnen, als sich, noch im 18. Jahrhundert und Jahrzehnte vor dem Aufkommen der Eisenbahn, die erste Revolution im Transportwesen vollzogen hatte. Als das schnellere Pferd den starken, aber langsamen Ochsen von der Deichsel des Wagens verdrängte, als der Personen- und Güterverkehr auf einem wachsenden Netz befestigter Straßen an Geschwindigkeit zunahm, reagierte sowohl die Tierhaltung als auch der Fruchtanbau der ländlichen Produzenten: «Es wurden Chausseen gebaut, und die Bauern schafften sich Zugpferde an. Diese mussten zeitweise im Stall gefüttert werden: Dazu baute man mehr Hafer an.»[2] Die Kavallerie der europäischen Heere war ein weiterer großer Abnehmer dieser Getreideart; so erhielt ein deutsches Kavalleriepferd des 19. Jahrhunderts neben seiner Ration an Heu im Schnitt 5 Kilo Hafer pro Tag.

Auch das Weideland der bäuerlichen Gemeinschaft wurde anders organisiert, die Nutzung der so genannten «Gemeinheiten» und der Gebrauch des Waldes. Die alten Allmendeflächen wurden fortschreitend aufgeteilt, und ihre genossenschaftliche Nutzung wurde aufgehoben, ein Phänomen, das der Ökologe Garrett Hardin 1968 als «tragedy of the commons» bezeichnet hat. Die Anbaumethoden wurden verändert und intensiviert, neue Rassen von Nutztieren eingeführt, die bäuerliche Ökonomie zunehmend auf die großen Märkte (Fleisch- und Getreidepreise) ausgerichtet. Kurz, parallel zu den neuen Transportmöglichkeiten vollzog sich eine Umwälzung des Systems der Bodennutzung, des *régime agraire*, wie die Franzosen sagen. In seinem Zentrum stand jetzt der schnelle Beweger, das Pferd.

Die Basis des Wirtschaftens änderte sich und mit ihr die Grundlage des Lebens. Dass sich der Gebrauch des Landes geändert hatte, drückte sich wiederum anschaulich in seiner Morphologie aus. Oder richtiger: in seiner Anschauungsform als Landschaft. Denn so wie das *Land* in erster Linie eine Anzahl ökonomischer und ökologischer Tatsachen umschreibt, so bezeichnet die *Landschaft* eine vorwiegend ästhetische Kategorie.

Die Kutsche im Schlamm

Jacob Burckhardt hat die Entdeckung der Landschaft als eines der Charakteristika des neuen Weltverhältnisses bestimmt, in das die Menschen mit der Renaissance eintraten. Mit Dante und Petrarca anfangend erschließe sich die Natur dem ästhetisch genießenden Subjekt. Dem Landmann, so hat Joachim Ritter den Gegensatz zwischen praktischem und ästhetischem Naturverhalten beschrieben, «ist die Natur geschieden in das Genutzte und Ungenutzte ... Erst im Verhältnis zu dem zu freier empfindender Betrachtung Hinausgehenden gibt es Natur als Landschaft ...»[3] Noch radikaler hatte Georg Simmel die Landschaft als *Artefakt*, als ein Werk der Kunst beschrieben: «Wo wir wirklich Landschaft und nicht mehr eine Summe einzelner Naturgegenstände sehen, haben wir ein Kunstwerk in statu nascendi.»[4] Tatsächlich waren es, wie Ritters historische Skizze lehrt, Künstler gewesen, Dichter und Maler, die die Landschaft zuerst entdeckt, geformt und zu einem Genre der Malerei gemacht hatten. Daneben gab es seit dem 18. Jahrhundert auch die Landschaft als Kategorie der Geographie, als Beschreibung «typischer Strukturen der gestalteten Erdoberfläche»[5].

In diesem Sinn, als subjektiv wahrgenommenen Ausschnitt der Natur, behandelt auch Werner Sombart die Landschaft, als er seine Geschichte der deutschen Volkswirtschaft im 19. Jahrhundert[6] schreibt. Allerdings trägt die volkswirtschaftlich betrachtete Natur die Marken von Geschichte und Wirtschaftshandeln, sie ist von der Arbeit des Menschen und den Spuren der Industrie geformt. An der Morphologie der Landschaft lassen sich die Geschichte des Landbaus und die Fortschritte der Technisierung ablesen. Sombarts Wirtschaftsgeschichte Deutschlands beginnt mit einer Eröffnungssequenz, die an einen frühen Film, eine Art *road movie* denken lässt. Wie mit der Handkamera folgt der Autor auf den ersten zwanzig Seiten einer Kutschfahrt durch Deutschland vor hundert Jahren. Die Fahrt ist unruhig, das Bild springt und wackelt; beständig gibt es Anlass zu klagen.

Es beginnt mit dem Mangel an Chausseen und dem miserablen Charakter der meisten Straßen: «Berichte über Berichte von steckengebliebenen Wagen, gelegentlich sogar von Postknechten, die im Sumpfe erstickt waren.»[7] Dem Zustand der Wege entspricht derjenige der Wagen: «Die Postkutschen waren eines der beliebtesten und ausgiebigsten Witzobjekte ... jener Tage.»[8] Sombart zitiert Ludwig Börnes klassischen «Beitrag zur Naturgeschichte der Mollusken und Testaceen», die satirische «Monographie der deutschen Postschnecke», die mit der Sottise des Autors beginnt, über Postkutschen habe er schon so manchen satirischen Einfall gehabt, es sei ihm aber nicht gelungen, auch nur einen einzigen von ihnen festzuhalten, weil es ihm unmöglich gewesen sei, sie zu Papier zu bringen: «Gedanken über Postwägen konnte ich ... nie gleich aufschreiben, da der *Stoß* dieser mit dem *Anstoße* zu jenen immer zusammenfiel.»[9]

Ungerührt ergießt der geschüttelte Reisende seinen Spott über alle am Postwesen Beteiligten: Kutscher, Pferde, Packer, Posthalter und Mitreisende. Sie alle haben ihren Teil am großen Schneckenwerk der Entschleunigung. Seine «Statistik des Postwagens» (Statistik übersetzt Börne mit *Stillstandslehre*) errechnet für den Weg von Frankfurt nach Stuttgart eine Fahrzeit von 40 Stunden, die aber 15 Stunden Rast an insgesamt 14 Orten einschließen, so dass die Postkutsche über gewisse Strecken mit einem rüstigen Fußgänger mitzuhalten Mühe hat. An der Qualität des Weges hat es in diesem Fall nicht gelegen: Börnes Kutschenreise litt weniger unter den Unwegsamkeiten der Strecke und den Unbilden des Wetters als unter der Trägheit des Personals. Der reisende Goethe hingegen registrierte die Verschlechterung der Wege, die mit dem Wechsel des Landes oder der Konfession verbunden waren. Es war auf seiner dritten Schweizer Reise. Kaum war er kurz hinter Tübingen ins katholische, hechingische Hohenzollern gelangt, begann das gefürchtete Gerüttel: «Sobald man aus dem wirtenbergischen kommt, schlechter Weg ... Auf der Brücke seit langer Zeit der erste heilige Nepomock war aber auch wegen der schlechten Wege nöthig.»[10]

Was die Kutsche ins Schleudern bringt, muss nicht immer die elende Beschaffenheit des Weges sein. Eine harmlose tote Kreatur auf dem Weg genügt, schon stehen die Räder still. In Laurence Sternes «Sentimentaler Reise» ist es ein toter Esel, der das kleine Bidet, ein französisches Postpferd, um jeden Funken seines geringen Pferdeverstandes bringt. Es scheut, will den Kadaver des verblichenen Kollegen nicht passieren, und wirft La Fleur, den Postreiter, ab. Der steigt fluchend wieder auf und versucht, dem Gaul durch Schläge Mut zu machen: «Das Bidet flog von einer Seite des Weges zur andern, dann rückwärts, dann hierhin, dann dorthin, kurz, allenthalben hin, nur nicht den

toten Esel vorbei. La Fleur bestund auf seinem Kopfe. Und das Bidet
bäumte und sträubte sich. ‹Was hat Er mit seinem Tiere vor, La Fleur?›
sagt' ich. ‹Monsieur›, sagt' er, ‹c'est le cheval le plus opiniâtre du
monde.›»[11] Wenn das Tier so eigensinnig sei, solle man es doch,
schlägt Yorick vor, seinem eigenen Kopfe folgen lassen. Und so geschieht es.

Als ökonomische Tatsache betrachtet ist das Land Acker oder Weideland, Hauwald oder Industrieregion. Diesseits davon ist das Land
seiner allgemeinen Beschaffenheit nach *Gegend*. Die Gegend ist der
Inbegriff dessen, was dem Bewegungs- und Durchdringungswillen des
Menschen *gegen-* oder *entgegen*steht. Als Gegend ist das Land Distanz, Weite und Kluft; es ist Fels, Berg, Gewässer, Sumpf; es ist weg-
sam: Furt, Hohlweg, Lichtung, oder unwegsam: Dickicht, Wüste, Morast; es erlaubt die Durchfahrt oder behindert die Passage. Bis ins
späte 18. Jahrhundert, bis in die Anfänge des modernen Straßenbaus
mit seinen befestigten, von Brücken und Galerien getragenen Chausseen ist der Weg eine Windung zwischen tausend Hindernissen, ein
labyrinthischer Kompromiss des Menschen mit dem Eigensinn der un-
systematischen, gegenständigen Natur. Mit anderen Worten, der Weg
ist die komplizierte, von keiner mathematischen Formel erfasste Funktion aus dem menschlichen Willen nach Überwindung der Distanz
und der unbezwinglichen Resistenz der Naturobjekte. Erst die Eisen-
bahnschiene wird mit eiserner Konsequenz den Widerstand des Landes brechen[12], bevor die Straße ihr zögernd und gewunden folgt. Bis
heute bewahrt die *Landstraße* das Gedächtnis an den kurvenreichen
Parcours, auf dem der alte Weg sich durch die Gegend schlängelte, ein
schmales Band zwischen Fluss, Berg, Wald und Tal.[13]

Wenn wir den Begriff der Gegend näher ins Auge fassen, schreibt
Carl von Clausewitz, der als Generalstäbler gehalten ist, die Gegeben-
heiten des Terrains nicht aus dem Auge zu verlieren, so bemerken wir
drei Richtungen, durch die sich eine Gegend von der reinen, freien
Ebene, quasi dem Nullpunkt des Terrains, unterscheiden kann: «einmal durch die Gestalt des Bodens, also durch Erhöhungen und Vertie-
fungen, dann durch Wälder, Sümpfe und Seen als natürliche Erscheinungen und endlich durch das, was die Kultur hervorbringt»[14]. Mit

derselben unheiligen Dreifaltigkeit der zu durchquerenden Gegend hat auch die Kutsche auf dem Land zu kämpfen. Als Generalstab auf dem Bock ringt der Kutscher nicht nur mit der Trägheit seiner Zugtiere und der eigenen animalischen Müdigkeit; in einem buchstäblichen Sinn *erfährt* er die Hindernisse der Gegend und die Friktion (Clausewitz) des Weges als seinen ersten, natürlichen Feind. «In allen drei Fällen», schreibt Clausewitz und hat das Relief der Gegenden, ihren Bewuchs und ihren Bestand mit Elementen der Kultur vor Augen, «wird der Krieg dadurch verwickelter und kunstvoller.»[15] Nicht anders verhält es sich in dem Krieg, in den jede Postkutsche als einsames Détachement verwickelt ist: Hinter jeder Wegesbiegung lauert die Friktion. Ein unerwarteter Steinschlag, ein Windbruch nach dem Herbststurm, ein toter Esel am Wegesrand, und alsbald wird der Krieg verwickelter und kunstvoller.

«Man kann sich sein Kriegstheater nicht unter vielen Proben wie eine Ware aussuchen»[16], weiß Clausewitz. Gilt dasselbe nicht auch von der zu durchquerenden Gegend? Nicht immer hat man die freie Auswahl der Wege. Wenn es etwa nur den einen gibt? Und wenn noch Dunkelheit und schlechtes Wetter ins Spiel kommen? Um zu erläutern, was man sich unter «Friktion» im Krieg vorzustellen hat, bietet Clausewitz das zivile Beispiel eines Reisenden in finsterer Nacht: «Man denke sich einen Reisenden, der zwei Stationen am Ende seiner Tagereise noch gegen Abend zurückzulegen denkt, vier bis fünf Stunden mit Postpferden auf der Chaussee; es ist nichts. Nun kommt er auf der vorletzten Station an, findet keine oder schlechte Pferde, dann eine bergige Gegend, verdorbene Wege, es wird finstere Nacht, und er ist froh, die nächste Station nach vielen Mühseligkeiten erreicht zu haben und eine dürftige Unterkunft dort zu finden.»[17] So ist der Krieg, kommt die Sache ins Stocken, wirft er noch eine Handvoll Sand ins Getriebe.

Besonders unheilvoll sind die Umstände, wenn Boden und Wetter sich verbünden. Schlamm ist der schlimmste Feind des rollenden Détachements. Weh dem Kutscher, der ihn übersieht! «Das Gespräch über die Liebe hatte sich sehr erhitzt, als infolge der Unachtsamkeit der Kutscher, die in unserem Rücken eine Steingutflasche leerten, un-

Ein Unfall auf dem Land. Foto André Kertesz.

Sisyphos in der Maschine: Das Pferd als Motor einer frühen Dreschmaschine, Saint-Pierre-en-Port um 1900.

sere herrenlosen Pferde einen Weg mit dickem Schlamm einschlugen, in dem die armen Tiere tief einsanken, ebenso wie die Räder des schweren Wagens, der nicht mehr vorankam. Die Kutscher bemerkten das Anhalten der Pferde, sie gingen mit Hü und Hott und vielem Peitschengeknalle auf sie zu, die erfahrenen Pferde strengen sich an und sinken umso tiefer ein; die Kutscher schreien sich ihre durstigen Kehlen heiser, peitschen wie die Wilden: nutzloses Bemühen, die Pferde kommen bereits ins Schnaufen; unsere Phaetons fluchen, und nichts geht mehr voran: wir steigen aus, sie verdoppeln ihre Schläge und Flüche, doch die Bastille steht nicht fester auf ihren Grundmauern als unsere Räder in dem vermaledeiten Schlamm.»[18] In der nämlichen Substanz endet die Ereigniskette, die das unvermutete Aufeinandertreffen zweier Berittener, des Geburtshelfers Dr. Slop und des Knechts Obadiah, auf dem schmutzigsten Stück eines schmutzigen Weges unweit Shandy Hall, auslöst: Mit seinem breitesten Körperteil versinkt der Dr. Slop zwölf Zoll tief im Morast.[19]

Wie schrieb Werner Sombart in seiner Wirtschaftsgeschichte Deutschlands im 19. Jahrhundert? «Berichte über Berichte von steckengebliebenen Wagen, gelegentlich sogar von Postknechten, die im Sumpfe erstickt waren.»[20] Die Berichte von der deutschen Wehrmacht, die im September 1941 in Russland ihre ersten Erfahrungen mit der verbündeten gegnerischen Macht von Boden und Wetter machten, haben Werner Sombart nicht mehr erreicht; er war im Mai jenes Jahres gestorben. Erstaunt hätten sie ihn allerdings nicht. Am Widerstand der Elemente scheitere der Zugriff des Eroberers, hätte Sombart gesagt, und seinen Freund Schmitt spöttisch zitiert: so versinke der Nomos der Erde im Schlamm.

Ein Landarzt

Neben den welthistorischen Individuen, echten und falschen Bonapartes, neben den Revolutionären, Dichtern und Forschern, die das 19. Jahrhundert verehrt hat, die Ballonfahrer nicht zu vergessen, übersieht man leicht die Helden seines Alltags. Wohl ist Einzelnen mit der

Zeit Gerechtigkeit widerfahren. So hat man von den Ingenieuren, den Erbauern von stählernen Brücken und gläsernen Palästen, gesagt, sie seien die wahren Helden des 19. Jahrhunderts gewesen. Irgendwann hat man auch die großen Ärzte wiederentdeckt, die Erforscher und Entdecker, die Heroen und Heroinen der Humanität. Die Philosophen, die Erfinder der Ismen des 20. Jahrhunderts und jene, die zeitig vor diesen gewarnt haben. Nur einer hockt immer noch in seiner bescheidenen Praxis, horcht auf den Ton der Nachtglocke und harrt der Entdeckung durch die Nachwelt. Dabei hat ihn die Literatur des 19. und des 20. Jahrhunderts, haben ihn Erzählungen und Romane von Honoré de Balzac, Gustave Flaubert und Franz Kafka längst unsterblich gemacht.

Der Landarzt ist eine durch und durch equestrische, gleichsam kentaurische Existenz. Niemand, der Kavallerist ausgenommen, ist in ähnlichem Maß auf sein Pferd angewiesen wie er. Fährt er, anstatt zu reiten, benutzt er das leichteste und wendigste Wägelchen, das der Fahrzeugmarkt zu bieten hat. Zugunsten von Schnelligkeit und Wendigkeit verzichtet er auf Prestige; statt zwei- oder gar vierspännig zu fahren, was seine bescheidenen Honorare ohnehin nicht zulassen würden, fährt er einspännig. Der Landarzt ist nicht nur ein moderner *Hippokrates* (sein griechischer Name, Rossebändiger, sagt alles), er ist auch ein Wanderarbeiter der Aufklärung auf dem Lande. Balzac stellt ihm als Gegenfigur einen Kavallerieoffizier gegenüber, der sämtliche Schlachten Napoleons, von Italien, Ägypten und Russland bis hin zur letzten Kampagne in Frankreich, mitgefochten hat, während der Landarzt seinen nie endenden Feldzug gegen den Kretinismus und die Trägheit der Landbevölkerung führt.

Kafka zeichnet ihn als Getriebenen und von Angst Gehetzten, umstellt von Bildern unbeherrschter Potenz – der lüsterne und gewalttätige Stallknecht, die fleischigen Pferde, «mächtige flankenstarke Tiere»[21], das anfangs «willige», dann angstvoll fliehende Mädchen Rosa. Am Ziel der Reise, beim Patienten angekommen, wird der Arzt selbst als Heilmittel dem Kranken ins Bett und an die Seite mit der schrecklichen Wunde gelegt, während über ihm immer noch schattenhaft die Pferdeköpfe schwanken. Als er endlich flieht, zwingt er sich aufs Pferd, «die Riemen lose schleifend, ein Pferd kaum mit dem andern verbunden, der Wagen irrend hinterher», und sieht sich schon als Irrenden, «dem Froste dieses unglückseligsten Zeitalters ausgesetzt, mit irdischem Wagen, unirdischen Pferden», der menschliche Inbegriff aller Verhängnisse, die einem Landarzt und Pferdehalter – auch Michael Kohlhaas schaut durch die Ritzen dieses Texts – auf der verdüsterten Erde zustoßen können.[22]

Der berühmteste Landarzt der Literatur heißt Charles Bovary. Um die Mitte des 19. Jahrhunderts praktiziert er seine bescheidene Kunst in den kleinen Dörfern der Normandie unweit der Stadt Rouen. Wie alle Männer seines Standes ist er beständig unterwegs: «Charles galoppierte bei Regen bei Schnee über bucklige Wege.»[23] Da er sich den Groom, von dem seine Frau träumt, nicht leisten kann, sattelt und versorgt er selbst sein Pferd. Gelegentlich bedient er sich auch eines leichten Wagens, den er für seine junge Frau erworben hat, ein «Boc aus zweiter Hand, der mit neuen Laternen und Kotschutz aus abgestepptem Leder fast einem Tilbury glich».[24] Von Charles gelenkt, macht er freilich einen genauso miserablen Eindruck wie alles, was der Unglücksrabe anfasst: «Charles hockte am äußersten Ende der Bank und lenkte mit gespreizten Armen, und das kleine Pferd trabte im Passgang zwischen den viel zu weiten Deichselstangen. Die schlaffen Zügel klatschten ihm auf die Kruppe, nass von Schweiß, und die hinten auf dem Boc festgezurrte Truhe schlug mit kräftigen, regelmäßigen Stößen gegen den Wagenkasten.»[25]

Schon der Name des Landarztes ist Programm. Klingt aus Bovary nicht bovis, der Ochse?[26] Er ist das Ungeschick in Person. Um seine Tölpelhaftigkeit zu unterstreichen, kontrastiert Flaubert ihn mit den eleganten Figuren von Männern, die so unverschämt tanzen wie sie reiten, «lachend, die Zigarre im Mund»[27]. Einer dieser schneidigen Kerls wird es sein, der Emma zu ihrem ersten Seitensprung verführt, während eines Ausritts zu zweit, den die Reiterin von Anfang an sinnlich genießt: «Das Gesicht leicht gesenkt ... gab sie dem Rhythmus der Bewegung nach und wiegte sich im Sattel.»[28] Unmittelbar bevor die beiden Reiter, Emma und Rodolphe, die Linie des Waldsaums überschreiten, die wie die Sitte von der Sünde das Licht vom Dunkel trennt, heißt es: «Die Pferde schnaubten. Das Sattelleder knarrte.»²⁹ Mit dem Lichtwechsel und den Geräuschen, die eine ganze Atmosphäre von Farben, Klang, Bewegung und Gerüchen evozieren, ist das Signal gegeben zu dem, was sich noch einmal verzögern, aber nicht mehr aufhalten lässt. Auch den Schlusspunkt am Abend werden nochmals die Pferde setzen: «Als sie nach Yonville kamen, ließ sie ihr Pferd auf den Pflastersteinen tänzeln. Aus den Fenstern wurde sie beobachtet.»³⁰

Zu den Kränkungen seiner Gattenehre, die Bovary erfährt, ohne sie zu bemerken, kommen diejenigen im sozialen und professionellen Bereich. Die schlimmste Niederlage, die der Arzt, eigentlich nur ein Sanitätsbeamter, dessen kümmerliche Ausbildung ihm kaum mehr als die Rudimente der Kunst vermittelt hat, hinnehmen muss, ereignet sich ausgerechnet bei dem Versuch, den *Pferdefuß* eines Stallburschen namens *Hippolyte*³¹ zu kurieren. Zwar ist der Knecht auf seinem «*Pes equinus*, wirklich so breit wie der Fuß eines Pferdes, mit runzliger Haut, harten Sehnen, mächtigen Zehen, deren schwarze Nägel aussahen wie Hufeisenstifte» bisher ganz munter und «wie ein Hirsch»³² herumgaloppiert, aber nun hat die Wissenschaft auf dem Dorfe, repräsentiert durch den Apotheker Homais, einmal beschlossen, dass er leidend sei und geheilt werden müsse. Die Operation, Durchstechung der Achillessehne mit anschließender Behandlung in einem selbstgebauten Streckkasten, endet katastrophal. In das symbolisch und mythologisch verdichtete Gewebe, das Flaubert an dieser Stelle, ziemlich genau in der Mitte des Romans und kurz nach dem Liebesakt mit Rodolphe, herstellt, fährt der fatale Stich des Landarztes wie ein Blitz in den Zunder.

Ein britischer Landarzt, genauer gesagt ein Land-Tierarzt, der seit Jahren in Irland praktiziert, ist es, der in den achtziger Jahren des 19. Jahrhunderts zum zweiten Mal, und diesmal erfolgreich, den Pneu erfindet. John Boyd Dunlop ist ein schottischer Veterinär, bekannt und befreundet mit der Queen Victoria. Des schlechten Fahrens auf unbefestigten Straßen überdrüssig, experimentiert er mit luftgefüllten Ballonreifen und entwickelt einen brauchbaren Fahrradreifen, mit dem er 1887 an die Öffentlichkeit tritt. Zwei Jahre später gewinnt Willie Hume, der Captain des Belfast Cruisers Cycling Club, auf einem von Dunlop ausgerüsteten Fahrrad eine Serie von Fahrradrennen in

Irland und England. Jetzt erst beginnt das Fahrrad seinen raschen Siegeszug als Rennpferd des Armen. Aber auch der Landarzt erreicht dank Dunlops Erfindung seine Patienten schneller und sicherer als zuvor. Wenige Jahre später wird er zu den ersten intensiven Nutzern des noch jungen Automobils gehören. Im Beruf des Landarztes ist Schnelligkeit kein Luxus, sondern eine Lebensnotwendigkeit: Sie rettet das Leben der anderen.

Von Fall zu Fall

Oft genug wird der reitende oder fahrende Doktor zu Unfällen anderer Reiter oder Kutscher gerufen. Pferde sind schreckhafte, leicht scheuende Tiere, die gern ihrem natürlichen Fluchtreflex nachgeben; sind sie erst durchgegangen, fängt niemand sie so leicht wieder ein. Hippolyte, der Sohn des Theseus und der Amazone Hippolyta, versteht, wie sein Name sagt, etwas von Pferden. Überdies ist er von der mütterlichen Seite her positiv belastet; eine Amazone, die nicht reiten kann, hat den Beruf verfehlt. Dennoch fällt er einem klassischen Verkehrsunfall zum Opfer, hinter dem die übliche olympische Intrige steckt. Liebe, Hass und Rache tun ihr Werk, und die Geschichte endet damit, dass Poseidon ein enormes Meeresungeheuer schickt, welches die Pferde vor dem Wagen des Hippolytos so erschreckt, dass sie durchgehen. Der Wagen schleudert vor einen Ölbaum, der Fahrer ist tot.

Das *durchgehende* Pferd ist der Schrecken des Berittenen und der Alptraum desjenigen, der in einer Kutsche reist. Aber es ist nicht das Pferd allein, das vor dem Zeitalter des mechanisierten Transports jede Reise mit hohen Sicherheitsrisiken belastet. Andere Faktoren kommen hinzu: schlechte Straßen, schlechtes Wetter, Dunkelheit. Trägheit und Trunksucht des Personals, namentlich der Kutscher. Endlich die Wagen selbst: ungelenk und mangelhaft gebremst, kippen sie leicht um und stecken, einmal festgefahren, wie eingemauert in der Erde. Der Unfall mit durchgehenden Pferden, die umgestürzte und zerborstene Kutsche sind Topoi der Reiseliteratur seit ihren Anfängen in der Renaissance. Ein berühmter Stich in der Chronik des Ulrich Richental aus den zwanziger Jahren des 15. Jahrhunderts zeigt die 1414 am Arlberg umgekippte Kutsche des Gegenpapstes Johannes XXIII., der auf dem Konzil von Konstanz abgesetzt wurde. Das Interesse am Unfall, das aus dieser historischen Momentaufnahme (der möglicherweise keine reale Begebenheit zugrunde lag) spricht, ist bis heute ungebrochen: Keine Anthologie des Reisens, keine kulturhistorische Ausstellung zum Zeitalter der Kutschen lässt sich Lichtenbergs Spott auf die Gefahren des Reisens oder Karl Immermanns komische Unfallschilderung aus dem Jahr 1821 entgehen.[33] Thomas de Quinceys Schilderung der phantasierten Havarie zweier Wagen, einer schweren Postkutsche und eines leichten Gig auf nächtlicher Chaussee, ist allem rhetorischen Bombast zum Trotz ein Meisterstück des literarischen *suspense*.[34]

Besonders beliebt waren die Berichte von grausigen Unfällen und wundersamen Rettungen in den Anekdotensammlungen und Kalendern des 18. Jahrhunderts. Ein Beispiel bietet der atemraubende Bericht, den Cottas *Taschenbuch für Pferdeliebhaber, Reuter, Pferdezüchter, Pferdeärzte und Vorgesezte groser Marställe* für das Jahr 1799 bringt (S. 205): «Ein ... Engländer Luthbret Lambert von Newcastel, ritt über Sandfort's steinerne Brücke ... Da er auf der Brücke sein Pferd mit Gewalt umdrehen wollte, so verursachte das schnelle Anhalten, daß das rasche und empfindliche Pferd plötzlich in die Höhe stieg, und in einem Augenblick darnach über das Geländer der Brücke weg in einen Fluß sprang. Der Ast eines Eschenbaums, welcher glücklicherweise an der Brücke hieng, errettete ihn vom Tode, indem er sich an demselben fest hieng, und daran hängen blieb, bis einige vorbeigehende Personen ihn aus dieser unbequemen und in der That fürchterlichen Lage retteten. Das Pferd, welches 20 Fus tief in das Beet des Flusses mit aller Gewalt hinunterstürzte, blieb auf der Stelle todt liegen.»[35]

Neben dem literarischen Gedächtnis entsteht so die Bilderchronik der Stürze und Karambolagen, deren aktuellste und spektakulärste Neuzugänge sich auf Youtube abrufen lassen. Den historischen Hintergrund dieser Fotos und Videos bildet ein europäischer Bilderatlas aller vorstellbaren Unfälle mit Pferden, Kutschen und Fuhrwerken. Er überspannt denselben Zeitraum wie dieses Buch: den langen Abend des Pferdezeitalters, vom ausgehenden 18. bis in die Mitte des 20. Jahrhunderts. Sein Titel lautet *Ex voto*. Wer diesen Katalog der Schrecken und Wunder aufblättern will, muss sich an die berühmten katholischen Wallfahrtsorte wie Altötting begeben oder volkskundliche Sammlungen wie die Hellbrunner[36] konsultieren. In den kleinen Votivbildern der Danksagung und der Fürbitte hat der Volksglaube alle Möglichkeiten des systemischen Unfalls mit Pferden und der außersystemischen Rettung durch Maria und die zuständigen Heiligen plastisch und farbig fixiert: ein umgestürzter Wagen, der Kutscher buchstäblich gerädert, die Pferde geflohen. Ein rasendes Pferd, mit dem Fuhrwerk durchgehend, der Kutscher unterm Rad, am Rand des Bildes rollt sein Hut. Zwei Zugpferde mit dem Fuhrwerk über eine Mauer gesprungen, der Wagen zerschellt, der Fahrer verletzt. Drei Pferde in einem Stall, unter den Hinterhufen des einen liegt ein Knabe, zwei Männer eilen entsetzt herbei. Pferd und Kutscher auf dem Rücken, der Wagen umgestürzt und zerbrochen. Wagen und Fahrer in eine Schlucht gestürzt, das Pferd am Rand der Klippe aufgehalten. Ein Zusammenstoß von Lastkraftwagen und Pferdefuhrwerk, der Fahrer zu Boden geschleudert, das verletzte Pferd versucht sich zu befreien. Ein Zusammenstoß von Pferdewagen und Motorrad, der Fahrer liegt am Boden, das verletzte Pferd in den Knien (S. 85).

Seitdem im Jahr 1970 die Zahl der Verkehrstoten in der Bundesrepublik beinahe die Zahl von 20 000 erreichte, hat die intensive Suche nach Techniken, die den Autoverkehr sicherer und die Unfallfolgen weniger gravierend machen, zu erheblichen Verbesserungen der Sicherheitslage geführt. Ähnliche Bemühungen im Hinblick auf den Straßenverkehr mit Pferden lassen sich bereits mehr als 200 Jahre früher feststellen. Wie in unserer Zeit setzen sie nicht nur bei der Regelung und Kontrolle des Verkehrs an, sondern richten sich auf die beiden technischen Hauptkomponenten des Bewegungsapparats, Wagen und Antrieb oder Kutsche und Pferd. Zunächst auf die Kutsche: Im Jahr 1756 stellt ein französisches Handbuch für Stallmeister eine neue, angeblich unstürzbare *Berline* vor.[37] Poppes «Geschichte der Erfindungen» sieht die Bemühungen um erhöhte Sicherheit der Kutschen (höhere Räder, breitere Achsen, Beweglichkeit und Solidität der Teile) schon ein Vierteljahrhundert früher einsetzen.[38]

Eine Kutsche verbessern kann jeder tüchtige Stellmacher. Wie aber verbessert man die Natur des Zugtiers? Wie bringt man ein Pferd dazu, die Nerven zu behalten, oder, wenn es sie verloren hat und durchgeht, wieder anzuhalten? 1802 lanciert J. G. Herklotz die «Beschreibung einer Maschine, die das Durchgehen der Reit- und Wagenpferde verhindert»[39]; drei Jahre später empfiehlt J. Riem «Zwei untrügliche bereits erprobte Mittel, sich beim Durchgehen der Pferde gegen alle Gefahr zu schützen»[40]. Poppes «Geschichte der Erfindungen» geht systematisch vor und unterscheidet drei Verfahren, die das Durchgehen der Pferde verhindern oder seine Folgen mildern sollen. Es sind dies 1. Vollbremsung des Wagens; 2. Trennung der Pferde vom Wagen; 3. «eben so schnelle Bedeckung der Augen der rasenden Thiere».[41] Ein Restrisiko bleibt freilich in jedem Fall. Das Pferd, der «Hafermotor», lässt sich nicht abschalten wie ein Benzinmotor.

Die komische Oper des 19. Jahrhunderts lacht Tränen über all die umgestürzten Kutschen und Karossen, die beständig über die Bretter des Boulevards purzeln.[42] Wer ahnt schon, mit wem er sich im nächsten Augenblick in der drolligsten und peinlichsten Verwirrung von Körperteilen und Kleidungsstücken wiederfinden wird? Aus dem Schrecken der Straße wird die Liebesunordnung der Bühne. Die umgewendete Kutsche erzeugt das soziale Chaos, von dessen komischen Wirkungen die Lachbühne lebt; mit einem Schlag kommt ans Licht, was hinter vorgezogenen Vorhängen durch Stadt und Land schaukelt.[43] Anfang der fünfziger Jahre, Flaubert schreibt eben an «Madame Bovary», vergeht kaum ein Jahr, in dem nicht ein neues Stück über «Jean le postillon» oder «Jean le cocher», mal ein Vaudeville oder eine Operette in einem Akt, mal ein Drama in fünfen, über die populären Bühnen von Paris und der Provinz geht.

So wie im folgenden Jahrhundert das Automobil und der Film eine immerwährende Romanze unterhalten werden, so flirten im 19. Jahrhundert beständig das Theater, namentlich das populäre Musiktheater der Operetten, Vaudevilles und Variétés-Bälle, und die Kutsche miteinander. Siegfried Kracauer erinnerte sich angesichts der Musik von Musard an einen alten Napoleon-Film, in dem der Kaiser in einem Reisewagen zu einem fernen Kriegstheater eilte, immer umschwärmt

von berittenen Ordonnanzen und Eilstafetten, die den Eindruck vermittelten, als raste der Kaiser tatsächlich mit ungeheurer Geschwindigkeit durch die Welt: «Dynamische Ereignisse von nicht geringerer
Gewalt müssen auch die Bälle Musards gewesen sein.»[44] In einem
Theater, allerdings bei einer «seriösen» Opernaufführung, der «Lucia
di Lammermoor», ereignet sich auch das fatale Wiedersehen zwischen
Emma Bovary und dem Praktikanten Léon – ebenfalls ein dynamisches Ereignis, das zwei Tage nach diesem Theaterabend während einer
ziellosen, sechsstündigen Kutschfahrt durch die Stadt Rouen und das
umliegende Land seinen Höhepunkt erreicht. «Das ist so üblich in
Paris», hatte Leon gesagt, als er die Kutsche rief[45]; in der Provinz
dagegen erregt das seltsame Spektakel den Verdacht der Bürger: «Und
am Hafen, zwischen Lastkarren und Fässern, und auf den Straßen,
neben den Prellsteinen, glotzten die Bürger aus verdutzten Augen angesichts dieser in der Provinz so ungewöhnlichen Sache: eine Droschke
mit zugezogenen Vorhängen, die in einem fort wieder auftauchte, verschlossener als ein Grab und schaukelnd wie ein Schiff.»[46]

Anders als die Librettisten des Vaudeville muss der Autor der
«Madame Bovary» die Kutsche, in der Emma sich ihrem Liebhaber
hingibt, nicht umstürzen und aufplatzen lassen, um das Geschehen im
Innern des rollenden Séparées zu enthüllen. Der Leser des Romans
schreibt die Erzählung fort und füllt den Hohlraum der Kutsche, die
wie ein düsterer Trabant durch den Raum von Stadt und Land kreist.
Verschlossener als ein Grab, schreibt Flaubert, und schaukelnd wie ein
Schiff: Die Kutsche ist Zelle, Höhle und Kahn, blind gegen die Umgebung, aber den Stößen und Erschütterungen der Fahrt ausgeliefert, ein
absoluter Innenraum, der sowohl klaustrophobe wie erotische Wirkungen ausüben kann. «Ein geschlossener Wagen», schreibt Mario
Praz, «war wie eine Salonecke, die man mit ihren Kommoden und
üppigen Sofas nach draußen gerückt hatte.»[47] Flaubert lässt seinen
Salon fest verschlossen, er beschreibt nur die Umlaufbahnen einer
schwarzen Monade und vergisst nicht, den Leser daran zu erinnern,
dass es zwei schweißtriefende Pferde und ein müder, vor Durst halb
wahnsinniger Kutscher sind, die den Kreislauf dieser seltsamen Raum-
kapsel in Gang halten.

Der Klang des Landes

Zu den geläufigen Topoi der Kulturkritik gehört das Bild der Stadt als Moloch, der bei Tag und Nacht von Lärm erfüllt ist. Das Land hingegen gilt als Reich der Stille. Die Stadt tönt laut und schrill wie eine Säge, das Land schweigt oder rauscht wie ein sanfter Regen. Richtig an solchen Stereotypen ist nur die Differenzierung der Geräuschwelten. Die Welt der Stadt ist geprägt von mechanischen Geräuschen, zu denen auch das Geklapper der Pferdehufe und das Rollen der Wagenräder gehört: Metall, das sich kreischend an anderem Metall oder knirschend an Pflastersteinen reibt. Aber auch der Klangraum des Landes wird nicht ausschließlich von den Geräuschen des Windes, den Rufen der Vögel und den Stimmen der Haustiere erfüllt; auch das Land kennt seine typischen Klangkörper. Die Menschen gehören dazu, die hämmernden, klopfenden, mähenden, sägenden und mahlenden Menschen, die Arbeiter, die den Pflanzen und Metallen der Erde, ihren Häusern, Werkzeugen und Alltagsdingen spezifische Geräusche entlocken. Der Klang der Körper, schreibt Hegel, sei gleichsam «das mechanische Licht»; er berührt uns, denn «er spricht die innere Seele an, weil er selbst das Innerliche, Subjektive ist».[48]

Der Volkswirt Karl Bücher hat in einer geistvollen Studie über die Arbeitsgesänge der Völker[49] den elementaren Ansatz bei den Geräuschen der Arbeitswelt gefunden: «Wenn die Magd den Boden schruppt, ergibt das Hin- und Herziehen des Schruppers Töne von wechselnder Stärke. Ebenso erzeugt das Ausholen und Einschlagen der Sense beim Grasmähen verschieden starke und verschieden lange Geräusche ... Der Küfer erzeugt beim Antreiben der Fassreife durch Hammerschläge von wechselnder Stärke eine Art Melodie, und der Fleischerbursche bringt mit seinen Hackmessern ganze Trommelmärsche zu Stande.»[50] Was Bücher unerwähnt lässt, sind die schönen metallischen Schleif- und Klopfgeräusche, wie sie beim Wetzen und «Dengeln», dem Schärfen der Sensen und Sicheln mit Wetzsteinen und Hämmerchen, entstehen und wie sie noch bis in die Mitte des 20. Jahrhunderts in allen ländlichen Regionen Mitteleuropas zu hören waren.

Vor dieser ständigen mal leisen, mal halblauten Hintergrundmusik des Landes spielte eine Combo verschiedenartiger, aber deutlich vernehmbarer Instrumente. Man brauchte nicht darauf zu warten, dass die ersten von Dampfmaschinen gezogenen Pflüge auf den Feldern auftauchten, denen einige Jahrzehnte später die Traktoren folgten, oder bis sich die ersten, von dreißig Pferden gezogenen Mähdrescher klappernd über die endlosen Weizenfelder des mittleren Westens hinschleppten. Schon die Zeit der Postkutschen brachte das Land zum Singen und Stöhnen. Die Verben, in denen Flaubert die abrupten Bewegungen der Kutsche in der berühmten Fiakerszene wiedergibt, evozieren zugleich die Geräusche der «schweren Maschinerie»: «Sie holperte durch die Rue Grand-Pont... ratterte wieder los... Der Fiaker... trabte... folgte... fuhr lange so weiter... plötzlich aber stürmte sie drauflos... sie rumpelte durch Saint-Sever... sie rollte... durchwanderte... jetzt stromerte sie...»[51]

Wie die Windmühle, das Schiff und die Eisenbahn ist die Kutsche mit ihrem großen hölzernen Schallkörper und ihren vielen beweglichen Teilen ein Klanginstrument von besonderer Größe und Qualität. Beständig reibt sich ihr hölzerner Körper an Eisen, Leder und anderem Holz; fortwährend hebt und senkt sich der Kasten und erfüllt die Luft mit seinem Geseufze und Gefauche. Ludwig Börne hat das Register der Laute notiert, mit denen ein Postwagen die Luft erfüllt, er ächze, schreibt Börne, «seufze, stöhne, klappere, grunze, schnurre, rassele, zische, miaue, belle, knurre, schnattere, quäke, brumme, klimpere, pfeife, murmele, schluchze, singe, klage und schmolle».[52] Auch wenn der Satiriker übertreibt – die Sound History der vergangenen Jahrhunderte wird sich anderen Komponisten widmen müssen als es die traditionelle Musikgeschichte tat: den namenlosen Erbauern von Kutschen, Wagen, Windmühlen und Kränen und den Steinklopfern auf dem Pflaster der Plätze und Brücken. Sie wird auch die Erbauer von Glockentürmen nicht vergessen.

In einem der schönsten Bücher der französischen Kulturgeschichte hat Alain Corbin den Klangraum der Glocken rekonstruiert und die Fülle des Geläuts beschrieben, in die das alte Frankreich vor der Revolution getaucht war. «Es fällt tatsächlich schwer», schreibt Corbin, «sich die emotionale Gewalt der Glocken am Ende des Ancien Régime

Anfänge der Mechanisierung auf dem Land: Die Maschine mäht und bindet das geschnittene Korn zu Garben. Sie werden von Hand aufgesetzt und später gedroschen. Österlen, Schweden 1947.

Fortschritte der Mechanisierung auf dem Land: Von 30 Pferden gezogener Mähdrescher, Kalifornien um 1904.

vorzustellen.»[53] Trotz der seit dem Mittelalter gebräuchlichen Metapher von den «klingenden Städten» sei die Schwindel erregende Macht des Geläuts kein urbanes Phänomen gewesen, im Gegenteil: «Die Abteien woben inmitten mancher grünen Einöde ein Netz von Geläuten, deren Wirkung man nur noch erahnen kann. (...) Die Abteien in der Normandie waren ein extremes Beispiel für diese Schallgewalt. In dieser Landschaft hat sich die klingende Landschaft zwischen dem 18. und dem 19. Jahrhundert zweifellos am tiefsten umgestaltet ... Am Vorabend der Revolution erschollen an Festtagen dreizehn Glocken in dem kleinen Marktflecken Saint-Pierre-sur-Dives. Verschiedene Bischofssitze zeichneten sich ebenfalls durch eine Klanggewalt aus, die in keinem Verhältnis zu ihrer Bevölkerungsstärke stand.»[54]

Wilhelm Heinrich Riehl, der Schriftsteller und Kulturhistoriker, der ursprünglich Dorfpfarrer werden wollte, erinnert in seinen «Culturstudien aus drei Jahrhunderten» an eine andere Art von Lauten, die ebenfalls in den Kirchtürmen ihre Podien und Sendestationen fanden, die Musik der sogenannten Turmbläser. «In vielen protestantischen Städten und Flecken», schreibt Riehl, «galt bis auf die neueste Zeit das Herkommen, daß Morgens und Abends oder auch zur Mittagszeit vom Thurme herab ein Choral geblasen wurde. Der Arbeiter im Felde hielt eine Weile seinen Pflug an, wenn die feierlichen Töne in die Stille der Morgenlandschaft hinein schallten, in der Werkstatt ward es auf Minuten ruhig ... Es war durch solche Musik allem Volke eine religiöse und künstlerische Weihe wenigstens auf etliche Augenblicke eines jeden Tages gelegt.»[55]

Neben dem Geläut und Gebläse der Kirchen und neben den Holzinstrumenten der Kutschen, Boote und Mühlen verfügt der Klangraum der ruralen Welt noch über eine dritte Abteilung. In ihr wirken die Schmiede, die Schlagzeuger des Landes, die Rhythmusgruppe der ländlichen Big Band. Seit langem gilt die Schmiede als Geburtsstätte des abendländischen Wissens von der Mathematik der Musik. Pythagoras, so erzählten sich die Griechen, sei eines Tages an einer Schmiede vorbeigegangen und habe zu seinem Erstaunen im Klang der Hämmer die reinen Intervalle von Oktav, Quart und Quint bemerkt. «Er stellte fest, daß sich die Hämmer nur durch ihr Gewicht unterschieden, und fand die Gewichtsverhältnisse 2:1, 3:2, 4:3 ... Pythagoras, heißt es weiter, hat anschließend gleichlange Saiten mit Gewichten, die jenen Hämmern entsprachen, gespannt und wieder die gleichen Intervalle gefunden.»[56] Trotz der physikalischen Fehler der Legende habe diese, so der Altertumswissenschaftler Walter Burkert, ihren guten Sinn, verweise sie doch auf die mythischen Schmiede, die Idäischen Daktylen, die, mit Orpheus verbunden, als Erfinder der Musik galten, und lasse so den «zweifellos sehr alten Zusammenhang der Schmiedekunst mit der Musikmagie»[57] zum Vorschein kommen.

Der Klangteppich der Glocken, wie Corbin ihn beschwor, mag seit der Revolution dünner und löchriger geworden sein. Aber wer beschreibt die Veränderung der ländlichen Welt, seitdem das rhythmische Hammerwerk der Schmiede verstummt ist? Die Musik, mit der die Schmiede des Dorfes den Tag erfüllte, mag weniger feierlich und emotional gewesen sein, weniger eng mit den Festen und der Trauer der Menschen verbunden, als es die der Glocken war; ein integraler Bestandteil des Lebens war sie in jedem Fall. Das weithin hörbare Klingen der Hämmer auf dem Amboss war ein akustisches Signal der Geschäftigkeit, das sicherste Lebenszeichen des dörflichen Organismus. Die Schmiede war das Herdfeuer der lokalen Gemeinschaft von Produzenten und Lieferanten, hier stellte sie ihr Werkzeug her, hier ließ sie ihre Pferde beschlagen.[58]

Im Jahr 1888, eben erst ist das Automobil in die Welt getreten, malt Arnold Böcklin den «Kentaur in der Dorfschmiede». Ein bärtiger Kentaur, hellbraun mit weiß gescheckt, ist in die Dorfschmiede getrabt und präsentiert dem Schmied seinen rechten Vorderhuf, auf den er mit der ausgestreckten Rechten zeigt: Hier, Meister, ist Eure Hilfe gefragt. Nicht auszuschließen, dass Böcklin, bei seiner ausgeprägten Leidenschaft für die Fliegerei, auch die Fortschritte der neuen automobilen Techniken des Landverkehrs beobachtet und die alte Ära von Pferdehuf und Schmiede kurzerhand in den Mythos entrückt hatte. Jedenfalls gelang ihm mit dem hintersinnig humorvollen Bild des Kentauren in der Dorfschmiede eine der heitersten Ikonen einer ländlichen Welt, die sich wie das Jahrhundert selbst dem Ende zuzuneigen begann.

Es ist nicht das erste Mal, dass Böcklin sich an diesem Wesen, halb

Mensch, halb Pferd, versucht. 1873 malt er den «Kampf der Kentauren», fünf Jahre später einen friedlich am Rande eines Sees ruhenden und kein Wässerlein trübenden Kentaur. Im «Kampf der Kentauren» gibt er übrigens seine unübersehbare Antwort auf die unter Altphilologen umstrittene Frage nach Art und Sitz des Geschlechts der Kentauren.[59] Im Übrigen folgt er mit diesem Bild ganz der klassischen Mythologie, die die Kentauren als streitlustige und raufwütige Wesen darstellt. Wieder im Einklang mit der Überlieferung malt er 1898 «Nessos und Deianeira» als eine Szene von sexueller Gewalt mit fatalen Konsequenzen für alle drei am Geschehen Beteiligten.

Wie anders dagegen der «Kentaur in der Schmiede». Ein durchaus ziviler Kunde, der beim Schmied vorgetrabt ist und seine Bestellung aufgibt. Der notorische Dreschflegel der Mythologie erscheint als friedliche dörfliche Existenz, als ein der Dienstleistung des tüchtigen Handwerkers bedürftiger Klient. Die Dorffrauen am Rand der Szene schauen neugierig zu, «der Schmied scheint den Umfang der Reparatur zu bedenken», schrieb Petra Kipphoff in einer Besprechung und meinte, so also habe «die Kfz-Werkstatt avant la lettre» ausgesehen.[60] Jeden Augenblick meint der Betrachter den Klang der ersten Hammerschläge zu vernehmen, alsbald wird das ganze Dorf zum Leben erwachen. Jetzt könnte noch eine knarrende und polternde Kutsche vorbeikommen, die Glocken zu läuten beginnen, und das ländliche Orchester wäre komplett. Zum Schluss würden noch die Spatzen eintreffen, die auf den Apfel des Kentauren warten. Übrigens passt Böcklins Kentaur auch seiner Gestalt nach in diese rustikale Welt: in seiner zweiten Hälfte ist er ein robustes Bauernpferd. Das Land kennt keine Rennpferdaristokratie.

Ritt nach Westen

I don't get on a horse unless they pay me.
John Wayne

Cowboys und Indianer

Das Pferd, das ohne Reiter und Zügel über die Hauptstraße von Fort Lincoln schwankte, war offensichtlich betrunken. Zielstrebig inspizierte der Braune im Vorbeigehen einige Mülltonnen, bevor er sie mit lässigem Fußtritt umwarf. War der Inhalt nach seinem Geschmack, konnte es vorkommen, dass er sich genüsslich darin wälzte und von Kaffeesatz und Kartoffelschalen bedeckt seinen Weg fortsetzte. Gegen Abend suchte er die Kantine der Soldaten auf, die ihr Bier mit ihm teilten, später schlenderte er hinüber zur Messe der Offiziere, um mit ihnen weiter zu trinken, gern auch härtere Sachen. Der Gaul, kein Zweifel, war am Suff. Aber niemand dachte daran, ihm Entzug zu verordnen oder schnöde Dienstgeschäfte wie Patrouillenritte oder Kutschfahrten zuzumuten. Den Braunen zu reiten war verboten; er galt als Held und führte seit 1878 den Titel eines Zweiten Kommandierenden Offiziers des Forts. Der Name des trinkfreudigen Hengsts war Comanche. Er war der einzige nichtindianische Überlebende der Schlacht am Little Bighorn[1], die später berühmt wurde als *Custer's Last Stand.*

Der frühere Besitzer des heldenhaften Hengsts war ein gebürtiger Ire gewesen, trinkfest und tapfer auch er, namens Myles Keogh, der seine Heimat früh verlassen hatte und nach Amerika ausgewandert war, wo er zum Kavallerieoffizier aufstieg. Als Unterführer Custers ritt er den Hengst in der Schlacht vom 25. Juni 1876, in der er wie sein Chef und dessen gesamtes Regiment den Tod fand. Als der Kampf vorbei war, lag das Feld von Little Bighorn mit menschlichen und tierischen Leichen übersät; aus der *horse cavalry* war nach den Worten einer Historikerin[2] ein *horse calvary* geworden, und Comanche stand, aus mehreren Wunden blutend, als einziges Wesen noch lebend auf der Wallstatt. Auf wunderbare Weise wurde der Schwerverletzte gerettet und wie ein kostbares lebendes Dokument nach Fort Lincoln zurückbefördert, der Garnison, von der Custers Regiment einige Wochen zuvor aufgebrochen war. Die einzige Verpflichtung, der das Tier fortan oblag, war die Teilnahme an der jährlichen Gedenkparade am Jahrestag der Schlacht, die unmerklich aus den Erzählungen der Geschichte in den Mythos überging.

Die Indianerkriege, die in Little Bighorn ihren spektakulären Höhepunkt und im Massaker von Wounded Knee (1890) ihr grausames Ende fanden, hatten im 17. Jahrhundert begonnen und im 19. infolge der brutalen Indianerpolitik der Regierung und der Verschiebung der Besiedlungsgrenze über den Mississippi hinaus nach Westen an Heftigkeit zugenommen. Ihre letzte und blutigste Phase schloss nicht zufällig an den Bürgerkrieg an. Kriege enden nicht mit dem Tag des Waffenstillstands oder mit der Kapitulation; sie gehen untergründig, auf andere Schauplätze verschoben weiter, bis sich die letalen Energien allmählich verzehrt haben. Als sich nach dem Homestead Act von 1862 und verstärkt nach dem Ende des Sezessionskriegs 1865 immer neue Massen von Siedlern in die großen Ebenen ergossen und die *frontier* der Landnahme nach Westen verrückten, kam es vermehrt zu Konflikten mit den dort lebenden Stämmen, unter ihnen die Sioux, Cheyenne, Kiowa, Blackfoot, Crow, Arapaho und andere.[3]

Zum Schutz der Siedler setzte die Bundesregierung Kavallerie ein, Regimenter, die aus ehemaligen Angehörigen der beiden Bürgerkriegsarmeen bestanden. Aus dem Krieg der weißen Amerikaner untereinander wurde ein mehr als zwei Jahrzehnte währender erbitterter Krieg der Weißen gegen die Indianer. Der Grad an Radikalität, der schon den Bürgerkrieg in seiner letzten Phase gekennzeichnet hatte, prägte auch den sich anschließenden Krieg der Rassen. Aber anders als die Gefechte des vorangegangenen Krieges wurden die des jetzigen fast ausschließlich zu Pferde geführt. In den Kriegerschwärmen der *horse tribes*, der auf den Great Plains lebenden Reiterstämme, fand die amerikanische Kavallerie einen ebenbürtigen Feind.

Oder richtiger: In der Kavallerie des wiedervereinigten Landes fanden die indianischen Reiterkrieger ihren ebenbürtigen Feind. Lange Zeit waren die uniformierten Reiter ihren wilden Gegenspielern hoffnungslos unterlegen gewesen, sowohl was Behendigkeit im Gelände als auch was Kampftaktik und Schießtechnik anbetraf. Im Bürgerkrieg hatten beide Seiten, Unionisten wie Konföderierte, ihre Kavallerietaktik verfeinert und ihre Bewaffnung verbessert. Die Uniformierten hatten ihre schweren Pferde gegen die wendigeren und zäheren Mustangs eingetauscht, sie ritten jetzt schneller, kämpften beweglicher, und mit den neuen Handfeuerwaffen schossen sie auch schneller und trafen besser. Die Kavallerie hatte sich erfolgreich modernisiert, um in einem archaischen Krieg zu bestehen, den ihre Gegner in einem Stil führten, wie ihn Mongolen und Sarazenen schon vor Hunderten von Jahren praktiziert hatten.

In der Geschichte des ausgehenden Pferdezeitalters nimmt der amerikanische Bürgerkrieg (1861–1865) eine Sonderstellung ein: integraler Teil der späten Pferdeära, weist er zugleich über sie hinaus. Auf der einen Seite bringt die seit Mitte des Jahrhunderts gesteigerte Feuerkraft und Zielgenauigkeit der Infanteriewaffen die Kavallerie um ihren Status als schlagkräftigste und schlachtentscheidende Offensivwaffe, den sie nach den napoleonischen Kriegen noch für vier, fünf Jahrzehnte behauptet hatte.[4] Gegen Schnellfeuerwaffen sind große, weiche Ziele wie Pferd und Mensch praktisch chancenlos. Auf dem modernen Schlachtfeld verlieren Flamboyanz und Schock einer Kavallerieattacke ihren Sinn. Andererseits steigt der Verbrauch von Pferden in der bespannten Artillerie, in der Aufklärung und Verbindung, bei Überraschungsangriffen, in der Störung von Verbindungslinien und Sabotagekommandos im Rücken des Feindes deutlich an. Anderthalb Millionen tote Pferde und Maultiere gegenüber 600 000 menschlichen Toten in dem fünfjährigen Ringen sagen einiges über die Natur dieses Krieges, dessen Auftakt sehr signifikant gewesen war: 33 Stunden nach seinem Beginn hinterließ der Beschuss von Fort Sumter, mit dem die militärischen Auseinandersetzungen am 12. April 1861 begannen, als erstes und einziges Opfer ein totes Pferd.

Wie in den meisten Armeen der Welt hatte die Kavallerie auch im amerikanischen Bürgerkrieg hauptsächlich drei Aufgaben zu erfüllen. Die erste lag in der Aufklärung und in der Sicherung von Verbindungslinien, die zweite im eigentlichen Kampfeinsatz als Waffe mit der höchsten Geschwindigkeit und Wucht (Schockwaffe), und die dritte im überraschenden Angriff im Rücken des Feindes und bei Sabotageakten. Bei allen Erfolgen, die die Kavallerie auf den Schlachtfeldern des Bürgerkrieges zu verzeichnen hatte, erwies sich ausgerechnet die zentrale zweite Aufgabe, ihr offensiver Einsatz im Gefecht, als der neuerdings problematische Teil der Sache: Dank den verbesserten Infanteriewaffen, namentlich dem Hinterlader mit erhöhter Schussfrequenz, auch dank der unterstützenden Feldartillerie, die aus gezogenen Rohren schoss, wurde der Einsatz der Kavallerie heikler und kostspieliger. Solange Kavallerie gegen Kavallerie kämpfte, waren ihre Scharmützel ausgewogen; sobald sie gegen gut ausgerüstete Infanterie anritt, wendete sich das Blatt. Ausgerechnet die Infanterie, über lange historische Zeiten hinweg das klassische Jagdwild der Kavallerie, der pedestre Gegner, der niedergeritten wurde, wenn er nicht die Flucht ergriff, erwies sich plötzlich als gefährlich: Ihre Feuerkraft war gewachsen und damit ihre Sicherheit, ihr Selbstbewusstsein.[5] Die Armeen des amerikanischen Bürgerkriegs veränderten daraufhin ihre Taktik. Zunächst erhöhten sie die ohnehin schon beträchtliche Geschwindigkeit und Wendigkeit ihrer Kavallerie, sodann wechselten sie flexibler zwischen der Position des Reiters und der des Fußsoldaten, wenn jener, abgesessen, mit dem Karabiner weiterkämpfte.[6] Drittens, und das war entscheidend, setzten sie die Kavallerie in ihrer klassischen Funktion als Sturmwaffe nur noch in vermindertem Umfang ein.[7]

Als in den sechziger Jahren, nach dem Ende des Bürgerkrieges, die

Indianerkriege in ihr letztes Stadium traten, waren viele der Stämme schon dezimiert und ihrer Pferde beraubt.[8] Vernichtung der Pferde war zu einem Bestandteil des Krieges gegen die indianischen Reiter-stämme auf den Great Plains geworden; Pferdemassaker dienten dem Zweck, die Indianer um die Grundlagen ihrer Existenz und damit ihrer Resistenz zu bringen. Aus dem Bürgerkrieg hatte die Armee die Lehre mitgenommen, dass die wirkungsvollste Form des Krieges der totale Krieg war, der die gesamte Gesellschaft des Gegners angriff und seine Ökonomie zu zerstören suchte.[9] In der Nacht des 27. November 1868, der Nacht von Thanksgiving, griff George Armstrong Custer überraschend die kleine Gemeinschaft von Cheyenne an, die das Sand Creek Massaker in Colorado vier Jahre früher überlebt hatte und jetzt am Washita River in Oklahoma siedelte.[10] Der fast vollständigen Auslöschung des Stammes folgte die seiner Ponies. Mit Hilfe zweier gefangener Cheyenne-Frauen zu Pferde wurde die gesamte Herde des Stammes, an die 900 Tiere, zusammengetrieben. Zuerst versuchte man die Pferde mit dem Lasso einzufangen und ihnen die Kehle durchzuschneiden, aber angesichts des heftigen Widerstands der ge-fangenen Tiere gaben Custers Soldaten auf und erschossen die rest-lichen Tiere.

Als Comanche im Jahr 1891 29-jährig starb, ließ man seinen Leich-nam von einem Präparator der Universität Kansas ausstopfen und in aufrechter Haltung montieren. Zwei Jahre später war er eine Haupt-attraktion der Weltausstellung von Chicago, neben anderen Über-lebenden von Little Bighorn wie dem Häuptling Rain-in-the-Face.[11] Nach dem Ende der Weltausstellung hätte seine sterbliche Hülle nach Fort Riley zurückkehren sollen, wo Comanche die beiden letzten Jahre seines Lebens verbracht hatte. Aber da die Rechnung des Präpa-rators unbezahlt geblieben war, behielt die Universität ihn ein und stellte ihn in ihrem Naturkundemuseum auf, in dem er heute noch zu sehen ist, im Lauf der Jahrzehnte in vielen Teilen erneuert, ähnlich wie Lenin in seinem Mausoleum auf dem Roten Platz.

Lehrer und Schüler

In der Vorstellung der Weißen ist der Indianer ein Reiter. Kaum denkbar, ihn sich als Fußgänger vorzustellen. Seinen erhabenen Ruf, der wilde Adel Nordamerikas[12] zu sein, hat sich der Indianer (außer bei Cooper) nicht auf Mokassins erworben; wie die Nobilität Europas sitzt der rote *Prärieadel* hoch zu Ross. Wie seine legendäre Gegenfigur, der Cowboy, ist auch der Indianer mit seinem Pferd verschmolzen, eine durch und durch equestrische Existenz. Das Epos, das die Taten von Cowboys und Indianern feiert und ihren Ruhm besingt, der *Western*, ist ein Mantel- und Degenstück eigener Art, ein Reiter- und Pferdefilm, in dem der Colt den Degen ersetzt. Umso erstaunlicher wirkt die Feststellung, dass der reitende Indianer eine historisch späte Figur ist, die überdies nicht sämtliche Stämme Nordamerikas repräsentiert.[13] Im Gegenteil, die Waldindianer des Ostens, aber auch die Stämme des mittleren Westens und des Südens waren keine *horse tribes* und wurden auch später nicht dazu; sie jagten zu Fuß und beschritten den Kriegspfad als Infanteristen. Selbst die Stämme, die irgendwann das Pferd für sich entdeckten und zu nutzen lernten, wurden nicht wie von selbst zu wilden Reiterkriegern. Zu Pferde und aus der Bewegung des Pferdes heraus zu kämpfen hat bloß ein Teil von ihnen gelernt; selbst die berühmten Apachen, das Volk des ruhmreichen Winnetou, ist nur bis zum ersten Feindkontakt geritten; den Kampf selbst führten die Apachen abgesessen.[14] Dasselbe Phänomen findet sich zu verschiedenen Zeiten und in verschiedenen Kulturen: Nicht jedes Volk, das reiten lernt, tut auch den Schritt zum Reiterkriegervolk. Dieses historische Pensum zu absolvieren bleibt denen vorbehalten, die von Anfang an in die Schule der großen Weite gegangen sind, die Jäger und Nomaden der Steppe, der Wüste und der Prärie.

Etwa zehntausend Jahre lang, seit dem Ende des Pleistozän, war Amerika ein Kontinent ohne Pferde gewesen. Als die Ursachen für das Aussterben vieler Arten amerikanischer Megafauna, neben Mammuts, Kamelen und Löwen vor allem von Pferden auf dem amerikanischen Festland gelten heute in erster Linie Veränderungen des Klimas und der Vegetation, nicht zuletzt aber auch Überjagung («Overkill») durch

Unfall beim Wagenrennen, römisch, 1. Jahrhundert.

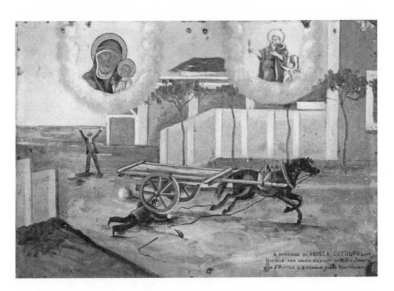

Das Pferd geht durch, der Kutscher kommt unter die Räder, doch die Madonna hat das Schlimmste verhütet: Italienisches Votivbild.

die Paläoindianer der Clovis-Kultur.[15] Als zählebig erweist sich daneben auch noch die Kometentheorie, derzufolge ein Asteroideneinschlag mit anschließender «Minieiszeit» das Massensterben verursacht haben soll. Jedenfalls war Amerika ein Kontinent ohne Pferde, als die spanischen Conquistadores sie am Ende des 15. Jahrhunderts als Haustiere zurückbrachten und damit einige der erstaunlichsten Dynamiken der neueren Geschichte, sowohl in zoologischer wie in anthropologischer Hinsicht, in Gang setzten.

Die Spanier waren berufene und geschickte Importeure. Neben einem erstklassigen Produkt – dem ibero-arabischen Pferd – verfügten sie über ein gehöriges Maß an kulturellem Knowhow, diesen Artikel betreffend. Von ihren ehemaligen Herren, den Mauren, hatten sie nicht nur die Pferde, sondern auch die zugehörige Kultur und den Reitstil, die *gineta*, übernommen.[16] Sie kamen aus der am höchsten entwickelten equestrischen Zivilisation der westlichen Welt, in der die Haltung und Züchtung von Pferden samt dem zugehörigen Wissen nicht länger das ausschließliche Privileg von Adligen waren. Das spanische Pferd, das beste im damaligen Europa, war hervorgegangen aus der Kreuzung des schnellen und zähen iberischen Pferds mit dem arabischen Pferd, das mit den Mauren aus Nordafrika gekommen war.[17] Ihre Pferde verschafften den Spaniern die militärische Überlegenheit über ihre indigenen Gegner, sie sicherten den raschen Abtransport ihrer Beute, namentlich an Edelmetallen, und sie ermöglichten die für das koloniale Amerika typische Rinderzucht großen Stils.[18]

Die Pferde taten sich zunächst schwer mit ihrer neuen Mission. Die wenigsten überlebten anfangs die Schiffspassage – die windlosen Zonen zwischen Passatwinden und Westwinden hießen wegen der vielen Pferde, die in der Hitze umkamen und über Bord geworfen wurden, die *Rossbreiten* – oder starben binnen kurzem im feuchtheißen Klima auf den Inseln vor der mexikanischen Küste. Ihre Lage besserte sich in dem Maße, wie die Spanier im Inland von Mexiko weiter nach Norden vordrangen und die Tiere sich akklimatisierten. Zwischen 1530 und 1550 ereignete sich die erste explosionsartige Vermehrung der Pferde auf dem nordamerikanischen Kontinent.[19] Mit Don Juan de Oñate kam 1598 die erste größere Pferdeherde nach Neu-Mexico.

Die Puebloindianer, mit denen die Spanier anfangs leichtes Spiel hatten, lernten deren Pferde zu hüten und zu pflegen, ohne sich für sie zu interessieren. Anders lag der Fall bei den im selben Gebiet lebenden Apachen. Sie stahlen die Pferde der Spanier und lernten sie zu reiten, indem sie nachahmten, was sie bei jenen gesehen hatten, bis hin zur spanischen Sitte, das Pferd von der rechten Seite zu besteigen.[20] Seit der Mitte des Jahrhunderts begannen, spanischen Quellen zufolge[21], die indianischen Reitschüler ihren ehemaligen Lehrern das Leben schwer zu machen: Sie griffen ihre Niederlassungen in New Mexico an, schonten auch die Siedlungen der Puebloindianer nicht, stahlen die Pferde und verschwanden, von wo sie gekommen waren, in der Weite der Prärien und Wüsten. Anders als später die Komantschen lernten die Apachen zwar nie, Pferde zu züchten und beritten zu kämpfen. Aber sie waren die ersten Indianer Amerikas, die eine gravierende technologische Wende vollzogen und ihr Arsenal um eine Waffe bereicherten, über die zu ihrer Zeit kein anderer indigener Stamm verfügte: *Geschwindigkeit*.

Der Aufstand der Pueblos gegen die Spanier im Jahr 1680 und deren zeitweilige Vertreibung aus New Mexico brachte den Umschwung in der Pferdekultur Nordamerikas. Als die Puebloindianer, die sich letztlich nichts aus Pferden machten, zu ihrer Kultur des Ackerbaus und der Töpferei zurückkehrten, ergoss sich ein gewaltiger Strom von Pferden in die Prärien des Mittleren Westens. Die Tiere, die dort auf ähnliche Lebensbedingungen stießen, wie sie ihre spanischen Vorfahren auf den Hochebenen Andalusiens gekannt hatten, vermehrten sich sprunghaft und erzeugten in vergleichsweise kurzer Zeit die großen Herden wilder Mustangs, auf die wiederum, dem Beispiel der Apachen folgend, circa dreißig Indianerstämme der Great Plains zugriffen.[22] Die so genannte *Great Horse Dispersal*, die große Pferdeverstreuung nach 1680, führte zu einer nachhaltigen Veränderung der Machtstrukturen im geografischen Zentrum Nordamerikas.[23]

Der Prozess verlief rasant. Um 1630 hatte noch kein Stamm zu Pferd gesessen, um 1700 ritten sämtliche Stämme auf den Ebenen von Texas, um 1750 betrieben auch die Stämme der kanadischen Ebenen die Bisonjagd zu Pferd.[24] Der Schritt von der Jagdtechnik zur Kampfweise war nicht groß. Eine Reihe von Stämmen, Sioux, Cheyenne, Kiowa, Arapaho, Blackfoot, Cree und Crow, alle taten sie ihn irgendwann, am gründlichsten und effektivsten die Komantschen. Sie wurden die unbestrittenen Meister im neuen Krieg der Geschwindigkeit und stiegen im Lauf des 18. Jahrhunderts zur indigenen Vormacht des Südwestens und zum Schrecken der Spanier auf. Ihr Besitz an Pferden gegen Ende des 18. Jahrhunderts war legendär. Als einziger von allen Indianerstämmen erlernten sie auch die Kunst, Pferde zu züchten und zu pflegen und verbanden ihr Schicksal und ihre Ökonomie aufs engste mit dem Leben eines Tieres, das ihnen bis vor wenigen Jahrzehnten unbekannt gewesen war. Selbst ihre Sprache blieb davon nicht unberührt: Ihr ansonsten eher bescheidenes Vokabular verfügte über eine erstaunliche Fülle an Adjektiven, um alle denkbaren Abschattierungen von braun, schwarz, rot und fahl, alle Flecken und Blessen ihrer Reittiere zu beschreiben.[25]

Für die Indianerstämme der Great Plains, so hat Clark Wissler, ein Schüler von Franz Boas und Pionier der Indianerforschung, geschrieben, sei die Zeit von 1540 bis 1880 die «Epoche der Pferdekultur» gewesen. Für viele Stämme habe die Epoche später begonnen, für manche habe sie früher geendet. An ihrem Anfang habe der Erwerb und die erste Benutzung von Pferden, an ihrem Ende die Ausrottung des Bisons im Lebensbereich des betreffenden Stammes gestanden.[26] Die jüngere Forschung datiert den Beginn des Zeitalters der indianischen Pferdekultur hundert Jahre später, auf die Mitte des 17. Jahrhunderts.[27] Seit Beginn des 20. Jahrhunderts haben amerikanische Anthropologen, anfangs Schüler von Franz Boas, später Forscher aus dem Umkreis Alfred L. Kroebers, den erstaunlichen Prozess näher untersucht, in dem die Indianerstämme der Great Plains ihr ökologisches System um zwei Elemente erweiterten, die im Gegenzug diese Systeme vollständig verändern sollten, nämlich Pferde und Feuerwaffen.[28]

Die Apachen waren die erste indianische Vormacht des Südens und Südwestens gewesen, bis sie von anderen Stämme militärisch und technisch überflügelt wurden und in die Bedeutungslosigkeit abstürzten. Das Vordringen der Pferde und der Feuerwaffen ereignete sich allerdings nicht gleichzeitig und am gleichen Ort: Die Pferde drangen von Süden, also von Mexico, nach Norden vor, die Feuerwaffen wanderten von Osten nach Westen. Die Feuerwaffen erreichten die indianischen Stämme auf dem Weg über den Pelzhandel, und während die Spanier den Waffenhandel mit den Indianern streng unterbanden, ließen die Engländer und Franzosen den Jägern und Händlern freie Hand. So kam es, dass sich zwei kulturelle Stufenmuster ausbildeten, die für einige Jahrzehnte koexistierten, bevor sie sich schließlich durchdrangen und vereinigten. Die erste, für den Süden und Südwesten charakteristische Phase war die Nach-Pferd- und Vor-Gewehr-Phase, während im Norden und Osten der Great Plains der Nach-Gewehr- und Vor-Pferd-Phase vorherrschte.[29] Mit anderen Worten, es gab auf den Plains eine *horse frontier*, die seit der Mitte des 17. Jahrhunderts von Süden nach Norden vorrückte, und eine *gun frontier*, die sich während derselben Zeit ebenso beständig von Ost nach West bewegte. Um 1800 umfasste die Schnittmenge der beiden wandernden Grenzen immerhin schon die gesamte östliche Hälfte der Great Plains.[30] Die innerhalb dieser stetig wachsenden Zone lebenden Stämme lernten, Feuerwaffen und Pferde als Wertstandards zu behandeln und gegeneinander zu tauschen.[31]

Um 1650 begann im Süden der Aufstieg der Apachen. Im direkten Kontakt mit den Spaniern lernten sie als erste reiten und übernahmen nicht nur den spanischen Reitstil, sondern auch den spanischen Sattel und die Rüstung, Lederschilde und Panzer für Reiter und Pferde. Die Apachen, als neuformierte Kavallerie der Infanterie ihrer Nachbarn militärisch weit überlegen, dehnten den von ihnen kontrollierten Bereich der Prärien immer weiter nach Norden aus und verbreiteten erfolgreich das Muster Nach-Pferd/Vor-Gewehr.[32] Da sie jedoch, wie viele andere Stämme, nur Halbnomaden waren und blieben, den Ackerbau und damit eine partielle Sesshaftigkeit nicht aufgaben, wurden sie von dem Augenblick an, als die konkurrierenden Nomadenstämme, allen voran die Sioux und die Komantschen, sie reittechnisch und militärisch oder richtiger: kriegerisch überholten, zum Opfer eines gewaltsamen *roll back*.[33]

Entscheidend für die kriegerische Potenz eines Stammes war in der Tat der Schritt vom sesshaften Dasein zur nomadischen Lebensweise.

Der nächste Schritt – von der überlegenen Jagdtechnik zur überlegenen Kriegstechnik – ergab sich fast von selbst. Voraussetzung für beides waren der Besitz von Pferden und die Fähigkeit, sie optimal zu nutzen.[34] Überdies bedurften die Stämme, um den entscheidenden Schritt vom Dorf zum Nomadenleben auf den Plains zu tun, «einer kritischen Masse» (E. West) von etwa sechs Pferden pro Kopf, Männer, Frauen und Kinder einzeln gerechnet, und die doppelte Menge an Pferden, um ein sicheres Leben zu führen – sicher im Sinne von ökonomisch sicher.[35] Die folgenreiche Konversion von der sedentären zur nomadischen Lebensweise vollzog sich nicht auf einen Schlag; die Cheyenne etwa begannen damit um 1750, aber noch nach 1790 hielten einige Dörfer des Stammes an ihrem Ackerbau fest. Aufs Ganze gesehen scheinen für die meisten Indianerstämme der Great Plains die Jahre zwischen 1780 und 1800 in einem buchstäblichen Sinn zum Augenblick einer *Sattelzeit* geworden zu sein.[36]

Nur im Süden, nahe der alten spanischen Quelle des Pferdereichtums, hatten einige schneller und gründlicher gelernt. Bereits um die Mitte des 18. Jahrhunderts hatten die Komantschen «die Grundlagen geschaffen für ihren legendären Status als die geschicktesten und gefürchtetsten Reiterkrieger der Plains ... Die neuen Herren der Region besetzten den Dreh- und Angelpunkt des alten Austauschs zwischen den Ebenen und ihren Rändern ... Zu Beginn des 19. Jahrhunderts hatten sie ihre Herrschaft über ein riesiges Gebiet vom oberen Arkansastal bis zum Bergland des Edwards Plateau in der Mitte von Texas gefestigt.»[37] In den zwanziger und dreißiger Jahren des 19. Jahrhunderts bedrohten sie, dank ihrer militärischen Überlegenheit zur Hegemonialmacht des Südwestens aufgestiegen, die nach Texas einströmenden amerikanischen Siedler, ohne dass die mexikanische Armee ihnen hätte Einhalt gebieten können.

Auch die 1823 von Stephen F. Austin ins Leben gerufenen *Texas Rangers*, eine Miliz zum Schutz der Siedler, brauchte mehr als zwanzig Jahre, bevor sie es ernsthaft mit dem wilden Hegemon der Prärien aufnehmen konnte. Ihre Kavalleriepferde alten Stils waren schwerfällig, ungelenk und viel zu schnell erschöpft, um mit den pfeilschnellen und zähen Mustangs oder Ponies der Indianer mithalten zu können. Ihre

Bewaffnung bestand aus einschüssigen Pistolen und langläufigen Gewehren, die als Duell- oder Jagdwaffen brauchbar, aber im Gefecht mit einem Feind, der aus vollem Lauf seines Pferdes heraus bis zu zwanzig Pfeile pro Minute abschoss, wenig nützlich waren. Im offenen Gelände, von keiner Palisade geschützt, waren die Rangers den Komantschen hoffnungslos unterlegen. Die durchschnittliche Lebenserwartung eines Rangers lag bei zwei Jahren.

Die Sache nahm eine Wendung, als John Coffee Hays, genannt Jack Hays, ein Heißsporn von 23 Jahren, 1840 das Kommando auf dem Standort der Rangers in San Antonio übernahm. Hays sorgte dafür, dass seine Einheit andere, leichtere Pferde erhielt, Züchtungen aus Mustangs und Vollblütern. Er brachte seinen Leuten bei, wie die Indianer zu leben, hellwach und von einer Minute zur anderen bereit zu kämpfen; er unterrichtete sie in der indianischen Art zu reiten, die er den Komantschen abgeschaut hatte. Hays' Leute schossen und luden schneller als alle anderen und zwar *im Sattel,* wozu zu diesem Zeitpunkt keine andere weiße Miliz oder Kavallerie in der Lage war, und dies sogar im Gefecht.[38] In Reitstil und Gefechtstaktik näherten sich Hays' Rangers damit immer mehr den Komantschen, nur nach Schussfrequenz und Feuerkraft lagen sie hinter ihren indianischen Lehrmeistern zurück.

«Der Indianer, das Pferd und die Waffe bildeten eine vollkommene Einheit. Sie waren aufeinander abgestimmt und ergaben als Ganzes eine vorzügliche Kampfeinheit», schrieb Walker Prescott Webb in seiner epischen Darstellung des Lebens auf den Great Plains.[39] Der avancierteste Gegner des Indianers auf texanischem Boden, der Texas Ranger, sollte eine ähnliche Einheit erst von dem Augenblick an erzielen, als die Erfindung eines jungen, technisch begabten Yankee in seine Hand gelangte. Mit dem zunächst fünf-, später sechsschüssigen Trommelrevolver von Samuel Colt verfügte die texanische Miliz von Jack Hays seit 1843 erstmals über eine Waffe, welche die bis dahin bestehende Asymmetrie gegenüber dem indianischen System von Mensch, Pferd und Waffe aufhob. Der von Webb und Colt überarbeitete Revolver, der seit 1847 produziert wurde, war die perfekte Feuerwaffe, um aus der Bewegung heraus zu schießen, und dies gleich mehrmals in

Folge. In einem Milieu, in dem, wie Webb an anderer Stelle schrieb, «Männer allein aufgrund von Waffen und Geschwindigkeit lebten»[40], war dieser technische Sprung entscheidend. Indem der Sechsschüsser die gefährliche Zeit des Ladens verkürzte, verlegte er zugleich den Ort der aktiven Kriegführung endgültig in den Sattel und damit ins Zentrum des bewegten Systems von Mensch und Tier.

Lange Zeit blieb die amerikanische Kavallerie praktisch die einzige Reiterei einer großen Nation, die den Revolver – neben dem Säbel und dem Karabiner – zu einem Hauptbestandteil ihrer Bewaffnung gemacht hatte. Die Kavallerie sämtlicher europäischen Staaten blieb bei der Bewaffnung mit Hieb- und Stichwaffen, die um verschiedene Typen von Gewehren, später ebenfalls Karabiner, ergänzt wurden. Die Gründe für die Vorliebe der amerikanischen Reiterei für den Colt lagen in den Erfahrungen, die sie im Kampf gegen indianische Reiterei gesammelt hatte. Aber der Revolver fand seinen Weg auch wieder zurück in den Krieg der Weißen untereinander: Im Bürgerkrieg kämpften sowohl die Reiter der Union wie die der Konföderation mit den Waffen, die keine zwanzig Jahre zuvor in den Händen der Texas Rangers ihre Premiere gehabt und mit der diese waffentechnisch mit ihren indianischen Gegnern gleichgezogen hatten.[41]

In dem damals erzielten relativen Gleichgewicht der mobilen Systeme Mensch-Pferd-Waffe schnitten sich um die Mitte des 19. Jahrhunderts zwei sehr lange historische Linien. Auf beiden Seiten stand am jeweiligen Endpunkt, was Webb «eine vorzügliche Kampfeinheit» genannt hätte: hier das System Mensch, Pferd, Pfeil und Bogen, dort das System Mensch, Pferd, Revolver[42]. Zwei Systeme, in denen animalische Elemente (Mensch, Tier) mit speziellen technischen Instrumenten (leichte Schusswaffen mit hoher Schussfrequenz) und dem erforderlichen Knowhow (Reiten, Schießen) funktional verbunden waren. Beide Systeme, das «rote» und das «weiße», unterschieden sich in der Technik der Bewaffnung und glichen einander in der Technik der Bewegung: Beide setzten das Vorhandensein des Tempoerzeugers Pferd voraus. Geht man ans andere Ende der beiden Linien, zu ihrem anderthalb Jahrtausende früheren Ursprung zurück, stößt man auf eine große equestrische Kultur, die der Araber.

Jüdische Cowboys

Die Mauren, die seit dem frühen 8. Jahrhundert n. Chr. die iberische Halbinsel beherrschten, verwandelten das Land in eine zweite Reitschule. Mit den edlen Pferden, die sie ins Land brachten, kreuzten und verbesserten die Spanier ihre zähen und schnellen iberischen Pferde – so lange und erfolgreich, bis zu Beginn der Neuzeit das iberische oder spanische Pferd als das beste in Europa galt und auf dem gesamten Kontinent begehrt war. Von den Mauren erbten die Spanier auch den nomadischen Stil des Reitens, die berühmte *gineta*, bei der der Reiter mit kurz geschnallten Steigbügeln über dem Pferd zu schweben scheint, während er durch seine Schenkel und Unterschenkel in engster Tuchfühlung mit dem Tier ist. Die konkurrierende ritterliche Schule der *brida*, bei welcher der Reiter mit durchgestrecktem Bein tief auf dem Pferd saß, trat demgegenüber seit Beginn der Neuzeit zurück[43], dergestalt, dass die *gineta* auch zum dominierenden Reitstil der Neuen Welt wurde, die *horse tribes* unter den Indianerstämmen eingeschlossen.[44] Aber auch die Kavallerie der Nord- und Westeuropäer, die seit dem 16. Jahrhundert von Osten her Nordamerika besiedelten, war auf ihre Weise in die Schule der Araber gegangen. Über eine Vielzahl von Wegen, zu denen nicht zuletzt der Kulturtransfer im Gefolge der Kreuzzüge[45] gehörte, war im Verlauf des Mittelalters und der Neuzeit das Pferdewissen der Araber nach Westeuropa gekommen und hatte dort Schule gemacht.

Noch wichtiger war der Zustrom edlen Pferdebluts, den der Westen den Arabern verdankte: Alle Vollblutzuchten seit der zweiten Hälfte des 17. Jahrhunderts, von den Engländern angefangen, basierten auf einem gewissen Anteil spanischen oder arabischen Bluts.[46] In den beiden Protagonisten – Indianer und Ranger – des zu Pferd ausgetragenen Krieges um das Herzland Nordamerikas, die Great Plains, trafen sich um die Mitte des 19. Jahrhunderts zwei bis dahin getrennt verlaufene Linien einer Überlieferung, die beide dem arabischen Kulturraum entstammten. Man könnte geradezu von einer *translatio arabica* sprechen, wie sie sich in dieser Prägnanz nur in der Pferdegeschichte gezeigt hat. In dieser sind die Araber die Lehrmeister der Welt gewesen: Die Muttersprache der Pferdegeschichte ist arabisch.[47]

Wenn Kulturen, wie gewisse Schulen des Strukturalismus lehrten, wie Sprachen funktionieren und einer Grammatik folgen, dann bewirken Kulturtransfers die Übersetzung von einer Sprache in die andere. Auf diesem Feld haben es die Juden, die verstreut zwischen den Kulturen lebten, in den *Intermundien* der Alten Welt, wie Karl Marx sagte, zu besonderen Fähigkeiten gebracht. So ist bekanntlich die Vermittlung der arabischen oder maurischen Kultur an die christlichen Bewohner der iberischen Halbinsel weitgehend das Werk gelehrter und kunstfertiger Juden gewesen.[48] Weniger bekannt ist, dass Juden auch bei der Übersetzung des spanischen Pferdewissens in die technologische Kultur des indigenen Nordamerika entscheidenden Anteil gehabt haben: Sie waren nicht nur die ersten Viehzüchter der Neuen Welt, sie waren auch die ersten Cowboys Amerikas.[49]

Die jüdischen Conquistadores, die an der Seite Cortés' 1519 nach Mexico kamen, an ihrer Spitze Hernando Alonso, waren Emigranten auf der Flucht vor der Inquisition, die sie gleichwohl auch hier, auf der anderen Seite des Ozeans, noch ereilen mochte: So wurde Alonso am 17. Oktober 1528 lebendig verbrannt.[50] Sie verstanden sich auf die Zucht von Vieh und Pferden, und um in der Neuen Welt von der Inquisition unentdeckt zu überleben, verwandelten sie sich in Rancher und wanderten im Gefolge der spanischen Expansion langsam weiter nach Norden, bis nach Nueva España, dem heutigen New Mexico.[51] Sie waren, wie ein Erforscher ihrer Geschichte schreibt, die «gespensterhaften Vorfahren der Begründer unserer westlichen Geschichte», und ihr Kulturtransfer umfasste erprobte Techniken und Objekte: «Diese Juden waren die ersten, die den *Gineta*-Reitstil, den persischen Sattel mit dem hohen Horn, den jetzigen Western-Sattel, das Wurfseil (Lasso) und die andalusischen Vorfahren des *quarter horse* in die Wüsten des Südwestens brachten. Sie taten das auf ihre eigentümliche Weise, als jüdische Rancher.»[52]

Die spanischen Juden, die Rinder und Pferde, die beiden Emblemtiere des amerikanischen Westens, ins Land brachten, sollten nicht die einzigen jüdischen Cowboys in der Geschichte der Vereinigten Staaten

Comanche, der einzige Überlebende auf Seiten der US-Kavallerie nach der Schlacht von Little Big Horn. Foto John C. H. Grabhill.

Auszug aus der Geschichte: Skirting the Sky Line. Foto Rodman Wanamaker, 1913.

bleiben. Mit der Welle der deutschen Auswanderer nach der gescheiterten Revolution von 1848 kamen auch viele Juden in die Vereinigten Staaten, von denen wiederum nicht wenige weiter nach Westen wanderten und Viehzüchter wurden.[53] Wer die amerikanischen Juden ausschließlich als Nachkommen von Ostjuden und ihr Milieu als an die Ostküste transportiertes Stetl begreift, übersieht die Vielfalt ihrer Herkünfte und verkennt den Reiz, den der Wilde Westen gerade auf junge Juden ausübte, welche die Enge europäischer Lebensverhältnisse hinter sich lassen wollten. Als gegen Ende des Jahrhunderts, im Jahr 1898, Theodore Roosevelt seine berühmte Truppe der *Rough Riders* aufstellte, ein ebenso buntes wie wildes Freiwilligen-Kavallerieregiment aus Geschäftsleuten, Scouts, Indianern, Polizisten, Bergarbeitern und Cowboys, um mit ihm gegen die Spanier auf Kuba zu kämpfen, schlossen sich ihm auch zahlreiche Juden an. Der erste Gefallene aus den Reihen der Rough Riders war ein 16-jähriger jüdischer Cowboy aus Texas, Jacob Wilbusky, der sich als Jacob Berlin aus New York eingeschrieben hatte, und zu den ersten von Roosevelts Kavalleristen, die am 1. Juli 1898 in der spektakulärsten und blutigsten Aktion des Feldzugs den San Juan-Hügel erstürmten, gehörte ein jüdischer Korporal namens Irving Peixotto.[54]

Der Sturm auf den Hügel von San Juan ist mehrfach gemalt worden, am eindrucksvollsten wohl von dem russischen Kriegsmaler Wassili Wereschtschagin.[55] Das bekannteste amerikanische Bild des Geschehens aber stammt von dem Illustrator, Pferdemaler und -bildhauer Frederic Remington, dessen dramatische Darstellungen des alten Wilden Westens sich tief ins Bildgedächtnis Amerikas eingeprägt haben.[56] Pferde und Pferdebilder hatten Remington und Roosevelt zwanzig Jahre früher zusammengebracht und anfangs zu Partnern, später zu Freunden gemacht. Roosevelt war 1883 nach Dakota gegangen und hatte eine Rinderfarm aufgemacht, Remington hatte dasselbe mit Schafen in Kansas versucht. Schon ein Jahr später begann Roosevelt, eine politische Karriere immer fest im Blick, sein Buch über *Ranch Life in the West*[57] zu schreiben, das zunächst als Artikelserie in zwei Zeitschriften erschien. Auf der Suche nach einem geeigneten Illustrator entdeckte er Remingtons Frühwerk und war begeistert. Für den bis dahin erfolglosen Künstler war es der Durchbruch.[58] Die Gelegenheit sich zu revanchieren kam für Remington, als er als Sonderkorrespondent für Collier's Weekly im Februar 1898 nach Kuba ging. Das Gemälde, das er nach Augenzeugenberichten vom Sturm auf den San Juan Hill malte, zeigte die heftig vorandrängenden Rough Riders, allesamt zu Fuß kämpfend, die ersten schon vom spanischen Abwehrfeuer getroffen niedersinkend, und vor ihnen, als einziger Mann zu Pferd, ihr Anführer, Oberst Roosevelt, die Reiterpistole in der Rechten. Dieses Bild, bekannte Roosevelt später, habe ihm die Präsidentschaft gebracht (die er 1901 errang).[59]

Remingtons Gemälde und die zahlreichen Fotos, auf denen Roosevelt im Kreis seiner «rauen Reiter»[60] als Sieger posierte, besiegelten das Image des Reiters und Haudegens und prägten das Bild des künftigen Cowboy-Präsidenten. Seinerseits ließ Roosevelt keine Gelegenheit aus, das populäre Bild zu vertiefen. In seiner Geschichte vom kubanischen Feldzug der Freiwilligen-Kavallerie, *The Rough Riders*, die nur ein Jahr nach der Campagne erschienen[61], schilderte er die farbenfrohe Uniform der *Riders* und fand, sie hätten genauso ausgesehen, «as a body of *cowboy cavalry* should look».[62] Von nun an war das Bild des Cowboys nicht nur in der populären, sondern auch in der politischen Ikonografie verankert. Tatsächlich wurden beide Bildwelten gegeneinander durchlässig, ja gegeneinander durchsichtig: so dass die neue Kunstform des *Western*, die literarisch[63] und filmisch[64] fast gleichzeitig aus der Taufe gehoben wurde, immer auch als politische Allegorie gelesen werden konnte. Anders als es in der oberflächlichen Betrachtung erscheint, ist der Western nicht ein triviales Genre wie der Kostüm- oder der Abenteuerfilm. Er ist das amerikanische Epos schlechthin, in dem sich zuverlässig das politische Schicksal der Nation reflektiert, vor allem in Zeiten, in denen diese vom Zweifel befallen wird.[65]

Während der Cowboy an der Seite von «Teddy» Roosevelt in die amerikanische Welt der Mythen und Metaphern einritt, verlor die Welt der tatsächlichen Mächte ihr Interesse an der Figur des Kavalleristen. Nur wenige Jahre nach der offiziellen Schließung der *Frontier* im Jahr 1890 hatten sich die Vereinigten Staaten anderen Horizonten zugewandt und waren im Begriff, zur global operierenden Seemacht aufzusteigen. Niemand war sich der neuen Spielräume der amerikanischen Außenpolitik stärker bewusst, niemand nutzte sie skrupelloser als Theodore Roosevelt. Und niemand übersetzte die Theorien seines Freundes, des Admirals Mahan, von der welthistorischen Dominanz der Seemacht konsequenter in politisches Handeln als der vermeintliche «Cowboy» Roosevelt.[66] Mit der Intervention auf Kuba endete die Phase der kontinental beschränkten Landnahme und mit ihr die Ära des Pferdes als deren weithin sichtbarster Akteur. Die Welt, hat ein kluger Mann gesagt, ist mit Sattel und Segel erobert worden. Unter Roosevelt, dem Cowboy-Präsidenten, stieg die Landmacht Amerika vom Sattel und setzte wieder die Segel. Tatsächlich war Roosevelt selber der einzige Kavallerist gewesen, der auf Kuba noch im Sattel gekämpft hatte. Das gesamte übrige Regiment hatte seine Pferde in Florida zurücklassen und auf Kuba zu Fuß kämpfen müssen: Soviel war wahr an Remingtons dramatischer Ikone.[67] So gesehen war der Sturm auf San Juan Hill nicht eine der letzten Reiterschlachten der Geschichte, sondern die Geburtsstunde der Marineinfanterie.

White horses, black boxes

Theodore Roosevelt, so ist gelegentlich zu lesen, sei der erste mediale Präsident der Vereinigten Staaten gewesen. Aber von welchem Präsidenten vor ihm hätte man das nicht sagen können? Ausnahmslos alle hatten ihre Wahlkämpfe unter Zuhilfenahme des gesamten Medienapparats geführt, den ihre Zeit ihnen zur Verfügung stellte: Buchdruck, Presse, Plakat und später zunehmend die gezeichneten, gestochenen, fotografisch erzeugten und gedruckten Bilder. Um 1900 allerdings ereignete sich eine Art Revolution in den Medien, vergleichbar mit dem Augenblick, als Johann Gensfleisch Gutenberg den Druck mit beweglichen Lettern erfand. Diesmal waren es Erfinder wie Thomas Edison, welche die Maschinerie der beweglichen Bilder schufen, den Film, der den Lauf der Welt und die Vorstellungen, die man sich von ihr machen sollte, revolutionierte und erneuerte. Und Theodore Roosevelt hatte den *flair* für das, was medial an der Zeit war, Bilder, mit denen sich die

Herzen der Zeitgenossen, präsidiale Wahlkämpfe und am Ende sogar Kriege gewinnen ließen.

Schon als er 1894 mit 25 Jahren, politisch gescheitert und jung verwitwet, Washington den Rücken kehrte und als Rancher nach Dakota ging, hörte er nicht auf, sein Bild in der Welt zu bearbeiten. Jede Zeile, die er schrieb, und noch die intimste, war an einen imaginären Leser oder Zuschauer gerichtet. Immer ging es um das Bild, das er, Teddy Roosevelt, der staunenden Welt bot, immer ging es um Kostüm und Staffage. Wenn er sich als Rancher und Cowboy beschrieb, waren es sein von der Sonne gebräunter Teint und das Gold seiner Haare, vor allem aber sein fabelhaftes Outfit, auf die er die Aufmerksamkeit lenkte: «Mit meiner teuren Ausstattung sehe ich jetzt aus wie ein echter Dandy-Cowboy», schrieb er an seine Schwester, und dem Freund Cabot Lodge teilte er die Details seiner Kostümierung mit: «ein breiter Sombrero, fransengeschmücktes Wildlederhemd, chaparajos oder Reithosen aus Pferdeleder und Cowboystiefel, geflochtenes Zaumzeug und Silbersporen.»[68]

Auch die Ausstattung der Rough Riders, eine bemerkenswerte Mischung aus Wildwestkostüm und Uniformteilen, hatte Roosevelt selbst entworfen. Vom Aussehen einer echten «Cowboy-Kavallerie» hatte er so bestimmte Vorstellungen wie von der Herkunft seiner Riders und ihren Talenten. Auch wenn sie die Nase nie zuvor aus Brooklyn herausgestreckt und kaum mehr als ein Schaukelpferd geritten hatten, bescheinigte er den Mitgliedern seiner gescheckten Truppe pauschal Wildwest-Erfahrung und überlegene Reittechnik. Um den Namen «Rough Riders» hätte es fast einen Copyright-Streit mit Bill Cody alias Buffalo Bill gegeben, dessen Wildwestshow seit 1893 auch als «Congress of Rough Riders» firmierte – ein Reiterparlament, dem neben anderen Berber, Kosaken, preußische Ulanen, britische Lanzenreiter und mexikanische Gauchos angehörten und dem Cody als eine Art Weltreiterpräsident voranritt.[69] Der unaufhaltsame Aufstieg Roosevelts zum Kriegshelden und sein politisches Comeback ließen es Cody ratsam erscheinen, auf den Streit zu verzichten und stattdessen «The Battle of San Juan» als glänzendes Finale ins Programm seiner Show von 1899 zu nehmen.

Während der reitende Barde somit den klassischen Weg ging und aus dem Krieg wieder ein Zirkusstück, aus der Wirklichkeit ein Spiel werden ließ, schlug der mediale Politiker einen komplizierteren Weg ein. Er überführte Elemente eines historischen Kostümstücks (denn eben dies war die Geschichte vom Wilden Westen unterdes geworden[70]) in die blutige Wirklichkeit des Schlachtfelds, um von dort heroische Posen und ephemere Heldendenkmäler ins zynische Spiel der politischen Akteure zu reimportieren: Es war eine zirkuläre Logik, nicht der «Einbruch» der Wirklichkeit in das Spiel. Wild Bill Hickock, ein Revolverheld, Spieler und Sheriff, spielte sich selbst, spielte Wild Bill Hickock auf der Bühne, bevor er die Bretter verließ und in einem Saloon in Deadwood erschossen wurde.[71] Wer den Kreislauf zwischen Bühne und Leben unterbrach, war ein toter Mann.

In diesen Kreislauf schob sich seit Anfang der neunziger Jahre zunächst unerkannt die neue, unerhörte Potenz des Films. Nicht ahnend, dass sie die Höhle eines Löwen betraten, der sie wenig später fressen würde, spielten Bill Cody und einige indianische Mitglieder seiner Showtruppe in den ersten, kurzen Filmstreifen, die Edison im September 1894 in West Orange, New Jersey, drehte. Die Filmgeschichte begann mit diesen «Zirkus-Versionen von Western-Sujets, vorgeführt von den authentischen Figuren des Westens»[72]. Nur wenige Jahre später hatte sich die zirkuläre Logik zugunsten des Films verschoben: 1908 brachte Cody ein Stück in die Arena, einen Zugüberfall im Westen, dem nicht ein historisches oder mythisches Sujet zugrunde lag, sondern der Plot eines Films, der als erster Western der Filmgeschichte gilt, Edwin S. Porters «The Great Train Robbery» aus dem Jahr 1903.[73] Aber zu diesem Zeitpunkt war sein historisches Schicksal schon besiegelt. Im Jahr zuvor, 1907, war er selbst zum Gegenstand einer Film-Biographie geworden («The Life of Buffalo Bill»), die, indem sie seine historische *persona* feierte, den realen Bill Cody geschäftlich ruinierte.

Die damals einsetzende Filmgeschichte war mehr als eine zweite Eroberung Amerikas. Mit Pferden war der Westen erobert worden, mit dem Western eroberte Amerika die Welt. Die ersten Western wurden übrigens als «horse operas», Pferdeopern, bezeichnet, lange bevor man von «soap operas» sprach. Wenige Jahre, nachdem Theodore Roosevelt, der «Cowboy-Präsident», im September 1901 ins Weiße Haus eingezogen war, stieg einer seiner ehemaligen Mitkämpfer aus Kuba zu einem der ersten Helden des Western auf. Thomas Edwin Mix, besser bekannt als Tom Mix, wurde zu einem der «Abgötter des amerikanischen Publikums», wie der französische Historiker des Western, Jean-Louis Rieupeyrout, notierte. Ein früher amerikanischer Filmkritiker hatte Tom Mix als Dandy des Westerns und Beau der Filmprärie beschrieben: «Er ist ein mäßiger Schauspieler, aber ein außergewöhnlicher Reiter.»[74] Tatsächlich verdankte Tom Mix einen Teil seines Ruhms seinem weißen Pferd, einem Tier, das geradewegs dem Mythos entsprungen zu sein schien. Von Herman Melville heißt es, er habe eine Zeitlang geschwankt und «mit dem Gedanken gespielt, von der Jagd auf einen heiligen weißen Büffel oder einen heiligen weißen Hengst zu erzählen», bevor er sich für den Wal entschied.[75] Auch in Moby Dick erinnerte er sich noch an «das weiße Pferd der Prärie, ein prachtvoller, milchweißer Hengst mit großen Augen, kleinem Kopf und vollem Bug, in dessen stolzer, hochfahrender Haltung unermessliche Würde lag»[76].

Vor die Alternative Land oder Meer, Behemoth oder Leviathan, gestellt, entschied sich Melville für das mythische Tier des Meeres, den weißen Wal. Den Ruhm, zum Mythologen der Prärien zu werden, überließ er nicht einem anderen Schriftsteller, sondern einem bildenden Künstler. Der Maler, Zeichner und Bildhauer Frederic Remington, der wie Roosevelt 1883 die Ostküste verlassen hatte, um nach Kansas zu gehen, war dort Rancher und Pferdehändler geworden. Er studierte das Leben der Cowboys, Trapper und Indianer und tauchte in seiner Bildfindung tief in das Leben des Wilden Westens ein. Zur selben Zeit, als Bill Cody («Buffalo Bill») den alten Westen zur Zirkusnummer machte, in der die Akteure von einst sich selber spielten, gaben Remingtons Bilder, von den Museen gesucht, von der Presse gedruckt, dem Wilden Westen seine authentische Ikonographie. Wer immer nach ihm den Westen beschrieb oder bebilderte, bis zu den großen Filmregisseuren des Western wie John Ford und Sam Peckinpah, stand auf Remingtons Schultern und sah den Westen mit seinen Augen. Schon

Owen Wister, der als Autor des ersten Westernromans («The Virginian») gilt, erwies dem Maler und Bildhauer die Reverenz: Alles, was das Bild des Westens geprägt habe, sei sein Werk, vom Typus des amerikanischen Soldaten über das Leben und die Tragödie des roten Mannes bis hin zu den Prototypen der Verworfenheit und Verkommenheit, den Prospektoren, Spielern und Banditen.[77] Nur eine und unter all den großen Ikonen Remingtons vielleicht die größte vergaß Wister zu erwähnen, das Pferd. Dabei war es das eigentliche Sujet des Malers gewesen, das mythische Tier des Landes. Es hatte beides möglich gemacht, die Eroberung des Westens und die Erfindung des Westerns.

Oklahoma Land Rush: Aus dem Film «Cimarron» von Wesley Ruggles und Howard Estabrook, 1931.

Auch der Western erzählt vom Ende des Pferdezeitalters: Lonely are the Brave, 1962.

Der Schock

Ende einer Reiternation

Mitte September 1939 liegt ein deutscher Offizier westlich von War-schau im Quartier und rekapituliert die Ereignisse der letzten Tage. Der Mann ist noch jung; bis vor zwei Wochen kannte er den Krieg nur als Spiel und als Manöver. Jetzt erlebt er ihn als eine Mischung aus rasch wechselnden Gefahrenlagen und Versorgungsproblemen, dazwischen kurze Augenblicke der Ruhe in den Salons fluchtartig verlassener Herrenhäuser. Die Bilder hängen noch an den Wänden, Empiremöbel stehen herum, bloß Wein ist nirgends aufzutreiben. Der Chronist ist Angehöriger einer motorisierten Einheit, doch sein Blick verrät den ehemaligen Kavalleristen.[1] Neben den menschlichen Toten sieht er die anderen Opfer des Krieges. An seine Frau Nina schreibt Claus von Stauffenberg am 17. September 1939: «Heute sah ich an der großen Straße von Warschau nach Westen die Reste einer völlig zusammen-geschossenen Kolonne. 100 oder mehr Pferde liegen am Straßenrand. Zur Zeit verscharrt die Zivilbevölkerung die Kadaver. Der Eindruck war unvergeßlich.»[2]

Zur selben Zeit erlebt ein polnisches Kind den Krieg und erblickt erstaunt die Massen der toten Pferde. Auch in sein Gedächtnis bren-nen sich die Bilder der erstarrten Tiere ein. In seinen Kindheitserinnerungen schreibt Ryszard Kapuscinski: «In der Luft hängt der Geruch von Pulver, von Brand, von verwesendem Fleisch. Immer wieder stoßen wir auf die Kadaver von Pferden. Das Pferd – ein großes, wehrloses Tier, kann sich nicht verstecken, es bleibt reglos stehen, wenn die Bomben fallen, und wartet auf den Tod. Auf Schritt und Tritt tote Pferde, hier direkt auf der Fahrbahn, dort neben der Straße im Graben, dann wieder etwas weiter weg im Feld. Sie liegen da mit steif in den Himmel gereckten Beinen und drohen mit ihren Hufen der Welt. Nirgends sehe ich getötete Menschen, denn diese werden sogleich begraben, nur überall die Kadaver von Pferden, Rappen, Braunen, Schecken, Füchsen, ganz so, als wäre dies nicht ein Krieg der Menschen, sondern der Pferde, als führten diese untereinander einen Kampf auf Leben und Tod, als zählten sie zu den einzigen Opfern des Krieges.»[3]

Wie die letzten Tage des Zweiten Weltkriegs, als abgesessene Kosaken ihre Pferde an der Elbe tränkten, so standen auch die ersten Tage dieses Krieges im Zeichen des Pferdes. Polen, so will es ein bis heute wirksamer Mythos, die alte Reiternation, ist in Reiterkämpfen untergegangen.[4] Seit der Mitte des 19. Jahrhunderts sind alle großen Einsätze der Kavallerie auf dem Schlachtfeld irgendwie letzte Gefechte. Aber in den verzweifelten Abwehrkämpfen der polnischen Kavallerie gegen die vordringenden Truppen der Wehrmacht scheinen noch einmal Züge einer Menschheitsdämmerung in Erscheinung zu treten, die man für historisch erledigt und rational verarbeitet hielt: Es ist der Abschied von einer langen Epoche, wie er sich dramatischer kaum in Szene setzen ließ. Auch wenn dieser Abschied in der Wirklichkeit niemals stattgefunden hat – in den Salons der kollektiven Erinnerung hängen die alten Bilder wie in den verlassenen Herrenhäusern Polens.

Wie die Liebe und das Börsengeschäft ist die historische Erinnerung eine Heimat des Wunschdenkens, das dem Glauben opfert und das Wissen ignoriert. Die Geschichte wird im Indikativ geschrieben, gelebt und erinnert aber wird sie im Optativ. Darum haben historische Legenden ein so zähes Leben. Es ist, als könnte die Wahrheit, auch wenn sie vor aller Augen liegt, ihnen nichts anhaben. Ihr erfolgreiches Überwintern hat freilich seinen Preis: Legenden müssen nicht nur gründlich verbreitet worden sein, sie müssen auch einen dramatischen oder obszönen Kern haben, durch den sie die Vorstellung stärker bewegen und erregen, als historische Kritik es jemals vermag. Zu den zählebigen Legenden des letzten Jahrhunderts gehört die Geschichte vom Angriff polnischer Lanzenreiter auf deutsche Panzer am ersten Tag des Zweiten Weltkriegs. Zwar stehen die gesicherten Tatsachen über das, was in Wirklichkeit ein historischer Unfall oder ein fataler Zufall war und nicht ein Akt wahnwitzigen Mutes, eine blutige Donquichotterie, mittlerweile frei zugänglich im Netz.[5] Aber immer noch erweist sich das Bild der todesverachtenden polnischen Reiter als stärker denn alle historische Vernunft. *Morituri te salutant*, die historische Phantasie liebt die aussichtslosen Gefechte.

Am Abend des ersten Tags des deutschen Überfalls auf Polen, dem 1. September 1939, so will es die Legende, griff eine Abteilung der polnischen Kavallerie eine deutsche Panzereinheit an, mit dem Mut der Verzweiflung und den absehbar tödlichen Folgen.[6] Aus den spektakulär dahingaloppierenden Kavalleristen mit gestrecktem Säbel macht die Legende gern Ulanen mit eingelegter Lanze, weil dieses Detail den Eindruck des Atavismus oder der historischen Ungleichzeitigkeit noch erhöht: so als hätten am ersten Abend des Zweiten Weltkriegs Urzeit und Spätkultur sich ein unwahrscheinliches Treffen geliefert. Als sei aus dem Schacht der historischen Zeit noch einmal der Archetyp des berittenen Kriegers, der Schrecken der Steppe, hervorgetreten, um der stählernen Moderne die Stirn zu bieten. Der polnische Reiter im aussichtslosen Duell mit dem deutschen Panzer, was für ein Bild vom Ende des Pferdezeitalters.

Der echte Ablauf des ungleichen Treffens sah anders aus. Es handelte sich um einen zufälligen Zusammenstoß einer polnischen Kavallerieeinheit mit deutschen gepanzerten Truppen; anstelle eines Wendemanövers im MG-Feuer, das vermutlich keiner von ihnen überlebt hätte, traten die Reiter die Flucht nach vorn an, in der Hoffnung, zwischen den Panzern durchzukommen (was etwa der Hälfte von ihnen tatsächlich gelang). Die Legende wiederum entsprang dem Bericht eines italienischen Journalisten. Von ihm nahm die deutsche Propaganda den Faden auf und spann ihn weiter. Zwei Filme, *Feldzug in*

Polen (1940) und *Kampfgeschwader Lützow* (1941), verankerten das fiktive Geschehen im Bewusstsein der Zeitgenossen und besetzten erfolgreich das Gedächtnis der Nachwelt. Noch im Jahr 1959, als sich der polnische Regisseur Andrzej Wajda in dem Film *Lotna* um die Schaffung eines Gegenmythos bemühte, meinte er auf die Szene der mit Lanzen gegen Panzer kämpfenden Kavallerie (S. 113) nicht verzichten zu können.[7] Zu perfekt schien sie ins Selbstbild der polnischen Nation zu passen.

Dieses Bild war von der Imago des polnischen Adels geprägt. Emphatisch wie kaum eine andere Fraktion der europäischen Nobilität hatte sich der polnische Adel als Reiteradel begriffen. Und die polnische Nation, mehrmals geteilt, vielfach gedemütigt und historisch verunsichert, richtete sich an der Vorstellung auf, eine Reiternation zu sein. Wie keine andere europäische Armee hatte die polnische seit dem 16. Jahrhundert die Reiterei zu ihrer zentralen Waffengattung gemacht, das überkommene Schwert durch den leichten, schnellen Säbel ersetzend. Das Pferd war integraler Bestandteil der polnischen Selbstrepräsentation, in der Literatur wie in der bildenden Kunst. Pferdemalerei, wie sie vom Adel und vom arrivierten Bürgertum im 19. Jahrhundert in ganz Europa ästimiert wurde, besaß, zumal als Teil der Historienmalerei, in Polen durchweg einen politischen Grundton.[8] Immer erhob sich im Hintergrund das erhabene Bild des größten polnischen Reiters, Johannes III. Sobieski, der in der Schlacht am Kahlenberg im September 1683 die Türken geschlagen hatte und seitdem als Retter des christlichen Abendlands galt.

Kurz bevor es am Spätnachmittag des 1. September 1939 zu dem fatalen Zusammenstoß mit einer deutschen Panzerkolonne kam, hatte die polnische Reiterei eine Attacke gegen deutsche Infanteriestellungen geritten. Verlustreich wie der Angriff war, erzielte er doch noch einmal die bekannte alte Schockwirkung auf die Infanterie, die Hals über Kopf den Rückzug antrat. Selbst Heinz Guderian spricht in seinen Memoiren von der «Panik des ersten Kriegstages»[9]. Auch an den folgenden Tagen des kurzen Krieges gelangen der polnischen Kavallerie noch gelegentlich Überraschungsangriffe auf deutsche Truppen und Durchbrüche durch die gegnerischen Linien. Aber gegen die über-

legenen motorisierten und gepanzerten Einheiten zunächst der deutschen, später auch der russischen Verbände war die polnische Reiterei
machtlos. Hinzu kamen die Angriffe der Jagdbomber, unter denen besonders die Kavallerie zu leiden hatte. Einigen Einheiten gelang in den
letzten Kriegstagen die Flucht nach Ungarn; die letzten noch kämpfenden Kavalleristen unter General Kleeberg, insgesamt 5000 Mann,
kapitulierten am 5. Oktober. Nur in den Wäldern am Fuß des polnischen Mittelgebirges kämpften noch einige Hundertschaften polnischer Reiter unter Major Dobrzański, genannt Hubal, als «Sonder-
abteilung des polnischen Heeres» weiter. Am 30. April 1940 wurde die
Partisanengruppe von deutschen Truppen eingeschlossen und vernich-
tet, ihr Anführer grausam geschunden und geschlachtet.[10]

Donnerkeil a. D.

Mit dem Ausbruch des Krimkriegs 1853 ging eine fast vierzigjährige
Zeit des Friedens in Europa zu Ende. Von neuem trat der Kontinent in
eine Phase, die von militärischen Auseinandersetzungen geprägt war,
Konflikte, in denen sich der rasche Fortschritt der Technik bemerkbar
machte. Vor allem die Kavallerie sollte den rapiden Wandel der Machtverhältnisse auf dem Schlachtfeld zu spüren bekommen. Während der
längsten Zeit, seit Menschen Kriege führen und sich der Mitwirkung
von Tieren versichern, waren Reiter und Pferd, war der Kentaur der
Meister des Schlachtfelds, Herr des Gefechts und Schrecken der Feinde
gewesen. Unter Napoleon war noch einmal die Reiterei zur sichtbarsten und vielfach dezisiven Waffe des Gefechts aufgestiegen; häufig
waren es Kavallerieattacken, die den Ausgang des Gefechts entschieden. Die Vorstellung von einer «Entscheidungsschlacht», wie Clausewitz sie kodifiziert hatte, verlangte nach der passenden Waffe; als solche
bot die Kavallerie sich an.[11] Sie war das Element der schnellsten Bewegung, der Keil, der auf dem Höhepunkt des Kampfes den Widerstand
der feindlichen Masse brach, das Messer, das im entscheidenden Augenblick ins Herz des gegnerischen Heeres gestoßen wurde. Sie war die
schimmernde Waffe, ein großes, farbiges, vielgliedriges Wesen und

gleichzeitig Denkmal der eigenen Größe und ihres unerhörten *éclat*. Mit den neuen Kriegen seit der Mitte des 19. Jahrhunderts begann der lange Sturz des Monuments. Anfangs waren es nur leichte Sprünge, die es durchzogen, ein Rieseln, das dem Blick der meisten entging.

Nach dem Ende des amerikanischen Bürgerkriegs brauchte Europa ein Dreivierteljahrhundert, um sich die Lektionen, die Amerika in vier blutigen Jahren gelernt hatte, endlich zu eigen zu machen. Nationen und Armeen lernen nicht aus der Betrachtung ferner Desaster; sie lernen, wenn überhaupt, aus eigenen Niederlagen. Aber welche Lehren hätten denn europäische Stabsoffiziere und Kavalleristen aus den Schlachten des Sezessionskriegs ziehen können?

Offenkundig war, erstens, der rapide Kursverfall der Kavallerie als Offensivwaffe angesichts einer mit Hinterladern und Repetierwaffen schneller feuernden und aus gezogenen Läufen besser treffenden Infanterie. Die Kavallerie als Schrecken einer Infanterie, die fürchten musste, überritten zu werden, verblasste in dem Maße, wie ihre gesteigerte Feuerkraft die Fußtruppen in die Lage versetzte, die Reiterei auf Distanz auszuschalten. Weniger augenfällig aber nicht minder bedeutsam waren, zweitens, die operativen Möglichkeiten der Kavallerie jenseits des «klassischen» Schlachtfelds, etwa im Rahmen von Kommandounternehmen, die der Unterbrechung der feindlichen Nachschub- und Nachrichtenlinien dienten, oder bei Überfällen auf Munitionsdepots. Beide Seiten, sowohl die Reiter der Union wie die der Konföderierten, machten intensiven Gebrauch von dieser Taktik schneller, flexibler und die feindliche Logistik treffender Operationen, in der sich Bewegungsmomente des Banden- oder Nomadenkriegs mit den Zielen des modernen technischen Kriegs verbanden.[12]

Darüber hinaus hätten Beobachter des Bürgerkriegs und der sich anschließenden Indianerkriege, drittens, den Nutzen einer veränderten Bewaffnung der Kavallerie studieren können. Während die Kavallerieführer und Strategen der Alten Welt ausnahmslos auf die traditionellen Blank- und Stichwaffen schworen, rüstete die nordamerikanische Reiterei konsequent auf Revolver und Repetiergewehre um, wie sie dem neuen Stil des Reiterkriegs entsprachen. Eine Schwadron mit gezogenem Säbel in vollem Galopp gegen feindliche Linien zu schicken, hieß, physikalisch gesehen, ein gigantisches, aus vielen Komponenten gebildetes Geschoss von hoher Durchschlagskraft abzufeuern, um eine Art heiße Wand zu durchbrechen. Was es psychisch bedeutete, sowohl auf Seiten der Reiter, die, der Kontrolle über ihre halbirren Tiere weitgehend beraubt, in ständiger Gefahr zu stürzen und überrannt zu werden, dem Aufprall entgegenrasten, wie auf Seiten der Verteidiger, die eine gigantische, schnaubende, brüllende, donnernde und blitzende Höllenmaschine auf sich zurasen sahen, lässt sich von heute aus schwer ermessen.[13] Aber wenn der Hauptzweck der Kavallerie nicht mehr darin bestehen konnte, als Donnerkeil in die Reihen der Infanterie zu fahren, sondern im Rücken des Feindes Bahnlinien zu zerstören oder sich gegen berittene Bandenkrieger zu behaupten, mussten sich Taktik, Bewaffnung und Ausrüstung ändern. Eben dies war in Amerika geschehen, während die europäischen Heere am Gedanken der Offensive und der herkömmlichen Bewaffnung mit Säbel und Lanze festhielten.[14]

An der Hauptschlacht des deutsch-österreichischen Krieges von 1866, der Schlacht von Königgrätz, ließen sich dieselben Phänomene studieren, die sich schon auf dem amerikanischen Kriegstheater gezeigt hatten: das gesteigerte Risiko der Kavallerie, sobald sie nicht mit ihresgleichen, sondern mit modern bewaffneter Infanterie zusammenstieß – und ihre infolgedessen gesunkene Chance, die Schlacht zu entscheiden, wie sie dies unter Napoleon oder Friedrich dem Großen, Murat oder Seydlitz noch vermocht hatte.[15] Noch spektakulärer waren die Debakel, welche die französische Kavallerie, Elite einer Armee, die als die beste des Kontinents galt, im Spätsommer und Herbst des Jahres 1870 hinnehmen musste.

Ihr schlimmstes Desaster ereignete sich am 1. September 1870 vor Sedan, als unter den Augen des preußischen Königs Wilhelm und seines Stabes die französische Reiterei dreimal in Folge und ebenso verlustreich wie erfolglos versuchte, die Linien der deutschen Infanterie zu durchbrechen. Nach dem Scheitern der letzten Attacke, so will es die Legende, hielt der französische Kommandeur, General Gallifet, einen Augenblick lang erschöpft vor den vordersten Posten des deutschen Infanterieregiments inne; die Deutschen stellten das Feuer ein, salutierten und ließen die letzten Überreste der französischen Reiterei langsam davonziehen.[16] Die weniger chevalereske Wirklichkeit des Schlachtfeldes, das Wort in einem sehr buchstäblichen Sinn genommen, spiegelte sich in den Zahlen der in diesem Krieg Ermordeten wieder. Stets überwog auf beiden Seiten, der französischen wie der deutschen, die Zahl der getöteten Pferde die der gefallenen Reiter. Die Pferde waren nicht nur die leichter zu treffenden, weil größeren Ziele, sie brachten auch in ihrem Sturz ihre Reiter mit zu Fall, die zu töten oder gefangen zu nehmen alsdann ein Leichtes war. Aber von dieser weniger glanzvollen Seite des Krieges Infanterie gegen Kavallerie oder Mann gegen Kentaur schweigen die Geschichtsbücher.[17]

Die Zeit der letzten Gefechte ist angebrochen. Seit den Tagen von Metz und Sedan wird die Historie nicht müde, von immer neuen letzten Reiterschlachten der Militärgeschichte zu berichten. *Von Bredows Todesritt* am 16. August 1870 sei, so Michael Howard, «vielleicht der letzte erfolgreiche Kavallerieangriff in der Kriegsgeschichte Westeuropas»[18] gewesen. Die große, 5000 Reiter umfassende *mêlée* von Rezonville am selben Nachmittag gilt als das *letzte große Gefecht* Kavallerie gegen Kavallerie in der Geschichte.[19] Wie kein anderer Zweig der Geschichtsschreibung hat sich die Kriegsgeschichte die romantische Seele und den Sinn für die historistische Einfühlung bewahrt. Wo sonst auch wäre von ähnlich starken Abgängen von der Bühne der Weltgeschichte zu berichten? Am Ende musste diese Bühne frei sein für das grausame Spektakel des Ersten Weltkriegs: Wer jetzt noch ins Feuer ritt, musste wahnsinnig, General oder Selbstmörder oder alles gleichzeitig sein.

Die einzige europäische Nation, die vor dem Ersten Weltkrieg Ansätze zeigte, ihre Kavallerietaktik zu revidieren, war die englische. Auch sie hatte nicht aus dem amerikanischen Bürgerkrieg gelernt, dafür aber aus ihren kolonialen Konflikten sowie aus dem Guerillakrieg, den ihr die Buren aufgezwungen hatten.[20] Bei allem Glanz, den das Viktorianische Zeitalter verbreitete, war es keine friedliche Zeit gewesen. Während der über 63-jährigen Regentschaft der namengebenden Königin kämpfte Großbritannien in 80 großen und kleinen kriegerischen Auseinandersetzungen, «und in jeder von ihnen», heißt es in einer jüngeren historischen Studie, «erwiesen sich Pferde als ebenso entscheidend wie Männer»[21]. Zu den politisch wie kavalleristisch besonders interessanten Engagements gehörte der Feldzug gegen den *Mahdi*, Mohammed Ahmed, der im Sudan gewaltsam ein islamisches Kalifat begründet hatte. Durch die Eroberung von Khartum und den Tod des dort verschanzten englischen Statthalters, General Gordon, hatte der Mahdi das englische Weltreich herausgefordert. Doch erst Jahre später, 1896, schlug das Empire zurück. Von heute aus gesehen wirkt der Feldzug, in dessen Verlauf die Briten das nordöstliche Afrika zum Labor moderner Waffentechnik machten, wie ein Vorbote des Ersten Weltkriegs. Von der historischen Gegenseite betrachtet, erscheint er als ein letztes großes Aufbäumen des 19. Jahrhunderts: eine Campagne mit einer Entscheidungsschlacht, in der wiederum der Kavallerie die weithin sichtbare, den Ausschlag gebende Rolle zufällt. Kein Wunder, dass auch die Schlacht von Omdurman zu jenen Reiterschlachten gehört, denen man nachrühmt, sie seien die *letzte* ihrer Art in der Geschichte gewesen.

Ein junger Offizier der britischen Kavallerie, der vor Omdurman eine Schwadron führte und dem Feldzug ein Jahr später ein Buch widmete (*The River War*), legte damals die ersten Grundlagen seiner nachmaligen (auch literarischen) Berühmtheit. Tatsächlich lässt Winston Churchills Darstellung des Feldzugs gegen den Mahdi schon die Pranke des Löwen spüren. Seine elliptischen Bilder vom heftigen Zusammenprall der 21st *Lancers* mit den kriegerischen Derwischen gehören zu den herausragenden Beschreibungen der Kriegsliteratur, da sie dem Tempo und der Eleganz des entsetzlichen Balletts gerecht werden, ohne das Grauen des Gemetzels und die Benommenheit seiner Akteure zu unterschlagen. «Der Zusammenstoß», schreibt Churchill, «war von ungeheurer Wucht. Fast dreißig *Lancers* und mindestens zweihundert Araber waren niedergeworfen worden. Der Schock auf beiden Seiten war betäubend, und vielleicht mochte für wunderbare zehn Sekunden niemand auf seinen Feind geachtet haben. Von Panik erfaßte Pferde hatten sich in der Menge verkeilt, übel zugerichtete Männer, die in Haufen übereinander lagen, mühten sich benommen, taumelnd und verwirrt auf die Beine und schauten an sich herunter.

Zusammenstoß der Zeitalter: Andrzej Wajdas Film «Lotna» von 1959 machte aus der NS-Legende vom Angriff polnischer Kavallerie auf deutsche Panzertruppen am 1. September 1939 ein polnisches Heldenepos.

Die berühmten Scots Grey, in Linie angetreten am Rand einer Straße in Nord-frankreich, Mai 1918.

Mehrere der gestürzten *Lancers* fanden sogar Zeit, wieder aufzusitzen. Doch schon riß der Schwung der Kavallerie sie wieder mit. (...) Bei dieser Gelegenheit waren zwei lebendige Mauern aufeinander gestoßen. Die Derwische kämpften mannhaft. Sie versuchten den Pferden die Knieflechsen durchzuhauen ... Sie durchschnitten Zügel und Steigbügelriemen. Sie schleuderten ihre Wurfspeere mit großer Gewandtheit. Sie versuchten jedes Mittel, das kaltblütigen, entschlossenen, kriegserprobten und mit Kavallerie vertrauten Männern zu Gebote steht, und außerdem schwangen sie scharfe Schwerter, die tief schnitten. (...) Herrenlose Pferde galoppierten über die Ebene. An den Sattelknauf geklammert, vom Blut eines Dutzends Verwundungen bedeckt, sah man Männer hilflos dahintorkeln. Pferde, denen das Blut aus klaffenden Wunden schoß, hinkten und stolperten mit ihren Reitern.»[22]

Der Krieg gegen die Buren, der wenig später, im Oktober 1899 begann, entwickelte sich binnen kurzem von der konventionellen Auseinandersetzung zweier gleichartiger Gegner zu einem Guerrillakrieg, in dem den Pferden eine entscheidende Rolle zukommen sollte. Nachdem die Buren begriffen hatten, dass sie dem englischen Expeditionskorps in der offenen Feldschlacht unterlegen waren, setzten sie auf überraschende Angriffe kleiner Kommandotrupps auf zähen afrikanischen Ponies. Lord Kitchener, der Sieger von Omdurman, seit dem Frühjahr 1890 britischer Oberkommandierender am Kap, antwortete mit einer Reihe von Maßnahmen, die allesamt darauf zielten, die freie Beweglichkeit der kämpfenden Buren zu beschränken, während sie gleichzeitig die der britischen Truppen erhöhten. Ihr wichtigstes Element war der verstärkte Einsatz berittener Truppen, die auf dem Höhepunkt des Krieges im Jahr 1901 nahezu ein Drittel des gesamten Expeditionsheeres von 250 000 Mann ausmachten. 80 000 Pferde ins Feld zu schicken, warf nicht zuletzt enorme logistische Probleme auf. Nachdem die britischen Behörden seit den achtziger Jahren des 19. Jahrhunderts den Ankauf von Remonten, also Militärpferden, auf den inländischen Markt beschränkt hatte, betätigten sich nur die Londoner Transportgesellschaften noch als Importeure auf dem US-amerikanischen und kanadischen Markt. Die für den Burenkrieg benötigten Pferde mussten somit erst den Umweg über Londoner Omnibusse nehmen, bevor sie in Südafrika Dienst tun konnten.[23]

Spuk am Mittag

Die Katastrophe kam nicht über Nacht, einige hatten ihre Vorzeichen gesehen. 1913 zitierte Paul Liman in seinem Buch *Der Kaiser* die Warnung des Freiherrn von Gühlen: «Die deutsche Nation wird die imposanten Kavallerie-Attacken der Kaisermanöver mit dem in Strömen fließenden Blut ihrer Söhne zu bezahlen haben.»[24] Schon nach den Erfahrungen des amerikanischen Bürgerkriegs und des deutsch-französischen Krieges von 1870 hatte es in den europäischen Ländern nicht an Stimmen gefehlt, die auf die Gefahren hinwiesen, die der Reiterei durch die gesteigerte Feuerkraft der Infanterie drohten. Sollte die Kavallerie eine Zukunft haben, so konnte sie nicht in der klassischen Offensive mit gezogener Blankwaffe liegen. Sie musste sich, der Kampfweise von Nomadenkriegern und irregulären Truppen angenähert, in kleine Kommandos auflösen, die blitzartig zuschlugen und wieder verschwanden, den Feind hinterrücks überfielen und seine Verbindungslinien zerstörten. Dazu hätte es anderer Taktiken und einer veränderten Ausbildung und Ausrüstung bedurft; die fielen aber nicht vom Himmel. Die Reglements wurden immer noch von Leuten verfasst, ehemaligen oder aktiven Kavalleristen, die alle Warnungen in den Wind schlugen, den Wert der Offensive lehrten und angesichts schnell feuernder Waffen allenfalls eine Auflösung der Formation empfahlen. Noch das letzte deutsche Kavalleriereglement vor dem Ersten Weltkrieg aus dem Jahr 1909 beschrieb die Attacke als das entscheidende Mittel des kavalleristischen Gefechts.[25]

Den politisch und strategisch wirksamen Diskurs bestimmten nicht vereinzelte Taktiklehrer an Heeres- und Kavallerieschulen, die die Sache realistischer angingen und zu vorsichtigerem Gebrauch der Offensive rieten, sondern Autoren wie Friedrich von Bernhardi, der noch 1908 von der Kavallerie forderte, «die feindlichen Feuerwaffen,

so weit irgend möglich, außer Spiel zu setzen», um alsdann die feindliche Kavallerie mit blanker Waffe anzugreifen: «Da ein energischer
und schneidiger Gegner das gleiche Bestreben haben muß, so will mir
scheinen, daß auch der zukünftige Krieg Kämpfe zeitigen wird, die
sich als eigentliche Reiterkämpfe kennzeichnen werden. Ebenso wird
aber auch bei der Schlachtentätigkeit der Kavallerie die Attacke stets
von der überragenden Bedeutung bleiben gegenüber dem Eingreifen
der Feuerwaffe.»[26]

Was so martialisch-fröhlich klang, war in Wahrheit ein Pfeifen im
Keller. Niemand wusste dies besser als der erfahrene Kavalleriekommandeur Bernhardi. Deshalb äußerte er sich in der Regel vorsichtiger und widersprach dem «attackenfreudigen Geiste»[27] der meisten
seiner Offizierskollegen. Innerhalb weniger Jahrzehnte habe sich die
Natur des Schlachtfeldes von Grund auf verändert: Die «Verlustzonen»
hätten sich wesentlich erweitert, und die «Bestreichung des Raumes»
habe in einer Weise an Intensität gewonnen, dass es «zur Unmöglich-
keit geworden (sei) direkt bestrichene Räume zu durchreiten»[28]. In
dieser Lage riet Bernhardi dazu, den Schwerpunkt von der Attacke auf
die operative Beweglichkeit zu legen[29] und wie die ehedem verachtete
Infanterie «den Schutz des Geländes in Anspruch zu nehmen»[30]. Gehör fanden freilich weniger seine mahnenden, als vielmehr seine forschen Verlautbarungen.

Sowohl die Indianerkriege wie der Burenkrieg hatten gezeigt, dass
die zeitgemäße militärische Bedeutung der Kavallerie in der «Verbindung von Feuerkraft und Mobilität»[31] lag. Aber solche Evidenz fand
keinen Eingang in die strategischen und taktischen Konzepte der
Heeresführungen beim Eintritt in den Ersten Weltkrieg. Selbst die
britische Armee, der die Buren in ähnlicher Weise ihren Kampfstil aufgezwungen hatten, wie es zwei, drei Jahrzehnte früher zuvor die Indianer gegenüber der amerikanischen Kavallerie getan hatten, blieb
taub gegen die Stimme der Erfahrung. Einzelne Truppenführer, junge
Offiziere mochten aus den Erfahrungen in Afrika gelernt haben; die
Führung hatte es nicht. Douglas Haig, der britische Oberkommandierende von Dezember 1915 bis Kriegsende, hatte zwar sowohl den
Feldzug gegen den Mahdi als auch den Burenkrieg mitgemacht, aber

als bekennender Kavallerist, der als Generalinspekteur der Kavallerie in Indien gedient hatte und auch im Hauptquartier die Sporen nicht ablegte, verweigerte er sich der Einsicht in die Wirkung moderner Waffen und beharrte auf der Überlegenheit von Willen, Entschlossenheit und Überraschung, also der psychologischen Elemente des Krieges. Wie zur Zeit der napoleonischen Feldzüge, die er intensiv studiert und in den neunziger Jahren an der Kriegsschule unterrichtet hatte[32], sah er die Aufgabe sowohl der Infanterie wie der Artillerie in der Vorbereitung des entscheidenden finalen Angriffs, der von der Kavallerie getragen wurde. Den Preis für diesen merkwürdigen, bei vielen Kommandierenden jener Zeit zu beobachtenden Trotz gegen die Erfahrung entrichtete die Kavallerie in den großen Schlachten der Jahre 1916 bis 1918.[33]

In seinem Weltkriegs-Roman *Heeresbericht* schildert Edlef Köppen einen Angriff britischer Reiterei auf deutsche Gräben, der mit dem grauenhaften Untergang der angreifenden Truppe im Feuer der Infanterie endet: «Die erste Reihe, die zweite Reihe, nicht mehr geteilt jetzt, ineinandergeprallt, schon aufgelaufen, schon ein Glied, schon zu dicht zur gewollten Bewegung. Und es sägt und stampft und quetscht und wühlt und frißt. Maschinengewehre zwischen die schlagenden Beine der Pferde, daß die zerhackten Stümpfe über die Erde schlurren, Schrapnells vor die Brust, Granaten unter den Bauch ... Fontänen armdick Blut und Gedärme, hochgeschleudert Glieder und Rümpfe aus Menschen und Tieren. (...) Der Irrsinn ist wach, die letzte Angst, das entsetzlichste Entsetzen. Nicht ein Pferd wendet. Noch das Tote drängt nur nach vorn. (...) Noch das Tote wird immer wieder, immer wieder zerfleischt. Hände heben sich aus dem zähen, blutüberströmten Wall; Gesichter, unkenntlich, heben sich; Gebärden flattern. Stehend freihändig bringt die deutsche Infanterie ihre Fangschüsse an. Bis alles reglos im Blutbrei erstickt.»[34]

Auch John French, der erste Oberkommandierende des britischen Expeditionskorps (bis Dezember 1915), war wie sein Konkurrent und Nachfolger Douglas Haig Kavalleriekommandeur im Burenkrieg gewesen. Gegen alle Empirie des Weltkriegs hielten beide an der überkommenen Bedeutung «ihrer» Waffengattung fest. French träumte von schneidigen Kavallerieattacken und liebte es, auf einem weißen

Pferd zum Truppenbesuch zu erscheinen.[35] Douglas Haig oder «Butcher Haig», wie er nach den Schlachten an der Somme seit Juli 1916 genannt wurde, behauptete noch 1927, ein Jahrzehnt nach Ende des Weltkriegs, Flugzeuge und Panzer seien «bloßes Beiwerk zu einem Mann auf einem Pferd».[36] Einer Zeit, die schon den Luftkrieg kannte und von Mondraketen träumte, musste das Festhalten an der Reiterei als Offensivwaffe als zynischer Atavismus erscheinen – Beleg für die Unbelehrbarkeit einer Schicht militärischer Führer, die sich damit beschäftigte, die Kriege von gestern und vorgestern zu gewinnen. Zu Recht prägt dieses Dual – die Obsoleszenz der Reiterei und der Starrsinn der Generalität – die Geschichtsbilder des Ersten Weltkriegs bis zum heutigen Tag.

Daneben oder vielmehr dagegen hat sich seit drei Jahrzehnten eine revisionistische Schule der englischen Geschichtsschreibung entwickelt, die, inspiriert von dem 2003 verstorbenen Haig-Biographen und -verteidiger John Terraine, sich um den Nachweis bemüht, dass die Kavallerie auf den Schlachtfeldern des Ersten Weltkriegs ihr Wort mitgeredet habe – auch in den Gräben der Westfront.[37] Die herrschende Vorstellung, der Durchbruch im Westen sei das Werk veränderter Kampfweisen und neuer Waffen, allen voran des Panzers, gewesen, gilt dieser Schule als «technologischer Determinismus».[38] Allem revisionistischen Heroismus zum Trotz ist freilich daran festzuhalten, dass die Schlachtfelder des Ersten Weltkriegs technisch dominierte Milieus darstellten, in denen die Chancen berittener Truppen, erfolgreich zu operieren, radikal gesunken waren. Schuld daran war nicht nur die erhöhte Feuerkraft des Maschinengewehrs. Seit dem späten 19. Jahrhundert war der Kavallerie ein weiterer technischer Feind erwachsen. Er war so tückisch wie unscheinbar: ein simples, langgezogenes Stück Eisen. Es brauchte gar nicht der berüchtigte Stacheldraht des Ersten Weltkriegs zu sein; normaler Eisendraht, der simple Weidezaun der Landwirtschaft leistete denselben Dienst als Tierstopper: «Praktisch die gesamte Aufmerksamkeit der Forschung richtet sich auf die Entwicklung der Feuerwaffen, so gut wie niemand kümmert sich um die Entwicklung des Bodens», kritisiert der Mathematiker und Historiker Reviel Netz: «Mittel der Gewalt wie das Gewehr und das

Maschinengewehr üben eine ungeheure Faszination aus. Von einem Stück Draht, das ein Viehzüchter um sein Land gezogen hat, geht nicht derselbe Grad an Spannung aus.»[39]

Wie Netz überzeugend darlegt, führten Veränderungen in der Ökologie Europas und Nordamerikas, genauer gesagt die gewandelte Landnutzung in der zweiten Hälfte des 19. Jahrhunderts dazu, dass immer größere Teile des offenen Landes, das die Kavallerie für ihre Aufritte benötigte, durch Einhegungen und Umzäunungen verloren gingen. Wo die Farmer Amerikas und die Bauern Europas ihre Zäune gezogen hatten, war für die Kavallerie nicht mehr viel zu holen: jedenfalls nicht der minutenlange Anlauf über freies Feld, den die klassische Attacke verlangte.[40] Jahre vor dem Grabenkrieg und der Infanteriebewaffnung des Ersten Weltkriegs hatte die ökologische Moderne der Reiterei mit wehenden Fahnen und gestrecktem Säbel buchstäblich den Boden entzogen. Aber erst seit 1916 stand mit dem Panzer eine Waffe zur Verfügung, welche die schwere Kavallerie als klassische «Schockwaffe» des Gefechts abzulösen imstande und von Drahtverhauen, Gräben und Infanteriefeuer nicht aufzuhalten war.

Das Pferd als Zugmaschine erlebte demgegenüber eine sinistre Konjunktur. Mochte sein Einsatzradius als *Vektor* künftig beschränkt sein, als *Traktor* wurde es nach wie vor gebraucht, und dies in steigender Zahl. Mit dem logistischen Aufwand der Massenheere und der Materialschlachten, aber auch mit der Erweiterung und Verbesserung des Sanitätswesens stiegen der Verbrauch an Pferden und im selben Zuge die Probleme der Remontierung.[41] Im selben Maß, wie sich der Krieg in die Länge zog, wurde der Ersatz der Pferde zum Problem. Je mehr Pferde von den Bauern im Hinterland requiriert wurden, umso prekärer wurde die Lage der Landwirtschaft, von deren Erträgen wiederum nicht nur die menschlichen, sondern auch die animalischen Truppen abhingen. Wie schon während des Burenkriegs bezog die britische Armee ihre Pferde weitgehend aus Kanada und den Vereinigten Staaten. Aber der U-Boot-Krieg bedrohte auch diese Nachschublinien. Aufs Ganze gesehen bewirkte der Erste Weltkrieg, wie eine amerikanische Historikerin schreibt, «eine massive... erzwungene Migration von Millionen von Tieren.»[42]

Ursächlich für den hohen Bedarf an Zugpferden war nicht zuletzt die Zunahme an Stückzahl und Gewicht der schweren Waffen. Die gesteigerte Bedeutung der Artillerie im Ersten Weltkrieg drückte sich in erhöhtem Traktionsbedarf aus. Abgesehen von schwersten Belagerungsgeschützen, die dem Eisenbahntransport vorbehalten blieben, oblag der Transport der leichten und mittelschweren Stücke der bespannten Artillerie. Nicht selten sah man Gespanne von 12 und mehr Pferden sich mit ihrer schweren Zuglast durch die vom Regen aufgeweichten und von Rädern und Granaten zerwühlten Wege in die Artilleriestellungen quälen – ein beschwerlicher und gefährlicher Weg. Der 1915 begonnene Gaskrieg schonte auch das Leben der Pferde nicht. Dem Beschuss durch feindliche Waffen, namentlich Flieger, waren sie hilflos ausgeliefert; Pferde gehen nicht in Deckung. Deshalb galt es unter Fliegern als effektiver, Pferdekonvois zu bombardieren als marschierende Kolonnen: Die Tiere waren leichter zu treffen und schwerer zu ersetzen als Männer.[43] Auf dem finalen Höhepunkt der Kämpfe an der Westfront im August 1918 betrug die Lebenserwartung eines Artilleriepferds an der Front ganze zehn Tage.

Die Zahl der auf allen Seiten im Ersten Weltkrieg eingesetzten Pferde belief sich nach heutiger Schätzung auf 16 Millionen, von denen etwa die Hälfte, 8 Millionen, bis zum Ende des Krieges ums Leben kam.[44] Ihnen stehen geschätzte 9 Millionen menschliche Kriegstote gegenüber. Noch niedriger war die Rate der überlebenden Tiere im Burenkrieg gewesen: von den auf britischer Seite zwischen 1899 und 1902 insgesamt eingesetzten 494 000 Pferden starben 326 000, also fast zwei Drittel. Auf deutscher Seite werden die Verluste an Pferden im Ersten Weltkrieg mit einer Million beziffert, was eine Verlustquote von 68 Prozent bedeutet.[45]

Nach der heute vorherrschenden Ansicht haben erst die Literatur der jüngsten Zeit, allen voran Michael Mopurgos Kinderbuch *War Horse* von 1982, das 2011 von Steven Spielberg verfilmt wurde, und die Forschungen im Vorfeld der Gedenkfeiern zum Ersten Weltkrieg die Leistungen und Leiden der Tiere und namentlich der Kriegspferde dem Vergessen entrissen.[46] Zumindest für die Seite der Literatur und der in den Jahren nach dem Krieg populären Erinnerungsbücher trifft

Hell Fire Corner: Bespannte Artillerie und Logistik auf einer Versorgungsstraße im Bereich feindlichen Feuers.

187. Guerre de 1914 — Enfouissement de chevaux sur le champ de bataille de HAELEN

Ein Massengrab für Pferde nach dem Gefecht von Haelen am 12. August 1914.

das nicht zu. Der amerikanische Naturalist Ernest Harold Baynes setzte den Tieren schon früh ein Denkmal[47]; der Veterinärgeneral Sir John Moore verneigte sich 1931 vor *Our Servant the Horse*[48]. Franz Schauweckers Bildband von 1928 widmete den Tieren eine eigene Gruppe von Fotos und einen anrührenden Text.[49] Ernst Johannsen schließlich darf als direkter Vorläufer Mopurgos gelten, weil er den Krieg aus der Sicht einer Weltkriegs-Veteranenstute namens Liese erzählt. Gewidmet ist sein Buch «den 9 586 000 Pferden ..., die dem Weltkrieg zum Opfer fielen».[50] Und zu den erschütterndsten Szenen in Erich Maria Remarques Roman *Im Westen nichts Neues* gehört das im 4. Kapitel geschilderte Leiden der Pferde.[51]

Von den Schlachtfeldern des Westens verschwunden, lebt die Kavallerie in den Erinnerungen, Mythen und Karikaturen[52] des Weltkriegs fort. Nur gelegentlich kehrt sie noch wie ein Spuk in der Mittagsstunde in den Kriegsalltag zurück. Ende August 1918 wird der Leutnant und Kompanieführer Ernst Jünger im Gefecht mit britischen Truppen schwer verwundet. Den notdürftig Verbundenen nimmt ein Mann seiner Einheit namens *Hengstmann*[53] auf die Schultern und trägt ihn zurück, bis ihn selbst die Kugel trifft. Jünger ist Infanterist, aber um Offizier zu werden, hat er reiten lernen müssen, und als er später den seltsamen christophorischen Augenblick im Tagebuch notiert, fällt er wie von selbst in die Sprache der Kavallerie: «Ich hörte ein leises metallisches Sirren und merkte, wie Hengstmann unter mir zusammenbrach. Ein Schuss durch den Kopf hatte ihn niedergeworfen. (...) Es ist doch ein merkwürdiges Gefühl, wenn ein Mensch, der einem körperlich so nahe ist, unter dem Leibe weggeschossen wird.»[54] Die surreale Szene scheint Jünger, der alles irgendwie Symbolische wie süchtig aufsog, nicht losgelassen zu haben, denn wie der Herausgeber seines Kriegstagebuchs bemerkt, erinnerte er sich noch im hohen Alter an den fatalen Augenblick und den kentaurischen Namen seines Retters von einst.[55] Zeitlebens hing über Jüngers Schreibtisch ein Foto des Gefreiten Hengstmann.

Die Adelsmatrix

Nicht leichter war das Los, das die Pferde im Zweiten Weltkrieg erwartete. Die Fortschritte der Mechanisierung und Motorisierung gingen längst nicht so weit, dass sie das Pferd als Zugtier ersetzt hätten. Dies lag am noch niedrigen Grad der Mechanisierung der Einheiten, es lag an logistischen Problemen, Schwierigkeiten bei der Versorgung mit Treibstoff und Ersatzteilen, es lag auch an der Beschaffenheit von Straßen und Wegen. Wo das Gelände für motorisierte Fahrzeuge unpassierbar wurde, wo Schlamm die mechanisierten Kolonnen fraß, kam nur das Pferdefahrzeug weiter. Der spätere Historiker Reinhart Koselleck hatte die Ostfront des Zweiten Weltkriegs als Angehöriger der bespannten Artillerie erlebt. Auch dieser Krieg, erinnerte er sich, «der zu Land zweifelsfrei durch Bomber, Flieger und durch Panzer entschieden wurde – geführt wurde er, jedenfalls auf deutscher Seite mehrheitlich noch mit bespannten Truppen. Während im Ersten Weltkrieg auf deutscher Seite 1,8 Millionen Pferde zum Einsatz kamen, waren es im Zweiten fast eine Million mehr, nämlich 2,7 Millionen. Und von diesen sind 1,8 Millionen umgekommen.» Das sei, schloss der Historiker, «ein prozentual weit höherer Blutzoll als ihn die Soldaten entrichten mußten», und verbuchte die Zahlen als «Indiz für ein mörderisches Ende des Pferdezeitalters».[56]

Gegenüber dem Ersten Weltkrieg hatte der Bedarf an Pferden nochmals sprunghaft zugenommen. «Zu Beginn des Zweiten Weltkriegs», schreibt der Historiker Heinz Meyer, «verfügte eine Infanteriedivision etwa über doppelt so viele Pferde wie eine Division im Ersten Weltkrieg. Durch die größere Zahl an schweren Waffen und die umfangreichere Ausstattung mit Geräten war diese Erweiterung des Pferdebestandes notwendig geworden. Bei den nicht motorisierten Truppen kam im Ersten Weltkrieg ein Pferd auf sieben, im Zweiten ein Pferd auf etwa vier Soldaten.»[57] Die enorme Steigerung des Pferdebedarfs brachte eigene Probleme mit sich. Nicht nur beraubte sie die Landwirtschaft und das zivile Transportwesen bedeutender Kapazitäten, sie erhöhte auch den Futterbedarf der Einheiten und band für die Versorgung und Pflege der Tiere zuständiges Heerespersonal. Dennoch kamen, wie sich im Verlauf des Krieges im Osten immer deutlicher zeigte, auch die vollmotorisierten Truppen nicht mehr ohne Pferde aus – zu katastrophal waren die Wegeverhältnisse. «Selbst die kleinsten Fahrzeuge», heißt es im Kriegstagebuch eines im Mittelabschnitt eingesetzten Korps für den Monat April 1942, «waren oft nur im Viererzug von der Stelle zu bringen.»[58]

Der Krieg im Westen war weitgehend ohne Pferde geführt worden; die bekannten Bilder von behelmten deutschen Offizieren, die an der Spitze ihrer Truppen durchs besiegte Paris ritten, dienten Propagandazwecken. Anders der Krieg im Osten; hier hatte das Pferd neben der Traktion noch eine echte Kavallerieaufgabe, wenngleich nicht in den vordersten Linien. Im rückwärtigen Gebiet taten sich neue Verwendungen für die Reiterei auf. In dem Maß, in dem sich die Entfernungen zwischen den Truppenteilen erhöhten, die Räume unüberschaubar wurden und Partisanenangriffe auf die immer länger gezogenen Linien zunahmen, kehrte die totgesagte Waffengattung auf das Kriegstheater zurück; 1942 wurde wieder eine deutsche Kavallerie unter Oberst Freiherr von Boeselager aufgestellt. Ihre Regimenter kämpften fortan neben einem kalmückischen und einem kosakischen Kavalleriekorps und neben den Reiterverbänden der SS; aber dies sind Geschichten, die an anderer Stelle nachzulesen sind.[59] Technisch gesehen war der Krieg im Osten ein anderer, gewissermaßen «älterer» Krieg als der im Westen Europas, in dem mechanisierte Armeen aufeinandertrafen und in dem Pferde nur noch eine verschwindende Rolle spielten. «Der Rußlandfeldzug», so resümierte Reinhart Koselleck, was er im Osten gesehen und erlebt hatte, «gehört nach seinen strukturellen Bedingungen noch in das Pferdezeitalter. Mit Pferden ließ er sich nicht gewinnen und ohne Pferde erst recht nicht.»[60]

Wieder, wie schon anlässlich des Ersten Weltkriegs, stellt sich die Frage, weshalb die Kavallerie ein so zähes Leben hatte und so viele Tode sterben musste. Weshalb schafften wenigstens die Armeen des Westens nach den Erfahrungen von 1914–1918 nicht ihre Reiterregimenter kurzerhand ab, überließen die Pferde der bespannten Artillerie, die nicht auf ihre alten Zugmaschinen verzichten konnte, und entließen die restlichen Gäule ins Zivilleben? Der an dieser Stelle fällige

Hinweis auf Traditionsgeist und Konservatismus der Generalstäbe erklärt nicht alles. Immer wieder lieferte die Geschichte Beispiele für erfolgreiche Einsätze der Kavallerie, Handstreiche, Überfälle und verdeckte Aktionen, die alle Unkenrufe vom Ende der militärischen Reiterei zu widerlegen schienen. Dazu gehörten sowohl die Operationen der Partisanen wie die der Reitertruppen, die zu ihrer Bekämpfung eingesetzt wurden.

Im Ersten Weltkrieg waren es die Taten eines britischen Truppenführers und Kavalleristen, Sir Edmund Allenby, gewesen, die die Geister der Zeitgenossen faszinierten und blendeten. Allenbys ägyptisches Expeditionskorps hatte 1917 und 1918 die Truppen des Osmanischen Reiches aus Palästina vertrieben; am 9. Dezember 1917 war er in Jerusalem eingeritten, neun Monate später nahm er Amman und Damaskus ein. Seine Erfolge hatten den alten Schild der Kavallerie noch einmal poliert und in der Wüstensonne leuchten lassen. Nahe den Schlachtfeldern, auf denen einst Alexander der Große seinen Gegnern gezeigt hatte, wozu eine gut trainierte, schnelle und wendige Reiterei fähig war, schlug Allenbys leichte Kavallerie erfolgreich ihre späten Reiterschlachten – in einem Krieg der verbundenen Waffen, der schon die Blitzkriegstrategie des kommenden Krieges vorwegnahm. Dass das wahre Geheimnis von Allenbys Erfolgen in der taktischen Verbindung von Kavallerie, Infanterie und Luftwaffe lag, bemerkten nur wenige Beobachter der Feldzüge von Meggido und Palästina. Die meisten berauschten sich am Glanz der alten aristokratischen Waffe auf denselben Schauplätzen, über die schon Alexander und Napoleon ihre bunten Reiterheere geführt hatten.

Eine andere späte Renaissance der Kavallerie hatte sich unmittelbar im Anschluss an den Weltkrieg im Osten Europas ereignet. Wie bereits im vorangegangenen russischen Bürgerkrieg zwischen Weißen und Roten kämpften auch im polnisch-russischen Krieg von 1919–1920 auf beiden Seiten umfangreiche Kavallerieeinheiten. Auf russischer Seite operierte die berühmte *Konarmia* (zu Deutsch «Pferdearmee»), besser bekannt als Budjonny Reiterarmee, anfangs erfolgreich, bis sie vor Lemberg scheiterte und im Spätsommer 1920 zurückgeworfen wurde. Am 31. August 1920, zehn Tage nach dem Debakel der Russen vor Warschau, kam es bei Komarów, unweit vom Hauptquartier der Konarmia, zu einem Reitergefecht, das – wieder einmal – als «vielleicht das letzte reine Kavalleriegefecht der europäischen Geschichte» bezeichnet wird.[61] Auch wenn diese Schlacht den Krieg nicht entschied, brachten die polnischen Ulanen der angeschlagenen Konarmia hier eine weitere empfindliche Niederlage bei. Aufs Ganze gesehen lieferten anfangs die schnellen, energischen und brutalen Vorstöße Budennyjs und später die Erfolge der polnischen Reiterei den Fürsprechern der Kavallerie die erwünschten Argumente. Den Belagerungskrieg wie vor Warschau, so behaupteten sie, habe die Panzerwaffe entscheiden können; in langen und schnellen Offensiven hingegen sei ihr das Pferd weit überlegen. Sowohl in Russland wie in Polen konnten deshalb die prominenten Kavallerieführer ihr Prestige und ihren Status bewahren[62], und auch in England, Frankreich und Amerika, so Davies, «fassten Kavalleristen neuen Mut angesichts dessen, was sie für die Lehren der Feldzüge in Polen hielten»[63].

Sicherlich neigen Militärs, höhere Chargen zumal, zu konservativem Denken, pflegen traditionelle Haltungen und wollen die Schlachten von gestern noch einmal schlagen. Der Erste Weltkrieg ist voll von Beispielen dieser Denkungsart, Haig und French sind nur besonders prominente Beispiele professionellen Starrsinns und überkommenen Kastendenkens. Dass gerade die Kavallerie in besonderem Maß unter diesem Konservatismus leiden sollte, hat freilich noch andere, tiefere Gründe. Sie liegen in ihrer Verbindung mit aristokratischen Modellen, in dem, was man wohl die *Adelsmatrix* nennen muss. Die enge Verbindung aus Mensch und Pferd umgibt ein Nimbus natürlicher Nobilität, ein magischer Glaube, eine Art Fetischismus der Mensch-Tier-Dyade. Aber sie verkörpert auch augenfällig die älteste und vornehmste Haltung, den Habitus der Distanz. Dank seiner Schnelligkeit und dank der Höhe der Sitzposition («Kavaliersperspektive»), die es dem Menschen bietet, fungiert das Pferd als ausgezeichnetes Medium der Distanz; es garantiert die jederzeit verfügbare Macht, einen räumlichen Abstand, horizontal wie vertikal, zwischen den Reiter und sein pedestres Umfeld zu legen. Der Mann auf dem Pferd, den Haig beschwört, verkörpert das im Gedächtnis der Europäer nachlebende Bild des Rittertums: Jeder bewaffnete Reiter erinnert an Sankt Georg.[64] Zu diesem Gestus der Distanz passte, auch wenn es auf den ersten Blick paradox erscheint, das Festhalten an den klassischen Nahwaffen Säbel und Lanze, auch als Blankwaffen bezeichnet. Allen Erfahrungen mit der kontinuierlich wachsenden Feuerkraft der Infanterie zum Trotz hielten die Kavalleristen Europas, von wenigen Ausnahmen abgesehen, an der Vorstellung eines «ritterlichen» Kampfes Mann gegen Mann fest: «Die heldische Kriegsauffassung einer mit der blanken Waffe auf den Gegner losstürmenden Kavallerieformation unterschied sich nämlich grundsätzlich vom Geschick des Infanteristen, der seinem Gegner auflauerte oder ihn aus der Ferne wie fliehendes Wild abschoß.»[65]

Die Kavallerie war nicht nur *lost in tradition*, sie war die Gefangene ihres adligen oder dafür gehaltenen Ethos, Gefangene von Bildern längst vergangener Kriege, an deren Schönheit sie immer noch glaubte. Bis in die jüngste Zeit behauptete die Reiterei, mehr zu sein als eine bloße Waffengattung wie Infanterie oder Artillerie; sie trug das Bild kriegerischen Adels bis weit hinunter in die Ebenen der Moderne. Auch nachdem sie als Waffe längst obsolet geworden war, chargierte sie immer noch als Monument einer anderen, unvergessenen Welt. Die Reiterei hatte ihre eigene Metaphysik, gegenüber der die Physik des Schlachtfelds versagte; die *Idee* des Reiters überlebte dessen realen Tod im Geschosshagel. Wo der Mann auf dem Pferd auftauchte, und sei es im Gemetzel des mechanisierten Krieges, lag ein Rest von Inszenierung über der Szene, der Krieg als Drama und Duell der Völker, Gefechte um Reste von Fahnen, ein Abglanz von Fest und Feier.

Aus alldem erklärt es sich, dass die Kavallerie seit dem ausgehenden 19. Jahrhundert so viele letzte Gefechte gesehen hat und so viele Tode sterben musste. Auch ihr Tod am 17. Mai 1940 wird nicht der letzte gewesen sein. Zwischen Solre-le-Château und Avesnes in Nordfrankreich, nahe der Grenze zu Belgien, zog an diesem Tag ein kleiner Trupp französischer Kavalleristen, der versprengte Rest eines von der deutschen Luftwaffe vernichteten Regiments, seines Weges. Das Feuer eines hinter einer Hecke verborgenen Maschinengewehrs setzte ihm ein Ende. Bis auf zwei Reiter, die entkommen konnten, starben alle. Einer der beiden Überlebenden war der spätere Schriftsteller und Nobelpreisträger Claude Simon, einer der Autoren des Nouveau Roman. Mehrfach ist Simon zu diesem Augenblick zurückgekehrt: der voranreitende Oberst, der offenbar verrückt geworden war und den Soldatentod suchte, die überraschenden Schüsse, der blitzende Säbel, noch einmal emporgereckt wie zur Attacke, das blendende Licht, der lange Fall der Figur, ein langsam einstürzendes Monument. Mehrmals hat er die Szene kaleidoskopisch in ihre Fragmente zerlegt[66], in der mit der Figur des Obersten de Reixach zugleich eine ganze Welt des Adels mit ihrem Ethos und Pathos, ihrem Stolz und ihrer Stupidität in sich zusammenfällt und zugrunde geht – «sah er, wie er den funkelnden Säbel zückte, das Ganze, Reiter, Pferd und Säbel langsam zur Seite kippte, genau wie einer jener Reiter aus Blei, deren Basis, die Beine, zu schmelzen begönnen, sah ihn weiter umkippen, endlos stürzen, den in der Sonne erhobenen Säbel ...»[67]

Die berühmte Szene, deren Wiederholung vielfach zu Deutungen Anlass gab, die sich um den Begriff des Traumas drehten, lässt sich auch als ironisches Nachwort zu den Traditionen der Historienmalerei und des Reiterbildnisses lesen. Wie Simon, der sich des Mittels einer narrativen Zeitlupe bedient, lösten die Maler des 19. Jahrhunderts «das Problem des äußersten Punkts, der Akme der Bewegung», indem sie ihr «das verstärkte Zeichen des Instabilen» beließen, «das, was man das *numen* nennen könnte, die feierliche Erstarrung einer Pose, die in der Zeit unmöglich festzuhalten ist», wie Roland Barthes formulierte.[68] Aber das Bild von der anachronistischen letzten Geste des Kavalleristen, auf die der lange Sturz von Mann und Reiter folgt, antwortet nicht nur auf Traditionen der Kunst, sondern lässt die Geschichte selbst ironisch zu Bruch gehen. Im Aufblitzen des Säbels zeigt sich noch einmal ein Funke jener Transzendenz, an der die simple Konstellation eines auf einem Pferde sitzenden Mannes so lange partizipierte. Im nächsten Augenblick wird Simons Narrativ tellurisch, die Geschichte löst sich auf in eine kopflose Flucht durch Schlamm und Staub.

Der andere Schauplatz: Im Ersten Weltkrieg hörten die Pferde auf, auf dem Schlacht-feld zu fallen, um künftig auf den Verbindungslinien zu sterben.

Russland 1944. Der Krieg im Osten konnte ohne Pferde nicht geführt, mit Pferden nicht gewonnen werden, wie Reinhart Koselleck erkannte.

Die letzten großen Kavallerieeinheiten der Welt, die der Roten Armee, überlebten das Ende des Zweiten Weltkriegs noch um ein ganzes Jahrzehnt; erst Mitte der fünfziger Jahre wurden die Regimenter aufgelöst.[69] Hiroshima lag damals schon zehn Jahre zurück.

Die jüdische Reiterin

Pale Rider

In den Jahren 1984 bis 1985 arbeitet der in London lebende Maler
R. B. Kitaj am allegorischen Porträt eines Mannes in einem Eisenbahn-
abteil. Dem fertigen Bild gibt er den Titel *Der jüdische Reiter*. Vorangegangen sind zahlreiche Sitzungen mit seinem Modell, dem Kunsthistoriker Michael Podro. Der Gelehrte und der Maler kennen sich seit
langem; auf je eigene Weise zählen sie beide zur Warburg-Schule, die im
Londoner Exil fortlebt und der englischsprachigen Kunstgeschichte
starke Impulse gegeben hat. Kitaj, der Maler, hat als junger Mann Ende
der fünfziger Jahre bei Edgar Wind in Oxford studiert, einem der klügs-
ten Köpfe der Warburgianer. In seinen frühen Bildern nimmt Kitaj
mehrfach Bezug auf Warburg; in den sechziger Jahren porträtiert er ihn
als tanzende Mänade. Aber auch andere Größen der jüdischen Intelligenz wie Walter Benjamin wandern durch seine Bildwelten; Kitaj ist ein
scholar-painter, das Analogon zu einem *poeta doctus* wie T. S. Eliot
oder Ezra Pound, zwei anderen seiner Leitsterne. Podro seinerseits verbindet starke theoretische Interessen mit einer ausgeprägten Neigung
zur Gegenwartskunst (was beides unter Kunsthistorikern nicht die
Regel ist); auch mit anderen Künstlern der «London School» wie Frank
Auerbach ist er befreundet und sitzt ihnen gelegentlich für Porträts.

Wie Kitaj stammt auch Michael Podro aus einer jüdischen Familie Osteuropas; beide reflektieren in ihrem Werk die Erfahrung des Exils und der Vernichtung der europäischen Juden. Sie wird auch den Hintergrund des Bildes bestimmen, vor das der Maler das Porträt des reisenden jüdischen Gelehrten stellt: den rauchenden Schlot, dessen Qualm hinüberweht zu dem Kreuz auf einem Berg, und die Randfigur des Schaffners, die an einen peitschenden Lageraufseher oder einen kommandierenden Offizier erinnert.

Zu den Leitideen der Warburg-Schule gehört die Vorstellung, dass Bilder und elementare Formerfindungen, zumal wenn sie mit starken Ausdrucksenergien verbunden sind, über lange Zeiten und räumliche Distanzen hinweg wandern können. Kitajs Gemälde des reisenden jüdischen Kunsthistorikers erscheint wie ein gemalter Kommentar zu diesem Gedanken: Der Reisende wird zum wandernden Juden, der seinerseits auf die Figur des wandernden Bildes verweist. Aber Kitajs Werk ist keine schlichte Illustration einer theoretischen Idee; es liest sich wie eine erratische Übersetzung in eine fremde Sprache. Alles beginnt sehr einfach. Das Vor-Bild, auf das der Maler Bezug nimmt, sowohl im Titel seines Bildes wie in der Haltung der zentralen Figur, liegt offen vor aller Augen. Es trägt den Titel *Der polnische Reiter* und entstammt der Hand Rembrandts. Seit 1910 ist es Teil der New Yorker Sammlung des amerikanischen Stahl- und Eisenbahnmagnaten Henry Clay Frick.

Eine Zeitlang war es umstritten, ob das berühmte Bild tatsächlich von Rembrandt stammt, heute gilt dies als gesichert.[1] Sein Titel allerdings ist reine Erfindung und in seiner Provenienz aus polnischen Adelssammlungen begründet. 1793 taucht es zum ersten Mal in einem Verzeichnis der Kunstschätze des polnischen Königs Stanislaus II. auf; sein Werdegang vor diesem Datum ist unbekannt. In Verbindung mit dem rätselhaften Bild eines jungen Reiters hat der Titel im Lauf des vergangenen Jahrhunderts zu vielen Deutungen Anlass gegeben. Die meisten von ihnen verwiesen auf osteuropäische Figuren, Polen, Ungarn, Kosaken, Adlige, Dichter und Theologen; der Mongolenheld Tamerlan, aber auch der junge König David und der Verlorene Sohn waren schon im Angebot. Der Kunsthistoriker Julius Held hat bereits

1944 die meisten dieser Identifizierungen als legendär abgewiesen und seinerseits als Bildidee den Idealtyp eines jugendlichen *miles christianus* vorgeschlagen.[2] Die Namenlosigkeit des Rembrandtschen Reiters kommt Kitajs Absichten entgegen. Sein «Reiter», so hat er bekundet, sei unterwegs, «um Jahre nach dem Krieg die Orte der Todeslager in Polen zu besuchen. Ich hatte einen Bericht von jemand gelesen, der von Budapest mit dem Zug nach Auschwitz gefahren war, um mit eigenen Augen zu sehen, was die verlorenen Seelen gesehen haben mochten. Er sagte, die Landschaft sei schön gewesen.»[3] In Anspielung auf den Wandernden Juden macht Kitaj aus Rembrandts Anonymus einen «Jüdischen Reiter» und ersetzt den selbstbewusst um sich blickenden Jüngling durch einen versunkenen lesenden älteren Gelehrten. Der auffallende helle, fast weiße Mantel des Rembrandtschen Reiters kehrt wieder in dem locker fallenden Jackett des Zugreisenden, das, in Verbindung mit den hellen Schuhen und dem roten Hemd, dem Kitajschen Reisenden eine auffallende Eleganz verleihen, ähnlich wie sie auch dem jugendlichen Reiter Rembrandts eignet. Aus den zahlreichen Waffen, die Rembrandts reitender Krieger trägt, zwei Säbel, ein Bogen, ein Köcher voller Pfeile und eine Streitaxt in der auswärts gekrümmten Rechten, sind bei Kitajs Reisendem drei Bücher geworden.[4] Aber immer noch hält sein «jüdischer Reiter» den rechten Arm auf den rechten Schenkel gestützt und die – jetzt leere Hand – auswärts gekrümmt: eine überdrehte, angespannte Position, die nicht zu dem übrigen, eher melancholischen Bild der Versunkenheit passen will, aber unübersehbar die Brücke zu Rembrandt schlägt.

Eine andere, stärkere Referenz bemerkt der Betrachter erst auf den zweiten Blick: das geisterhafte Pferd, das sich wie ein Schemen der Rembrandtschen Mähre zwischen den Lesenden und die Polster des Eisenbahncoupés schiebt. Die Nähe zum Reittier des «Polnischen Reiters» ist unverkennbar, der vorwärts gereckte Kopf mit dem geöffneten Maul, die fahle Farbe, der gestutzte Schweif; alle Einzelheiten entsprechen dem von Rembrandt gemalten Tier, das sich seinerseits sämtlichen Konventionen des zeitgenössischen Reiterporträts entzog. Über den seltsam gespenstisch anmutenden Klepper des *Polnischen*

Reiters haben sich Scharen von Kunsthistorikern den Kopf zerbrochen; wo die einen meinten, ein Vollblut zu erkennen, sahen die anderen einen Ackergaul; erst Held hat in seinem Versuch von 1944 den entscheidenden Hinweis gegeben. «An dem Pferd», schreibt er, «ist sicherlich einiges ungewöhnlich. Im Vergleich zum Reiter ist es klein und seltsam fleischlos. (…) Der generelle Mangel von Fleisch fällt besonders am Kopf auf, dessen übertriebene ‹Trockenheit› ihm einen leichenhaften Zug (cadaverous expression) verleiht.»[5]

Die Antwort findet Held in einer Zeichnung Rembrandts, welche vermutlich nach einem Präparat entstanden ist, das zu Rembrandts Zeiten in der Leydener Anatomie zu sehen war. Das Blatt zeigt das Skelett eines Pferdes, auf dem wiederum dasjenige eines Mannes reitet, der einen Knochen wie eine Waffe in der Rechten hebt, während die Linke die Zügel hält.[6] Rembrandts Pferd im *Polnischen Reiter*, so das Fazit, besteht buchstäblich nur aus Haut und Knochen: ein Skelett, über das der Maler ein Fell gebreitet hat. Kannte Kitaj, der *pictor doctus*, diesen mutmaßlichen Hintergrund der Rembrandtschen Bilderfindung? Angesichts seiner ikonografischen Schulung und der Tatsache, dass er mit Michael Podro einen Kunsthistoriker ins Bild setzt, kann man sich dessen fast sicher sein. Die Vorstellung, dass unter dem jugendlichen Krieger und dem Ross zwei knapp verhüllte Skelette steckten, passt zu der gespenstischen Reise eines Mannes, der den ermordeten Juden nachreist.

Sollte sich Kitaj, anders als zu vermuten, dieses «Vorbilds» für Rembrandts Reiterbild nicht bewusst gewesen sein, so müssen ihm doch die fahle Farbe, die unfehlbar an den vierten der apokalyptischen Reiter denken lässt, und die eigentümliche Form des Kopfes – von Held als «übertriebene ‹Trockenheit›» bezeichnet – aufgefallen sein. Nun muss eine solche «Trockenheit» keineswegs notwendig auf eine Pferdeleiche oder ein Pferdeskelett verweisen, sondern könnte auch als Hinweis auf eine mögliche arabische Herkunft des Pferdes gelesen werden, was freilich voraussetzt, dass der Maler des «Polnischen Reiters» um dieses Rassemerkmal gewusst hat, mithin mit arabischen Pferden oder wenigstens mit Bildern von solchen vertraut gewesen sein müsste – was man für einen holländischen Maler des

17. Jahrhunderts nicht als gesichert annehmen kann. «Soweit wir uns wirklich auf ein Werk der Vergangenheit einlassen, müssen wir es für uns selbst neuerschaffen», schrieb Michael Podro und wies auf die «fundamentale Unbestimmtheit» hin, «die unserem gesamten Wissen eigen ist» und der wir begegnen, sobald wir die exakte Grenze zu bestimmen suchen zwischen dem, was wir – als Interpreten – in einem Bild sehen, und dem, was in diesem Bild tatsächlich enthalten ist.[7]

Das Hühnchen

Durch die Verschiebung vom *miles christianus* zum *migrator hebraicus* führt Kitajs Paraphrase zu einer Reihe weiterer Verschiebungen: vom jungen zum alten Mann, vom Krieger zum Gelehrten, von der Aktivität zur Versunkenheit, von der Waffe zum Buch. Es ist, als wollte der Maler, dem seine Kritiker oft vorhielten, er sei zu literarisch, zu intellektuell, und der zu entgegnen pflegte, manche Bücher hätten Bilder und manche Bilder hätten Bücher[8], hier zeigen, welches die «Waffen» eines jüdischen Reiters sind. In diesem Wechsel der Tonart von Rembrandt zu Kitaj fällt ein weiteres Detail auf. Wieder handelt es sich um eine Geste: das hochgezogene und einwärts gebogene linke Bein, das den ausgestreckten Fuß des *Jüdischen Reiters* zu einem Epizentrum des Gemäldes werden lässt. Der gestreckte Fuß bildet jetzt einen Gegenpol zu der gekrümmten Hand, und legt man eine Linie durch beide Pole, führt die Diagonale in ihrer Verlängerung zu dem rauchenden Schlot in der Landschaft. Hatte die Form der Hand direkt an Rembrandts Vorbild angeschlossen, so setzt sich die des Beins von ihm ab: Während der Polnische Reiter in männlicher Reithaltung zu Pferde sitzt, «reitet» Kitajs Bahnreisender im Damensitz.

Der Grund dafür mag rein praktischer Art sein: Wie sonst soll der Maler eine Reithaltung in ein Eisenbahncoupé übertragen? Bei Kitaj muss man freilich auch hier mit einer literarischen Anspielung rechnen. «Die Art wie ein Jude aufs Pferd kommt», hat Friedrich Nietzsche bemerkt, «ist nicht unbedenklich und giebt zu verstehen, dass die Juden niemals eine ritterliche Rasse gewesen sind.»[9] Gegenüber dieser kulturgeschichtlichen Minorisierung hat Theodor Herzl in dem Roman *Altneuland* von 1902 die Vorstellung eines virilen jüdischen Typs entwickelt, der reitet wie ein Kosak oder Indianer, während er zugleich hebräische Lieder singt.[10] Tatsächlich hat sich die Diskussion darüber, wie viril oder «ritterlich» (Nietzsche) die Juden seien oder gewesen seien, immer wieder an der Frage festgemacht, wie gut oder schlecht sie reiten konnten. Der Historiker John Hoberman hat diese Diskussionen nachgezeichnet und den Ausschluss der Juden von der Reiterfahrung mit ihrem Ausschluss von der Naturerfahrung schlechthin gleichgesetzt.[11] Aber auch Hoberman kommt nicht umhin, die tiefe Ambivalenz zu notieren, die innerhalb des Judentums selbst und seiner Literatur das Phänomen des Reiters (und der Repräsentation der Macht in Gestalt eines Reiters) umgeben hat.[12] Über der Gestalt von Kitajs *Jüdischem Reiter*, der im Damensitz das Polster der Eisenbahn «reitet», scheinen immer noch die Schatten dieser alten Diskursfiguren zu liegen.

Der Jude, der nicht reitet: Auch in den Trivialromanen, die Pjotr Nikolajewitsch Krasnow, der Ataman der Donkosaken, der weiße General des Bürgerkriegs, zu Papier brachte, wenn er sich nicht mit den Roten schlug oder seine Kosaken in sinnlose und erbitterte Kriege führte, taucht die verhasste Gestalt wieder auf. Ihr prominentester Vertreter ist Trotzki, der rote Kriegskommissar. «Die schwerste Schuld Trotzkis», schreibt Claudio Magris, der den Kosakengeneral in den Mittelpunkt einer historischen Spurensuche stellt, «scheint nach dem entstellenden Porträt, das Krasnow (...) von ihm entwirft, darin zu bestehen, daß er nicht gut reiten kann – wie alle Juden, die neuen Menschen, die seiner Meinung nach wie Spinnen die Netze ihrer Verbindungen knüpfen, in deren Gespinst seelenloser Beziehungen sich das Individuum in unserer Welt rettungslos verfängt.»[13]

Die Anthropologie des Kosaken folgt einfachen Gesetzen. Der Mensch ist seiner Natur nach ein Reiter; sitzt er zu Pferde, entspricht er dem Bilde Gottes. Als Reiter ist der Kosak zur Welt gekommen, alles was ihm zur Vollkommenheit fehlen mochte, hat das Pferd ihn gelehrt. Der Jude hingegen hat das Reiten nie gelernt, deshalb hat er es auch nie zum Menschen gebracht. Irgendwo auf halbem Weg zwischen Mensch und Tier hat er einen unsicheren Stand gefunden. Als Kosak und Ataman teilte Krasnow diese Anthropologie, als Autor schöpfte er aus den literarischen Quellen des Antisemitismus. Von Gogol über Dostojewski bis zu westlich «aufgeklärten» Autoren wie Turgenjew und Tschechow (und über sie hinaus) verläuft eine Tradition, die den Juden ins Tierreich versetzt, ihn auf «ein animalisches Wirklichkeitskorrelat festlegt», wie Felix Philipp Ingold formuliert, «und ihm somit jegliche metaphysische Dimension abspricht, ihn einer monströsen ... Existenz- und Daseinssphäre zuordnet»[14].

Zwischen Gogol und Dostojewski hat sich ein Typus entwickelt, unter dem man den Juden erkennt und beschreibt. Es ist der Typus des *gerupften Hühnchens*: bleich, dürr, zappelig und mit fusseligem Haar und Bart, so sieht er aus, der jüdische Antiheld.[15] Ein blasses, flatterhaftes Vögelchen, den Inbegriff der Kraft- und Mutlosigkeit, setzt der Vitalismus des 19. Jahrhunderts an die Stelle der altertümlichen «Judensau». Nichts hat sich geändert an der Animalisierung des Juden, nur sein Tiergesicht hat sich gewandelt.

Bis ins ausgehende 19. Jahrhundert hätten die nicht-assimilierten Juden in Russland eine «Mittelstellung zwischen Affe und Hund» eingenommen, schreibt Ingold, und wie vielfach bezeugt seien sie auch nicht bloß *wie* Tiere, sondern tatsächlich *als* Tiere behandelt worden. Gogols Tiervergleichen und ihrem Einfluss auf die russische Literatur sei es zuzuschreiben, dass es «ein positives ... jüdisches Menschenbild bis zu den großen Pogromen und den judenfeindlichen Rechts- und Gerichtsfällen der Jahre um 1880 in Rußland kaum gegeben» habe.[16] Turgenjew schließlich führt den Tiervergleich konsequent zu Ende, indem er in den *Aufzeichnungen eines Jägers* ein reinrassiges, edles und kluges Pferd namens Malek-Adel – «ein Wunderwerk, kein gewöhnliches Pferd» – mit der Erbärmlichkeit des hageren, elenden und hysterischen Juden Moschel kontrastiert: Der Erniedrigung und Vertierung des Juden antwortet spiegelbildlich die Vermenschlichung des Pferdes.[17]

Freilich ist Malek-Adel, wie schon sein Name besagt, ein ungewöhnlich edles Tier, eine Art Übertier, dessen Schönheit und Vollkommenheit Bewunderung, ja Anbetung verlangen. Das gewöhnliche Tier dagegen wird genauso missachtet und misshandelt wie der Jude – und umgekehrt. Daraus hat sich, wie Michael Landmann ausführt, auf jüdischer Seite das Gefühl einer Art gemeinsamer Schicksalserfahrung ergeben: «Wie die Menschen das Tier als sich nicht zugehörig ansehen und es schuldlos mißhandeln und töten, wann und wo es ihnen beliebt, so tun sie dasselbe auch mit den Juden. Sie behandeln ihn *en canaille* ... Tier und Jude sind Schicksalsgefährten. Eben deshalb aber ist der Jude für das Leid der Tiere doppelt empfindlich. Er fühlt es wie sein eigenes. (...) Was Ethik scheint, ist nur die Oberfläche eines Mysteriums: der innerlichst erlebten Mystifikation.»[18]

Rote Reiter

Mea Shearim ist der Name eines Viertels westlich der Altstadt von Jerusalem, das ausschließlich von ultraorthodoxen Juden bewohnt wird. Es erinnert an das osteuropäische Stetl und klingt auch so, weil seine Bewohner vielfach Jiddisch sprechen. Als ich es eines Abends erstmals durchstreifte, war mir, als tauchte ich in eine vergangene Welt ein, die mir umso fremder und verbotener erschien, als ich zu einem Volk gehöre, das wie kein anderes am Verschwinden dieser Welt Schuld trägt. Erst am Ende der Hauptstraße, nach der das Viertel seinen Namen trägt, stieß ich ziemlich abrupt wieder auf die Gegenwart oder das, was man dafür hält. Ich stand vor einer lebendigen Statue. Vor mir erhob sich das größte Reiterdenkmal, das ich jemals gesehen hatte. Und diese Statue bewegte sich; von Zeit zu Zeit nickte das Pferd mit dem Kopf und ließ die Metallteile seines Zaumzeugs klickern.

In den Wochen zuvor hatte es gelegentlich Unruhen gegeben, die von Mea Shearim ausgegangen waren. Anlass war die Weigerung der Orthodoxen gewesen, ihren staatsbürgerlichen Pflichten nachzukommen. Anders als früher hatten sie es nicht bei passivem Widerstand belassen, sondern junge Männer aus ihrer Gemeinde, die sich aus Trotz zur Armee gemeldet hatten, gewaltsam zurückzuhalten versucht. Seitdem wartete am Ende der Straße, auf dem Rasen vor dem Erziehungsministerium, dieser berittene Polizist, ein großer, schwer bewaffneter

Berlin im Spätsommer 1946: Der Tiergarten ist abgeholzt und durch Kohlfelder ersetzt, vor der Ruine des Reichstags parken russische Panzer. Louis Tuaillon, Amazone, 1895.

London 1984: Der Kunsthistoriker Michael Podro sitzt R. B. Kitaj für sein Bild des «Jüdischen Reiters».

Mensch auf einem gigantischen Pferd, auf das kleinste Anzeichen neuerlicher Unruhe. Wie dieser Kentaur in der Dämmerung dastand, war er mehr als eine ordnungspolizeiliche Maßnahme, er war eine Setzung, eine metaphysische Proposition. Irgendwo in der Polizeibehörde von Jerusalem musste es einen Geschichtsphilosophen geben, der sich diesen Antagonismus absoluter Typen ausgedacht hatte: den reinen Typus religiösen Zorns, bereit, sich jederzeit zu erheben, und ihm gegenüber der reine Typus der weltlichen Macht, bereit, jederzeit zuzuschlagen. Indessen blieb mir die Sache rätselhaft, und es dauerte eine Weile, bis ich eine Lösung fand, die mir plausibel schien. Jakob Hessing, ein Gelehrter aus Jerusalem, dem ich den Fall vortrug, durchschaute die historische Konstellation. «Der Mann auf dem Pferd», erwiderte er ohne zu zögern, «ist der Kosak. Die Juden in Mea Shearim sehen einen Mann zu Pferde, der sie bewacht oder vielleicht bedroht, und ohne es zu bemerken, reagieren sie wie ihre Vorfahren im Stetl, wenn sie vor ihren Toren den Kosaken erblickten. Auch wenn ihre Kinder und Kindeskinder nicht in der Lage wären zu sagen, wovor sie sich fürchten – etwas in ihnen, nennen Sie es das kollektive Gedächtnis, registriert das Bild des Kosaken und ist alarmiert.»

Spekulativ wie sie war, hatte Hessings Antwort immerhin die Historie auf ihrer Seite. Wer sich mit der Geschichte des Ostjudentums vertraut macht, erblickt einen nicht abreißenden Strom von Pogromen. Er beginnt um die Mitte des 17. Jahrhunderts, schwillt an gegen die Wende vom 19. zum 20. Jahrhundert (1881–84 und 1903–06), um schließlich von den Katastrophen des Bürgerkriegs, des polnisch-russischen Krieges, der nationalsozialistischen Sonderkommandos und der Vernichtungslager abgelöst zu werden. Erst an diesen letzten, von Deutschland ausgehenden Verbrechen gegen die Juden waren Kosaken nur noch peripher beteiligt, insofern als ein Teil von ihnen an der Seite der Wehrmacht die russischen Partisanen bekämpfte. Bei fast allen früheren massenhaften Gewalttaten gegen die jüdische Bevölkerung Galiziens waren Kosakentruppen führend beteiligt gewesen. Selbst ihnen freundlich gesinnte Historiker unterschlagen nicht den Anteil der Kosaken an antisemitisch motivierten Gewalttaten, die sich beständig wiederholen sollten, seitdem Bogdan Chmelnyzkyj 1648 mordend und plündernd durch die von Juden bewohnten Dörfer und Stadtviertel der Ukraine gezogen war.[19] Aufgrund ihrer Haltung waren die Kosaken, wie es in einer jüngeren Studie zum Antisemitismus zur Zeit der Russischen Revolution heißt, «fest in die antisemitische Herrschaftsideologie des Zarismus eingebunden»[20] gewesen. An dieser Haltung änderte sich auch während der Revolution und des anschließenden Bürgerkriegs nichts. Nicht nur unter weißen Befehlshabern wie Anton Iwanowitsch Denikin bildeten die Kosaken regelmäßig die Speerspitze der sich immer stärker systematisierenden Gewalt gegen die jüdische Bevölkerung.[21] Auch wenn sie in die Dienste der Bolschewiki getreten waren, fuhren sie, kaum waren sie sich selbst überlassen, damit fort, die Juden zu verfolgen, zu ermorden und auszurauben: «Die Kavallerie Budennyijs, die zu großen Teilen aus zur Roten Armee übergelaufenen Kosaken bestand, war wie keine andere Einheit der Roten Armee für ihren Antisemitismus und die Tendenz zu antijüdischen Pogromen bekannt.»[22]

Der junge Jude, der im Hochsommer 1920, auf dem Scheitelpunkt des russisch-polnischen Krieges, mit den Kosaken von Budennyjs Reiterarmee reitet, muss auf der Hut sein. Außer der Herkunft aus dem tiefen Süden Russlands, in seinem Fall ist es Odessa, verbindet ihn nichts mit seinen neuen Kameraden. Ein Schriftsteller und Intellektueller, ein Brillenträger, der nicht gut reiten kann und weder plündern noch töten will – der Gegensatz zu den rauhen Reitern der *Konarmia* könnte kaum größer sein. Als Kriegsberichterstatter genießt Isaak Babel zwar eine gewisse Freiheit und kann die Befehlshaber, Budjonny und Woroschilow, aus nächster Nähe beobachten, doch muss er beständig achtgeben, nicht zwischen die Linien zu geraten, die sich hinter der eigentlichen Kampfzone auftun, die Fronten des Hasses, die beständig drohenden Plünderungen und Pogrome. Keiner kann wie er die Vorzüge der Sowjetmacht preisen und erloschene Hoffnungen auf bessere Zeiten wieder zum Leben erwecken, aber glaubt er selbst noch seinen eigenen Worten?

Babel sieht, was er sieht, und in seinem Tagebuch, Grundlage seiner kunstvollen Erzählungen in der späteren *Reiterarmee*, hält er fest, was er denkt: «Wir sind die Avantgarde, aber wovon? Die Bevölkerung erwartet den Erlöser, die Juden die Freiheit – und geritten kommen die Kuban-Kosaken.»²³ Früher ritten sie mit den Weißen, jetzt schwören sie auf die Sowjetmacht, in Wahrheit aber führen sie einen Krieg auf eigene Faust und eigene Rechnung. Die Atamane, ihre Chefs, schreibt Babel, haben sich Maschinengewehre besorgt und sich der Roten Armee angeschlossen. Soweit das Heldenepos. Die Wahrheit ist profaner, «das ist keine marxistische Revolution, das ist ein Kosakenaufstand, der alles gewinnen und nichts verlieren will.»²⁴ Das muss man materiell oder materialistisch verstehen, «unsere Armee marschiert, um sich zu bereichern, das ist keine Revolution, sondern ein Aufstand der wilden Kosakenanarchie.»²⁵

Was mag sich Babel von seiner Meldung an die Front versprochen haben? War es der Ruhm? Nach der Veröffentlichung der *Reiterarmee* im Jahr 1924 sollte er ihm zufallen, gleichsam über Nacht. War es das abenteuerliche Herz des Intellektuellen, ein verzweifelter Versuch, sich mannhaft zu bewähren? Die Sinnlosigkeit der Gewalt, deren Zeuge er wurde, ließ keinen Raum für heroische Posen. Wollte er den Krieg aus der Nähe sehen, seine Wirklichkeit verstehen lernen? An Anschauung sollte es ihm nicht fehlen. Isaak Babel, Propagandist der Roten Armee, wurde zum Thukydides des letzten europäischen Reiterkriegs. Die wenigen Bilder, die uns von dieser obskursten Kampagne des 20. Jahrhunderts geblieben sind, stammen aus seiner Feder. Oft sind sie nicht länger als zwei Zeilen: «Das Dorf, dumpf, Licht im Stab, verhaftete Juden. Die Budennyj-Kämpfer bringen den Kommunismus, ein Mütterchen weint.»²⁶

Tag für Tag muss der mitreitende Jude Babel ansehen, wie andere Juden erniedrigt, geschändet, beraubt und ermordet werden, aber wen kümmert das? Man peitscht einen Soldaten, der einen Kameraden bestohlen hat, vielleicht bestraft man auch eine Brigade, die befehlswidrig Gefangene erschossen hat. Aber wer stört sich schon an einem kleinen Pogrom, wer schert sich um eine Handvoll toter Juden, zwei Dutzend vergewaltigter Frauen, eine Schar heulender und blutender Kinder? Brennende Synagogen, ausgeraubte Häuser, das ist der Alltag des Krieges; nur ein Verrückter wie Babel nimmt von so etwas Notiz. Aber auch er hält sich mit den Überfahrenen und Überrittenen der Ge-

schichte nicht länger als nötig auf, der Krieg geht weiter, und irgendwie ist alles schon einmal dagewesen: «Nacht, die Kosaken, alles ist
wie damals, als der Tempel zerstört wurde. Ich gehe schlafen auf dem
Hof, der stinkt und naß ist.»[27]

Babel ist ein schlechter Reiter, die Kosaken halten ihn für eine
Memme, er muss erst vor ihren Augen eine Gans töten, um sie halbwegs von seiner Mannhaftigkeit zu überzeugen. Dass er trotzdem mit
ihnen sympathisiert und Gefühle für sie entwickelt, beruht nicht auf
Identifikation mit dem Aggressor seines Volkes. Babel verhehlt nicht,
wie roh die Kosaken sind, wie gierig und gewalttätig. Aber er sieht
auch, was sie nicht sind: keine Bürokraten, keine Ideologen, keine
Strategen. Es sind wilde Reiter, primitiv und zügellos, eine «heiße»
und unberechenbare Kultur, die Revolution sollte sich besser nicht auf
sie verlassen.[28] Und sie sich nicht auf die Revolution: Heute der Schrecken Galiziens, wird sie morgen der Krieg verschlingen und übermorgen der Nachkrieg, der Plan, der Staat, die Partei; dann werden sie die
Unterlegenen sein, Opfer wie die, die sie jetzt massakrieren. Menschen
wie die Kosaken sind nicht gemacht für die welthistorische Siegertreppe, ihnen fehlt der kalte Sinn für die Macht: «sie sind wie miteinander verschweißt, die Liebe zu den Pferden, auf das Pferd wird ¼ des
Tages verwandt, unendliche Tauschgeschäfte und Gespräche. Die
Rolle und das Leben des Pferdes.»[29]

«Ich habe begriffen», schreibt Babel im August 1920, kurz bevor
sich das Kriegsglück der Russen wendet, «was für den Kosaken und
Kavalleristen das Pferd bedeutet.» Er hat die Reiter gesehen, die ihr
Pferd verloren haben und nun als Infanteristen über die glühend hei
ßen, staubigen Straßen irren, «die Sättel im Arm, schlafen wie Tote
auf fremden Wagen, überall verwesen Pferde, Gespräche nur über
Pferde ..., die Pferde sind Märtyrer, die Pferde sind Dulder. (...) Das
Pferd ist das ein und alles. Namen: Stepan, Misa, Brüderchen, Alte.
Das Pferd ist der Retter, das spürt man jeden Augenblick, auch wenn
man es unmenschlich verprügeln kann.»[30]

Weit entfernt davon, im Kosaken den edlen Wilden entdecken zu
wollen, rührt Babel an eine Ebene, auf der sich Kosaken, Juden und
Pferde begegnen. Es ist die Ebene des Kreatürlichen, die Zone derer,

denen zu sterben bestimmt ist, früher oder später, wahrscheinlich schon bald. Aber vielleicht sind ja alle die, denen er in diesem galizischen Sommer begegnet, nicht bloß *morituri*, Todgeweihte, sondern längst tot, Erschossene, Erschlagene, Tote auf Urlaub: «Brody nicht vergessen und diese Jammergestalten, die Friseure, die Juden, die aus dem Jenseits gekommen sind, und die Kosaken auf den Straßen.»[31] Die Geschichte wiederholt sich, und der Historiker, geübt darin, in der Vergangenheit die Signaturen des Künftigen zu entziffern, sieht aus der Zukunft die Gestalten der Vergangenheit hervortreten: «Der jüdische Friedhof hinter Malin», notiert Babel im Juli 1920, «Jahrhunderte alt, die Grabsteine umgestürzt, fast alle von derselben Form, oben oval, der Friedhof von Gras überwuchert, er hat Chmelnickij gesehen, und jetzt Budennyj, unglückliche jüdische Bevölkerung, alles wiederholt sich, jetzt diese Geschichte – Polen – Kosaken – Juden – mit bestürzender Genauigkeit wiederholt sich alles, das Neue ist der Kommunismus.»[32]

Elf Jahrzehnte, nachdem Paris 1814 den siegreichen Kosaken zugejubelt hatte, während es sich in Wahrheit vor ihnen zu Tode fürchtete, endete für viele Kosaken das Abenteuer des Bürgerkriegs und der großen Reiteranarchie in derselben Stadt. Während Budjonny rasch in der sowjetischen Nomenklatura aufsteigen und alle Säuberungen überleben sollte, waren für diejenigen, die sich beim Seitenwechsel um 1919/20 verspätet hatten, Russland und die alte Heimat an Don und Dnepr für immer versperrt. Verarmte kosakische Adlige schlugen sich in Paris als Türsteher in Nachtklubs durch oder arbeiteten als Taxichauffeure auf eigene Rechnung, sofern sie sich nicht Trupps von Zirkusreitern anschlossen und fortfuhren, ein Nomadenleben zu führen.[33]

R. B. Kitaj, der Maler, der 1984 begann, eine Paraphrase auf Rembrandts *Polnischen Reiter* zu malen, die er *Der jüdische Reiter* nannte, hatte 22 Jahre früher schon einmal ein Bild gemalt, das auf die Reiter, die Pferde und die Juden Galiziens anspielte. Es gilt als eines der Hauptbilder der Londoner Schule, die sich damals formierte und befindet sich heute im Besitz der Tate Gallery. Sein Titel lautet *Isaac Babel Riding with Budyonny*.

Ende der dreißiger Jahre geriet auch Isaak Babel ins Visier des NKWD. Dass er reiten konnte, hatte ihm 1920 ein paar Mal knapp

Der Jude reitet nicht: Benjamin Disraeli als Kind, George Henry Harlow, 1808.

Der Jude reitet doch: Hashomer, jüdische Miliz in Galilea, um 1909.

145

das Leben gerettet; jetzt half auch das nicht mehr. Am 27. Januar 1940 wurde Babel im Moskauer Gefängnis Butyrka, erschossen. Auch dieses Datum muss man sich merken, wenn man die vielen Zeitpunkte markieren will, an denen das Pferdezeitalter endete.

Einen großen jüdischen Reiter hatte es schon im ersten Jahrzehnt des 20. Jahrhunderts gegeben. Genauer gesagt war es eine Reiterin, eine junge russische Kommunistin, die 1904 zum ersten Mal nach Palästina gekommen war. Seit 1907 gehörte sie dem Kreis *Bar-Giora* an, einer jüdischen Selbstverteidigungsgruppe, die von Israel Shochat, ihrem späteren Mann, geleitet wurde. Der Historiker Tom Segev beschreibt die kämpferische Frau, die als «Mutter der Kibbuzbewegung» gilt: «Eine fanatische junge Frau ritt in arabischen Gewändern durch die galiläischen Berge. Ihr Name war Manja Wilbuschewitz ... In Palästina gehörte sie zu den Mitbegründern einer ländlichen Kommune, einer frühen Form des Kibbuz, sowie zu den ersten Mitgliedern des *ha-Schomer* (‹Der Wächter›), Vorläufer der israelischen Streitkräfte.»[34] Auch die männlichen Mitglieder der neuen Schutztruppe, die im April 1909 gegründet worden war, dachten nicht daran, ihre arabischen Gewänder abzulegen. Nachdem es ihnen gelungen war, Geld aufzutreiben, um sich zu bewaffnen und mit Pferden zu versehen, bildeten die jungen Juden eine farbenprächtige, von Beduinen, Drusen, Tscherkessen und sogar Kosaken inspirierte Reitertruppe. Einen Augenblick lang sah es so aus, als sei Theodor Herzls Traum vom starken, reitenden und singenden Juden in Erfüllung gegangen: Das Schreckgespenst des Kosaken schien gebannt.

Zehn Jahre später, im Jahr 1920, wurde ha-Schomer von der strafer organisierten und besser bewaffneten *Haganah* abgelöst, einem weiteren Zwischenschritt zur Armee des 1948 gegründeten Staates Israel. Der starke Mann dieser Neugründung war Wladimir Zeev Jabotinsky, der während des Weltkriegs gemeinsam mit Joseph Trumpeldor die Jüdische Legion gegründet hatte. Wie der vierzehn Jahre jüngere Babel stammte auch Jabotinsky aus Odessa, wo seine verwitwete Mutter einen Schreibwarenladen aufgemacht hatte. Möglicherweise hat der junge Isaak Babel in diesem Laden seine ersten Bleistifte gekauft, als er mit dem Schreiben anfing.

EIN PHANTOM DER BIBLIOTHEK
WISSEN

*Der Gipfel des Glücks wäre gewesen, hätte der Bursche die Pferde –
einen Braunen, für den Bob Partei nahm, und einen Fuchs – in der
Heßstraße für seinen Herrn bereit gehalten. Da wären sie gestanden,
an ihren Trensen, mit langen Hälsen, die Schweife schlagend, einmal
mit leisem Klappern eine Hinterhand untersetzend, für ein Münche-
ner Kind, das früh die Welt sah, als wäre sie erst gemalt und dann
geschaffen, ein Traumbild aus entrückter Welt; so wie der Pferde-
Adam aus Nördlingen die Pferde malte: Abend der Schlacht, Rast
in Rußland, 1812.*

Hermann Heimpel, Die halbe Violine

Irgendwann in seinem Berufsleben spürt jeder Historiker einmal die
rousseauistische Versuchung. Er findet eine neue Quelle, stellt sich ein
eigentümliches Problem, und jetzt träumt er davon, er sei der erste an
diesem Südpol des historischen Verlangens: Der Forscher wittert *das
unbeschriebene Objekt.* So ähnlich ist es auch mir ergangen, in den
Anfängen meiner Forschung, nachdem mir das Pferd als Gegenstand
einer möglichen Geschichte begegnet war. Einen Moment lang träumte
ich davon, so etwas wie ein *objet brut* in die Hand bekommen zu
haben, ein noch nicht von Interpretationen überschriebenes Objekt.
Im Lauf der Zeit musste ich einsehen, dass das Gegenteil der Fall war:
Das Pferd hat mehr Deutungen als Knochen. Seit Xenophons Tagen[1]

sind Experten, Kenner und Nutzer des Pferdes, Züchter, Schmiede und Kavalleristen nicht müde geworden, ihr Wissen vom Pferd in Form von Traktaten an eine offenbar zu jeder Zeit relativ umfangreiche Leserschaft weiterzureichen. So dass man nicht nur lange diachrone Untersuchungen über die *Traditionen* des Pferdewissens anstellen, sondern auch die *Migration* der praktischen und theoretischen Kenntnisse zwischen verschiedensten Kulturen und Milieus verfolgen kann.

Studien über das hippologische Wissen *from Plato to Nato* oder seine Wanderwege vom alten Orient bis in die Stallungen der Asil-Züchter von heute gingen über den Fokus dieses Buches und seinen Beobachtungszeitraum hinaus. Ich versuche zu verstehen und zu beschreiben, wie sich das Ende des equestrischen Zeitalters abgespielt hat: Wie Mensch und Pferd sich in der Wirklichkeit trennten und gleichzeitig literarisch, metaphorisch und imaginär miteinander verbunden blieben. Aber um zu verstehen, woher die Fransen stammen, muss man ins Gewebe des Teppichs schauen, und um die Trennungsprozesse von Mensch und Pferd zu begreifen, sich ihr Zusammenleben ins Gedächtnis rufen. Dazu gehört auch, dass man sich Ausmaß und Qualität des Wissens von den Equiden vor Augen führt. Man muss die Tauschplätze des Wissens lokalisieren, die Agenten identifizieren und die Verhandlungen rekonstruieren, die zwischen ihnen geführt worden sind. Mit anderen Worten, man muss tiefer in die Geschichte des Wissens einsteigen und chronologisch ein Jahrhundert früher einsetzen.

Das Pferdewissen, das sich seit Beginn der Neuzeit kontinuierlich vermehrt hat, wächst seit der zweiten Hälfte des 18. Jahrhunderts sprunghaft an. Es findet neue Märkte und neue Medien, Zeitschriften, Kalender, Stiche, Gemälde, es ergießt sich in einer Flut von Literatur über den Kontinent. England wird zum Labor des Rennsports und der Zucht, Frankreich erlebt die Geburt der veterinärmedizinischen Klinik. Auch die anderen Pferdekulturen Europas nehmen Fahrt auf und gründen, dem doppelten Leitgestirn folgend, Schulen und Kliniken, legen Rennplätze an, organisieren ihre Gestüte und ihre Kavallerien neu. Auch wenn es sich als *Wissenschaft* bezeichnet, entspricht das Pferdewissen des 18. Jahrhunderts in keiner Weise heutigen szientifischen Standards. Es ist *kennerschaftlich* organisiert und praktischen Zwecken unterworfen; es berät und unterweist, es belehrt und warnt. Aber es bleibt immer ein *leidenschaftliches* Wissen. Es kann die Gestalt eines eleganten Liebhaberwissens annehmen, das sich an den *beau monde* der Züchter und Halter wendet, der Rennstallbesitzer und der bourgeoisen Parvenüs, die sich von der Einnahme der Kavaliersperspektive das Überspringen der Klassenschranken versprechen. Es kann als handfestes *knowhow* auftreten, das sich an Kurschmiede und Reitlehrer, an Händler und Halter richtet, die praktischer Unterweisung in der Fütterung, Stallung und Heilung bedürfen und wissen müssen, was zu tun ist, wenn die Stute rossig, aber der Hengst unerfahren ist, und was der *liaisons dangereuses* mehr sein mögen. Es kann endlich die Form eines artistischen Wissens annehmen, das Hand und Auge der Künstler schult, die als Sportmaler und Tierporträtisten Erfolg suchen. Wie zwischen der bildenden Kunst und der Humanmedizin entwickelt sich auch zwischen der Veterinärmedizin und der Kunst ein reges Geben und Nehmen: Sektionstisch und Zeichentisch stehen dicht beieinander. Und vor dem gemeinsamen Fenster liegt die Rennbahn.

Das 19. Jahrhundert knüpft an die Traditionen des praktischen Wissens der Tierhaltung und der Zucht, der Reitkunst und der Dressur an und sieht echte Klassiker wie Graf Lehndorffs *Handbuch für Pferdezüchter* entstehen.[2] Während die Ausbildung der Veterinäre sich allmählich von der Schmiede, dem alten Ort der Rosskur, trennt und in Schule und Klinik ihre neuen Zentren findet[3], schaffen die Wissensanstrengungen des 19. Jahrhunderts neue Problemlagen. Sie lassen neue Forschungsstile und -techniken entstehen, die sich nicht auf die Humanwissenschaften beschränken. Das Pferd, in den frühen Phasen der Mechanisierung immer noch der ökonomisch, militärisch und gesellschaftlich wichtigste Gefährte des Menschen, bietet sich als prominenter Gegenstand der neuen, positivistischen Forschung an.[4] In ihren Büros und Labors wird das Pferd zum Objekt von Sprachwissenschaft, Ökonomie und Ikonographie, von Geographie und Intelligenzforschung. Die Ergebnisse dieser empirisch und experimentell vorgehenden Forschungen sind von unterschiedlicher Qualität. Manche haben politische Implikationen, andere wirken – und nicht erst aus heutiger Sicht – idiosynkratisch und kurios. Aber alle beanspruchen neben der politischen und kulturellen auch militärische Relevanz.

Wissen ist keine statische Größe, im Gegenteil. Wer von *migrating knowledge* spricht, gebraucht einen Pleonasmus. Die Frage ist also nicht, *ob*, sondern *wie* das Wissen wandert. In welchen Objekten materialisiert es sich, welche sozialen Gruppen kontrollieren seine Verbreitung, welche Institutionen verhindern sein Verschwinden? Was in den vorangegangenen Kapiteln anklang, wird in den folgenden vertieft: Neben die Beschreibung der *Medien* (Buch, Skulptur, Gemälde, Grafik, Foto, technisches Objekt, Liste, Stammbaum ...) tritt die der *Orte und Institutionen* (Gestüt, Rennplatz, Klinik, Atelier, Verlag ...), der *sozialen Gruppen* (Züchter, Kenner, Anatomen, Schmiede, Militärs, Forscher, Täuscher und Autoren) und schließlich der *Praktiken* des Wissens (Auswahl, Zucht, Kuren, Training, Sammlung, Anatomie, Zeichnung, Taxidermie).

Jedes Artefakt der Pferdegeschichte enthält, in diesem Licht betrachtet, eine Geschichte von wanderndem Wissen. Jede Kutsche erzählt von einer Landschaft, mit der sie ursprünglich verbunden ist, von Handwerkern, die seit Generationen ein Wissen von Holzsorten und Metallen, von der Qualität der Zugtiere und den Anforderungen der Straße gesammelt haben, von Händlern, die dem proteischen Geschmack der Kundschaft Rechnung tragen müssen. Jeder Sattel spricht von Reithaltungen und Gesten, von sozialen Hierarchien und Kodizes der Macht, von Praktiken der Jagd und Techniken des Krieges. Jedes Tier erzählt wie Tolstois *Leinwandmesser* von den Zufällen seiner Geburt und seiner glücklichen Jugend, von der Eleganz der vornehmen Ställe und der sozialen Ränge, die es passiert, den Schicksalsschlägen, die es erfahren und der Misere des Alters, die es kennengelernt hat. Jede Peitsche erzählt die Geschichte einer Qual, jeder Säbel die Peripetien eines Feldzugs, jeder Steigbügel das Epos von Aufstieg und Fall der feudalen Welt.

Auch auf den Wanderwegen des Wissens übernimmt gelegentlich der historische Zufall die Regie und lässt Konstellationen von sinnbildlicher Dichte entstehen: Nach dem Tod von Peter Paul Rubens im Jahr 1640 mietete ein exilierter englischer General das Anwesen des Malers in Antwerpen.[5] Hier widmete sich William Cavendish, Graf und späterer Herzog von Newcastle, ein Anhänger der im Bürgerkrieg unterlegenen Royalisten, künftig seiner Leidenschaft für die Aufzucht und Ausbildung von Pferden. Wo bis vor kurzem Rubens' Meisterwerke entstanden waren, richtete er eine Manege ein und entwickelte seine neue, englische Schule der Pferdedressur, die ihn binnen kurzem in Europa bekannt machen und seiner 1657 zuerst auf Französisch erschienenen Reitlehre (La Méthode Nouvelle) im Lauf der nächsten hundert Jahre zu zehn Auflagen in Englisch, Französisch und Deutsch verhelfen sollte – ein Erfolg, der nicht zuletzt den dynamischen Stichen von Abraham van Diepenbeeck, einem Schüler Rubens', geschuldet war. Auf den ersten Blick mochte Cavendishs Manege im ehemaligen Atelier von Rubens wie eine Profanierung erscheinen, tatsächlich bedeutete sie die Ablösung einer barocken Kunstform durch eine andere, das Ballett der schönen Pferde.[6]

Blood and speed

Sturz vom Karussell

Gegen Ende des 19. Jahrhunderts, zwischen 1896 und 1898, malt Edgar Degas ein Bild, das sich vom Hintergrund seines bisherigen Werkes seltsam abhebt (Tafel 9). Sein Gegenstand ist ein Reitunfall. Ein gestürzter Reiter liegt rücklings im Gras, ein Pferd – ist es seines? – läuft an ihm vorbei oder springt über ihn hinweg. Vier Fünftel des Hintergrundes sind Wiese oder grüne Wand, ein Fünftel ist Himmel. Weiter ist nichts zu sehen, kein erregtes Publikum, kein verstörtes Gerenne, keine Gebärden. Das Bild bleibt seltsam still, geradezu tonlos gegenüber dem dramatischen Geschehen. *Jockey blessé* lautet der Titel des Bildes, aber von einer Verletzung des Reiters ist nichts zu sehen. Sein rechtes Hosenbein ist aus dem Stiefel gerutscht, das linke Bein liegt angewinkelt und könnte einen Bruch andeuten, aber auch das ist nicht evident. Es ist die flache, reglose Lage des Mannes, die nichts Gutes verheißt: Der verletzte Jockey könnte im Sterben liegen oder schon tot sein. Ein Pferd, ein braunes Vollblut, dessen Kopfform arabischen Einschlag verrät, sprengt an ihm vorbei, den leeren Rennsattel auf dem Rücken, Vorder- und Hinterbeine ausgestreckt wie ein Holzpferd auf dem Karussell, mit wehendem Schweif und abstehenden Mähnenflechten. All diese Bewegungen wirken wie im Augenblick erstarrt oder mit kurzer Verschlusszeit aufgenommen; der Maler hat keinen Versuch unternommen, das Bild zu dynamisieren. Die Erhellung der Szene durch eine Kausalität, ihre narrative Ergänzung um ein Davor und ein Danach, bleibt dem Betrachter vorbehalten.

Will er herausfinden, was das wortkarge Bild ihm verschweigt, kann er drei verschiedene Archive konsultieren, das Archiv des Malers, das der Ereignisse und das der Ikonografie. Im ersten der drei findet er ein frühes Pferde- und Renntableau des Malers, eine *Scène de steeple-chase*, deren Untertitel lautet *Gestürzter Jockey*. Degas reicht das Bild für den Salon von 1866 ein.[7] Es zeigt einen Rennunfall, einen gestürzten, am Boden liegenden Jockey, an dem ein reiterloses Pferd vorbeiläuft, während daneben zwei weitere Jockeys ungerührt weiterreiten. Dreißig Jahre später greift der reife Degas die Bildformel wieder auf und reduziert sie auf den gefallenen Mann und das reiterlose Pferd. Unfälle auf der Rennbahn sind keine Seltenheit, und wer sich, wie Degas, Tage und Wochen am Rand des Hippodroms aufhält, hat gute Chancen, zum Zeugen derartiger Geschehnisse zu werden. Mit Hilfe eines Zeitungsarchivs (das Archiv der Ereignisse) ließe sich vielleicht, einige Akribie in der Recherche vorausgesetzt, herausfinden, um welchen Unfall es sich gehandelt hat, den der Maler beobachtete, ob das Pferd durchgegangen und wer der Verletzte war, was aus ihm wurde.

Komplizierter wird es im dritten Archiv, dem der Ikonografie. Der Titel scheint auf ein Bild von Géricault anzuspielen, das gut siebzig Jahre früher, im Jahr 1814, entstand und zu seiner Zeit mit den Niederlagen der französischen Heere in der Campagne de France in Verbindung gebracht wurde. Aber der *Cuirassier blessé, quittant le feu*, dem ebenfalls keine äußerliche Verletzung anzusehen ist, hat mit dem verletzten Jockey Degas' außer der diagonalen Position im Bildfeld wenig gemein – es sei denn, man wollte in den Stiefeln des Jockey, seiner hellen Hose und seiner wie ein Kürass gebauschten Bluse Anspielungen auf die Uniform des Kavalleristen erkennen. Seiner unsichtbaren Verletzung zum Trotz bleibt Géricaults Reiterkrieger ein Sohn des Mars, der seine verbliebene Kraft darauf verwendet, das Ungestüm seines Rosses zu zügeln, während Degas' Jockey wie eine achtlos umgeworfene Spielfigur müde oder tot neben einem imaginären Sandplatz liegt. Und während Géricaults Held immer noch die Blankwaffe in der Hand trägt, sieht sich Degas' Jockey jedes Beiwerks beraubt, nicht einmal eine verlorene Reitgerte ist zu sehen.

Allerdings kann der Kurator des Bilderarchivs noch eine weitere Karte ziehen, das Bild des vermutlich prominentesten Opfers eines Unfalls mit Pferden: Saulus vor Damaskus, der infolge seines Sturzes zu Paulus wird. Nehmen wir die Darstellung, die Parmigianino von dem Geschehen gegeben hat. Auch hier sehen wir den Gestürzten (wenngleich Unverletzten) vor oder unterhalb des Pferdes, das sich über ihm erhebt und ebenfalls noch Zügel und Trense trägt. Aber die Farbe des Pferdes, das herrschaftliche Weiß, die Farbe des Lichts, das hinter ihm durch die Wolken bricht, die Hermelindecke und unter dieser die edle Tiergestalt mit dem dicklichen Hinterteil, das es für repräsentative, nicht für sportliche Zwecke qualifiziert, vor allem aber seine Positur, die *Levade*, verweisen es ins okzidentale Bildregister der Souveränität. Wie der gestürzte Edelmann, der römische Ritter, dessen Schwert noch unter seinem Bein zu sehen ist, wird es im nächsten Augenblick umcodiert und zum lammfrommen Reittier eines *miles christianus* werden. Parmigianino malt nicht das Bild eines Sturzes, sondern das einer neuen, spirituellen Erhebung. Degas' verletzter Rennreiter ist kein gestürzter Saulus vor Damaskus. Der Jockey liegt zwischen den Beinen seines Pferdes wie zwischen den Ästen einer mathematischen Klammer. Degas malt eine grüne Tafel und schreibt darauf die Gleichung des modernen Rennsports. Vor der Klammer steht *Geschwindigkeit* und in der Klammer stehen *Schönheit und Tod*.

Jedermann meint den Ort zu kennen, an dem sich Degas bevorzugt aufhielt, wo er seine Inspirationen und das Personal, die Staffagen, die Ideen und Farben zu seinen Malereien und Pastellen fand: im Ballettsaal natürlich. An den Rennplatz denkt niemand, dabei liebte Degas die Flanken der Rennpferde und das bunte Tuch der Jockeys kaum weniger als die grazilen Beine der Tänzerinnen und ihre rosigen Tutus. Die Galopprennen der Vollblüter in Boulogne kitzelten seine Libido, wie es die *contretemps* und *glissades* der kleinen Tanzfräuleins taten; Ballsaal und Rennplatz riefen beide nach seiner Kunst. Hätte er zwei

Jüdische Reiter: Meir Dizengoff, der Bürgermeister von Tel Aviv (vorn), und Avraham Shapira zu Pferd bei der Purim Parade in Tel Aviv, 1934.

Catwalk für das Pferd: Mary Darly, The Repository or Tatter'd-Sale.

Jahrhunderte früher gelebt, ein Untertan des Sonnenkönigs und nicht ein Bürger der Dritten Republik, hätte er beiden Lüsten am selben Ort frönen können: Im 17. und bis weit ins 18. Jahrhundert hinein waren Tanzsaal und Reithalle noch weitgehend identisch.[8] Die berühmten Reitlehren, von Antoine de Pluvinel (1623) bis François de la Guérinière (1733) lehrten das Reiten oder vielmehr die schulgerechte Bewegung des Reiters mit seinem Pferd als eine erweiterte Form des höfischen Tanzes, deren oberstes Ziel die Anmut oder Grazie der Tänzer war. Der wichtigste Tanzschritt des ungleichen Paares bestand in der Levade, bei der das Tier sich auf den Hinterläufen aufrichtete und der Reiter «lotrecht, dabei weich und ruhig mit angezogenem Kreuz»[9] saß. Gemeinsam nahmen sie so die klassische Pose der Souveränität ein, die Maler und Bildhauer seit langem fixiert und zum festen Bestandteil des abendländischen Repertoires von Bildformeln weltlicher Herrschaft gemacht hatten. Im Lauf des 18. Jahrhunderts sollten sich die Schulen des Tanzes und der Reiterei trennen; die Reitschule kam in die Hand der Militärs, bevor sie in die der Renntrainer überging. Nur im Tanzsaal überlebte das Ancien Régime der strengen Formen, das Ritual der Drehungen, Spreizungen, Beugungen und Sprünge, die schwebende Geometrie von Körpern jenseits der Schwerkraft.[10]

Wie der Ballettsaal, von dem er sich vor mehr als einem Jahrhundert getrennt hatte, vermittelte auch der Rennplatz des Fin de siècle das Bild eines möglichen, in manchen Augenblicken greifbaren Sieges über die Gravitation. Die Schnelligkeit der Tiere und das geringe Gewicht ihrer Reiter erzeugten den Eindruck einer Levitation ohne Levade; das Bild, das sie hervorriefen, war nicht mehr der auffliegende Vogel, sondern der von der Sehne schwirrende Pfeil. Im Augenblick des Sturzes löste sich die vektorielle Fluggemeinschaft wieder in ihre Bestandteile auf, und die augenblicklich überwundene Erdschwere holte beide Teile ein. Dies ist der Augenblick, den Degas malt, und vielleicht auch sein eigentlicher Gegenstand: Der gestürzte Jockey liegt nicht am Boden, sondern scheint darüber zu schweben und gleichzeitig in einer Fallbewegung begriffen zu sein, einem endlosen Sturz in die Schwere, während das reiterlos springende Pferd die Anmutung der Schwerelosigkeit davonträgt.

Geburt bei Sonnenfinsternis

Die Geschichte des englischen Pferderennens ist, ebenso wie der Aufstieg der Stadt Newmarket, eng mit der Herrschaft der Stuarts verbunden. Wie in anderen europäischen Ländern, man denke an den *Palio* von Siena, hatte es auch in England schon vor dem 17. Jahrhundert Pferderennen gegeben, sie mochten kommunal ausgerichtet oder von einzelnen Mitgliedern des Landadels veranstaltet worden sein. Aber mit Newmarket und den Stuarts kam eine andere Dynamik ins Spiel.[11] Das erste Rennen an dem noch unbedeutenden Ort fand 1622 statt. Jakob I., der Sohn der Maria Stuart, hatte den Flecken und seine weite, zum Rennen einladende Heide 1605 entdeckt und über die Jahre zu seinem persönlichen Jagd- und Sportrevier ausgebaut.[12] Unter seinem Sohn, Karl I., avancierte das Nest zu «einer Art zweiten Hauptstadt des Reiches»[13], in der seit 1627 regelmäßige Frühjahrs- und Herbstrennen stattfanden. Die entscheidende Phase des von den Königen geförderten und betriebenen Rennsports setzte allerdings erst mit dem Jahr 1660 ein, als nach den Jahren der sportfeindlichen puritanischen Republik das Königtum restauriert und Karl II. aus dem französischen Exil zurückgekehrt war. 1671 gewann der König, der die Geschwindigkeit liebte[14], selbst das Rennen um die Town Plate, einen Preis, den er fünf Jahre zuvor gestiftet hatte. Im selben Jahr entstand mit «Palace House» der erste Trainingsstall der Welt. Die Jahre nach seinem Tod (1685) sahen den Aufstieg der englischen Rennpferdezucht, in der drei berühmte Araberhengste die Rolle von Stammvätern spielten: Der «Byerley Turk» (1687 importiert), der «Darley Arabian» (1704) und schließlich der «Godolphin Arabian» (1729) wurden zu Begründern der drei Hauptlinien arabischen Blutes in der englischen Pferdezucht.[15] *Thoroughbreds* oder *blood horses* nannte man die Sprösslinge, die aus der gezielten Verbindung orientalischer und englischer Linien hervorgingen – Vollblüter, deren Qualität sich bevorzugt auf der Rennbahn erwies.

Die enge Verbindung der englischen Monarchie mit Pferdezucht und Pferderennen erlosch nicht mit den Stuarts. Ein historischer Zufall wollte es, dass sich die Nachricht vom Tod Queen Annes im August

1714 verbreitete, als eben der Adel des Landes auf dem Rennplatz von York versammelt war. Noch am nämlichen Ort fiel die Entscheidung, die Krone den Hannoveranern anzutragen. Die Herrscher, die aus diesem Hause kamen, von Georg I. bis zu Queen Victoria, setzten die hippophilen und hippodromischen Traditionen des Landes fort und machten England zur Weltmacht des Vollbluts und des Rennplatzes. Als Daniel Defoe um 1720 die britischen Inseln durchreiste, sah er in Newmarket einen etablierten Rennbetrieb und «einen großen Zulauf von Seiten des Adels und der Gentry, sowohl aus London wie aus allen anderen Teilen Englands»[16].

Den Verlautbarungen nach ging es, wenn orientalische Pferde, anfangs einzelne Hengste, später auch Gruppen von Stuten (wie die *Royal Mares* in den ersten Jahrzehnten des 17. Jahrhunderts), importiert wurden, um mit Exemplaren einheimischer Rassen gekreuzt zu werden, darum, die genetischen Eigenschaften der einheimischen Pferderassen generell zu verbessern. Tatsächlich ging es in erster Linie um Geschwindigkeit. Das *schnelle Pferd* war das Ziel der Zuchtbemühungen, das Pferd, das Rennen zu gewinnen imstande war. Mit diesem Ziel identifizierte sich nicht nur eine gewisse Land besitzende und Tiere züchtende Schicht des englischen Adels, mit diesem Projekt verband sich die englische Krone. Seit dem 17. Jahrhundert wurde die englische Monarchie ein Königtum der Geschwindigkeit.

Der Reiz von Pferderennen, schreibt eine Historikerin unserer Tage, lag «nicht nur darin, daß nirgendwo sonst so hohe Geschwindigkeiten erzielt wurden, sondern auch in ihrem Symbolgehalt als ‹Sport der Könige›»[17]. Englische Könige ritten Rennen mit (und gewannen sie gelegentlich), tauchten als Eigner von Rennställen, als Pferdebesitzer, Züchter und Arbeitgeber von Jockeys in den Aufzeichnungen des seit 1727 regelmäßig erscheinenden *Racing Calendars* auf und gehörten dem 1750 gegründeten, zunächst in London, seit 1752 auch in Newmarket residierenden *Jockey Club* an. Der Club, gegründet, um Rennen zu organisieren und Wettschulden unter seinen Mitgliedern zu regulieren, gewann im selben Maß an Autorität, wie er es unternahm, Regeln für den sportlichen Wettkampf aufzustellen und landesweit durchzusetzen.[18] Seine Mitglieder, die, vom Königshaus angefangen, weite Schichten des Adels umfassten, durchliefen einen Prozess der Verweltlichung und Verbürgerlichung, den sie selbst nicht durchschauten. Der Jockey Club, so schreibt Otto Brunner, war «nicht nur Veranstalter der Rennen, er war auch der ‹gesellschaftliche› Mittelpunkt der Adelsschicht. Es scheint nicht, daß sich seine Mitglieder bewußt waren, wie sehr sie sich damit in einer typisch ‹bourgeoisen› Sozialform bewegten.»[19]

Arabische oder besser gesagt orientalische Rassepferde, wozu auch Türken und Berber gehörten, zu beschaffen, war im 17. und bis weit ins 18. Jahrhundert hinein kein leichtes Geschäft; es war im Gegenteil ein zeit- und kostenaufwändiges, obendrein nicht ungefährliches Unternehmen. Das Prestige, das der Besitz solcher Pferde mit sich brachte und das sich durch Rennsport- und Zuchterfolge weiter erhöhen ließ, hatte auch einen gesellschaftlichen Preis. Der Adel sah sich auf eine Schicht unverzichtbarer Fachleute angewiesen – Einkäufer, Trainer, Jockeys, Stallmeister und -burschen –, die sich meist aus der Landbevölkerung rekrutierten und die ihn berieten und in vielfältiger Weise unterstützten. Nach Hofwesen, Diplomatie, Militär und Kanzlei brachten jetzt Gestüt und Rennbahn einen neuen, modernen Typ des Fachmanns hervor. Gleichzeitig erwuchs dem Adel ein unerwarteter Konkurrent im Wettbewerb um gesellschaftlichen Glanz, weltlichen Ruhm und das Fortleben im Gedächtnis der Nachwelt: in Gestalt des berühmten Rennpferds, dessen Name als Rennsieger und Stammvater (oder -mutter) in die Annalen der Rennkalender und Zuchtbücher einging. Tatsächlich erlebte England im 18. Jahrhundert eine zweite Geburt des Starkults: Neben die berühmten Maler von Rubens bis Reynolds und die gefeierten Schauspieler wie David Garrick trat ein famoses Rennpferd wie *Eclipse* (1764–89), geboren während der Sonnenfinsternis des Jahres 1764 und in sämtlichen Rennen unbesiegt. Seine Nachkommenschaft gewann mehr als 850 Rennen, und sein Skelett kann bis auf den heutigen Tag im National Horseracing Museum in Newmarket besichtigt werden.[20]

Sport und Spannung

Wer den Weg zur *leisure class* beschreibt, in die sich der Geblütsadel mit Vertretern des Geldadels und des Bürgertums teilen sollte, darf neben der Auktion von Rassepferden und den Preisgeldern der Rennen einen dritten ökonomischen Aspekt des Rennplatzes nicht übersehen: den Wettbetrieb. Seit der Frühen Neuzeit begleitete das Wettgeschäft wie ein Schatten alle Sportarten, an denen Adlige Interesse zeigten, allen voran das Pferderennen.[21] Die hohen Einsätze, die auf dem Rennplatz getätigt wurden, waren Teil des ostentativen Konsums, den Thorstein Veblen beschrieben hat.[22] Pferderennen und Wettbetrieb wuchsen praktisch im selben Zug und beförderten sich gegenseitig, woran die gegenüber dem Kontinent offenere Sozialstruktur Großbritanniens erheblichen Anteil hatte. Seitdem sich die Rennplätze den mittleren und unteren Schichten geöffnet hatten, erlaubte das Wetten auch denjenigen unter den Zuschauern, die kein eigenes Pferd halten konnten, die Teilnahme am Herrensport. Ein Kommentator bezeichnete gegen Ende des 19. Jahrhunderts das Wettgeschäft als den «Dünger», dem das enorme Wachstum des Pferderennens und der Zucht von Rennpferden zu verdanken sei.[23]

Überdies war die Pferdewette, worauf schon Max Weber hingewiesen hat, kein Glückspiel wie das Roulette. Sie war ein Vergnügen mit deutlich höheren Rationalitätsanteilen: «Der Ausgang einer englischen Sportwette galt ... als ein Ereignis, über dessen Wahrscheinlichkeit man sich informieren und ein begründetes Urteil bilden konnte.»[24] Man musste die bisherigen Leistungen der Pferde, die an den Start gingen, zu einigen anderen Umständen in Beziehung setzen: ihrem Gewicht, den Fähigkeiten ihres Reiters sowie der Beschaffenheit und Länge der Strecke. Eine aufgrund dieser Faktoren und unter Ausschluss von Unwägbarkeiten (Sturz, Lahmheit usw.) kalkulierte Wette war vergleichbar einer nicht risikofreien Kapitalanlage: «Als ein ... rationales ‹business› wies die Sportwette strukturelle Gemeinsamkeiten mit Börsen- und anderen Spekulationsgeschäften auf.»[25] Immer wieder haben Kulturanthropologen und -soziologen darauf hingewiesen, dass die sportlichen Wettkämpfe die blutigen Kämpfe und Spiele früherer Zei-

Ein raues Völkchen:
Kentaurenkampf auf
beschneiter Bergkuppe.
Arnold Böcklin, 1873.

Schönheit der Großstadt:
La Victoria, Jean Béraud,
um 1895.

*Farben der Rennbahn: Die
Tribünen von Deauville.*

Einmal Reifenwechsel, bitte:
Der Kentaur in der
Dorfschmiede, Arnold
Böcklin 1888.

Erde bist du und sollst wieder zu Erde werden: Giovanni Segantini, Das Pflügen, 1887/90.

oben: *Gastauftritt des Malers im Comic: Frederic Remington (links) und eines seiner Pferdebilder, in:* Lucky Luke, Der Kunstmaler.

Mitte: *Pegasus Western style: Die Rodeoreiterin Dixie Lee Reger überspringt mit ihrem Pferd ein Auto, 1943.*

Der Polnische Reiter.
Rembrandt Harmenszoon
van Rijn, 1655.

unten links: Kollision
eines Autos mit einer
Pferdeherde. Anon.,
Car crash, Video auf
Youtube.

*Bahnfahrt mit
Begleitern. R. B. Kitaj,
The Jewish Rider, 1984.*

*unten rechts:
Aufritt im Grünen:
Edgar Degas,
Jockeys in Longchamp,
1871–74.*

TAFEL 9

Der verletzte Jockey.
Edgar Degas, 1896-98.

Junge Männer,
starke Pferde:
Rosa Bonheur, Der
Pferdemarkt, 1852/55.

*Das Rennen der
Berberpferde in Rom.
Théodore Géricault,
1817.*

*The Epsom downs derby.
Théodore Géricault, 1821.*

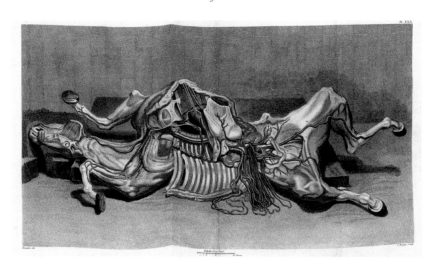

Surreale Innenwelt:
Ph. E. Lafosse, Cours
d'Hippiatrique, 1772.

*Die Erfindung des
Wellenreitens:
Walter Crane, Die Rosse
des Neptun, 1892.*

*Allnächtlich, berichtet
Pausanias, sei ein
Gewieher von Pferden
auf dem Schlachtfeld zu
vernehmen gewesen.
Carl Rottmann,
Marathon 1847.*

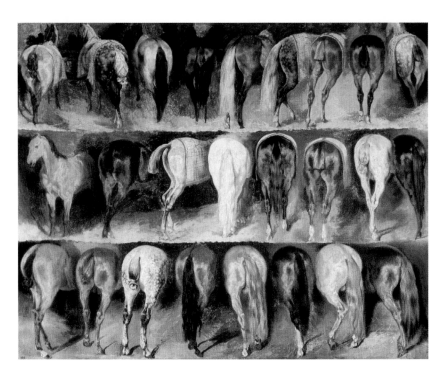

*Die Malerei vom
Schwanz her
aufgezäumt:
Théodore Géricault
in den Ställen von
Versailles.*

ten abgelöst und mit den zivilen Verhaltenskodizes des modernen Er-
werbslebens verträglich gemacht haben. Indem die Wette das Pferderennen, die sublimste Form des Agons mit Tieren, mit dem spekulativen Gewinn von Geld verband, gab sie der Fortuna ihr zeitgemäßes
Gesicht.

Im Verlauf des 17. Jahrhunderts war die Hirschjagd als große Form
der Adelsrepräsentation von der Fuchsjagd abgelöst worden. Das Element der physischen Gewalt, ja Grausamkeit, das in der Hirschjagd
offen zutage getreten und von der höfischen Malerei verklärt worden
war, blieb in der Fuchsjagd zwar erhalten, wurde aber gegenüber dem
Vergnügen an der Dauer und Schnelligkeit der Jagd in den Hintergrund gedrängt: Der flinke, ausdauernde und listige Fuchs galt als
Garant für «good sport». [26] Strenge Regeln für Jäger und Meute und
selbst auferlegte Beschränkungen sorgten dafür, die neuen Ziele zu
isolieren: «das schöne Rennen, die Spannung, die Erregung» [27]. Dieser
Prozess der Sublimation erreicht im Pferderennen gewissermaßen seine
zivilisatorische Idealform und sein historisches Ende: Das Moment
der physischen Gewalt ist vollständig beseitigt und durch die abstrakte
Form der reinen Geschwindigkeit ersetzt. Im Hunderennen hetzt die
Meute immer noch dem Balg eines Hasen hinterdrein; im Pferderennen wird nichts und niemand mehr gejagt, es sei denn der Schatten
der Zeit.

In dem Jahrhundert zwischen dem Tod Karls II. im Jahr 1685 und
der Etablierung der fünf «klassischen Rennen» in England [28], von
St. Leger bis *Derby*, grosso modo um 1780, vollzog sich somit eine
eigentümliche und folgenreiche Achsendrehung der Souveränität. Die
Vertikale der alten, transzendent begründeten Monarchie wurde flek-
tiert zur Horizontale der reinen Geschwindigkeit. In der neuen Poetik
des Rennens, einer gegen die Klassen indifferenten Kunstform, verbanden sich Schönheit, Geschwindigkeit und Gefahr. In den bunten
Farben, den Streifen und Karos auf den Blusen und Kappen der
Jockeys – ein System, das der Jockey Club eingeführt hatte –, kehrte
die Heraldik als Semiotik und System zur Kenntlichmachung des Unsichtbaren [29] zurück. Hatten im mittelalterlichen Turnier die Farben,
Pelzwerke und Tiere der Schilde dazu gedient, erkennbar zu machen,

wen die Panzermaske der Rüstung verbarg, so ließ die moderne Heraldik des Rennplatzes greifbar bleiben, wen anders die Geschwindigkeit der Bewegung unkenntlich gemacht hätte. Wie allen Sportarten, die sich mit Wetten verbanden, waren die englischen Puritaner auch dem Pferderennen wenig freundlich gesinnt. Das verhinderte freilich nicht, dass sie gleichzeitig entscheidend zur Erneuerung der Kavallerie im frühneuzeitlichen Europa beitrugen. Nach Gustav Adolf von Schweden gehörte Oliver Cromwell, der sich erst im Alter von 43 Jahren zum Rittmeister ernennen ließ, aber als der beste Reiter Englands galt[30], zu den entschiedensten Förderern der Kavallerie als Offensivwaffe. Tatsächlich könnte eine vergleichende Studie über den Gebrauch von Pferden im Krieg und im Sport seit der Renaissance erstaunliche Parallelen zutage fördern. Der Zunahme an Beweglichkeit und Disziplin der Kavallerieformationen, der Leichtigkeit und Geschwindigkeit der Pferde, der wachsenden Zahl der Berittenen, ihrer Differenzierung in Kürassiere, Dragoner, Husaren, Ulanen usw. und ihrem taktischen Einsatz als Offensivwaffe[31] entspricht die Förderung und Regulierung der Pferderennen, der Zucht und des Wettwesens durch die restaurierte englische Krone und – seit 1750 – den Jockey Club: Der Club ist gewissermaßen der zivile Generalstab für die leichte Kavallerie des Rennplatzes.

Allerdings verlaufen die Entwicklung der Rennen und die Zucht von rennfähigen Vollblütern auf anderen Bahnen als die Entwicklung der modernen Kavallerie. Allen sachlichen Überschneidungen – die Hochschätzung des schnellen und in Maßen zähen Vollbluts, die absolute Bedeutung der Geschwindigkeit auf der Rennbahn und die relative auf dem Gefechtsfeld, die Verbesserung des Trainings, die Kodifizierung des praktischen Wissens – und allen personellen Verbindungen zum Trotz sind Rennplatz und Gefechtsfeld systemisch unterschieden. Das Rennen mag ein ernstes Spiel sein, es wird nicht, wie das Gefecht, durch Blut entschieden – jedenfalls nicht durch das der Reiter. Auch wenn sie diesen prinzipiellen Unterschied ignoriert, gehört die mit erzählerischen Mitteln realisierte «Doppelbelichtung» eines Pferderennens und des Angriffs auf eine Kavallerieeinheit, die Claude Simon in *Die Straße in Flandern* geschaffen hat, zu den großen und

wahren Bildern der gemeinsamen Geschichte von Menschen und Pferden – «als kämen sie gleichsam aus der Tiefe der Zeiten über die glänzenden Wiesen der Schlachten heran, wo binnen eines funkelnden
Nachmittags, eines Angriffs, einer Galoppade Königreiche und die
Hand der Prinzessinnen verloren oder gewonnen wurden ...»[32]

Zeus XXIII.

Zwei meiner drei Paten waren eher unauffällig, der dritte war ein
Mann, der ausschließlich aus Eigenschaften bestand, man könnte
auch sagen aus Absonderlichkeiten. Ein Dandy und Reaktionär, ein
Prozesshansel und Frauenheld, dessen Launen wechselten wie das
Wetter, wobei, wie in jenem Teil Westfalens üblich, die Niederschläge
überwogen. Wichtiger war, zumindest in unserem Kontext, seine
närrische Liebe zu schönen Pferden. Vollblüter waren in seinem Stall
de rigueur, Hengste bevorzugt. Allerdings erinnere ich mich auch an
eine wundervolle Schimmelstute namens Attalea, die er an das Haus
Oranien weiterverkaufte. Ein hoher Anteil arabischen Blutes verstand
sich von selbst. Der letzte seiner Zossen, den ich persönlich kennen-
lernte, bevor sich unsere Wege für immer trennten, war ein Dun-
kelbrauner von makelloser Reinheit des Geblüts. Nach Statur und
Temperament ganz Orientale; ein Stammbaum, der sich mit etwas
gutem Willen auf die fünf Stuten Mohammeds zurückführen ließ.
Bloß in der Namensgebung hatten sein Besitzer und die offenbar lange
Reihe seiner Vorgänger sich für einen anderen Kulturkreis entschieden. Über dem Eingang zum Stall, einem klassizistischen Pavillon à la
Schinkel, innen ledergepolstert wie ein englischer Herrenclub, hing ein
Täfelchen, auf dem der Name des Braunen stand: «Zeus XXIII. Ge-
rufen Bubi.»

Wie zahllose Mitglieder örtlicher Reitervereine war auch der Pate
nach 1933 in eine Gruppierung der Reiter-SA eingetreten. Seinen guten
politischen Kontakten verdankte er das Vergnügen, Prinz August-Wilhelm von Preußen, genannt «Auwi», in seinem Sommerhaus empfangen zu dürfen. Der Prinz, damals Obergruppenführer der SA, hatte

sich nach seinem Eintritt in die NSDAP im Jahr 1929 (mit der ehrenvoll niedrigen Mitgliedsnummer 24) als Menschen- und Stimmenfischer in den exklusiven Kreisen des Hochadels für die Partei nützlich gemacht.[33] Demselben Zweck – als pseudodistinguierte Adelsfalle – diente auch die NS-Pferdesportpolitik im Allgemeinen und die Reiter-SA im Besonderen, auch wenn diese weniger elitär ausgerichtet war als die analogen Formationen der SS. Die stärker sportlich und kameradschaftlich, man kann auch sagen wärmer angelegte Reiterei der SA zog Mitglieder des Adels an, lockte aber auch das «Jungbauernvolk» und kann insofern als eines der erfolgreichen Instrumente zur Integration breiter und keineswegs homogener Bevölkerungsschichten in den neuen Staat gelten.[34] Mehr noch, mit Instrumenten wie diesem zog der NS-Führerstaat ein ganzes, landesweit gespanntes Netz von Vereinen und Funktionären, Fachleuten, Sportlern, Liebhabern, Züchtern und Veterinären auf seine Seite.

Dieses Netz hatte sich über Jahrhunderte hinweg entwickelt, es umfasste neben dem genannten Personal eine Fülle von Institutionen (Vereine, Kammern, Schulen und Gestüte) und eine Reihe von Wissensarten, die auf unterschiedlichen Wegen weitergegeben wurden. Deutschland war eine alte Pferdenation, und auch wenn die ökonomische und logistische Bedeutung des Pferdes um 1930, als die Organisationen der Nationalsozialisten daran gingen, diese Kultur zu beerben, schon stark zurückgegangen war, trug das Pferd immer noch eine ganz einzigartige und von keinem anderen Tier erreichte Fülle an Werten, Wissen, Schätzungen und sozialen Distinktionen. Wer das deutsche Volk gewinnen wollte, durfte nicht versäumen, gleichzeitig das deutsche Pferdevolk in seine Hürden zu treiben – auch und gerade, wenn der «Führer» selbst nicht ritt oder sich wie Mussolini gern zu Pferde (S. 265) ablichten ließ. Bei dieser Treibjagd war jeder politische Mitreiter willkommen, er mochte ein dekadenter Spross des Hochadels, ein erfolgreicher Olympionike oder ein leidlich erfolgreicher Schriftsteller sein. Wie für Deutschland typisch, lief die Politisierung des Pferdesports und der Pferdezucht in erster Linie über die Vereine; so erklärt sich auch der (letztlich gescheiterte) Versuch der SA-Führung, diese en bloc zu übernehmen.[35]

Als er noch unerkannt, nur mit einer Katze befreundet, im Verborgenen lebte: Der Godolphin Arabian.

Königliche Amazone: Elisabeth II. am Morgen eines Renntags in Ascot auf Surprise, Mitte der fünfziger Jahre.

Die Entwicklung der Pferdesportvereine hatte ihren Aufschwung mit dem erfolgreichen Export des englischen Pferderennens nach Deutschland zu Beginn der zwanziger Jahre des 19. Jahrhunderts genommen.[36] Die Tatsache, dass das erste Galopprennen mit Vollblütern im August 1822 in Doberan, einem mecklenburgischen Kurort, ausgetragen wurde, war kein Zufall. Richard Tattersall, ein erfolgreicher Londoner Pferdehändler und Buchmacher, hatte nach der Aufhebung der Kontinentalsperre Norddeutschland bereist und dem Pferde züchtenden Landadel Ostelbiens passend zum englischen Vollblut gleich die zugehörige Prüf- und Schauveranstaltung – das klassische schnelle *flat race* – verkauft: «Die Rennen sollten als Werbeveranstaltung dienen und den Preis der Pferde im Verkauf steigern.»[37] Doberan war der Auftakt zu einer erstaunlichen Erfolgsgeschichte. Schneller und früher als in allen anderen europäischen Ländern (Frankreich, Italien, Russland …), die ebenfalls vom englischen Rennfieber befallen wurden, verbreitete sich in Deutschland der Rennsport samt den dazugehörigen Vereinen und Plätzen (Berlin 1829, Breslau 1833, Hamburg und Königsberg 1835, Düsseldorf 1836).[38] Auch einige der deutschen Fürsten ließen sich, dem Vorbild der Stuarts und der Hannoveraner folgend, vom Rennfieber anstecken und förderten aktiv den Rennsport oder exzellierten als Züchter.

So stiftete der preußische Kronprinz und spätere König Friedrich Wilhelm IV. einen Preis für das Berliner Rennen, das Silberne Pferd.[39] Sein Kollege im Südwesten, Wilhelm I. von Württemberg, baute im Hofgestüt Weil die bedeutendste Araberzucht auf deutschem Boden auf[40], und obgleich er schon in den dreißiger Jahren des 19. Jahrhunderts über einen staunenswerten Bestand verfügte – «4 Beschäler und 18 Zuchtstuten von ächtarabischer Race, nebst 2 nubischen 30 anderen orientalischen Stuten»[41] – entsandte er 1840 seinen Oberstallmeister Wilhelm von Taubenheim, begleitet von dem Schriftsteller Friedrich Wilhelm Hackländer, in den Orient, um weitere edle Pferde zu erwerben.[42] Hatte es anfangs unter den deutschen Autoren noch kritische Stimmen gegeben, die das Zuchtziel der Schnelligkeit und passend dazu das Rennen als Qualitätsprüfung in Frage stellten, so schwenkten auch diese, wie Graf Veltheim[43], Erbküchenmeister des

Herzogtums Braunschweig, oder der ungarische Graf und Pferdekenner Stephan Széchenyi nach kurzer Zeit um und empfahlen das Rennen als «eine sehr zweckmäßige Probe zur Erforschung der Güte und
des Werthes eines jeden Pferdes»[44].

Seit der Gründung des Union Klubs im Jahr 1867 besaß auch
Deutschland eine nationale Reitsportvereinigung, die sich ähnliche
Aufgaben stellte wie ihr englisches Vorbild, der berühmte Jockey
Club, freilich ohne dessen Beschränkung auf den Adel zu übernehmen. Von Anfang an stand der Union Klub auch Vertretern anderer
Schichten offen; seine Exklusivität regelte sich über den Mitgliedsbei-
trag. Der Verein war ein Treffpunkt von Bürgertum und Adelslibera-
lismus, der nicht nur in reitsportlicher, sondern auch in politischer
und gesellschaftlicher Hinsicht Bedeutung erlangte. Noch im Gründungsjahr trat Otto von Bismarck, ein Bewunderer des englischen
Rennsportwesens, dem Klub bei.[45] Der Verein unterhielt zwei Rennbahnen in Berlin, Hoppegarten (seit 1868) und Grunewald (seit 1909).
Die Rennbahn Grunewald musste den Sportstätten für die Olym-
piade 1936 weichen und wurde deshalb im Jahr 1933 kurzerhand geschlossen.

Blood and speed

Alle Ursprünge sind legendär. Wie immer es um die historische Realität der fünf Stuten Mohammeds bestellt gewesen sein mag – die drei
Gründerhengste der englischen Vollblutzucht sind nicht erfunden.
Allerdings sind sie von Legenden umwunden. Das gilt besonders für
den jüngsten der drei, den *Godolphin Arabian*, benannt nach seinem
letzten Besitzer, dem Earl of Godolphin. Er war ein zierlicher Brauner,
gut 152 Centimeter hoch, mit einem schönen Kopf, aber einer ungewöhnlich hohen, an ein Wildpferd erinnernden Kruppe; man kennt
sein Bild von einem Stich von George Stubbs (S. 165). Über seiner
wahren Herkunft liegt der Schatten des Zweifels, über seinem Aufstieg in England der Glanz des Latin Lovers und die Aureole des
machismo. Er kam aus Frankreich, aus dem Staub der Straße. Angeb-

lich war er ein Geschenk des Bey von Tunis an Ludwig XV., das vor den Augen des Königs keine Gnade fand und an der Deichsel eines Wasserkarrens landete.[46] Dort entdeckte ihn um 1728 ein gewisser Mr. Coke, der ihn wiederum an einen Mr. Roger Williams verkaufte, welcher ihn seinerseits dem Earl of Godolphin zum Geschenk machte. Als ein männliches Aschenputtel lebte er nun in dessen Stallungen, nur mit einer Katze eng befreundet, bis seine *finest hour* schlug, von der die «seltsame Erzählung» auch an Achim von Arnims Ohr drang: «daß ein wegen unvorteilhafter Gestalt zum Karrengaul verdammter arabischer Hengst die Neigung einer der schönsten arabischen Stuten erregt habe, welche bis dahin allen widerstanden, und daß daraus die vollkommensten Stammältern aller Vollblutpferde hervorgegangen».[47] Anderen Berichten zufolge soll er den eigentlich als Deckhengst vorgesehenen, aber lustlosen Konkurrenten totgebissen haben, bevor er selbst die interessiert zusehende Schöne namens Roxana besprang – der rabiate Beginn einer glanzvollen Karriere als Zuchthengst und Stammvater.

Zu dem Zeitpunkt, als die drei Wüstenväter des englischen Vollbluts ihr fruchtbares Werk zu tun begannen, um die Wende zum 18. Jahrhundert, war das arabische Pferd schon ein bekannter Gast auf den britischen Inseln. Der erste Vertreter seiner Rasse soll unter der Herrschaft Alexanders I. von Schottland (1107–1124) ins Land gekommen sein. Richard Löwenherz (1189–1199) kaufte Pferde in Cypern; sein notorisch mittelloser Bruder und Nachfolger Johann Ohneland wiederum ließ sich gern mit schönen Tieren beschenken.[48] Seit der englischen Renaissance nahm der Zustrom orientalischer Pferde beständig zu[49], aber erst unter Jakob I. und Karl I. wurden die ersten Importe großen Stils getätigt. Als ihr bedeutendster darf die Einführung der *Royal Mares*, der königlichen Stuten, gelten. Es handelte sich um eine Gruppe von insgesamt 43 orientalischen Stuten – Araber-, Berber- und türkische Stuten –, von denen einige trächtig waren, und die als «das A der englischen Vollblutzucht»[50] anzusehen sind. Deutlicher als die immer noch von günstigen Gelegenheiten und denkwürdigen Zufällen geprägten Einzelerwerbungen der Stammhengste ist die systematische Erwerbung der Stammstuten als Zeichen eines historischen Aufbruchs zu lesen: Mit ihr beginnt eine *Zuchtpolitik,* die von der Spitze einer europäischen Großmacht her gefördert und betrieben wird.

Spanien, lange Zeit die Zone des nachhaltigsten und intensivsten Austauschs zwischen arabischer und europäischer Kultur[51], war auch das Land, in dem zuerst – seit dem 8. Jahrhundert – Kreuzungen mit orientalischen Pferden vorgenommen wurden. Die daraus entstandenen Andalusier oder Geneten verbreiteten sich auf dem Weg über Italien, insbesondere Neapel, über den gesamten Kontinent.[52] An den italienischen Höfen der Renaissance waren der Besitz und die Zurschaustellung edler Pferde ein Teil der fürstlichen Prachtentfaltung, wie sie Jacob Burckhardt beschrieben hat. Aber während in den Menagerien (Serraglie) die Pferde noch wie lebendige Juwelen neben kostbaren englischen Hunden, Leoparden, indischen Hühnern und syrischen Ziegen mit langen Ohren gezeigt wurden, entwickelte sich andernorts schon die Idee der Zucht. Die Experimente, die im Gestüt von Mantua vorgenommen werden, verfolgen bereits dasselbe Ziel wie die späteren der Stuarts, nämlich Rennerfolge, beruhend auf der Schnelligkeit der Tiere: «Die vergleichende Schätzung der Pferderassen», so Burckhardt, «ist wohl so alt als das Reiten überhaupt, und die künstliche Erzeugung von Mischrassen muß namentlich seit den Kreuzzügen üblich gewesen sein; für Italien aber waren die Ehrengewinnste bei den Pferderennen aller irgend bedeutenden Städte der stärkste Beweggrund, möglichst rasche Pferde hervorzubringen. Im mantuanischen Gestüt wuchsen die unfehlbaren Gewinner dieser Art ... Der Gonzaga hatte Hengste und Stuten aus Spanien und Irland wie aus Afrika, Thrazien und Zilizien; um letzterer willen unterhielt er Verkehr und Freundschaft mit den Großsultanen. Alle Varietäten wurden hier versucht, um das Trefflichste hervorzubringen.»[53]

Die englische Vollblutzucht des 18. Jahrhunderts tut ursprünglich nichts anderes, als was vor ihr auch schon Araber und Spanier, Neapolitaner und Mantuaner getan haben: Sie versucht, durch Kreuzung zweier guter Pferde ein besseres drittes hervorzubringen. Dieses bessere Exemplar kann durchaus ein gutes Karren- oder Arbeitspferd sein; auch solchen Tieren gilt die Aufmerksamkeit der englischen Züchter. Im Vordergrund aber steht der Typ von Pferd, dessen Qualität sich auf der Rennbahn erweist – oder im Gelände. England züchtete immer für beide Arten von Pferderennen, das *flat race* oder Flachrennen auf der Bahn, und das *steeple chase* oder Jagdrennen. Daran hat auch die Tatsache, dass die berühmten *Fünf Rennen* (St. Leger, Epsom Derby, Epsom Oaks, 2000 Guineas und 1000 Guineas für Stuten), aber auch andere prominente Rennsportereignisse wie das Royal Ascot oder die Queen Anne Stakes Flachrennen waren bzw. sind, nichts geändert.

Erfolgreich für die Rennen zu züchten hieß mithin, die beiden Parameter des Rennsports, *blood* und *speed*, die genetische Mitgift des Tieres und seine Schnelligkeit, optimal zu korrelieren. In diesem Zusammenhang entwickelte England im 18. Jahrhundert das «System Newmarket», das neben den schon erwähnten ökonomischen Komponenten (Auktion, Preisgelder, Wetten) vor allem zwei Register oder *Aufschreibsysteme* umfasste. Das erste dieser beiden Aufschreibsysteme war der *Racing Calendar*, der nach sporadischen Vorläufen seit 1727 regelmäßig erschien, redigiert von einem gewissen John Cheny aus Arundel. In anfangs jährlicher, später zweiwöchentlicher Lieferung notierte der Kalender die Ergebnisse und Preisgelder der gelaufenen Rennen und bewarb die künftigen. Indem er eine Art Ranking der britischen Rennpferde lieferte, ratifizierte er das Ziel der Vollblutzucht – Schnelligkeit. Diesem Ziel wurde die Zucht von Vollblutpferden konsequent unterworfen. Die erforderlichen Qualitäten – Körperbau, Kondition und Training der Pferde, Gesundheit, Ausdauer, Charakter – dominierten die Agenda der Züchter und Trainer; Eigenschaften wie Form und Schönheit des Tiers wurden zu abgeleiteten Größen.

Mit der *Zucht* kam eine andere, tiefere Zeit ins Spiel, die Abfolge der Generationen und die Ergebnisse der Kreuzungen. Hatte für die Bedürfnisse des Renn- und Wettsystems der Kurzzeitspeicher des Rennkalenders, die Aufzeichnung der Siege und Niederlagen der letzten Wochen, Monate und allenfalls Jahre genügt, so verlangte die Zucht nach einem längeren Gedächtnis: Es sollte die Erfolge oder Misserfolge der Kreuzungen über die langen Ketten der Generationen hinweg fixieren. Rennpferde müssen ihre Qualität nicht nur auf dem Rennkurs beweisen, sondern auch in der Deckbox; dies ist gleichsam ihr zweiter Prüfstein. An ihm erweist sich nicht ihre Tagesform, sondern ihre Deszendenz. An diesem Punkt der Pferdewelt kam das zweite Aufschreibsystem zum Tragen, das gegen Ende des 18. Jahrhunderts etabliert wurde.

Das *Stud Book*, das James Weatherby 1791 erstmals vorlegte (zunächst in der Form einer *Introduction to a General Stud Book*) ist immer wieder als der Adelskalender des englischen Vollbluts apostrophiert worden, und halb verwundert, halb belustigt hat man notiert, dass in England das Verzeichnis des Pferdeadels – Weatherby's *Stud Book* – dem des Menschenadels – Burke's *Peerage* – um glatte 35 Jahre voranging.[54] Tatsächlich war auch der Pferdeadel, dem sich das Stud Book widmete, ein Adel des Geblüts, nicht des Verdienstes oder des Erfolgs. Denkbar gewesen wäre ja auch ein genealogisches Gedächtnis, das unterschiedslos Pferde beliebiger Herkunft, egal ob sie aus der Levante oder von den britischen Inseln stammten, verzeichnet hätte, vorausgesetzt, sie hätten Erfolg gehabt, entweder beim Rennen oder in der Zucht von Rennern. Das Stud Book indessen ging einen anderen Weg und legte fest, dass die Provenienz sämtlicher verzeichneter Pferde auf einen der drei Stammhengste der englischen Vollblutzucht rückführbar sein musste.

Mit anderen Worten, das Stutbuch der englischen Pferdezucht war ein Hengstbuch. Dabei war zum Zeitpunkt seines ersten Erscheinens, gegen Ende des 18. Jahrhunderts, allen Züchtern und Kennern der Sache klar, dass edle Vollblüter nicht dadurch erzeugt wurden, dass man gelegentlich einen arabischen oder orientalischen Hengst mit einer einheimischen Stute paarte. Die Qualität der Mütter war von nicht geringerer Bedeutung als die der Väter. Stuten orientalischer Herkunft hatten in der Erzeugung des englischen Vollbluts einen die einheimischen Schläge weit überragenden Anteil. Und zweitens waren die Hauptstämme des Vollbluts, wie das Stud Book zeigte, durch fortwährende *Reinzucht* oder *Inzucht* entstanden. Nur so war der hohe Anteil arabischen Blutes bei den englischen Vollblütern (60 Prozent und darüber) zustande gekommen, und nur so blieb er dauerhaft erhalten. Nicht anders als durch systematisches *in and in breeding*, also durch fortgesetzte Reinzucht, war der bekannte Viehzüchter Robert

Bakewell (1725–1795) zu seinen Erfolgen bei Schafen, Rindern und Pferden gelangt. Charles Darwin, der selbst mütterlicherseits einer pferdenärrischen Familie, dem Porzellanpatriziat der Wedgwoods, entstammte[55], war mit den überkommenen Praktiken der Züchter wie mit den Experimenten Bakewells wohl vertraut und knüpfte in seiner *Origin of Species* an beide an.[56] Darwins Cousin Francis Galton, der Begründer der Eugenik, ging weiter und bescheinigte 1883 den englischen Pferdezüchtern, seine Wissenschaft stehe in ihrer Schuld. Durch ihre Experimente hätten sie gezeigt, wie man geeigneten Rassen oder Blutlinien dazu verhelfen könne, sich gegenüber den weniger geeigneten zu behaupten. Die englischen Pferdezüchter hätten bewiesen, was Selektion, richtig betrieben, zu leisten imstande war.[57] Durch gezielte Eingriffe in das Erbgut die Rasse zu verbessern, dies war der große Traum der Eugeniker des ausgehenden 19. und des 20. Jahrhunderts. Wie sie selbst zugaben, fanden sich erste Ansätze zu seiner Verwirklichung schon früher: im Pferdestall des 18. Jahrhunderts.

Der Eugeniker der Rennpferde war ein Zeitgenosse Galtons. Er kam aus Australien, hieß Bruce Lowe und starb, bevor er seine Theorie selbst veröffentlichen konnte.[58] Sein *Figure System*, auch als *Lowe's numerology* bezeichnet, stellte den Versuch dar, auf der Grundlage der beiden Aufschreibsysteme, des Rennkalenders und des revidierten General Stud Book[59], eine Kombinatorik zu entwickeln, die Käufern und Züchtern künftig ein gesichertes Wissen an die Hand geben sollte. Lowe ging davon aus, dass sich alle Pferde, die im General Stud Book verzeichnet waren, über die weibliche Linie auf eine der insgesamt 43 *root mares* oder Stammstuten zurückführen ließen, die als genetisch einzigartig und nicht weiter rückführbar galten. Die von ihnen ausgehenden 43 Linien organisierte und hierarchisierte Lowe nach der Zahl der Sieger, welche die jeweilige Linie in drei als besonders wichtig geltenden Rennen (Epsom Derby, Epsom Oaks und St. Leger) hervorgebracht hatte. Zusätzliche Qualitätsmerkmale lieferte ihm die Unterscheidung einzelner Linien in *running families* und *sire families*, das heißt Familien, denen Rennsieger angehört (*running*), und Familien, die solche hervorgebracht hatten (*sire*). Von dieser Datenbasis her wähnte Lowe sich in der Lage, erfolgreiche Kreuzungen prognostizieren und künftige Rennsieger planvoll hervorbringen zu können. An ähnlichen Verbindungen aus Genealogie, Statistik und Prognostik versuchten sich gleichzeitig zwei deutsche Konkurrenten, Hermann Goos und J. P. Frentzel[60], auf die sich wiederum die zahlreichen Kritiker des Loweschen Systems beriefen.[61] Das 20. Jahrhundert sah neue Versuche mit Kalkülen und Listen (die *Bobinski Tables*, die *Polish Tables* etc.), um die Zucht von Rennsiegern berechenbar zu machen. Gelingen sollte es mit keinem dieser Systeme, auch mit der modernen DNA-basierten Genetik nicht, die freilich erklären kann, weshalb es mit keinem ihrer Vorläufer gelungen ist. Da Genealogie bekanntlich neben Sex eines der großen Themen im Internet ist, kann man, ohne Prophet zu sein, der Erforschung der *equine nobility* eine glänzende Zukunft voraussagen. Schon jetzt ist das Netz voll von Stammbäumen und -tafeln der berühmtesten englischen, deutschen und amerikanischen Renner seit dem 18. Jahrhundert und ihrer orientalischen Erzväter und -mütter.

Die Anatomiestunde

Junge Männer, starke Tiere

Das natürliche Gravitationszentrum der Pferdewelt ist der Markt. Hier trifft sich, was von Pferden und mit Pferden lebt, Händler, Züchter, Kenner und Verkäufer, ehrliche Männer und andere, um sie herum das bunte Volk der Kerls, die ihnen zur Hand gehen, Stallknechte, Kutscher, Bereiter, Jungs. Am Rand des Marktes stehen Schirrmacher vor ihren Wagen, neben sich Berge von Sätteln, Decken, Striegeln und Peitschen; Hausierer bieten ihre Tinkturen an. Auf der anderen Seite das Heer der Kunden: Bauern, Handwerker, Stallmeister und Fuhrunternehmer, Angestellte der Omnibusgesellschaft und Ankäufer von Remonten für die Armee. Und zwischen all diesen Vertretern von Angebot und Nachfrage steht kopfschüttelnd, prustend und auf seiner Trense kauend die eigentliche Hauptperson des Markts, die lebendige Ware, das Pferd. Kaltblüter und Zugpferde, benannt nach den Regionen ihrer Herkunft, Vollblüter, in deren Adern englisches Blut fließt, Riesenrosse und Kleinpferde, Reittiere, Wagenpferde, Ponys und Mulis. Junge Tiere, alte Mähren, Klassepferde und Schabracken, alle Farben und Formen, gescheckt, gefleckt, geputzt, mit wehenden Schweifen und geflochtenen Mähnen. Von manchen ahnt man, wie träge sie vor der Deichsel sein werden, auf andere möchte man

Reihenbild eines Sturzes vom Pferd beim Sprung über einen Wassergraben, 1934.

Siegesritt durch die Geschichte der europäischen Kunst: Phidias, Parthenon-Fries, Block IX der Westseite.

sich auf der Stelle aufschwingen und unter der Morgensonne dahintraben. Sommers wie winters wird an dieser Stelle, mitten in der Stadt, der Pferdemarkt gehalten, im Sommer riecht man ihn schon von weitem.

Der Pferdemarkt von Paris ist nicht der größte im Land. Zu den *foires* in der Bretagne, im Poitou oder in der Franche-Comté kommen Tausende von Pferden und noch größere Heere von Besuchern, Käufern und Liebhabern. Aber diese Pferdemessen finden nur im Frühjahr oder Sommer statt, ein- oder zweimal jährlich, während der Markt von Paris rund ums Jahr läuft, zweimal die Woche, Mittwoch und Samstag. Seit 1642 hat er seinen festen Platz im Faubourg Saint-Marcel, unmittelbar neben der Salpêtrière. 1859 muss er den Bauarbeiten Haussmanns weichen und an die Porte d'Enfer umziehen, 1878 kehrt er für ein letztes Vierteljahrhundert an den alten Ort zurück; 1904 ist Schluss. Der Name der *rue de l'Essai* erinnert noch an die Piste, auf der die Pferde von Knechten und jungen Burschen im Lauf vorgeführt wurden. Ein Laufsteg für Pferde, der mitnichten der *haute couture* des englisch-arabischen Vollbluts vorbehalten ist; die Händler für Rennpferde und Luxustiere residieren im eleganten Faubourg du Roule nördlich der Champs-Élysées.[1] Das Bild des Pferdemarkts wird von den mächtigen Arbeitspferden dominiert, die aus dem Westen des Landes stammen, *Percherons* genannt, meist sind es Schimmel und Apfelschimmel, gelegentlich auch Braune, starke Tiere, die sich trotz ihrer Größe schön und fast grazil bewegen.

Wie alle Pferdemärkte ist auch der von Paris ein Treffpunkt der Männer. Frauen bedienen in den Schenken am Rand des Marktes, in denen das Geschäft besiegelt wird; auf dem eigentlichen Markt haben sie nichts zu suchen, Pferdehandel ist Männersache. Niemand beachtet den zierlichen Jungen, der sich im Jahr 1851 und bis ins folgende Jahr auf dem Pariser Pferdemarkt herumdrückt, stundenlang, tagelang. Glaubt er sich unbeobachtet, kritzelt er auf einem Block, wie ihn die Maler mit sich führen, wenn sie auf Reisen gehen. Niemand erkennt die junge Frau, die sich als Mann verkleidet hat und einen ehrgeizigen Plan verfolgt. Sie will ein Werk schaffen, wie es der verehrte Théodore Géricault begonnen, aber nicht vollendet hat, ein gewaltiges

Bild, ein Breitwandformat, das die berühmte Kavalkade des Parthenonfrieses nicht schlichtweg wiederholen, sondern in die Gegenwart versetzen, sie neu interpretieren soll. Rosa Bonheur hat sich als Tiermale-
rin einen Namen gemacht, jetzt zielt sie höher.

Im Jahr darauf, 1853, ist sie fertig. Der Salon, auf dem sie ihr gewaltiges Werk, *Der Pferdemarkt*, fünf Meter lang und halb so hoch,
ausstellt, wird zu einem Triumph (Tafel 10/11). Presse und Publikum
sind begeistert, Delacroix feiert sie in seinem Tagebuch, der Kaiser
und die Kaiserin verneigen sich vor ihrer Kunst.[2] Mit einem Schlag ist
sie berühmt. Sie verreist, durchstreift die wilden Pyrenäen, genießt es,
wenn spanische Schmuggler ihr schöne Augen machen. Im Herbst
kehrt sie nach Paris zurück und erlebt eine bezeichnende Geschichte.
Ihr Bild war zunächst in Gand ausgestellt gewesen, jetzt hängt es in
ihrer Heimatstadt Bordeaux; überall ruft es einhellige Bewunderung
hervor. Aber niemand kann oder will es kaufen. Ihr Händler, Ernest
Gambart, ein Zampano der viktorianischen Kunstszene, vermittelt
das Bild nach London. Auch in den beiden Generationen nach David
und Gros besitzt Frankreich die besten Historien- und Pferdemaler
des Jahrhunderts, Géricault, Delacroix, Vernet, Fromentin, Regnault,
Meissonier, zu ihnen gehört jetzt auch Rosa Bonheur. Aber die be-
tuchte Kundschaft lebt in England; wenig später wird sie an der Ostküste der Vereinigten Staaten sitzen. Gambart lässt Thomas Landseer,
den Bruder des berühmten Tiermalers Edwin Landseer, einen Stich des
Pferdemarkts anfertigen, organisiert eine Ausstellung französischer
Kunst und bringt es fertig, Queen Victoria und Prince Albert zur
Eröffnung zu locken. Die Pferde liebende Queen lässt sich das Meisterwerk für ein *private viewing* nach Schloss Windsor bringen; jetzt ist
der Erfolg in England da. Und doch wird das Bild, als sei es zu groß
für Europa, am Ende nach Amerika verkauft.[3]

Kannte Théodore Géricault die Griechen? Dachte er an Phidias und
den Parthenonfries, als er am römischen Pferderennen arbeitete? Bis
heute ist die Frage offen.[4] Jedenfalls träumte auch er von einem Groß-
format, einer Leinwand von neun oder zehn Metern Länge.[5] Angeblich hatte er ein solches Werk in Angriff genommen, als er Ende
September 1817 plötzlich Rom verließ, um nach Frankreich zurückzu-

kehren.[6] Aber alles was nach siebenmonatiger, immer wieder unterbrochener Arbeit vom geplanten *Course de chevaux libres à Rome* blieb, waren zahlreiche Skizzen und Zeichnungen, die über die Museen und Privatsammlungen der Welt verstreut sind, daneben einige Ölskizzen (in Paris, Lille, Rouen, Madrid, Los Angeles), die zum Vollkommensten gehören, was dieser Maler in seinem kurzen Leben geschaffen hat (Tafel 12).[7]

Nach John Evelyn, der das Rennen der *barbary horses*, das traditionell gegen Ende des römischen Karnevals auf dem Corso stattfand, 1645 aufsuchte und beschrieb[8], hatte mehr als ein Jahrhundert später (1788) auch Goethe dieses Rennen der reiterlosen und ungesattelten, deshalb als «frei» bezeichneten Berberpferde gesehen.[9] Géricault wiederum sah es drei Jahrzehnte später, im Februar 1817, und so wie Goethe unmittelbar seine Eindrücke notierte, begann Géricault auf der Stelle zu zeichnen. Die ersten Zeichnungen, eine Aquarellstudie, auch eine danach gefertigte Ölskizze atmen noch den Geist der Straße, auf der das Rennen stattfindet, die Spannung der Beteiligten, das Tempo, die realen Vorkehrungen: Tribünen, Absperrungen, Wachposten, ein Trompeter, der im nächsten Augenblick das Startsignal geben wird. Es sind Instantaufnahmen, Augenblickseindrücke. Manche sind so prägnant, dass sie in späteren Ausarbeitungen immer wiederkehren werden, wie das Bild des Knechts, der ein vorwärts drängendes Pferd am Schwanz zurückhält: Das ist nicht erfunden, das ist gesehen, entweder auf dem Corso oder irgendwo in der Campagna.

Im selben Maß, wie der Prozess der Ausarbeitung und der eigentlichen Bilderfindung voranschreitet, verselbständigen sich die Elemente. Der Maler isoliert einzelne Gruppen – ein Pferd, zwei Männer –, löst sie aus der ursprünglichen Erzählung, macht sie zu Bausteinen und beginnt mit ihnen zu experimentieren. Er ändert die Laufrichtung des Bildes; die Pferde laufen jetzt nicht mehr von rechts nach links, sondern in umgekehrter Richtung. Er verändert seinen Standort und damit die Perspektive, er lässt den Betrachter tief in das Geschehen vordringen und steigert dergestalt die Dramatik.[10] Er greift auf seine akademische Schulung zurück und zeichnet die Knechte hüllenlos, in antikischer Nacktheit: So könnte dieses Rennen im kaiserlichen Rom ausgesehen haben.[11] Er lässt sich von den Meistern inspirieren, übernimmt von Raffael die Figur eines gestürzten Mannes (Heliodor, in den Stanzen), von Michelangelo das Profil eines nackten jungen Mannes (von der Decke der Sistina). Seine Komposition gewinnt an Klarheit und verliert gleichzeitig an Tempo, an Ungestüm.[12] Sie kommt Poussin zu nahe, droht akademisch zu werden. Zu still, zu klassisch, zu erhaben. Der Maler korrigiert sich, steuert in die Gegenrichtung. Gibt den Knechten ihre bunten Hosen und roten Mützen zurück, entfernt die Figur des Gestürzten, setzt dramatische Lichtflecke auf die Flanken der Pferde, unbekümmert gegen die Regeln der Lichtregie.[13] Er holt sein Bild zurück aus der Sphäre einer imaginären Antike. Aber die Gegenwart, in die er es jetzt versetzt, ist nicht mehr die der Februartage von 1817; sie hat die Form eines überzeitlichen Präsens: Auch die Gegenwart liegt im Auge des Betrachters. Vielleicht hatte der Géricault-Forscher Lorenz Eitner Recht, als er bemerkte, die Rosseführer aus dem römischen Karneval sähen aus wie eine Bande von Jakobinern, die den Parthenonfries nachstellten.[14]

Man hat Géricault einen Maler der Straße genannt, «den ersten visuellen Dichter der Stadt»[15] und ihn als Vorläufer jenes Constantin Guys begriffen, den Baudelaire als *Maler des modernen Lebens* feierte. Aber wenn die Straße Géricault seine Motive und Eindrücke lieferte, so war es das Studium der Meister, das ihn bei der Konzeption des Bildes, seiner Architektur und Dramaturgie leitete. Nicht anders erging es drei Jahrzehnte später Rosa Bonheur: Auch sie fand ihre Motive auf der Straße und auf dem Markt. Aber wenn sie in ihr Atelier zurückkehrte, warteten die Vorbilder auf sie, allen voran Géricault, von dem sie einige Skizzen und Drucke besaß. Darunter war auch ein Blatt aus der Serie von Lithographien, die er 1821 in London erstellt und unter dem Titel «Various Subjects drawn from Life and on Stone» auf den Markt gebracht hatte. Es trug den Titel «Horses Going to a Fair» und zeigt eine Gruppe von starken Pferden, *Percherons*, die von zwei Männern zum Pferdemarkt getrieben werden.[16] Mit großer Wahrscheinlichkeit hat Rosa Bonheur auch Zeichnungen und Ölskizzen aus dem Umkreis des römischen Pferderennens gesehen, denn einzelne der Figuren und Gruppen – wie der Pferdeführer in der grünen Hose zur

Linken – wiederholen exakt die Haltungen und Ausdrücke von Géricaults römischen Blättern.[17]

Kunst entsteht bekanntlich nicht allein dadurch, dass sich ein Künstler mit dem Material auseinandersetzt, das ihm die «Wirklichkeit», seine soziale oder natürliche Umgebung, zuspielt. Kunst entsteht im Dialog mit anderer Kunst, mit Vorläufern, Vorbildern, Konkurrenten, Kunst kennt ihren eigenen Historizismus und ihre eigene Selbstreferentialität.[18] Die Pferdemalerei, sie mag im Genre des Historienbildes, als Tiermalerei oder als dramatisierter Ausschnitt der sozialen Wirklichkeit auftreten, macht von dieser Regel keine Ausnahme: In Géricaults *Berberpferden* wie in Bonheurs *Pferdemarkt* meint man immer noch schemenhaft den Figurenzug des Parthenonfrieses vom Giebel des Athenatempels wahrzunehmen (S. 175). Der Vergleich mit dem antiken Fries zeigt freilich auch, wie viel gerade die Plastiker und Dynamiker unter den Malern, zu denen auch Géricault und Bonheur gehören, dem Studium der Anatomie verdankten (das Phidias noch fremd war). Mochte Bonheur die Anatomie des Pferdes aus Büchern erlernt haben[19]; von Géricault meinte man zu wissen, dass er im Schlachthaus und in der Morgue ein und aus gegangen war wie andere in der Oper oder im Bordell. Wie früher über Stubbs und später über Menzel erzählte man sich auch über ihn haarsträubende Geschichten von dem Verwesungsgestank in seinem Atelier – dem Parfum des heroischen Realismus. So dass man gegen Ende des 19. Jahrhunderts bereit war, alle nicht eindeutig zugeschriebenen Anatomien, die in Künstlernachlässen und Sammlungen zirkulierten, ob Kopf-, Arm- oder Beinstudien, Skizzen von Pferde- und Menschenskeletten, abgeschlagene Köpfe oder Leichenteile in jedem Stadium der Verwesung, großzügig auf sein Konto zu setzen.[20] Géricault galt als der Maler der grausamsten Realität. In der Morgue und in der Pathologie hatte er eine Wirklichkeit ohne Vorbild gefunden. Es sah so aus, als hätte sich in der Anatomie der alte Traum aller Realisten und Materialisten von einer *prima materia*, einem Stoff vor allen Kunstgriffen, erfüllt. In der blutigen Kunst der Sektion schien die schöne Kunst bei der Wissenschaft in die Lehre gegangen zu sein: Der Stift des Zeichners folgte dem Messer des Anatomen.

Hüter der Leere

Auch mit siebzig war George Stubbs der Sinn fürs Erwerbsleben nicht abhanden gekommen. Die *Turf Gallery*, die er 1794 mit seinem Sohn in der Londoner Conduit Street eröffnete, hatte alles Zeug dazu, ein wirtschaftlicher Erfolg zu werden. Während ihr großes Vorbild, die Shakespeare Gallery, Gemälde britischer Künstler nach Szenen aus Shakespeares Stücken zeigte, sollten es bei Stubbs *père et fils* Gemälde der berühmtesten Rennpferde sein, die der Ältere gemalt und der Jüngere gestochen hatte. Mit anderen Worten: eine offiziöse Hall of Fame des britischen Rennsports und gleichzeitig die private Verkaufsschau des ungekrönten Königs der *sporting art* – jener Sparte der Malerei, die sich den Renn- und Jagdvergnügen der Oberschichten widmete. Angeblich steckten die Erben von Colonel Denis O'Kelly, dem Besitzer des legendären Renners Eclipse hinter dem Vorhaben. Dass die Rechnung nicht aufging und die Turf Gallery nach vier Jahren schließen musste, lag möglicherweise daran, dass der Krieg mit Frankreich das Geschäft mit Druckgrafik verdarb.[21] Doch in der Bilanz des symbolischen Kapitals zeigte das Projekt, wie nah der Rennplatz dem Parnass gerückt war: Der Tag war nicht mehr fern, an dem die Rennpferde genial wurden.[22]

Seit bald vier Jahrzehnten war George Stubbs jetzt im Geschäft mit Pferdebildern. Als erfolgreicher Künstler hatte er den phänomenalen Aufstieg des englischen Turf begleitet und alle Seiten dieser Welt gesehen: Pferde, die zu Stars wurden und alle Jahre den Besitzer wechselten, was dazu führte, dass sie auch alle Jahre gemalt werden mussten, sei's um in effigie unsterblich zu werden, sei's um ihren Preis in die Höhe zu treiben[23]; Rennen, die, wie das St. Leger, kaum gegründet, sich schon als klassisch gaben; Rennkalender und Stammbäume, die vorgaben, die verwickelten Familienverhältnisse der *equine nobility* übersichtlich zu machen; Fleischhändler, die zu Rennstallbesitzern aufstiegen und adlige Landsitze, die unter den Hammer kamen, weil die Besitzer ihr Vermögen auf dem Rennplatz verwettet hatten. Stubbs hatte die Formel Eins seines Jahrhunderts begleitet und zeitweise gut davon gelebt, als Maler war er der Parasit des Systems gewesen und gleichzeitig einer seiner wichtigsten Akteure. Bis heute prägt er das Bild, das sich die Nachwelt von Englands großen Odalisken macht: Er war der Ingres des Pferdestalls.

Mitte der fünfziger Jahre hatte er seine Nische entdeckt und in einem beispiellosen Handstreich besetzt: 18 Monate lang arbeitete er in einer Scheune in Horkstow wie ein Besessener und sezierte etwa ein Dutzend Pferde, die er, um jede Beschädigung ihrer Knochen, Sehnen und Adern zu vermeiden, sich zu Tode bluten ließ. An manchen der Kadaver, für die er eine sinnreiche Hebeeinrichtung konstruiert hatte, arbeitete er wochenlang, den entsetzlichen Gestank und die Gefahr der Sepsis missachtend. Und da er beides war, Anatom und Künstler, und beides in gleicher Virtuosität, schnitt und kritzelte er pausenlos; jede Muskelschicht, die er freilegte, zeichnete er sogleich ab und benannte sie im Detail; das Skelett schließlich kochte er aus und zeichnete es ebenfalls, jeden Knochen einzeln, minutiös, wie ein Archäologe die Überreste einer antiken Stadt. Es waren die heroischen Jahre der Archäologie. In seinem Schuppen in Lincolnshire ergrub George Stubbs den Tempel eines heidnischen Kults: die Anatomie des Pferdes. Schicht um Schicht abtragend und freilegend drang er in die Tiefe des Körpers vor; fünf Lagen von Muskeln, Sehnen und Adern nahm er zeichnerisch auf. In der ersten, obersten Lage sieht man die Volumen noch intakt, nur die Haut ist abgezogen. Dann dringen Skalpell, Stift und Auge in die Tiefe vor; mit der fünften Tafel ist die unterste, direkt am Skelett ansetzende Schicht von Bändern und Sehnen erreicht (S. 185). Um Klarheit und Schönheit des Bildes nicht durch Ziffern und Verweise zu stören, stellte Stubbs jeder Tafel eine grafische Umrisszeichnung gegenüber, die, mit Ziffern versehen, auf die zugehörige Tabelle der Muskeln etc. und ihrer Funktionen verwies.[24]

Mit beiden Verfahren, sowohl dem schichtenweisen Progress von außen nach innen wie der separaten diagrammatischen Verweisstruktur schloss Stubbs eng an Bernhard Siegfried Albinus' ein Jahrzehnt früher erschienenen Atlas der menschlichen Anatomie an.[25] Auch in der normativen Ästhetik der Darstellung folgte Stubbs dem deutschen Anatomen und dessen holländischem Grafiker und Stecher Jan Wandelaar. Wie dieser den *écorché*, den gehäuteten Menschen oder sein

Skelett in eleganter Pose und idealer Gestalt dargestellt hatte, so zeigte Stubbs das tote Pferd in der Anmut eines jugendlich lebendigen Tiers, leicht antrabend wie ein Tänzer. Ein Blick auf Stubbs graziles Idealtier genügt, um zu wissen, welcher Pferdetyp gemeint ist: das englische Vollblut mit arabischem Einschlag. Die *Anatomy of the Horse* ist eine Archäologie des Rennpferds. In einem Punkt wich freilich Stubbs unübersehbar vom Vorbild des Albinus oder des Jan Wandelaar ab: Er verzichtete auf die arkadischen Hintergründe. Hinter seinen schönen und schaurigen Pferden taten sich keine idealisierenden Prospekte mehr auf. Stubbs stellte seine Pferde vor das Nichts.

So bereitete sich schon in der *Anatomy*, dem Meisterwerk des jungen Stubbs[26], derjenige Zug seiner Malerei vor, der ihm seinen singulären Platz in der Geschichte der Kunst gesichert hat: die Isolierung des tierischen Körpers von Beiwerk und Staffage, die Unterdrückung der Umwelt. Stubbs, dessen Pferde so fotorealistisch genau gemalt waren, dass man jedes einzelne persönlich und in seiner Individualität erkannte (worauf Züchter und Besitzer größten Wert legten), praktizierte gelegentlich, auf den Gipfelhöhen stiller Radikalität, eine unzeitgemäße Kunst der Abstraktion: Bis auf die kleinen Schatten unter ihren Füßen ließ er alles weg, was nicht Hengst, Stute oder Fohlen war. So dass diese wenigen Bilder von schönen, glänzenden Pferden buchstäblich zu *Ikonen* wurden, auch wenn hier das Gold nicht den Hintergrund bestimmte[27], sondern sich als Schimmer über das Braun ihrer Felle legte.

Es gibt nur eine Handvoll dieser Bilder, bei denen Stubbs auf jede Art von Narration durch Landschaft, Personen und Staffage verzichtete. Das berühmteste von ihnen ist das Porträt des reiterlosen Hengstes Whistlejacket in der Levade, den Kopf leicht dem Betrachter zugewandt. Man hat es als «eines der bedeutendsten Bilder des 18. Jahrhunderts» und «das bedeutendste je gemalte Pferdebild» bezeichnet.[28] Bis heute herrscht, von Stubbs selbst genährt, die Ansicht vor, es handele sich um ein halbfertiges Reiterporträt Georgs III., bei dem aus verschiedenen Gründen die Ausmalung des Hintergrunds und die Ergänzung um die Figur des Königs von anderer Hand unterblieben sei.[29] Bei anderen, ähnlich abstrakten oder absoluten Bildern, etwa den

Mares and Foals, die übrigens aus demselben Jahr (1862) stammen wie *Whistlejacket*, fällt die Erklärung des Bildtyps schwerer. Ein Fries, der, wie Werner Busch gezeigt hat[30], den Gesetzen des Goldenen Schnitts gehorcht, ein equines Gruppenporträt, so virtuos in der Ausführung wie rätselhaft in der Bedeutung – wenn es denn eine hat.

Vielleicht sind diese radikal vereinzelnden und auratisierenden Bilder so etwas wie der heimliche Zielpunkt von Stubbs' Werk. Nicht in dem Sinn, als habe dieser Maler nur Pferde und Hunde «gekonnt» – sein Gesamtwerk beweist, dass er auch Landschaftsthemen beherrschte, wenngleich sie konventionell und unoriginell blieben: Ihretwegen wäre er nicht ins Pantheon der Malerei gekommen. Interessanter ist die Möblierung seiner Pferde- und Jockeybilder aus Newmarket, auf denen sich die immer gleichen Versatzstücke von Gebäuden und deren Teilen finden – so als sei der Maler solchen Beiwerks längst überdrüssig geworden. Zwischen diesen Bauelementen der Indifferenz schleicht sich die Leere in Stubbs' Bilder ein – und mit ihr eine Stimmung der Weltflucht, die an Realisten des 20. Jahrhunderts wie Edward Hopper denken lässt. Leben und Fülle liegen bei Stubbs nur in den Pferden und dies umso mehr, je mehr man diese aus allen störenden Weltbezügen löst. Die arkadische Stimmung, die über den *Mares and Foals* liegt, rührt nicht daher, dass sie in ein antikisierendes Idyll gestellt sind. Sondern dass sie buchstäblich *freigestellt*, in die Freiheit der leeren Leinwand gestellt sind.

Es hat lange gedauert, bis die Kunstgeschichte darauf kam, Stubbs' *Anatomy of the Horse* neben Philippe Etienne Lafosse' *Cours d'Hippiatrique* zu legen.[31] Dabei liegt der Vergleich gar nicht fern. Beide Werke entstammen demselben Zeitraum; Stubbs' Tafelwerk kommt 1866 auf den Markt, sechs Jahre vor Lafosse. Ob dieser es gekannt hat, ist nicht überliefert. Es sind die wilden Jahre der Pferdewissenschaft und der Anatomie, diesseits wie jenseits des Kanals sehen sie stapelweise Literatur entstehen – und daneben große Kunst. Beide Autoren sind erfahrene, ja leidenschaftliche Anatomen; früh im Leben, als halbe Kinder noch, haben sie tote Pferde seziert, Buchwissen durch Autopsie ersetzt; beide haben in jungen Jahren Lehrerfahrungen in der Anatomie gesammelt. Was Stubbs seinem um 14 Jahre jüngeren fran-

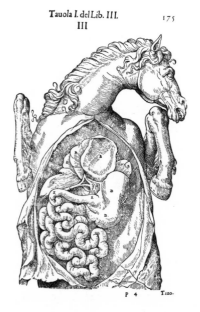

Tiefer Einblick: Carlo Ruini,
Anatomia del Cavallo, 1599.

Knochentrockener Humor:
George Stubbs, Anatomy of
the Horse, 1766.

zösischen Kollegen in der eigentlichen Kunst – als Zeichner und Stecher – voraushat, weiß dieser sich von außen einzukaufen: Zeichner von der Qualität eines Harguinier und Saullier, dazu ein kleines Heer der besten Stecher. Das Resultat – 65 handkolorierte Stiche – ist so grausam wie es verblüffend ist: Es zeigt den Pferdekadaver als Karkasse auf dem Seziertisch oder an den Haken einer Aufhängevorrichtung; Teile des Leibes sind geöffnet und zeigen Partien der Muskeln, einzelne Organe oder die wichtigsten Blutgefäße, Venen und Arterien (S. 205; Tafel 13). Die Drastik der Darstellung rührt von der Lage und Darbietung des Leichnams, den beiseite geklappten Beinen, der heraushängenden Zunge, der Multiperspektivität des Bildes, dem skurrilen Gesamteindruck eines um anderthalb Jahrhunderte zu früh gekommenen Kubismus. Im Vergleich mit dem eleganten Klassizismus Stubbs' schneiden Lafosse und seine surrealen Grafiken schlecht ab: Eine «irritierende Ästhetik lustvoller und anthropomorpher Gewaltdarstellung» bescheinigt ihnen der korrekte Kritiker des 21. Jahrhunderts.[32]

War Philippe-Etienne Lafosse ein Vorläufer des Splatterfilms? In der Tat handelt es sich um zwei grundsätzlich verschiedene Ästhetiken in der Visualisierung des Pferdes. Beide Verfasser, Stubbs wie Lafosse, fußen tief in der Wissenschaft ihrer Zeit und befriedigen deren strengste Ansprüche, was Präzision und Detailreichtum, Wiedergabe der Formen und Darstellung der funktionalen Zusammenhänge betrifft. Beide rekurrieren auf Autopsie und ein Wissen, das nicht allein dem Auge, sondern auch der Hand des Prosektors entstammt. Beide Autoren wollen den Praktiker, ob Züchter oder Künstler, unterstützen, den Kenner erfreuen, den angehenden Veterinär oder Kurschmied bilden. Aber während Stubbs letztlich den Ästheten in sich obsiegen lässt und mit Rücksicht auf seine erhoffte Klientel das tote Pferd als tänzelnde Grazie entwirft, präsentiert Lafosse den tierischen Leichnam als Objekt einer grausamen Forschung: Er zeigt den Kadaver als *Präparat*. Während Stubbs' Pferde zurück ins Atelier traben, bleiben Lafosses Leichen in der Tieranatomie.

Schädelstätte des Wissens

Zur selben Zeit, als in Paris die Bastille fiel, in der die Zeitgenossen den Geist der Despotie verkörpert sahen, entstand in Berlin das Brandenburger Tor, das im Lauf der folgenden zwei Jahrhunderte zum Schicksalsportal der Deutschen wurde. Ein Nachbild der athenischen Propyläen geriet zum Sinnbild der Nation und bewahrte ihren Erbauer vor dem Vergessen, dem er, ein Mann der zweiten Reihe nach Schlüter und Schinkel, sonst leicht zum Opfer gefallen wäre. Das Tor hielt den Namen Carl Gotthard Langhans' (1732–1808) lebendig und erinnerte an einen Architekten, der sich aus der Architekturgeschichte wie aus einem Baukasten bediente, wobei ihm sehenswerte Werke gelangen. Das feinste und bei äußerer Zurückhaltung spektakulärste unter ihnen entstand zur gleichen Zeit wie das berühmte Tor und unweit von diesem: das Anatomische Theater der Tierarzneischule, das nach Jahren der Sanierung seit kurzem wieder besichtigt werden kann.

Neben der Architektur verband auch die Bildhauerei die beiden Bauwerke, das Stadttor und das anatomische Theater. Mit der Quadriga schuf Johann Gottfried Schadow die Krönung des Brandenburger Tors, eine Figurengruppe von vollendeter Anmut und Lebensnähe. Von Schadows Original ließen die Zerstörungen des Zweiten Weltkriegs und die Denkmalpflege der DDR außer dem monumentalen Gipsschädel eines der Pferde kein Stück übrig. Dieser Schädel ist mit der Ausstellung zur Geschichte der Berliner Veterinärmedizin an den Ort seiner Geburt zurückgekehrt: Wie nach ihm Adolph Menzel studierte und zeichnete Schadow nicht nur lebendige Pferde, sondern bediente sich auch der Schädel und Skelette in der hippiatrischen Lehrsammlung der Tieranatomie.[33]

Der Bau, von Friedrich Wilhelm II. in Auftrag gegeben, entstand in den Jahren 1789/90. Äußerlich an Palladios Villa Rotunda angelehnt (S. 195), scheint er im Inneren den Vorbildern der anatomischen Theater von Padua (1594), Leiden (1610) und Bologna (1637) zu folgen.[34] Langhans' Originalität erwies sich nicht nur in der Übertragung auf die aufblühende Veterinärmedizin, sondern auch in der technischen Ausstattung des Hör- oder besser Schausaals. In seiner Mitte erhob sich ein Seziertisch, der sowohl drehbar als auch versenkbar war und es gestattete, einen Tierleichnam aus der Tiefe des Baus emporzuheben und dem Blick des Publikums von allen Seiten darzubieten. Anders als sein Vorgänger, Friedrich II., der in der Tieranatomie auch Haustiere wie Kühe und Schafe untersucht sehen wollte und sich Aufklärung über die grassierende Rinderpest versprach, führte Friedrich Wilhelm II. die Veterinärmedizin wieder auf ihren politischen und militärischen Kern zurück, die Medizin der Equiden.[35] Die Kadaver, die der Drehtisch der Zootomie ins Licht der Wissenschaft hob, waren, zumindest in den ersten Jahren, ausschließlich Pferdeleichen.

An die Stelle des Proszeniums des antiken Theaters setzt das anatomische Theater der Neuzeit eine intimere Szene: den Sektionstisch. Im Mittelpunkt der Tragödie stehen die Organe und Fibern eines Leichnams. Das Stück handelt von den Symptomen, mit denen die Krankheit das Gewebe eines Körpers gezeichnet hat, und von den Indizien, in denen sich der Tod ankündigt, der steinerne Gast.[36] Wie ein Schauglas lenkt das in konzentrischen Kreisen aufsteigende Rund des Amphitheaters die Blicke der Studenten auf das Fragment eines Leichnams, welches das Skalpell des Pathologen isoliert hat, um es exemplarisch zu untersuchen. Damit das Publikum die Möglichkeit erhält, das Objekt der Demonstration von allen Seiten zu betrachten, ist der Seziertisch des anatomischen Theaters drehbar; kein Detail soll dem Blick des Zuschauers entgehen. Das anatomische Theater ist ein das Publikum umschließendes Großgerät, das dem Zweck dient, den Blick zu lenken und zu schulen: Vom bloßen Schauen leitet es zum Lesen, zur Dechiffrierung der Zeichen über. Die Anatomie ist die Schaubühne der modernen Wissenschaft, auf der die Zeichen des Todes ihren systematischen und propädeutischen Auftritt haben.

In dieser Tradition einer modernen Beobachtungsapparatur steht auch die Langhans'sche Zootomie. Ihr Hubtisch erlaubt die mühelose Zu- und Abfuhr der großen und schweren Tierkörper in der Vertikalen. Der vom Prosektor im Untergeschoss präparierte Kadaver wird gleichsam schwebend ins Blickfeld des Publikums gerückt und auf demselben Weg wieder entsorgt: *Equus ex machina*. Der Architekt der Zootomie hat sich seine ersten Sporen im Theaterbau erworben; davon profitiert jetzt die Tieranatomie. Schlachthaus und Abdeckerei bleiben ins Untergeschoss verbannt; Zutritt in die Beletage haben nur saubere Präparate: die reine Phänomenologie. Aber der Seziertisch der Zootomie evoziert nicht nur die Bühne des klassischen Theaters, er beschwört auch den Opferaltar eines antiken Tempels. Daran erinnert der von dem Berliner Maler und Radierer Bernhard Rode geschaffene Freskenzyklus in der Kuppel der Tieranatomie und die sie umlaufende, von Bukranien gehaltene Girlande.[37] Doch die Tiere, die im Untergeschoss der Tieranatomie getötet werden, werden nicht mehr den alten, blutrünstigen Göttern zum Opfer gebracht, sie sterben für die Wissenschaft.

Im fliegenden Galopp

In der Schau- und Zeigeanlage des tieranatomischen Theaters zeigt sich die innere Natur des Pferdes. Der Zuschauer auf den Rängen sieht die Architektur seines Skeletts, die Textur seiner Muskeln, das Volumen des Brustkastens und die Größe der Lungen; er kennt die Geschwindigkeit und Ausdauer dieses für den schnellen Lauf gemachten Wesens. Allerdings sieht er nur das tote Wesen, nicht das laufende, rennende, springende Tier. Die Anatomie zeigt den Bewegungsapparat, nicht die Bewegung. Der leichte Trab, den Stubbs' *Anatomy* andeutet, ist eine ästhetische Zutat wie die fliegende Mähne und das wehende Gewand von Davids *Napoleon*; im Kern bietet Stubbs' Tafelwerk statische Ansichten. Das Pferd, der große Beweger, bleibt selber unbewegt. Auch die Levade ist nur eine andere Form der Stasis, ja, sie ist deren paradoxer Höhepunkt: Einen sekundenkurzen Augenblick lang erhebt sich das Pferd in die Vertikale, dann kippt die erhabene Figur zurück in den Stand. Géricaults Berberpferde, die ein halbes Jahrhundert später entstehen, sind Kreaturen eines anderen Zeitalters, Wesen aus Licht und Tempo, Metaphern der Dynamik. 1821, während seines zweiten Aufenthalts in London, wird man Géricault den Vorschlag unterbreiten, einen *Cours d'anatomie du cheval à l'usage des peintres et des amateurs* zu machen, ein Lehrbuch für Maler und

Liebhaber.[38] So etwas wie Stubbs' Werk[39], aber für die neue Zeit, den heutigen Geschmack. Einen Augenblick lang ist er Feuer und Flamme und beginnt zu zeichnen – nicht Pferde in Bewegung, sondern eher die Bewegung in Pferden.

Anlass für Géricaults Londoner Aufenthalte Anfang der zwanziger Jahre waren allerdings nicht die Pferde gewesen, sondern die schlechte Aufnahme, die *Das Floß der Medusa* im Salon von 1819 gefunden hatte. Im Jahr darauf zeigte der Maler sein Bild in London, dort waren der Andrang enorm und die Kritik freundlich. Anfang 1821 kam er ein zweites Mal und blieb fast das gesamte Jahr, in erster Linie, um Lithographien anzufertigen und sie auf den Markt zu bringen. Daneben bemühte er sich um englische Kunden für seine Ansichten von Pferden und Rennereignissen. Ganze Tage verbrachte er auf dem Rennplatz und befreundete sich mit einem reichen Pferdehändler, Adam Elmore, dem er drei schöne Tiere abkaufte.[40] Die Skizzen, die in diesem Zusammenhang entstanden, zeigen die englischen Vollblüter und ihre Jockeys in derselben dichten Dynamik und denselben kreisenden Energiestrudeln, von denen sich schon die römischen *Berberpferde* erfassen ließen. Sie zeigen Géricault auf der Höhe seiner dynamisch-dramatischen Kunst. Doch dann ereignet sich etwas Sonderbares. Der Maler wird zum Chamäleon. Aus dem französischen Romantiker wird ein englischer *sporting artist*. Ein Dekorateur, ein Ausstatter von Herrenhäusern.

Géricault malt ein Ölbild, das er Elmore schenkt oder als Anzahlung auf die Renner überlässt, man weiß es nicht genau. Es heißt *Das Derby von Epsom* (Tafel 13) und könnte auch als *teaser* für die erhoffte englische Kundschaft gedacht gewesen sein – so genau entsprach es deren Geschmack: «Das *Derby von Epsom* lässt sich nur als bewusste Imitation, als Pastiche wenn nicht eine Parodie des gängigsten Typs von englischem *racing picture* begreifen, das dem Publikum und insbesondere Mr. Elmore so vertraut war wie die Britannia auf dem Penny.»[41] Tatsächlich erkennt man die Hand des Meisters nicht wieder: Wo ist die impulsive Sinnlichkeit der *Berberpferde* geblieben, die erotische Biegsamkeit ihrer Glieder, die schmerzliche Schönheit ihrer Erscheinung? Als käme er direkt aus ihrer Schule, hat sich Géricault der steifbeinigen, wie ausgesägt wirkenden Pferdemalerei der englischen Schule anbequemt. Seine Renner von Epsom sehen aus, als hätte einer der populären Grafiker wie Henry Alken oder James Pollard sie entworfen. Wie auf ihren Bildern sieht man auch bei Géricault die Pferde im «fliegenden Galopp» mit gleichzeitig nach vorn und hinten gestreckten Beinen, und alle vier Tiere befinden sich gleichzeitig in derselben Flugposition. Die Pferde scheinen zu schweben, der dem Betrachter nächste der Jockeys kauert nicht wie ein Rennreiter, sondern sitzt aufrecht wie ein Pilot, als hielte er ein Steuerrad. Géricault, ein passionierter Reiter, der mit den Bewegungsabläufen der Tiere intim vertraut war, wusste, dass sein Bild gegenüber der physischen Realität «falsch» war (die gleichzeitigen Skizzen verraten ihn). Aber er wusste auch, dass es den Konventionen der englischen Kunst[42] und den Sehgewohnheiten ihrer Käufer entsprach. Auf diese andere, kulturelle «Richtigkeit» kam es an, wenn man in London oder Newmarket reüssieren wollte: Schön war, was gefiel.

Demnach wäre *Das Derby von Epsom* der schlaue Schachzug eines wandlungsfähigen Künstlers gewesen, der sein Glück auf einem neuen Markt versuchte? So könnte es gewesen sein. Gewissheit lässt sich nicht gewinnen, denn im Dezember 1821 brach Géricault den Versuch ab und kehrte mit seinen englischen Pferden nach Frankreich zurück; in den zwei Jahren, die ihm zu leben blieben, beschäftigten ihn andere Gegenstände. Eine neue malerische Formel für die Darstellung von Geschwindigkeit und rasanter Bewegung hatten ihm die Renner von Epsom nicht geliefert.[43] Nach dieser Formel sollte die französische Malerei – vom romantischen Orientalismus über die Historienmalerei bis zum «wissenschaftlichen Realismus» – im Lauf der nächsten Jahrzehnte suchen, wobei der Druck von Seiten der Physiologie und der neuen grafischen Aufzeichnungsverfahren zunehmend spürbar wurde.[44] Der Höhepunkt war erreicht, als der Offizier und Anthropologe Émile Duhousset 1874 ein Werk veröffentlichte, in dem er zahlreiche der bisherigen Darstellungen des schreitenden und laufenden Pferdes als unrichtig kritisierte und mit Hilfe von Schemazeichnungen korrigierte.[45] Bei Ernest Meissonier, einem der führenden Historienmaler seiner Zeit, stieß seine Kritik auf offene Ohren: Nach Duhoussets

Ratschlägen überarbeitete er 1888 ein 24 Jahre früher gemaltes Bild, *La campagne de France, 1814*, das seinerzeit für seine historische und hippologische Genauigkeit gerühmt worden war. Im Jahr darauf korrigierte er ein anderes, noch in Arbeit befindliches Historienbild, *1807, Friedland*. Aber je mehr er an der Beinstellung seiner Pferde herumdokterte, umso mehr zog er sich die Kritik der Experten zu[46]: Er wurde seine Plagegeister nicht mehr los. Physiologie und Hippologie hatten die ästhetische Kritik als Geisel genommen.[47]

Auf einmal behauptete alle Welt zu wissen, wie ein *richtig* gemaltes Pferd aussah, und wie ein *falsches* – nur die Künstler schienen es nicht mehr zu wissen. Ernest Meissonier bekam die ganze Ironie der Geschichte zu spüren. Ausgerechnet ihn, den realitätssüchtigsten und penibelsten unter den französischen Historienmalern traf die Nemesis des Realismus. Der Hieb saß umso tiefer, als er auch noch einen begeisterten Reiter traf; schon 1867 hatte Menzel acht Pferde in seinem Stall gezählt.[48] Stundenlang konnte er auf den Champs-Élysées sitzen, um mit dem Stift in der Hand dem Schauspiel der Reiter und Kutschen zu folgen, unbekümmert um den Spott von Malerkollegen wie Degas.[49] Im Garten seines Ateliers hatte er sich eine Bahn bauen lassen, die es ihm erlaubte, aus der Bewegung einer kleinen, von einem Bediensteten gezogenen Rollplattform (ein «Dolly», wie man beim Film sagen würde) heraus ein neben ihm laufendes Pferd abzuzeichnen.[50] Aber auch solche Kamerafahrten avant la lettre hatten ihn nicht vor Fehlern in der Wiedergabe des Laufs von Pferden bewahrt. Die grafischen Beweise lagen auf dem Tisch.

Die Nemesis des Realismus hatte einen Namen; er lautete Etienne-Jules Marey. Seine umfassenden Studien zu den Bewegungen laufender und springender Menschen, Pferde und Hunde, fliegender Vögel, schwimmender Fische und kriechender Insekten mündeten 1873 in das aufsehenerregende Werk *La machine animale*, das schon im nächsten Jahr auf Englisch erschien und seine Einsichten weltweit verbreitete. Auch wenn die *Machine animale* noch auf Versuchen mit elektromagnetischen, pneumatischen und mechanischen Aufzeichnungsverfahren beruhte, trug sie doch mit dazu bei, die ingeniösen Serien anzuregen, die Eadweard Muybridge, finanziert von dem Eisenbahnmagnaten und Pferdezüchter Leland Stanford seit 1877 fotografierte. Deren Veröffentlichung, zunächst 1878 als *The Horse in Motion* und im Folgejahr in *Attitudes of Animals in Motion*, elektrisierten wiederum Marey und ließen ihn die Fotografie als aussagekräftige Aufzeichnungstechnik rehabilitieren.[51] Den Höhepunkt der fotografischen *motion studies* markierte wiederum Muybridge mit der Publikation des gigantischen Tafelwerks *Animal Locomotion* – 781 Tafeln in Folio – im Jahr 1887.

Die Geschichte der Chronofotografie und ihrer Protagonisten ist so oft erzählt worden, dass man es bei knappen Hinweisen belassen kann.[52] Wenn man allerdings, wie es oft geschieht, Mareys und Muybridges Arbeiten miteinander vergleicht, muss man sich vor Augen führen, dass ihre Autoren zwei sehr unterschiedliche Forschertypen repräsentieren. Auf der einen Seite – in Paris – ein Physiologe von hoher nationaler und internationaler Reputation, Nachfolger von Claude Bernard am Collège de France mit einer entsprechenden Liste an Veröffentlichungen und Akademievorträgen, auf der anderen – in Palo Alto – ein von Leland Stanford alimentierter Fotograf von moralisch bedenklicher Statur, der die Kränkung hinnehmen musste, dass sein mächtiger Sponsor ihn im Vorwort von *The Horse in Motion* (1882) als angeheuerten Fotografen apostrophierte.[53]

Umso lebhafter wird Muybridge den Empfang genossen haben, den ihm die Spitzen der wissenschaftlichen Welt bereiteten, als er 1881 nach Paris kam: Bei dem Empfang im Hause Mareys am 26. September 1881 waren neben zahlreichen Freunden des Hausherrn auch Gabriel Lippmann, Arsène d'Arsonval und Hermann von Helmholtz zugegen. Ein zweiter Empfang zu Ehren Muybridges im Hause Meissoniers versammelte acht Wochen später die Crème der Pariser Kunstszene.[54] Für Meissonier ging mit der Chronofotografie ein Traum in Erfüllung: die genaue Wiedergabe der Bewegung. Aber diese Technik war auch eine Falle, der er nicht mehr entkommen sollte. In Wahrheit trennte die Serienfotografie nämlich die Genauigkeit des Moments von der Bewegung als Fluss. Indem Meissonier sich für die Genauigkeit entschied, verfehlte er die Bewegung: Die Aktionen, die er malte, erschienen sämtlich wie eingefroren.

Wie Meissonier war auch Degas fasziniert gewesen, als die Entdeckungen Mareys Anfang der siebziger Jahre zuerst die Runde machten. Degas, zu jener Zeit einer der Wortführer des «wissenschaftlichen
Realismus», war – als alter Liebhaber der Rennplätze – begeistert von
den neuen Ansichten des Pferdes, welche die *méthode graphique* vermittelte: Endlich war daran zu denken, Pferde mit wissenschaftlich
garantierter Richtigkeit darzustellen.[55] Da er sich aber zu jener Zeit
ausschließlich mit der menschlichen Gestalt beschäftigt, sollte es lange
dauern, bis er von den Pferdeserien der Chronofotografen profitierte.
Erst gegen Ende der achtziger Jahre ließ er sich bei einzelnen seiner
Pferdeskulpturen von Muybridges *Animal Locomotion* inspirieren.
Kurz darauf aber trat eine Wende ein: «… in den neunziger Jahren
kehrt er in der Wiedergabe der Bewegung zu seinen Jugendirrtümern
zurück, die ausdrucksvoller waren als die platte Richtigkeit.»[56] Im
Bild des *Jockey blessé* (Tafel 9) greift er gegen Ende des Jahrhunderts
eines seiner frühen Gemälde aus den sechziger Jahren wieder auf
(*Scène de steeple-chase*, 1866). Jetzt reduziert er es jetzt auf zwei Figuren, das hölzerne Pferd und den Jockey, der aussieht wie die achtlos
weggeworfene Puppe eines Kindes. Nichts ist geblieben vom Realismus der siebziger und achtziger Jahre, keine Spur von der Genauigkeit, die nach Marey und Muybridge möglich gewesen wäre, und der
sich der Kollege Meissonier immer noch sklavisch fügte.[57] Degas hat
sich für seine alten Holzpuppen entschieden und erfindet mit ihnen die
Moderne in der Malerei. Vielleicht war auch Géricault, der vermeintliche Opportunist des englischen Kunstmarkts, schon auf diesem Weg
gewesen, als er die hölzernen Springteufel von Epsom malte. Oder, wie
Degas zu sagen pflegte: Man erzielt die Idee des Wahren durch das
Falsche.[58]

Auch für Degas war der Parthenonfries das erste und vermutlich
wichtigste aller Pferderennen gewesen, um deren künstlerische Wahrheit sich zu bemühen lohnte. Die Pferde des Phidias, die er als Kunst-
student im Jahr 1855 nach Gipsabgüssen in Paris und Lyon kopierte,
öffneten ihm die Augen für die Vollblüter von Chantilly und Longchamp, die er sechs, sieben Jahre später studierte.[59] Das Breitwandformat des Frieses bot sich geradezu an für die Wiedergabe der typischen

Ansicht des Tieranatomischen Theaters von Langhans (1789) in Berlin. August
Niegelsson, Zootomie, 1797.

Maler und Modell, das alte Thema: Lord Berner porträtiert Penelope Betjeman
und ihr arabisches Pony, 1938.

Ansichten von den Rennplätzen, die tiefgestaffelten Kavalkaden und die wirbelnde Beinrotation der rasenden Konkurrenten. Erst spät im Leben des Malers, als zunehmende Blindheit es ihm sinnlos erscheinen ließ, sich weiterhin um eine fotorealistische Wiedergabe der Pferde und ihrer Bewegungen zu bemühen, scheint er sich auch von den Griechen abgewandt zu haben. Den konsequenten Sprung in die Moderne tat er mit Jockeys, die in ein Niemandsland der Farbe reiten (Tafel 9 unten), auf Pferden, deren überlange Beine an Models erinnern, und mit Hilfe archaischer Schemata, wie sie im Holzspielzeug und auf den Karussells der Jahrmärkte überleben.

Kenner und Täuscher

Der Fuchs als Erzieher

Dreiundzwanzig ist ein gefährliches Alter im Leben eines Mannes. Mit dreiundzwanzig fängt man sich Leidenschaften ein, die man ein Leben lang nicht mehr los wird. Die Anglophilie erwischte den jungen Amerikaner um 1930, als er in Cambridge Geschichte studierte, und sie kam nicht allein. Mit der Liebe zu England, zur Geschichte des Landes und den Formen des Lebens wuchs seine Begeisterung für die englische Kultur, die praktisch nichts ausließ, was englische Federn und Pinsel erzeugt hatten. Als sie auch auf die wichtigste Kunstform übersprang, die das neuzeitliche England hervorgebracht hat, war sein Schicksal besiegelt.

Nun ist diese Form nicht gemacht für Ausstellungen und Museen; sie wurzelt mitten im Leben der Nation und ihrer oberen Schichten. Es handelt sich um eine organische, in ihren vielen Teilen lebhaft bewegte, polychrome Skulptur: Gemeint ist das Pferderennen und seine wilde Schwester, die Fuchsjagd. So pittoresk eine englische Fuchsjagd auch anmuten mag, mit ihren grünen Wiesen und Hecken, den blitzenden Bächen, glänzenden Pferden und leuchtenden Röcken der Reiter, den rasenden und sich tummelnden Lichtflecken der Hunde, tatsächlich ist sie das Werk eines plastischen Künstlers, der all diese Elemente in einem lebendigen und dank der Bewegung seiner Teile in beständiger Metamorphose befindlichen Gesamtkunstwerk zusammengefügt hat.

Wer die Fuchsjagd gesehen hat, spürt, wo das pulsierende Zentrum der englischen Kultur liegt, der Inbegriff alles dessen, was schön, schnell und leidenschaftlich ist. Obendrein kennt er jetzt auch den kleinen Dämon, der dies alles am Laufen und in Bewegung hält, den Lehrmeister des englischen Adels und Tanzmeister der Nation: den Fuchs. Unscheinbarer als der spanische Stier, diese schwarze Masse von Kraft und unbändiger Wildheit, die drohende Verkörperung des dunklen Prinzips, ist der Fuchs der kleine Meister der Schliche. Er ist der Schnellste unter den Schlauen und der Schlauste unter den Schnellen, ein praktischer Philosoph und Lehrer der irdischen Klugheit. Nationen werden nicht nur von Heiligen und Helden geformt, sie werden auch von Tieren erzogen, sie brauchen ein Totem, in dem sie sich finden. England wurde vom Fuchs erzogen, und fast alles, was kluge Briten wissen und können, haben sie von diesem Doktor der List gelernt. In Newmarket, der zweiten Hauptstadt dieses pferdebesessenen Landes, hat man ihm ein Denkmal gesetzt, ein Tempelchen mit vier ionischen Säulen.[1]

Anders als die Kinder der britischen *upper class* war der junge Amerikaner nicht im Sattel geboren. Physische Natur war ihm anfangs nur als Bild und Lesestoff begegnet. Wie viele junge Menschen der westlichen Hemisphäre, zumal wenn sie aus reichen, behüteten und gegen die Härten der sozialen Wirklichkeit abgeschirmten Häusern kommen, kannte auch Paul Mellon die Welt der Wiesen, Wälder und Pferde lange Zeit nur aus Büchern. Stunden ohne Ende hatte er als Kind über alten gebundenen Jahrgängen des *Punch* verbracht, dem Stammvater Abraham aller Comics. Aus den satirischen Zeichnungen trat ihm das Leben der upper class entgegen und das, was ihre natürlichsten Milieus und Gefährten zu sein schienen, Hecken, Gräben, Pferde, Hunde, nicht zu vergessen der Fuchs. Als undergraduate in Cambridge tauchte er selber in diese Welt ein und schwänzte Vorlesungen, um Jagden mitzureiten. Gleichzeitig begann er den künstlerischen Reflex jener aristokratischen Kultur zu sammeln, seine ersten *sporting prints*, Stiche und Drucke der traditionellen britischen *sporting art*, daneben Werke einer überreichen Literatur über Pferde, Rennen, Jagden und Zucht. Was er dort sah und las, fand er auf den Parcours der Jagden und den Bahnen der Rennplätze wieder, die Charaktere von Alken und Rowlandson, die schimmernden Renner von Stubbs und Marshall.[2] Was anderen jungen Amerikanern seiner Zeit in Venedig oder Paris begegnete, erlebte Paul Mellon auf dem *turf* von Newcastle: wie Kunst und Leben verschmolzen.

Zum Sammler großen Stils wurde Mellon aber erst einige Jahre später, nachdem er geheiratet und sich in Virginia niedergelassen hatte.[3] 1936 kaufte er sein erstes englisches Gemälde, es war ein Stubbs («Pumpkin with a Stable-lad»), und sollte nicht sein letzter bleiben. Der große Pferdemaler des 18. Jahrhunderts wurde zum heimlichen Zentrum der beständig wachsenden Sammlung, die dreißig Jahre später, als Mellon seine Bilder und Bücher der Yale University vermachte, längst als die bedeutendste Kollektion englischer Malerei außerhalb Großbritanniens galt. Sein erstes Rennpferd hatte Mellon 1933 erworben, kurz nach der Rückkehr aus England. Schon bald darauf begann er selbst zu züchten, anfangs *steeplechasers*, Pferde für Gelände- und Hindernisrennen, später, nach dem Krieg, Vollblüter für die klassischen Bahnrennen. Sein berühmtestes Pferd wurde Mill Reef, der als Dreijähriger in einem einzigen Jahr, 1971, alle großen europäischen Rennen, Epsom, Ascot und Longchamp, gewann und bis heute seinen Platz unter den zehn größten Rennern seines Jahrhunderts behauptet.

Paul Mellon, so schrieb der Pferdejournalist Terry Conway anlässlich von Mellons Versetzung in die *Racing Hall of Fame*, sei der Renaissancefürst des Pferderennens gewesen. Damit war nicht nur auf die Zuchterfolge Mellons und die glänzenden Siege seines Rennstalls, der «Rokeby Stables», angespielt, sondern auch auf seine humanistischen Neigungen und seine fürstliche Milde. Mellon förderte Yale, seine erste Universität, wie kein Mäzen vor oder nach ihm, in ähnlicher Weise sponserte er Clare College in Cambridge und das Fitzwilliam Museum. In Verbindung mit der nach seinem Vater, Andrew Mellon, benannten Stiftung und der Hilfe seiner Schwester baute er die National Gallery in Washington aus, steckte Unsummen in weitere Museen und Sammlungen (Virginia Museum of Arts, Tate Gallery, Pierpont Morgan Library), in gelehrte Stiftungen wie die Bollingen Foundation, und finanzierte Forschungen, die Leben, Gesundheit und Sicherheit von Rennpferden zu fördern versprachen. Philanthropie und Wohlfahrt gingen leer aus.

Die Geschichte der Bollingen Foundation, die, 1945 gegründet, im Geist des von Mellon und seiner ersten Frau, Mary, verehrten C. G. Jung zu wirken beanspruchte und neben den Werken des Indologen Heinrich Zimmer die Eranos-Jahrbücher publizierte, ging zurück auf eine Reihe von Begegnungen mit dem Psychologen, die im Oktober 1937 einsetzten. Jung hielt Vorträge in Yale und New York, die Mellons waren unter seinen Zuhörern. Mary erhoffte sich von dem inspirierten Seelenarzt Linderung ihres Asthmas, Paul von dem Analytiker Befreiung vom Schatten des übermächtigen Vaters, Andrew Mellon, der wenige Wochen zuvor gestorben war. Im Frühjahr des nächsten Jahres gingen die Mellons für zwei Monate in die Schweiz, erst Zürich, dann Ascona. An ihrem letzten Tag in Europa gewährte ihnen Jung jeweils fünfzehn Minuten Audienz. Er belehrte Paul Mellon darüber, dass seine Frau an einem überstarken *animus* litte: Es sei das Pferd in ihr, das wild um sich schlage und gebieterisch nach mehr Auslauf verlange.[4] Der Gatte war begeistert.

Neben englischer Kunst und den Bildern der Impressionisten sammelte Mellon die Werke der Pferdeliteratur vom Spätmittelalter bis ins 20. Jahrhundert. Seiner Anglophilie entsprechend lag wieder der Schwerpunkt auf der englischen Literatur und den Themen Jagd und Rennsport. Auf diese Weise kam auch Freund Fuchs nach seinen literarischen nun noch zu hohen sammlerischen Ehren.[5] Klassiker der Hippologie, die in lateinischer, italienischer und französischer Sprache erschienen waren, wie Giordano Ruffos *Liber Equorum* oder de la Guérinières *École de Cavalerie* nahmen innerhalb des Ganzen nur einen geringen Raum ein. In den meisten Fällen waren es ihre ersten Übersetzungen ins Englische, die ihnen Eingang in die Sammlung verschafften; ein Beispiel ist Grisones Werk *Ordinini di Cavalcare*, das im Original 1550 erschien und bei Mellon in seiner ersten englischen

Übersetzung von 1560 auftaucht. Deutsche Autoren der Pferdeliteratur sucht man bei Mellon vergebens.

Öffentlich sichtbar wurde die Sammlung erstmals in einem großformatigen und reich bebilderten Katalog aus dem Jahr 1981. Als Autor zeichnete John B. Podeschi; die Auswahl der vorgestellten Bände und der Abbildungen war Mellons eigenes Werk. Es war das sehr persönliche Verzeichnis einer privaten Sammlung, «the record of the household library» eines passionierten Reiters, Züchters und Rennstallbesitzers, wie Podeschi im Vorwort formulierte. Viele der verzeichneten Werke, fuhr der Autor fort, seien vor einem ähnlichen Hintergrund entstanden. Nicht um des Erlöses oder um wissenschaftlicher Motive willen seien sie geschrieben worden, sondern aus dem Wunsch heraus, eine Leidenschaft zum Ausdruck zu bringen und mit Menschen gleicher Sinnesart zu teilen: «Nicht um des Geldverdienens willen wurden viele dieser Werke geschrieben, sondern weil der Autor sein reines Vergnügen am Gegenstand mit anderen teilen wollte.»[6]

In dem kleinen Satz, den man rasch überliest, bekennt sich der Connaisseur als Autor: Er schreibt um der Liebe zur Sache willen. Oder besser: um des *Vergnügens* an der Sache willen. Mag die Plebs nach Lust stöhnen, der Amateur sucht das Vergnügen. Definitiv ausgeschlossen bleibt, so will es sein Selbstbild, das Motiv des Geldverdienens. Die Wurzel kennerschaftlichen Handelns ist die Leidenschaft. Konsequenter Weise hält sich im Katalog der Sammlung Mellon das unermessliche Vermögen des Sammlers diskret im Hintergrund. Treffpunkt der schreibenden und lesenden Kennerschaft ist die Intimität der *household library*. In ihrem Zentrum steht die spezielle Sorte Pferd, der Mellons Passion galt: das klassische Rennpferd, das englische Vollblut mit arabischem Einschlag. Das *Thoroughbred* ist der heimliche Held dieser vielstimmigen Erzählung über sechs Jahrhunderte hinweg. Mellons Katalog ist eine schlechte Bibliografie und eine grandiose Hommage aus Büchern an das edelste Geschöpf, das England in der Neuzeit hervorgebracht hat.

Comédie hippique

Hätte Paul Mellon eine Hommage an das Pferd *tel quel* im Auge gehabt, hätten seine Sammlung und ihr Katalog nicht im 15. Jahrhundert, sondern in der Antike einsetzen müssen. Einen solchen umfassenden Versuch hat Frederik H. Huth unternommen. Seine Bibliografie, 1887 in London erschienen, hundert Jahre später vom hippophilsten Verleger Deutschlands nachgedruckt[7], setzt im Jahr 430 v. Chr. mit dem fragmentarisch überlieferten Traktat des Kimon von Athen von der tierärztlichen Kunst und der Untersuchung der Pferde ein. Auch Huths Bibliografie ist aus einem Katalog hervorgegangen. Aber anders als Mellons Verzeichnis umfasst es viele kuriose und seltene Titel sowie Naturgeschichten, die neben dem Pferd als weitere Mitglieder aus der Familie der Equiden auch den Esel und das Maultier behandeln. Dank dem redlichen Bemühen des Bibliografen um Vollständigkeit dient Huths Werk bis heute Antiquaren und Spezialisten der hippologischen Literatur als Referenzwerk. Da es auch den deutschsprachigen Bücherschrank erfasst, vermittelt es einen ersten Eindruck von der Entwicklung eines sehr speziellen europäischen Markts. Im 17. und bis weit ins folgende Jahrhundert hinein wird er von England, Frankreich und Italien angeführt. Während England als führende europäische Pferdenation auch den zugehörigen Buchmarkt dominiert, geht der italienische Einfluss bald zurück, wogegen Französisch sich als die zweite Sprache der hippophilen Welt behauptet. Seit dem letzten Drittel des 18. Jahrhunderts schieben sich deutsche Autoren und Verleger von Pferdeliteratur unaufhaltsam nach vorn; im kommenden Jahrhundert werden sie den europäischen Markt beherrschen.

Wer indes die ganz große Übersicht über die Welt der Pferdeliteratur sucht, greift nach dem Werk eines französischen Generals. Mennessier de la Lance, Verfasser eines zweibändigen «Essai de Bibliographie Hippique», der zwischen 1915 und 1917 erscheint, ist, wie das Titelblatt vermerkt, *Ancien Commandant de la 3e Division de Cavalerie.* Wie es seiner Herkunft als Kavallerieoffizier entspricht, will der Bibliograf die Werke «über das Pferd und die Kavallerie» verzeichnen. Wer sich für so profane Dinge wie Kutschen interessiert, wird auf das

Werk des Kollegen de Contades, «Le Driving en France», verwiesen.[8] Insofern repräsentiert Mennessier einen bekannten Typus in leicht verändertem Habit, er ist der Kenner in Uniform. Zu jedem halbwegs erheblichen Werk bietet er nicht nur die kurze Vita des Autors, sondern auch eine gedrängte Inhaltsangabe. Kann er die Identität des Autors oder Herausgebers nicht eindeutig ermitteln, teilt er seine Vermutungen mit. Er beurteilt Inhalt und Stil der Werke, spart nicht mit Lob und Tadel. In große Fahrt gerät er, wann immer die Methoden berühmter Reitlehrer und die Lehren von Schulen (*école allemande*, *école de Versailles*) zu erörtern sind.

Mit besonderer Wärme nimmt sich Mennessier anderer Kenner und Sammler an. Da ist beispielsweise der Baron Charles Louis Adélaïde Henri Mathevon de Curnieu, um 1811 geboren, 1871 gestorben, Herausgeber von Xenophon und Autor eines bedeutenden Werks der Pferdewissenschaft.[9] Nach seiner Ausbildung zum Hellenisten in den Generalstab eingetreten, quittiert er schon nach kurzer Zeit den Dienst, um sich ganz den *études chevalines* zu widmen. Sein beträchtliches Vermögen erlaubt ihm ausgiebige Reisen, zumal in England, wo er seine Kennerschaft weiter vertieft. Seine Bibliothek der Pferdeliteratur umfasst zahlreiche Kostbarkeiten, die er beim Verkauf der Bibliothek von Huzard, der seinerzeit reichsten der Welt, erworben hat.

Folgt man dem Hinweis, stößt man auf Jean Baptiste Huzard, einen französischen Tierarzt (1755–1838), Absolvent einer der ersten tiermedizinischen Schulen, derjenigen von Alfort, der zu einem der Baumeister der französischen Veterinärmedizin und des Remontenwesens werden sollte. Huzard organisierte den Nachschub an Pferden und ihre Ausbildung für die Armeen der Revolution und des napoleonischen Frankreichs. Er überlebte, ein zweiter Talleyrand, alle Wechsel der Regimes, wurde Ritter der Ehrenlegion, führte gemeinsam mit Daubenton das Merinoschaf in Frankreich ein und baute die größte hippologische Bibliothek seiner Zeit mit annähernd 40 000 Bänden auf. Ihr Katalog, 1842 in drei Bänden bei Leblanc erschienen, ist, so Mennessier, «trotz einiger Irrtümer eine wertvolle Quelle, denn von wenigen seltenen Ausnahmen abgesehen besaß Huzard *alles*, was über diese Dinge bis 1837 geschrieben worden ist».[10]

Bibliografien haben keine Leser, sie haben Benutzer. Den Mennessier hingegen kann man lesen, in dieser Stadt der Pferde kann man fla-
nieren. Von einer Reiter- und Sammlervita gelangt man in die nächste,
ein aristokratischer Reitstall grüßt den anderen. Die Welt der Kennerschaft ist ein Kontinuum, ein Geflecht von Namen, Herkünften und
Besitztümern. Nur seiner äußeren Gestalt nach ist der Mennessier eine
Bibliografie, im Innern ist er eine weit verzweigte *Comédie hippique*
von geradezu balzacschem Reichtum. Wer sie zu lesen versteht, wird
die erstaunlichsten Beobachtungen machen. Vor seinen Augen entfalten sich die Kenntnisse und die Gewerbe, die Rassen und die Stände.
Neue Sorten von Pferden betreten die Bühne, neue Moden, Krankheiten und Kuren, aber auch neue Typen von Menschen, *hommes à chevaux* genannt, die die Gesellschaft des Ancien Régime noch nicht
kannte. En passant kann der Wanderer miterleben, wie die französische Nation seit dem 18. Jahrhundert ihren eigenen Pferdeverstand
entwickelt und mit dem Reiten und Fahren gleichsam ein zweites Mal
das Gehen erlernt. Er blickt in Schichten der Gesellschaft von ergründ-
licher Tiefe, begleitet von funktionalen Strata des Wissens, die das
kentaurische Dasein der modernen Gesellschaft umschreiben, den
trägen Schritt des Landes, den schnellen Trab der Städte, die ganze
Hippo-Ontologie der französischen Welt. Wie seltsam, denkt der Flaneur, und wie bedauerlich doch, dass Bouvard und Pécuchet, die Flau-
bertschen Helden des nutzlosen und hypertrophen Wissens, an der
Entstehung dieser gewaltigen hippologischen Wissensgesellschaft ihrer
Zeit vorbeigegangen sind.

Die Pferdewissenschaft

Gegen Ende des 18. Jahrhunderts tauchen erstmals Werke auf dem
Markt der hippologischen Literatur auf, die im Titel den Anspruch
erheben, zur *Wissenschaft* zu gehören. Was ist das für eine seltsame
Wissenskonstellation, die sich plötzlich als Wissenschaft ausgibt, was
umfasst sie, woher stammen ihre Elemente? Bekanntlich ist die Zeit
um 1780, von Koselleck als *Sattelzeit* bezeichnet, ein Moment, zu dem

Sturz von der Brücke: Taschenbuch für Pferdeliebhaber, hg. von Franz Freiherr von Bouwinghausen, für das Jahr 1802.

Levade des Gehäuteten: Philippe Etienne Lafosse, Cours d'hippiatrique, 1772.

sich eine Reihe von Disziplinen, die für die Moderne bestimmend werden sollten, herausgebildet haben. Plötzlich sind sie da und mischen sich ins alte Konzert der Wissenschaften, die neuen Formationen der Biologie, der Ökonomie, Philologie, Geographie und der Geschichte im Singular. Aus dem konfusen Magma der barocken Tableaus und Historien, der Relationen, Allegorien und Anekdoten auftauchend stehen sie plötzlich vor uns, die jungen Wissenschaften vom Leben, von den Menschen, ihren Sprachen und ihrer Geschichte.

In Wahrheit verliefen die Geburtsakte langwieriger, als es im Rückblick erscheint. Die Hippologie, ein altes Wissen, dessen Ursprünge in der Antike liegen, machte davon keine Ausnahme. Auch in die traditionsreiche Masse der Reitlehren, Hippiatriken und Handbücher für Stallmeister fuhr gegen Ende des 18. Jahrhunderts der neue faustische Wille zum Wissen. Am Vorabend der Industrialisierung, der Urbanisierung und der großen, schnellen Kriege der napoleonischen Zeit rückte das Pferd – als wichtigster Lieferant von kinetischer Energie – ins Zentrum des Interesses von Forschung, Politik und Landesverwaltung. Doch aus dem überkommenen Gemenge von Dogmatik und Empirie erhob sich nicht plötzlich eine moderne Pferdewissenschaft als Seitenstück der Humanwissenschaften. Der Weg des Wissens von den Equiden verlief anders: windungsreich und überraschend wie ein englischer *steeplechase*, querfeldein über Gräben und Hecken.

Einem wachen, marktgerecht operierenden Verleger wie Johann Friedrich Cotta konnten solche Trends nicht verborgen bleiben. Wie schon in anderen Fällen – lesende Frauen, Gartenkultur – reagierte er mit der Publikation eines Kalenders. Besser als die Zeitschrift, dieses hochgezüchtete, nervöse Organ, eignete sich der gutmütige und verplauderte Kalender dazu, ein mögliches Lesepublikum vorsichtig anzulocken und auf seine noch schwankenden Bedürfnislagen hin abzutasten. Cotta legte sich einen Pferdekalender zu. Sein *Taschenbuch für Pferdeliebhaber, Reuter, Pferdezüchter, Pferdeärzte und Vorgesetzte großer Marställe*, so der vollständige Titel, erschien seit 1792 jährlich zu Martini. Herausgeber und alleiniger Redakteur war der württembergische Land-Oberstallmeister Franz Maximilian Friedrich Freiherr

Bouwinghausen von Wallmerode. Den ersten Jahrgang hatte Bouwinghausen noch im Eigenverlag produziert, dann übernahm der schlaue
Cotta den Kalender und brachte ihn in kaum veränderter Gestalt und
in einer Auflage von 1500 Stück heraus, bis er ihn nach zehn Jahren
wieder einschlafen ließ.

Bouwinghausens literarisches Schaffen beschränkte sich daneben
auf kleinere Schriften zur Veterinärmedizin, praktische Handreichungen für den Landmann und Viehzüchter zur Behandlung des Pferdehufs und verschiedener Tierseuchen; im Jahr 1796 legte er eine *Ordnung für die herzoglich-württembergischen Gestütte* vor. Mit dem
Kalender griff er weiter aus und bot Belehrendes und Unterhaltendes
aus dem Bereich der Pferdehaltung sowie Nachrichten aus der Welt
der Mode, des Adels und der Fachleute. Anekdoten und Hinweise auf
hippologische Neuerscheinungen rundeten das Angebot literarisch ab.
Mit diesem Themenspektrum stand Bouwinghausen im Zentrum des
zerklüfteten Wissensfeldes, das sich seit den 1780er Jahren gern als
«Pferdewissenschaft» bezeichnete. In der *Zuschrift an das Publikum*
im ersten Jahrgang seines Kalenders, also dessen Editorial, rechnete er
sich selbstbewusst der neuen Disziplin zu.[11]

Der dritte und umfangreichste Teil des Kalenders brachte ein «Genealogisches Verzeichniß der jezt lebenden vornehmsten weltlichen
Potentaten, Fürsten und Fürstinnen» sowie der «geistlichen Fürsten
und Fürstinnen». Der lange Abspann, der dem Vorbild des Gothai-
schen Hofkalenders folgte[12], zeigte die Richtung an, in der Herausgeber und Verleger ihre Zielgruppe suchten. Es war der Pferde haltende und züchtende Adel, der elegant und unterhaltsam belehrt und
mit der Pferdewissenschaft vertraut gemacht werden sollte. Darüber
hinaus verwies die intime Verbindung von Pferdekalender und Adelskalender auf zwei Registraturen, die zu jener Zeit, gegen Ende des
18. Jahrhunderts, ihre definitive, systematische Form suchten. Zwei
genealogische Projekte, das *Stutbuch*, das Verzeichnis der anerkann-
ten Zuchttiere, und der *Adelskalender*, das Verzeichnis der adligen
Häuser und ihrer Mitglieder, strebten nach einer einheitlichen, kontrollierten, einer «offiziellen» Version. Die Zeit der vielen, wimmeln-
den genealogischen Narrative, die Zeit, in der jedes Haus und jedes

Gestüt seine eigene Geschichte erzählte, neigte sich dem Ende zu. Die Linien des Geblüts wurden kartographiert.

In klarer, augenfälliger Weise traf das nur für englische Verhältnisse zu. In Großbritannien, dem Land der Vollblutzucht, ging, wie erwähnt[13], die Registratur des Pferdeadels derjenigen des Menschenadels um einiges voraus. In Deutschland verhinderten die nationale Zersplitterung, eine plurale und dezentrale Pferdekultur sowie die erst spät einsetzende Begeisterung für den arabisch geprägten Pferdetyp des «Vollbluts» die Anlage eines vergleichbaren nationalen Stutbuchs. Dafür setzte hier die genealogische Aufzeichnung des Menschenadels früher ein: 1763 erschien zum ersten Mal der *Gothaische Hofkalender*. Anfangs bestand «der Gotha», ähnlich wie später Cottas *Pferdekalender*, nur zu einem Teil aus der Registratur des europäischen Adels, den Rest nahmen diplomatische Relationen und historische Darstellungen ein. Indem Bouwinghausens Pferdekalender zunächst von Gestüten, Rennpferden und ihrer Nachkommenschaft berichtete, bevor er einen Auszug aus dem Gotha abdruckte, führte er zusammen, was die Zeit als verwandt empfand: die zwei Großen Erzählungen von den Linien des reinen Bluts.

Ihrem Namen zum Trotz erweist sich die *Pferdewissenschaft*, wie sie im letzten Drittel des 18. Jahrhunderts explizit auftritt[14], nicht als systematische und akademische Disziplin, sondern als eine heterogene Mischung von Wissenstypen unterschiedlicher Dignität und Verfassung. Noch ist die Legitimität der Anekdote nicht gebrochen. «Wissenschaft» ist gegen Ende des 18. Jahrhunderts kein geschützter oder zertifizierter Begriff. Er besitzt Prestige, aber keine Exklusivität. Anders als die gleichzeitige *Pferdearzney*[15] beschränkt sich die *Pferdewissenschaft* nicht auf die Lehre von den Krankheiten der Equiden und ihrer Heilung, sondern umfasst eine Vielzahl praktischer Kenntnisse von der Haltung und Nutzung des Pferdes, von seiner Zucht und Erwerbung. Nur langsam differenziert sich das alte Wissen von der Natur, den Leiden und Kuren der Pferde, wie es die so genannte «Stallmeisterzeit» gesammelt und überliefert hat, und organisiert sich neu um die Pole der *Klinik* und der *Kennerschaft*.

«Stallmeisterzeit» ist die geläufige Bezeichnung für das Halbjahrtausend von 1250 bis 1762. An ihrem Anfang steht – namengebend für fünf Jahrhunderte der Pferdemedizin – das Werk über die Stallmeisterei der Pferde (auch *De medicina equorum* benannt) aus der Feder des Marschalls Friedrichs II., Jordanus Ruffus oder Giordano Ruffo, das im Todesjahr des Kaisers erschien. Am Ende der Stallmeisterzeit steht die Gründung der *École vétérinaire*, der ersten tiermedizinischen Ausbildungsstätte im Jahr 1762 durch Claude Bourgelat, den Leiter der Reitakademie in Lyon.

Diese in der Geschichte der Veterinärmedizin geläufige Periodisierung birgt eine Asymmetrie: Ihren Beginn markiert ein literarisches, ihr Ende ein institutionelles Ereignis. Tatsächlich zeigte sich die hippiatrische Literatur von der Lyoner Gründung lange Zeit wenig beeindruckt. Auf dem Buchmarkt erfreuten sich die Manuale, die das überlieferte Wissen der stallmeisterlichen Medizin in immer neuer Variation weitertrugen, ungebrochener Beliebtheit. Die ursprünglich 36 einfachen Rezepte des Meister Albrant (auch bekannt als Albrecht oder Hildebrandt), eines Schmiedes, der gleichzeitig mit Ruffus gelebt und geschrieben hatte, zirkulierten weiterhin, neu aufgelegt und um mannigfache Zusätze vermehrt. 1797 erschien bei Cotta in einer «neuen und verbesserten Auflage», es war die vierte, *Nachrichters nüzliches und aufrichtiges Pferd- oder Roß-Arzneybuch*, die 1716 erstmals veröffentlichte Schrift eines Scharfrichters. Bis weit ins 19. Jahrhundert fließt dieser Strom der hippiatrischen Traktate, der sich über Ruffus hinaus in die Antike zurückverfolgen lässt. Ihre Autoren sind in der Regel keine ausgebildeten Mediziner; es sind Praktiker: Schmiede, Stallmeister, Scharfrichter, Reitlehrer, Jäger und Kavalleristen.

Praktischer Natur waren auch die anderen Elemente der Pferdewissenschaft. Neben der Hippiatrik und dem Komplex der Pferde*haltung* (Ernährung, Stallung, Pflege) standen als die beiden wichtigsten Zweige die *Nutzung* des Pferdes und seine sichere *Auswahl*. Die Nutzung wird lange Zeit, vom 16. bis zum 18. Jahrhundert, von den Reitschulen und der Kavallerie dominiert; das Fahren mit Pferden, so wichtig sein logistischer Beitrag war, findet vergleichsweise wenig Nachhall in der Literatur: Montaignes schöner Essay von den Kutschen, *Des Coches*, ragt einsam heraus.

Der wichtigste Nutzen, den die barocken Reitlehren von Antoine de Pluvinel (*Maneige royal*, 1623) bis François Robichon de la Guérinière (*École de Cavalerie*, 1733) im Auge haben, liegt nicht in der bloßen Beugung des Tieres unter den Willen des Reiters. Er liegt in der Beherrschung zweier bewegter Körper mit dem Ziel, ein Bild der Harmonie und der Grazie zu vermitteln. Die Reitlehren des Barock übertragen die Ästhetik der Anmut aus dem Tanzsaal in die Manege und über diese hinaus auf das Kriegstheater.[16] Erst gegen Ende des 18. Jahrhunderts werden die Manuale für den militärischen Gebrauch des Pferdes diesen Bannkreis überschreiten. Nicht zufällig ist es ein Engländer, der Earl of Pembroke, der in seinem Werk «Military Equitation» (1778) zuerst ein spezielles Training für die Kavallerie entwickelt.[17] Ballsaal und Schlachtfeld rücken auseinander.

Unter einem für die Zeit um 1800 attraktiven Titel schnürt die Pferdewissenschaft ein wenig kohärentes Bündel von literarischen und praktischen Kenntnissen verschiedensten Alters und unterschiedlichster Provenienz. Dazu gehört auch ein Ensemble von Kenntnissen, das man leicht übersieht, obwohl es für das hippologische Wissen charakteristisch und zentral ist. Es gilt der sicheren *Auswahl* eines trefflichen Pferdes. Um auf dem Pferdemarkt die richtige Wahl zu treffen, muss man die Merkmale kennen, durch die sich ein gesundes und tüchtiges Tier von einem kranken und fehlerhaften Exemplar unterscheidet. Seit der Antike umfasst das Wissen von den Pferden eine Lehre von den Kriterien ihrer Qualität – begleitet von Hinweisen auf die Machenschaften der Betrüger. Dementsprechend alt ist die Tradition literarischer Handreichungen, welche die Bewertung erleichtern und den Kaufakt absichern sollen. Als Jacques de Solleysel 1664 sein einflussreiches Werk über die Stallmeisterei veröffentlicht, zeigt er diese Absicht schon im Titel an: *Le Parfait Maréchal, qui enseigne à connoistre la beauté et les défauts des Chevaux …* Kein Lehrbuch von der Pferdekunde, kein *Treatise of Horsemanship*, keine *Parfaite Connoisance des Cheveaux* wird ohne eine «Zeichenlehre» auskommen. Die Lehre von der «Schönheit und den Fehlern der Pferde» (Solleysel) bildet gleichsam den innersten Kern des hippologischen Wissens. «Ein fehlerloses Pferd mit allen guten Eigenschaften wäre vollkommen, ist aber leider selten», schreibt de la Guérinière und schließt mit den Worten: «Dies alles habe ich wiederholt, *weil ein Kenner alles wissen muss.*»[18]

Die neuen Schulen

Claude Bourgelat (1712–1779) gilt als Begründer der modernen veterinärmedizinischen Ausbildung. 1762 eröffnete er die *École vétérinaire* in Lyon; vier Jahre später folgte die Gründung der Schule von Alfort bei Paris. Bereits 1763 hatte der preußische König Friedrich II. zwei *Chirurgi* zum Studium nach Lyon entsandt. Doch die Erwartung des Königs, sie würden Therapien zur Eindämmung der in seinen Ländern grassierenden Rinderpest mitbringen, wurde enttäuscht; in Lyon, so berichteten die Chirurgen nach ihrer Rückkehr, sei nur von Pferden die Rede gewesen.[19] Das sollte die beiden französischen Schulen nicht daran hindern, zum Ursprung einer Welle von Gründungen zu werden, die in den folgenden Jahrzehnten über Europa hinwegrollte: 1767 nahm in Wien die *K. K. Pferdekuren- und Operationsschule* den Betrieb auf, es folgten ähnliche Einrichtungen in Turin und Göttingen 1771, Kopenhagen 1773, Skara (Schweden) und Dresden 1774, Hannover 1778, Freiburg 1783, Budapest 1786, Marburg 1789, Berlin und München 1790, London und Mailand 1791, und so geht es weiter.

Bourgelat, der Ausbildung nach Jurist, wollte nicht nur als Verwalter, sondern auch als Autorität der Veterinärmedizin gelten. Auf ältere pferdekundliche Werke wie die von Jacques de Solleysel und dem Herzog von Newcastle gestützt, verfasste er seine *Élemens d'Hippiatrique*. Drei Bände des wesentlich größer angelegten Werks erschienen zwischen 1750 und 1753. Befreundet mit d'Alembert, steuerte Bourgelat mehr als 200 Beiträge zu den Bänden 5 bis 7 der *Encyclopédie* bei. Auch nach der Gründung der Schulen fuhr er fort, zur Medizin der Pferde und zu praktischen Fragen von Haltung, Pflege und Auswahl zu publizieren, ohne dadurch seine Kritiker, die ihn für einen Dilettanten hielten, zum Verstummen zu bringen.

Der bedeutendste unter diesen war Philippe Etienne Lafosse (1738–1820). Der Sohn eines Pferdearztes hatte schon als Jüngling Sektionen an Pferden zu Lehrzwecken für die Kavallerie durchgeführt. Da ihm Bourgelats Lehranstalten versperrt blieben, unterrichtete er in den Jahren 1767–70 in einem auf eigene Rechnung errichteten Anatomietheater in Paris. Ebenfalls auf eigene Kosten publizierte er 1772 sein großformatiges und prachtvoll ausgestattetes Hauptwerk, den *Cours d'Hippiatrique*. Während Bourgelat als Autodidakt noch ganz der Episteme der klassischen Mechanik folgte und die Anatomie des Pferdes als Werk aus Hebeln, Kräften und Lasten beschrieb, gliederte Lafosse seine Anatomie nach Organsystemen und kam so, wie es in einer neueren Geschichte der Tiermedizin heißt, «zu der heute noch üblichen Einteilung»[20]. Mochte Bourgelat 1762 den praktischen Rahmen der Veterinärausbildung, die Schule, geschaffen haben, so legte Lafosse, der erfahrene Pathologe, zehn Jahre später die ersten Gründe für die Systematik und Autopsie der veterinärmedizinischen Klinik.

Bis zu deren Geburt sollten freilich noch Jahrzehnte vergehen. Weder Bourgelats Schulen noch die Kurse seines Gegenspielers Lafosse brachten wissenschaftlich gebildete Mediziner hervor. Das Gros der Veterinäre, die sie aus ihren Vorlesungen entließen, waren in der Regel Schmiede mit vertieften Kenntnissen in der Anatomie des Pferdes. Die staatlichen und die privaten Gestüte, der wachsende Pferdemarkt und die Armee, verlangten nach tüchtigen Praktikern mit aufs Nützliche beschränkten Kenntnissen. Auch in Lafosses opulent ausgestattetem Folioband handelt das letzte und keineswegs unbedeutende Kapitel vom Hufbeschlag und den hierzu erforderlichen Prozeduren und Geräten. Bourgelats erste Schulen wurden dafür kritisiert, dass sie reines Buchwissen vermittelten und über keine eigene Schmiede verfügten.[21] Bis ans Ende des Jahrhunderts bleiben der Amboss des Hufschmieds und das Besteck des Kurschmieds die Pole des Unterrichts.

Glanz und Glätte

Wie die Klinik ist auch die Kennerschaft eine Schule des Blicks. Doch die Curricula der Fakultäten unterscheiden sich. Der Blick des Kenners bewährt sich an einem anderen Verhältnis des Sichtbaren zum Unsichtbaren. Kennerschaft liest nicht die Zeichen der Krankheit oder studiert die Semiotik der verdeckt ablaufenden Infekte. Sie sucht nach Merkmalen der Gesundheit und der Schönheit, sie ist eine Schule der *Urteilskraft*. Aber das Urteil, zu dem sie erzieht, ist nicht der dezidierte Ausdruck eines interesselosen Wohlgefallens. Sie will praktischen Rat erteilen, eine Auswahl anleiten, Kaufempfehlungen abgeben. Der Blick des Kenners bewährt sich auf dem *Markt*. Wie jedes Wissen, das sich mit einer eigenen Praxis verbindet, kennt auch die Kennerschaft einen Ort und eine Stunde der Wahrheit. Der Augenblick, in dem der Kenner sich für den Erwerb eines bestimmten Pferdes entscheidet, sein Zweck mag Sport heißen, Zucht, Krieg oder Arbeit, stellt den Wert des kennerschaftlichen Wissens auf die Probe. Der Kaufakt wird zur *Krisis* der Pferdewissenschaft.[22]

Nur wenige Jahre nach der Gründung der Veterinärschulen von Lyon und Alfort publiziert Claude Bourgelat unter dem Titel *Traité de la conformation extérieure du cheval* eine Abhandlung von der guten äußeren Beschaffenheit oder Wohlgestalt des Pferdes.[23] Bis auf das letzte Drittel des Werkes, das sich der Haltung und Pflege der Tiere widmet, handelt es sich um einen Leitfaden zur Erziehung künftiger *Connaisseurs*.[24] Der angehende Kenner muss lernen, von den äußeren Anzeichen auf die innere Natur des Pferdes zu schließen und die äußeren Zeichen im Zusammenhang des Ganzen zu sehen. Erst auf dieser Grundlage erschließt sich die Analogie von äußerer Schönheit und innerer Wohlgestalt des Pferdes. Die Schönheit beruht nach Bourgelat, «auf dem Ebenmaß und der Uebereinstimmung der Theile»[25]. Der Pferdekenner steht in der Schuld der Proportionenlehre, die von der menschlichen Gestalt auf die des Tieres übertragen wurde, eine Tradition, die auf Leonardo da Vinci zurückgeht.[26] Ihr Grundmaß, gleichsam ihr Urmeter, findet sie in der Länge des Pferdekopfes. In den Proportionen, die von der Kopflänge ausgehend gebildet werden, verraten sich nicht subjektive, sondern objektive Regeln oder «mechanische Wahrheiten».[27] Sie garantieren dafür, dass ein schönes Pferd auch ein gesundes, starkes und schnelles Tier ist, es auf Jahre hinaus bleibt und die guten Eigenschaften auf seine Nachkommenschaft vererbt.[28] Jahrzehnte lang wird die Pferdewissenschaft im Bann des Klassizismus der Proportionen stehen, bis sich im Gefolge der Romantik erste Widerstände gegen diese Orthodoxie regen.

Nur durch das freie und gleichförmige Spiel der Glieder bilde sich die Schönheit, lehrte Schiller.[29] Der Blick des Pferdekenners geht in die umgekehrte Richtung; von der Schönheit des Tiers schließt er aufs freie Spiel seiner Glieder und den schnellen Lauf. Der Kenner formuliert ein Geschmacksurteil, um im selben Zug ein *Werturteil* zu fällen: über die Qualität des Tieres, seine erwartbare Leistung auf dem Turf oder in der Schwadron, seine erhoffte Progenitur. Die *Zeichenlehren*[30] der Kennerschaft suchen in den Merkmalen der Schönheit den Beweis der Gesundheit. Die Gewissheit der Kraft, der Schnelligkeit und des Zuchterfolgs. Gegen die Negativität des klinischen Wissens setzt der Geist der Kennerschaft die Positivität seines Erfahrungswissens. Die Grundlage der Pferdewissenschaft, schreibt ein «Roßarzt und Professor» im frühen 19. Jahrhundert, ist «die genaue Kenntniß des gesunden Zustandes eines Pferdes».[31] Aber auch dieses Wissen hat seine dunkle Seite, seine Gegenmacht, sein feindliches Prinzip: Es ist der Betrug, die *Rosstäuscherei*. «Meiner Meinung zufolge», verkündet der ungarische Pferdekenner Stephan Széchenyi, «macht nichts uns in kürzerer Zeit zu Pferdekennern, als wenn wir einigemal recht empfindsam betrogen werden.»[32]

Kenner und Täuscher partizipieren am gleichen Wissen, aber sie nutzen es in unterschiedlicher Weise. Beide wissen um die Zeichen der Schönheit, die Male der Gebrechen und die Marken des Alters. Der Kenner sucht sie zu entdecken, er macht sie zum Objekt einer *Erkenntnis*. Der Täuscher, bestrebt, die einen hervorzubringen und die anderen zu kaschieren, macht sie zum Gegenstand seiner *Praxis*. Ihr Gegensatz ist in der Tat klassisch; schon Xenophon beginnt sein Buch *Über die Reitkunst* mit einem Kapitel «Vom Pferdekauf» und Ratschlägen, «wie man am wenigsten beim Pferdekauf betrogen werden

Auf's Pferd, Franzosen, auf's Pferd: Reitschule im Ersten Weltkrieg.

Schrapnellschuss-Operation im Feldlazarett. Österreichische Veterinäre an der italienischen Front des Ersten Weltkriegs.

215

kann».[33] Seit der Mitte des 18. Jahrhunderts mehren sich die Schriften, die explizit vor den Listen der Rosstäuscher warnen. Als ihr kanonisches Hauptwerk darf die 1764 in Amsterdam erschienene *Anti-Maquignonage* des Baron d'Eisenberg gelten, die wenig später auch auf Deutsch herauskommt: *Entdeckte Rostäuscherkünste zur Vermeidung der Betrügereyen bey den Pferdekaufen*[34]. Das prachtvoll bebilderte Werk demonstriert alle physischen Schlechtigkeiten der Pferde und alle moralischen der Menschen und stellt der Hermeneutik des Verdachts den Freibrief aus.

Es nimmt nicht Wunder, dass auf den Seiten einer Literatur, die so angestrengt in den Abgrund der menschlichen Niedertracht schaut, auch das Ressentiment und der Antisemitismus blühen: 1824 erscheinen, herausgegeben und revidiert von dem Doktor C. F. Lentin, die «Enthüllte(n) Geheimnisse aller Handelsvortheile und Pferdeverschönerungskünste der Pferdehändler. Aus den Papieren des verstorbenen israelitischen Pferdehändlers Abraham Mortgens in Dessau, zum Nutz' und Frommen alle derer mitgetheilt, welche beim Ein- und Verkauf von Pferden mit Vortheil handeln und Schaden und Betrug vermeiden wollen».[35]

Mortgens selig ist ein Grenzgänger. Geschickt bewegt er sich auf dem schmalen Grat, der den erfahrenen, mit allen Wassern gewaschenen Pferdehändler vom ordinären Rosstäuscher, das Handelsgeschick vom Betrug trennt. Kein anderer Handelsgegenstand, keine zweite Ware auf dem großen Markt der Güter und der Eitelkeiten lässt dem Kunstgriff der Verschönerung so viel Raum wie das Pferd. Gerade am schwächeren Exemplar, an der minderen Substanz erweist sich die Kunst des Händlers: «Ein fehlerhaftes Pferd ist für den Kenner das wohlfeilste und für den klugen Handelsmann bei dem Verkauf doch das theuerste. Bei einem schlechten Tuch kann man durch eine geschickte Appretur am meisten gewinnen, während ein gutes durch dieselbe sich nicht viel besser zeigt, als es wirklich ist.»[36]

Wo verläuft die Linie, die den legitimen Vorteil vom gemeinen Betrug trennt? Ist derjenige, der ein Pferd schöner aussehen lässt, als es von Natur aus ist, deswegen schon ein Betrüger? Er tut doch nur, was alle tun, die sich der Kunstgriffe von Toilette und Frisur bedienen, um ein wenig frischer und jünger zu erscheinen. Welche Mittel sind im Reich des schönen Scheins erlaubt, welche sind verboten? Liegt nicht die Schuld, wenn von ihr die Rede sein soll, oft genug auf Seiten des Käufers, der wie ein Verliebter *getäuscht sein will*? Nie darf ein Pferd gezeigt werden, schreibt Mortgens, das nicht zuvor geputzt und in einen glatten und glänzenden Zustand versetzt wurde, sei's durch Bewegung, Bürste oder raffiniertere Mittel: «Denn eben darin, in dem Auf- und Ausputz der Pferde bestehen eigentlich die größten Handelsvortheile und so wie durch eine geschmackvolle ... Toilette die alternde Frau noch lang der Zeit zu trotzen versteht, ein platter Busen erhöht, der Teint aufgefrischt, die Haut zart, das Haar braun und lockig erhalten, ja, selbst Buckel scheinbar entfernt, ein plumper Wuchs der Hebe ähnlich gemacht wird und eine magere Figur *Embonpoint* erhalten kann: so muß auch der Pferdehändler durch Toilettenkünste die ... Mängel und Fehler seiner Handelspferde zu verbergen und zu verschönern wissen ...»[37]

Auch das geschulte Auge des Kenners lässt sich überlisten. Es sind ja nicht nur die Proportionen seines Körpers, Glanz und Glätte seines Fells, die ein Pferd schön und gefällig oder plump und stumpf erscheinen lassen. Nicht minder wichtig sind die Spannkraft des Auftritts und der Tonus der Bewegungsart. Um ein träges Pferd wach und lebendig erscheinen zu lassen, sind praktisch alle Mittel erlaubt, Zuckerbrot wie Peitschenknall. Eines empfiehlt sich aber vor allen anderen, der Pfeffer: «Denn der Pfeffer ist der wahre Geist, das wahre Leben des Pferdehandels; er macht aus alten junge, aus trägen feurige, aus dummen gescheute, aus plumpen leichte Pferde ...» Kurz bevor das Pferd vorgeführt wird, muss es dazu «mit einigen Pfefferkörnern ... versehen sein, die ihm der Koppelknecht, nach Taschenspielerweise, verborgen in den After bringt, womit gleichsam seine Toilette, seine Appretur vollendet wird»[38].

Darf sich, wer mit solchen Tricks unvertraut ist, einen vollendeten Kenner nennen? «Wer ... die Wirkung des Pfeffers ... nicht kennt, bleibt bei aller Pferdekenntnis unerfahren im Pferdehandel und sieht eine Menge von Aeußerungen als natürliche Eigenschaften an, die doch nur durch den Pfeffer erkünstelte Talente sind.» Aber auch der

Kunstgriff des Händlers kann sich verraten und aufgrund der Dialektik des Pferdeafters gegen ihn selber kehren: Der ursprüngliche Vorteil wird «durch das hierauf erfolgende öftere Misten des Pferds nicht allein bald wieder entfernt, sondern auch durch das Zittern mit dem Schweif verrathen. Daher immer wieder von Neuem gepfeffert werden muß, wodurch selbst zuweilen wirkliche Entzündung des Mastdarms entsteht.»[39]

Ein auf den ersten Blick kurioses Werk der Pferdeliteratur, das im Jahr 1790 bei Cotta erscheint, stammt aus der Feder eines D. Wilhelm Gottfried Ploucquet, «der Arzneywissenschaft Professor». Es trägt den Titel *Über die Hauptmängel der Pferde* und lässt erst im Untertitel Sinn und Nutzen seiner praktischen Unterweisung erraten: «Sowohl für Pferdeliebhaber und Händler, als vornehmlich für Rechtsgelehrte, in Rücksicht der dahin einschlagenden Processe». Der Mediziner informiert den Juristen und bietet ihm Expertenwissen. Beiden geht es um die Ausschaltung der Rosstäuscherei und um die Durchsetzung von Gewährleistungsansprüchen für ihre Opfer. Die Erfahrung nämlich lehrt, so der Verfasser im Vorwort, «daß über die gedachte Hauptmängel bey Pferden so viel Streit und Mißverständniß obwaltet, als je über die dunkelste Materie …»[40] Die sechs Hauptmängel der Pferde, die es rechtzeitig zu erkennen gilt, sind 1. «der Roz»[41]; 2. der «Kolder» oder Koller[42]; 3. die «unheilbaren Unsauberkeiten»[43] (wie die Krätze); 4. «herzschlächtig», d. h. herzkrank oder asthmatisch[44]; 5. «wehetägig», d. h. epileptisch[45], und 6. «mondblind» (das sind zyklisch auftretende Augenkrankheiten)[46].

Wie das Kapitel über die «Herzschlächtigkeit» zeigt, weichen Semantik und Symptomatik so weit voneinander ab, dass die Mängel des Pferdes hinter denen der Klassifikation seiner Leiden zu verschwinden drohen. Aber man täte dem Autor Unrecht, wollte man ihm die Schwächen der Taxonomie seiner Zeit ankreiden. Das Werk des Doktor Ploucquet ist mehr als ein Ratgeber, es ist ein Leitfaden für eine Jagdpartie. Drei Typen des Wissens versammeln sich auf seinen Seiten, die in der arbeitsteiligen Welt der Moderne kaum noch zueinander finden: das Wissen des Kenners, das des Veterinärs und das des Juristen. In schöner Eintracht haben sie am Rand des Pferdemarkts Aufstellung genommen. Der Feind, dem sie auflauern, ist der Rosstäuscher. Sie kennen und sie jagen ihn, mit allen Mitteln ihrer Macht. Ihre Kompetenz gegen seine Kniffe, ihr Wissen gegen seine Tricks. Heimlich aber fürchten sie seine Schlauheit, seine überraschenden Winkelzüge. Vor den organisierten Formationen von Kennerschaft, Wissenschaft und Juristerei ist der Rosstäuscher, was vor den reitenden Aristokraten Englands und ihren Hundemeuten der Fuchs war: die lebendige, sophistische Herausforderung. Von den Schlichen des Fuchses lebt eine Welt des Sports, von den Listen der Rosstäuscher ein Heer von Experten.

Die Forscher

Ein Tier aus Staub

Mitte Mai 1879 im Südosten des dschungarischen Beckens, nahe dem See Gaxun Nur. Irgendwo auf dieser braungelben Mondoberfläche wird hundert Jahre später Perry Rhodan landen, unser Mann im All, um die Hauptstadt Terrania zu erbauen. *Stardust* heißt sein Raumschiff, als gäbe es hier unten nicht schon genug von der flüchtigen Feinmaterie. Jeden Morgen, wenn der Wind sich erhebt, trägt er Massen von Sand und Staub in die Höhe, wirbelt sie umher und wirft sie auf die Felsen, die spärlichen Sträucher und alles, was sich auf dem ausgedörrten Boden bewegt. Halb blind tastet sich die Karawane der Expedition voran, der Leiter und seine Assistenten, ein Maler und Zeichner, sieben Kosaken, die sich um Tiere und Nahrung kümmern, 23 Kamele und hinter ihnen eine Schafherde als mobile Frischfleischtheke. Die Ausrüstung ist umfangreich und umfasst Instrumente und Zelte, Zucker, Tee und Trockenobst, 20 Liter Spiritus und 1500 Blatt Löschpapier zur Konservierung von Fauna und Flora, Unmengen von Waffen und Munition, daneben eine Masse Geschenke für die Wilden: Gewehre, Spiegel, Magneten und kolorierte Bilder von russischen Schauspielerinnen, die *Pin-ups* des Zarenreichs, die sich großer Beliebtheit erfreuen.[1]

Es ist die dritte Expedition, die Nikolai Michailowitsch Prsche-valski (oder polnisch Przewalski) durchführt, und diesmal ist die Aus-stattung des Unternehmens geradezu luxuriös. Der Erfolg seiner bei-den ersten Forschungsreisen 1870–73 und 1876–78, ihre Ausbeute (das Wort hat einen Beigeschmack von Wahrheit) an geographischen, botanischen und zoologischen Erkenntnissen und Präparaten war derart beeindruckend gewesen, dass die Finanzierung der dritten leichter fiel. Die mühselige Drittmitteleinwerbung bei der Akademie der Wissenschaften, der Geografischen Gesellschaft, dem Kriegsminis-terium und durch eine endlose Tournee von Vorträgen und Banketten wurde durch ein Avis des Zaren abgekürzt. Dem politischen Peters-burg war klar, worum es bei der Expedition, deren Ziel das uner-reichbare Lhasa war, neben dem Gewinn von Daten, Fellen und Ge-steinsproben wie beiläufig noch ging: die russische Hegemonie über Zentralasien. Das verdeckte Ziel setzte entsprechende Operationen voraus; dem Forscher oblagen neben seinen wissenschaftlichen auch nachrichtendienstliche Aufgaben. Przewalski war der Mann für diese Art Aufträge, der Wille zum Wissen war ebenso Teil seiner Natur wie der Wille zur Macht.

Noch bevor er im Frühjahr 1879 aufbrach, hatten kirgisische Jäger ihm das Fell eines wilden Pferdes zugetragen, wie er es noch nie zuvor gesehen hatte. Die Kirgisen nannten es *Kurtag*, die Mongolen sagten *Takhi*. Es war das Fell eines jungen Tiers, etwa so groß wie ein mon-golisches Pony, aber kräftiger gebaut und mit einer kurzen punkartig abstehenden Mähne. Das struppige Fell mit dem weißen Maul und weißen Bauch hatte die Farben der Dschungarei, braun, gelb und grau. Przewalski musterte die kräftigen Hufe, den relativ großen Kopf mit den tiefliegenden Augen und dem ungewöhnlich starken Gebiss und war sich sicher, dass er vor den Resten eines der Urpferde stand, die ehedem die Steppen Zentralasiens bevölkert hatten. Auch wenn sich im Lauf der Zeit herausstellen sollte, dass seine Vermutung nur teilweise richtig gewesen war[2], stand er doch vor der vielleicht wich-tigsten Entdeckung seines Lebens. Kein Kontinent wurde später nach ihm benannt, sondern bloß einige Pflanzen und Lebewesen[3], darunter diese eine aussterbende Spezies, ein kleines, zähes Wüstenpferd, das aussah wie ein zum Leben erwecktes Stück Höhlenmalerei. Aber dieses staubfarbene Tier sollte seinen Namen unsterblich machen.[4]

Der Name hatte sich übrigens, zumindest der Schreibweise nach, geändert, je nachdem, unter welcher Herrschaft die Familie gelebt hatte, unter russischer (Przevalskij) oder polnischer (Przewalski). Früh war klar gewesen, dass für ihn nur ein abenteuerliches Leben in freier Natur in Frage kam; dafür bot sich die Laufbahn des Offiziers an. Gleichgültig, in welchem institutionellen Rahmen er sich zu bewähren hatte, ob Schule oder Kriegsakademie, er tat es mit radikaler Nachlässigkeit und rabiater Intelligenz oder vielmehr Lernfähigkeit, immer am Rand der Relegation. Er begann als Geograph, verdiente sich seine Sporen mit einer Dissertation über die militärische und statistische Situation der Amur-Region und bildete sich dann – oder ließ sich bilden – zu einem der kundigsten Botaniker und Zoologen und vor allem Ornithologen seiner Zeit, vertraut mit allen Kunstgriffen eines Taxidermisten. Sein großes Vorbild war Livingstone, und lange Zeit träumte er davon, wie dieser den dunklen Kontinent zu bereisen. Als Lehrer an der Kadettenanstalt in Warschau las er nicht nur Humboldts Reisen, sondern auch Ritters Erdkunde und begriff, dass sein inneres Afrika tief im Osten lag. Zentralasien war auf den Karten jener Zeit noch weitgehend *terra incognita*. Geopolitisch war es längst ins Spannungsfeld der europäischen Großmächte und des *Great Game* geraten. Darüber hinaus verschärften sich die innerasiatischen Rivalitäten zwischen Russland und dem Reich der Mitte.[5]

Für einen Forscher vom Konquistadorentyp wie Przewalski machten politische Spannungslagen die Sache nur interessanter. Seiner Schießlust fielen nicht nur zahllose Vögel und Säugetiere zum Opfer, von denen die einen im Kochtopf, die anderen in der Sammlung landeten, sie verwandelte auch das Expeditionskommando in eine wissenschaftliche Kriegsmaschine, die sich suchend, fangend, pflückend und rupfend durch die Wildnis und Wüsten Zentralasiens bewegte. Przewalski gehörte noch zu der Sorte von Forschern, die bevorzugt mit der Waffe sammelten; was er anrührte, erfuhr Gewalt. Dass es ihm nicht gelang, eines der Wildpferde zu schießen, empfand er als persönliche Kränkung. Kulturflüchtige und große Asketen, von rätselhafter, oft devianter Sexualität, trugen Männer wie er den Tod in die Wildnis, suchten und fanden ihn freilich auch dort.[6] Asiaten, Chinesen zumal, sah Przewalski als schmutzige Spezies an, die zu unterwerfen der russischen Kolonialherrschaft ein Leichtes, fast eine Kulturpflicht sein würde. In seiner 1886 im Auftrag der russischen Regierung verfassten geheimen Denkschrift zur Chinapolitik trat der Geograf hinter den Strategen zurück.[7]

Die Wildpferde indes, denen Przewalski im Mai 1879 am Südostrand der Dschungarei begegnete, kamen mit dem Leben davon. Bevor die Jäger, die sich fast bis auf Schussweite herangearbeitet hatten, zum Schuss kamen, hatten die Pferde Wind bekommen und die Flucht angetreten. Es waren zwei Gruppen gewesen, jeweils ein Hengst und sechs oder sieben Stuten – Harems, wie sie bei diesem Typ von Wildpferden üblich sind. Auch Przewalskis Nachfolger mussten sich mit einzelnen Fellen und Überresten begnügen; erst um die Jahrhundertwende wurden die ersten lebenden Exemplare gefangen und entweder an die von der Familie Falz-Fein betriebene zoologische Station in der ukrainischen Steppe weitergegeben oder an Unternehmer wie Hagenbeck verkauft.[8] Von fünf der in der Ukraine gezüchteten Stuten stammen die meisten der heute in Gefangenschaft lebenden Przewalskipferde ab.[9] 1959 erschien erstmals *The International Studbook of the Przewalski Horse*, redigiert von Erna Mohr vom Hamburger Zoo. Seither wird das Stutbuch vom Prager Zoo geführt. Dank mehreren erfolgreichen Auswilderungen in den letzten zwanzig Jahren gilt das Przewalskipferd heute nicht mehr als ausgestorben, sondern nur noch als gefährdete Art.[10] Zu den Arealen der Auswilderung gehört übrigens auch die von Menschen nicht mehr besiedelte Zone im Umkreis des Reaktors von Tschernobyl.

Ein Tier aus Wörtern

Eine Sitzung des Berliner Reichstags vom 4. März 1899. Das Thema ist seriös; es lautet «Geldverpflegung der Truppen». Trotzdem verzeichnet das Protokoll mehrfach Ausbrüche von Heiterkeit. Sie gelten dem Beitrag des Abgeordneten Hoffmann (Hall). Der Abgeordnete plädiert für eine bessere Besoldung der Heeresveterinäre, belässt es aber nicht beim Finanziellen, sondern wendet sich dem Gebiet der Nomenklatur zu. Die Amtsbezeichnungen der Beamten, so findet er, bedürften dringend der Revision. Hoffmann: «Die Titel lauten jetzt: Unterroßarzt, Roßarzt, Oberroßarzt, Korpsroßarzt. Ja, meine Herren, das Roß ist ja an und für sich ein edles Thier (Heiterkeit), der Pegasus war auch ein Roß (Große Heiterkeit), aber ich wünschte nur, Sie müßten einmal zehn Jahre mit einem solchen Titel in der Welt herumlaufen (Große Heiterkeit), dann würden Sie sehen, was da alles über den Menschen hinunterfließt. Der Mann hat immer zu rucken, damit man nicht lacht, wenn er den Titel ausspricht (Heiterkeit). Zur Charakterisierung, wie der Unterschied zwischen Pferd und Roß im Allgemeinen genommen wird (Heiterkeit), führe ich Folgendes an: Bei einem Manöver in Schwaben kommt ein Artillerist, ein Fahrer, mit seinen beiden Pferden zum Quartiergeber, der ihn freundlichst begrüßt, und sagt zu ihm: So, jetzt nehmen Sie Ihre Rosse aus dem Stall raus, es kommen Pferde hinein! (Stürmische Heiterkeit) Ich bitte den Kriegsminister, meinen Anregungen zu folgen, sonst werde ich, so oft sich Gelegenheit giebt, dieses Thema fortführen (Heiterkeit).»[11]

Franz Boas, der ein Jahrzehnt später den Mythos vom Reichtum der Eskimosprache für die einfache Tatsache Schnee in die Welt setzen sollte[12], hätte sein Vergnügen an dieser Reichstagsdebatte gehabt. Vermittelte sie doch eine Ahnung von den linguistischen Komplikationen der Tatsache Pferd. Wie der Mensch selbst ist auch sein engster und wichtigster Gefährte ein Phantasma des Wörterbuchs, ein Wesen aus Wörtern. Seit der Antike hat die hippologische Literatur ihren Gegenstand in immer neuen Traktaten ausbuchstabiert: die Kunst, das Pferd zu zähmen und zu züchten, seine Gestalt zu schätzen und seine Leiden zu kurieren. Aber auch die schöne Literatur hat das fabelhafte Wesen besungen: «Aus Worten entwirft sie ein Tier, ein vollkommenes, an Schönheit nicht zu überbietendes»[13], schreibt Ellen Strittmatter über die «Zelterbeschreibung» in Hartmann von Aues Erec-Roman, die in mehr als 500 Versen das Bild des leichten, schwarz-weißen Pferdes der Enite entstehen lässt: das Hohe Lied des Pferdes in der frühen deut-

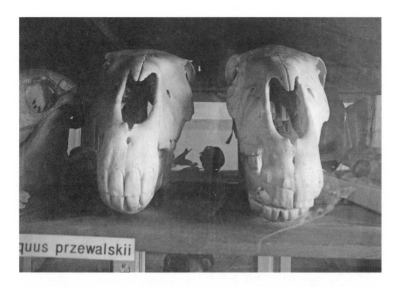

Der beißt sich durch: Equus przewalskii aus der Sammlung des Naturkundlichen Museums in Berlin.

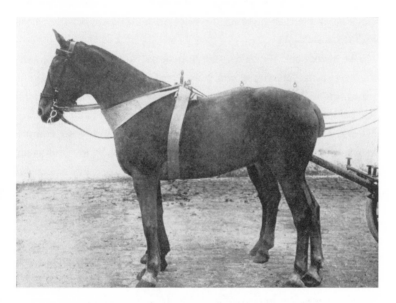

«Die unselige Krawatte» (Marc Bloch) drückte dem klassischen Zugtier die Luft ab. Experimenteller Nachbau eines antiken Pferdegeschirrs durch den Commandant Lefebvre des Noëttes, Paris 1910.

schen Literatur. Hartmanns Kunst erweist sich in der Entzündung der Imagination: «Das Verb des Sehens, des schauenden Betrachtens, steht am Beginn der Beschreibung und dient als Signal für den Hörer oder Leser, das Bild des Pferdes selbst vor dem inneren Auge zu entwerfen.»[14] Mehr als sieben Jahrhunderte nach Hartmanns Aufbruch zu den Quellen der Imagination beschreitet Guillaume Apollinaire in *Calligrammes* den umgekehrten Weg und lässt aus dem Zeilenbruch seines Gedichts den Umriss eines Pferdes hervortreten (S. 391).

Der «Zelter», ein Reitpferd, das in einer Art sanftem Trab läuft, *Zelter* oder auch *Tölt* genannt, ist aus dem modernen Sprachgebrauch ganz verschwunden. Auch das *Ross* hat schon lange den Rückzug angetreten, aber anders als sein mittelalterlicher Kollege ist es nicht im Staub der Wörterbücher verschwunden. Noch im 19. Jahrhundert teilte es sich mit dem *Pferd* den deutschen Sprachraum; der Norden gehörte den Pferden, der Süden den Rossen (was die Intervention des Hallenser Abgeordneten umso rätselhafter macht). Der Sprachlimes spiegelte sich in der niederdeutschen Rätselfrage: «In welchem Land gibt's keine Pferde?», worauf die Antwort lautete: «In Schwaben: da sind Rosse!»[15]

Die historische Wurzelforschung mag auf unterschiedlichste Herkünfte stoßen: lateinische wie beim Pferd (*parafredus*), altnordische (*rasa*), möglicherweise auch hebräische (*ruz*) oder lateinische (*ruere*) wie beim Ross – gemeinsam ist all diesen Formen der Hang zum Laufen und zum Rennen. Max Jähns, der die Namen der Rosse einsammelt und bis auf ihre Morpheme und Etyme auskocht wie Stubbs die Skelette seiner Sujets, findet überall die Marken der Bewegung: als gäbe es einen verborgenen Richtungspfeil, einen linguistischen Vektor, dem alle europäischen Sprachen folgen. Als hätten alle sprachlichen Ausdrücke und Bruchstücke von Bewegungsenergie sich in den Bezeichnungen dieses einen Tieres konzentriert; als hätte die Dynamik, die in den Sprachen selbst am Werk ist, die Gestalten und Namen des Tieres angenommen, das mit seinem heutigen Hausnamen *Pferd* heißt.

Da ist zum Beispiel «der uralte Pferdename ‹Märhe›» – auch er scheint dem Autor «wider auf eine Bewegungsbezeichnung zu füren»[16]. Tatsächlich findet er, dass irisch *markayim*, niederbretonisch *markat* und schottisch *to merk* «reiten» bedeutet. Als nächstes hört er die Verben «marschieren, marcher, marciare, marchar» anklingen, «und so dürfte denn abermals mit ziemlicher Sicherheit das Moment der Bewegung als sowol vorzüglich karakteristisch für das Pferd überhaupt wie auch als Quelle des Namens ‹märhe› anzusprechen sein.»[17] Neben der Mähre findet Jähns noch Pfage, Hess, Hangt und Maiden für das Pferd im Allgemeinen, Hengst, Beschäler, Schwaiger, Stöter, Renner und Klepper für das männliche Pferd, und Stute, Kobbel, Wilde, Fähe, Fole, Taete, Gurre, Zöre, Strenze, Strute, Strucke und Motsche für das weibliche Tier, Füllen, Burdi, Bickartlein, Kuder, Heinsz, Wuschel, Watte und Schleichle für das Kind des Pferdes. Mit allen weiteren Varianten und Spezialitäten wie Kracke, Zagge, Vulz, Nickel, Schnack, Grämlein, Kofer (süddeutsch für böses Pferd, Jähns vermutet von «keifen»[18]) und endlich Hoppe («Dasz dis Wort von der Bewegung stammt ist klar!»[19]) kommt er auf 63 verschiedene deutsche Namen des Pferdes.[20]

Die Namen und ihre Herkünfte sind erst der Anfang. Von ihnen ausgehend durchstreift Jähns die gesamte Welt des Pferdes und des Reiters, Wort, Spruch, Lied und Dichtung, Alltagssprache, Fachbegriff, Mythe, Sage und den Bereich dessen, was Peter Rühmkorf als das «Volksvermögen» bezeichnet hat: Spottvers, Witz und Zote. Wie den Grimms, an denen sich der Wörterbuchmacher und Sammler von Sprachaltertümern orientiert, ist Jähns kein Fund zu entlegen, keine Redewendung zu unerheblich und kein Witz zu derb, als dass sie die Aufnahme ins hippologische Sprachantiquariat nicht verdienten.[21] Anders als die Grimms beschränkt er sich nicht auf die deutschsprachige Literatur der letzten Jahrhunderte, sondern schöpft aus allen Quellen, die ihm zur Verfügung stehen, namentlich griechisch-römische und nordische Mythologie.

In den sechziger Jahren, als Jähns seine riesige Materialsammlung für *Ross und Reiter* zusammentrug, war er selber Offizier und Reiter, lehrte an der Kriegsakademie und arbeitete in verschiedenen Stäben. Davon profitierte sein Buch: Sachkundig nahm sich der Autor der unterschiedlichsten Realien von Stall und Schmiede, Krankheiten, Reitzeug und Fuhrwesen an. Auch den «Rechtsaltertümern» räumte er ihren Platz ein («Ross und Reiter in Kultus und Recht»[22]). Der Leser kann Jähns Wörterbuch die Anerkennung nicht versagen: Als Kulturgeschichte des kentaurischen «Doppelwesens»[23] Ross und Reiter hat sie ihresgleichen nicht.[24] Der zweite Band des Werkes vertiefte die historische Sicht und bot eine Übersicht über die gesamte deutsche Geschichte aus hippologischer Perspektive. Gegen ihr Ende zu verschärfte sich freilich der patriotische Zungenschlag, ein ideologischer Zug kam ins Spiel: Widerwille gegen England, «das Land der Wettrennen»[25] und gegen den «bedenkliche(n) Einfluss des Engländertums auf unsere Pferdezucht»[26] brach sich Bahn.

Das Rennpferd sei «ein Kunstprodukt, welches in outrierter Weise zu einem einzigen, noch dazu illusorischen Zwecke ‹trainirt› werden muss».[27] Die Engländer hätten nicht nur den Tanz ums goldene Kunstprodukt erfunden, sondern obendrein noch dessen Schändung: durch seine Verbindung mit dem Wettbetrieb. Der Mammon habe alles verdorben, auch das Pferd: «Nach und nach … würdigten Reichthum, Luxus und Leidenschaft das edle Ross zum Spilmittel herab … Das Rennen war ein hohes Spil um Geld geworden, bei dem das Pferd als ein harmonisches Ganzes völlig in den Hintergrund trat und nur die Elemente der Schnelligkeit aufs äuszerste treibhausmäszig und völlig einseitig überbildet wurden.»[28]

Mit der Leidenschaft fürs Flachrennen, den überzüchteten Rennpferden und dem Wettbetrieb hätten die Engländer noch ein weiteres Danaergeschenk über den Kanal gebracht: Sie haben, so Jähns, «unsere deutsche Sprache mit der englischen Krankheit heimgesucht»[29]. In den Beispielen für den «abscheulichen Jargon», die der Autor bringt, bekundet sich der Geist des Rennplatzes und seine Lust an lässigen Gesten: wenn etwa vom «Pace» eines Pferdes die Rede ist, seinem «Handicap» oder einem Rennen, das mit «Match» endet. Nichts, was den an Anglizismen gewöhnten Leser unserer Tage schaudern machen könnte. Aber Jähns' Publikum mag zu seiner Zeit anders reagiert haben. Für den Autor selbst wurde der Sprachpurismus, der sich hier, um 1872, erstmals regte, mit den Jahren zu einer *force majeure*: 1896 übernahm er den Vorsitz im Allgemeinen Deutschen Sprachverein (ADSV), der die Reinerhaltung der deutschen Sprache mit solcher Intransigenz betrieb, dass nicht nur Liberale wie Hans Delbrück, sondern auch konservative Geister wie Gustav Freytag und Heinrich von Treitschke sich abwandten.

Ross und Reiter endete mit Betrachtungen zum praktischen Wert der Kavallerie im Krieg der Gegenwart und zog die Lehren aus dem amerikanischen Bürgerkrieg und den Kriegen Preußens gegen Österreich und Deutschlands gegen Frankreich: Das Wörterbuch war zum taktischen Stichwortgeber geworden.[30] In seinem eigentlichen Fach, der Kriegsgeschichte, blieb Jähns übrigens immer ein früher Vertreter einer modernen Militärgeschichte, die nicht nur Gefechte und große Männer kennt, sondern auch wirtschaftliche und soziale Strukturen, in denen Kriege stattfinden und Schlachten geschlagen werden.[31] Sein sprachpolitischer Chauvinismus hingegen ließ ihn mit der Zeit fortschreitend der Versuchung durch völkische Denkfiguren erliegen. Gewidmet war Jähns' Werk von 1872 übrigens «Seiner Durchlaucht, dem Kanzler des Deutschen Reiches, Otto Fürsten von Bismarck-Schönhausen, Generalmajor à la suite des Magdeburgischen Kürassier-Regiments», und auf Bismarcks Ausspruch von 1867 im norddeutschen Reichstag: «Setzen wir Deutschland in den Sattel, reiten wird es schon können», nahm auch die Widmung Bezug[32]. Die Lektüre der folgenden gut 800 Seiten vermittelt freilich den Eindruck, dass dieses kavalleristische Detachement des deutschen Liberalismus zwar reiten konnte, aber im Mythennebel die Orientierung verloren hatte.

Ein Tier aus Licht

Eine Pariser Abendgesellschaft im vornehmen 16. Arrrondissement. Man schreibt den 26. September 1881. Der Gastgeber, Etienne-Jules Marey, gibt einen Empfang zu Ehren des Amerikaners Eadweard Muybridge, des berühmten Pioniers der Chronofotografie, der soeben in Paris eingetroffen ist. Marey hat eine Reihe bedeutender Kollegen aus dem In- und Ausland eingeladen[33], dazu einige Herren aus seiner engeren Umgebung. Zwei von ihnen tragen den Rock der Armee der Republik. Die Hauptleute Raabe und Bonnal sind Kavalleristen, die seit Jahren mit Marey in dessen Labors und auf der kürzlich eingerichteten «Versuchsstation» in Auteuil zusammenarbeiten. Der berühmte Physiologe betreibt Militärforschung. Oder richtiger, er betreibt Forschungen, deren Wert die Armee erkannt hat, und an denen sie sich personell und finanziell beteiligt. Es geht um nichts Geringeres als die Gangarten des Pferdes.

Trotz der strategischen Bedeutung der Eisenbahn, um die der Generalstab seit dem Krieg gegen die Deutschen vor zehn Jahren weiß, ist das Pferd nach wie vor das wichtigste Traktions- und Transportmittel der französischen Armee, unverzichtbar für schnelle Bewegungen, konkurrenzlos im Gelände. Im Unterschied zu den Historienmalern und den Amateuren des Pferdesports gilt die Hauptsorge der Armee nicht dem Thema, was das Pferd im Galopp mit seinen vier Beinen macht, sondern der Frage, wie man das lebende Kriegsmaterial am effektivsten und gleichzeitig schonendsten benutzt. Zwei Doktrinen haben sich im Schoß der Kavallerie entwickelt, eine, die mehr auf den Willen des Reiters, und eine andere, die mehr auf die Natur des Pferdes setzt; seit langem wird zwischen den Schulen erbittert gestritten.[34] Militärische Reitkunst ist kein Pappenstiel. Gegen Ende des 19. Jahrhunderts geht es nicht mehr, wie in den barocken Reitlehren, um die Anmut in der Verbindung von Ross und Reiter. Jetzt geht es um die Verausgabung und Erhaltung vitaler Energie, um die Vermeidung vorzeitiger Ermüdung.[35] Den Krieg entscheiden nicht nur Gewehre und Granaten; er wird auch in den Muskeln und Sehnen gewonnen. Oder verloren.

Charles Raabe stirbt im Mai 1889, im Jahr darauf veröffentlicht sein jüngerer Kollege Guillaume Bonnal ihr gemeinsames Werk, *Équitation*[36], das Resultat 15-jähriger Forschung in Verbindung mit der experimentellen Physiologie. Im Anhang finden sich sieben Tafeln mit Filmstreifen, 25 Bilder pro Sekunde, die das Pferd in seinen sämtlichen Gangarten zeigen. Die Aufnahmen sind laut Bonnal im Sommer 1889 auf der Station entstanden. Der Autor beschreibt das Défilé der langbeinigen Models: «Das Subjekt, mit dem die Experimente durchgeführt wurden, ist, außer beim normalen Trab und beim Sprung, eine Stute rein arabischen Blutes namens Fanfreluche, geboren im Gestüt

Pompadour am 1. April 1878. Diese Stute, ein grauer Apfelschimmel, ist in verschiedenen Gangarten vor einem Vorhang aus schwarzem Samt entlanggelaufen, während der fotochronografische Apparat die Aufzeichnung vornahm. Beim Trab und beim Sprung wurde der Vorhang durch eine weiße Wand ersetzt. Die Stute Sylphide hat die Bilder des Trabes geliefert.»[37]

Er suche, schrieb Marey 1886 in einem Brief an seinen Assistenten Georges Demeny, «eine Methode, um das Unsichtbare zu sehen»[38]. Dieses Verlangen teilen zu jener Zeit auch andere; neun Jahre später sollte Wilhelm Conrad Röntgen seinen eigenen Weg finden, das Unsichtbare sichtbar zu machen. Die bekannteste von Mareys Methoden, die auch von Muybridge praktiziert wurde, bestand darin, den flüchtigen und in seiner Flüchtigkeit unsichtbaren Augenblick fotografisch aufzusprengen und auf diese Weise sichtbar zu machen.[39] Die Bewegungen eines trabenden Pferdes (S. 245, 293) oder einer laufenden Frau wurden praktisch 25 Mal pro Sekunde mit einem Lichtskalpell durchschnitten und in helle Scheiben zerlegt. Schon Leonardo da Vinci[40] hatte in ähnlicher Weise – freilich noch mit dem Stift des Zeichners – die rasche Bewegung eines Menschen tranchiert, und Erwin Panofsky sich in seinem Kommentar von 1940 zu diesen Zeichnungen an die Technik des Kinematografen erinnert gefühlt.[41] Nichts anderes als Leonardo taten Marey und Muybridge, wenn sie mit der Serienbildtechnik – dem unmittelbaren Vorläufer der Filmkamera – ins infinitesimal Kleine des Augenblicks eindrangen und die Kernspaltung der Sekunde betrieben. Wo anders sollte sich das Unsichtbare der Zeit verbergen wenn nicht in deren kleinsten Teilen?

Die Historiker wussten, dass es auch eine Unsichtbarkeit der langen Dauer gab. Die Geschichte, Inbegriff der langen Zeit, war von dieser Art des Dunkels erfüllt. Nur wenige Jahre nach Marey und Muybridge traten Chronografen der langen Dauer auf den Plan, die es sich zum Ziel gesetzt hatten, das Unsichtbare der Geschichte zu visualisieren. Aby Warburg war der prominenteste von ihnen. Mit Hilfe langer ikonografischer Reihen versuchte er die Evolution von Formen – Warburg sprach von «Formeln» – nachzuzeichnen, in denen die Künstler der Antike und der Neuzeit den Ausdruck starker innerer Bewegung fixiert hatten. Die Konstanz ebenso wie die Veränderung dieser Formeln wurden aber erst sichtbar, wenn man mit Hilfe von Bilderserien die langen Zeiträume der Geschichte überbrückte und in ähnlicher Weise zusammenrücken ließ, wie die Fotos von Marey und Muybridge die Augenblickssegmente auseinander gerückt hatten. Gewiss war es nicht dasselbe, ob man die Beugung ein und desselben Pferdeknies in 100 Einzelbilder zerlegte oder ob man 100 Werke der verschiedensten Künstler aufreihte, um einen Ausdruck von Trauer, Zorn oder Freude über zwei Jahrtausende von der Antike zur Renaissance zu verfolgen. Die Analogie lag in der Technik der Sequenzierung von Zeit durch Bildschnitte, ob man nun eine Sekunde oder ein Jahrtausend tranchierte. Technisch gesehen war die Ikonografie eine extrem verlangsamte Form der Chronografie – und umgekehrt.

Kurz nach der Jahrhundertwende sollte auch die Pferdegeschichte ihren Warburg finden. Er hieß Richard Lefebvre des Noëttes, war pensionierter Kavallerieoffizier, Sohn eines Mannes, der als Rittmeister im Krieg von 1870 gedient hatte, Großneffe eines Generals des Kaiserreichs. Noch während seiner aktiven Zeit, in den neunziger Jahren, hatte er begonnen, über die Geschichte des Hufeisens zu forschen und zu publizieren. Ein schwerer Reitunfall im April 1904 zwang ihn, vorzeitig seinen Abschied zu nehmen; danach widmete er sich ganz den historischen und antiquarischen Studien. Er wurde zum Ikonographen, verbrachte eine Ewigkeit in den Sammlungen der Pariser Museen und sammelte, was ihm an Pferdedarstellungen aus Archäologie, Kunstgeschichte und zeitgenössischen Publikationen erreichbar war. Im Lauf der Jahre entstand so eine enorme Ikonothek zu allen Aspekten historischer Pferdetechnik. Wie seinen Kameraden Raabe und Bonnal war es auch Lefebvre um Fragen der animalischen Energie und ihrer optimalen Nutzung zu tun. Anders als jene aber arbeitete er nicht mit der synchronen Zerlegung winziger Zeiteinheiten in Bilder, sondern tranchierte mit seiner diachronen Methode die Jahrtausende.

Mit dem informierten Blick des *homme de cheval* waren Lefebvre in der Bildwelt der Antike Details aufgefallen, die den Archäologen und Kunsthistorikern entgangen waren. Kurz gesagt betrafen sie die Kopfhaltung der Pferde und gewisse Einzelheiten des Apparats, durch den die Zugkraft der Tiere auf das jeweilige Fuhrwerk übertragen wurde, sprich das Geschirr. Durch den Vergleich der Bilder und Überreste auf die Spur gebracht, begann Lefebvre in den Zeugnissen der antiken Literatur zu forschen. So hatte er es in den Vorlesungen der École des Chartes gelernt, die er nach dem Ausscheiden aus dem Dienst zwei Jahre lang gehört hatte. Als er auf diesem Weg nicht weiterkam, besann er sich seiner praktischen Kenntnisse, lieh sich von der Pariser *Compagnie des petites voitures* einige Zugpferde und zeitgemäße Wagen und begann zu experimentieren. Unterstützt von einigen geschickten Handwerkern baute er das typische Geschirr der Antike, wie er es in den griechischen Bildquellen gefunden hatte, nach. Er legte es, was nicht ohne Komik war, den Pariser Droschkengäulen des Jahres 1910 an und hieß die Tiere ziehen (S. 225). Die Versuche bestätigten seine Theorie.

Die antike Weise des Anspannens hatte den Pferden einen Riemen oder Kragen um den Hals gelegt, der seinen Druck ausgerechnet auf die Stelle ihres Halses ausübte, an der die Halsschlagader besonders dicht unter der Haut verläuft. Sobald das Tier stärker ziehen musste, drückte ihm die «unselige Krawatte»[42] die Schlagader ab, nahm ihm die Luft und minderte sein Leistungsvermögen. Pferde, die auf diese Weise angeschirrt waren, konnten keine Lasten von mehr als 500 kg fortschaffen. Unter modernem Geschirr zog dasselbe Gespann das Vier- bis Fünffache dessen, was der antike Apparat gestattet hatte. Mit anderen Worten, die Antike hatte die Kraft der Pferde nur zu einem Bruchteil genutzt. Warum hatte sie es dabei belassen, warum hatte erst das Mittelalter seit dem 10. Jahrhundert die pferdetechnischen Innovationen gebracht (Hufeisen, Steigbügel, Geschirr), die es erlaubten, die animalische Energie weit effizienter auszunutzen? Weshalb hatte die Antike keinen praktischen Pferdeverstand entwickelt?

Lefebvres Antwort lautete: weil sie ihn nicht brauchte. Weil sie nicht auf die Kraft der Pferde angewiesen war. Und warum war sie es nicht gewesen? Weil sie die Kraft der Sklaven besaß – und mehr als genug davon. Diese energetisch-ökonomische These mit historisch-soziologischen Konsequenzen entwickelte Lefebvre schon, zunächst noch beiläufig, in der ersten Ausgabe seiner Schrift von 1924.[43] In der erweiterten Neuauflage von 1931[44] setzte er sie in den Untertitel seines Werkes und verlieh ihr den gehörigen Nachdruck.[45] Nicht nur die Sklaverei und die miserable Energiewirtschaft der Antike (ihre mangelhafte Ausnutzung der *force motrice* der Tiere) bedingten laut Lefebvre einander. Dem durch die Sklaverei verursachten technischen Innvoationsstau waren auch andere Erfindungen auf dem Energiesektor zum Opfer gefallen: So konnte mangels Transportkapazität die Wassermühle im Abendland nicht zum Einsatz kommen.[46] Erst unter den Kapetingern löste sich der Knoten, der so lange die Ausbeutung der Energiemaschine Mensch mit der Verhinderung alternativer Energiemaschinen, gleichgültig ob sie auf Tierkraft oder Wasserkraft beruhten, verknüpft hatte. Nicht in der von den Klassizisten des 19. Jahrhunderts als vorbildlich gerühmten Antike, sondern in der «Nacht des Mittelalters» wurden die enormen Potenzen an Bewegungsenergie freigesetzt, auf denen der Aufstieg und die Vorherrschaft des Okzidents beruhen sollten.[47]

Die Antike war technisch zurückgeblieben[48], weil sie aufgrund ihres Überschusses an menschlicher Arbeitskraft keine Notwendigkeit verspürte, erfinderisch zu werden: Es war das in der Technikgeschichte lange Zeit verbreitete Substitutionstheorem – der Mensch erfindet Mittel zur Ausbeutung der Natur, um seine eigenen Kräfte zu sparen – das den Ausführungen Lefebvres ihre Evidenz verlieh und die Historiker faszinierte. Zwar blieb Lefebvre in diesem Punkt nicht unwidersprochen; schon 1926 hatte Marc Bloch den autodidaktischen Kollegen auf grundlegende Missverständnisse in seiner Auffassung von Knechtschaft und Sklaverei unter den Merowingern hingewiesen.[49] Aber während die Althistoriker und Altphilologen daran gingen, die Ergebnisse Lefebvres Stück für Stück zu zerpflücken und ihm Simplifizierungen und Fehldeutungen der archäologischen und kunsthistorischen Belege nachzuweisen[50], stand seine Aufwertung des technisch innovativen Mittelalters bei den Mediävisten naturgemäß hoch im Kurs. Noch in den sechziger Jahren bezeichnete Lynn White jr., Mediävist und Doyen der amerikanischen Technikgeschichte, den französischen Kavalleristen und Antiquar als *very nearly a genius*[51].

Heute gelten die Untersuchungen Lefebvres des Noëttes zur Geschichte des Pferdegeschirrs sowohl in ihren archäologischen Prämissen wie in ihren soziologischen Konsequenzen (die Frage der Sklaverei) als widerlegt, und Autorinnen wie Judith Weller finden einzig die Frage noch interessant, wie es möglich war, dass die abstrusen Ansichten eines Offiziers und dilettantischen Forschers ein halbes Jahrhundert lang die kritischen Geister bezirzen konnten.[52] Wer so fragt, verkennt den Charme von Lefebvres Methode und die verblüffenden Evidenzen, die seine kuriose Verbindung aus Ikonografie und Rekonstruktion schaffte: Es war ungleich vergnüglicher, sich mit Lefebvre des Noëttes zu irren, als mit seinen Kritikern Recht zu haben.

Ein Tier aus Geist

Ein Berliner Hinterhof, der Kalender zeigt den 12. August 1904. Zwischen Brandmauern, Treppen, Verschlägen und einer als Pferdestall genutzten Remise haben sich die Spitzen der lokalen Wissenschaftseinrichtungen versammelt, in ihrer Mitte der Wirkliche Geheime Rat und preußische Kultusminister Dr. Conrad von Studt. Ziel des Aufmarsches und Objekt der gelehrten Neugier ist ein seit kurzer Zeit berühmtes Pferd: der nach einem Grimmschen Märchen benannte Kluge Hans. Der Hengst soll, wie ihm der prominente Afrikaforscher Carl Georg Schillings bescheinigt, sehr ungewöhnliche Fähigkeiten besitzen: «Das Tier liest perfekt, rechnet ausgezeichnet, beherrscht die einfache Bruchrechnung und erhebt Zahlen bis zur dritten Potenz, unterscheidet eine große Reihe von Farben, kennt den Wert der deutschen Münzen, den Wert der Spielkarten, erkennt Personen nach Photographien, selbst sehr kleinen und nicht einmal sehr ähnliche, versteht die deutsche Sprache und hat sich überhaupt eine Summe von Begriffen und Vorstellungen angeeignet, die unsern Ansichten über die Psyche der Equiden in keiner Weise entsprechen … So bin ich heute mit einer Anzahl befreundeter Gelehrter vollkommen überzeugt, daß der Hengst selbständig denkt, kombiniert, Schlüsse zieht und handelt.»[53]

Der clevere Hans ist im heißen Hochsommer 1904 das Stadtgespräch von Berlin, ein gefundenes Fressen für die Presse, das Fabelwesen des damals noch nicht erfundenen Sommerlochs. Während die Gelehrten sich um den smarten Rappen drängen und die Fama von allerhöchstem Interesse an dem Fall wissen will – schließlich geht es um ein militärisch relevantes Gut; man stelle sich vor, was ein interaktiver, mitdenkender Gaul für Kaiser und Vaterland ausrichten könnte – werden immer neue Meisterleistungen des Pferdes bekannt. Nicht genug damit, dass Hans lesen und rechnen kann, perfekt Deutsch und gelegentlich auch Französisch versteht – jetzt soll er sogar schon Rechenaufgaben lösen, die ihm noch niemand laut gestellt hat; mit anderen Worten, das Tier kann Gedanken lesen. Hatte es nicht immer geheißen, man solle das Denken den Pferden überlassen, sie hätten den größeren Kopf? Kein Wunder, dass sich die Lachbühne des denkenden Pferdes annimmt.[54]

Der Ruhm des Wunderhengstes ist noch jung. Erst im Vorjahr haben vereinzelt Gelehrte von dem Fall Kenntnis genommen und begonnen, Versuche mit dem Tier anzustellen. Davor ist Hans drei Jahre lang brav zur Schule gegangen. Sein Besitzer und einziger Lehrer ist ein ostelbischer Adliger, Wilhelm von Osten (S. 237). Im Jahr 1900 hat er das Tier erworben und sogleich – was Hänschen nicht lernt, lernt Hans nimmermehr – eingeschult. Eigentlich ist der kluge Hans schon Hans II.; vor ihm war Hans I., der bis fünf zählen konnte, als er 1895 an Darmverschlingung verstarb. Die Unterrichtsmethoden des leidenschaftlichen Pädagogen von Osten hat dessen Nachfolger und Erbe Karl Krall aufgezeichnet und fotografisch dokumentiert.[55] Tatsächlich handelte es sich um eine Kombination von Methoden, die vom Vorschulunterricht («Hans, das ist rechts») bis zum Gymnasialunterricht (Wurzelziehen, elementare Geometrie) reichten. Aber so tüchtig von Osten als Lehrer wirkte, so wenig Talent besaß er zum Erzieher: «Trotz dem jahrelangen täglichen Verkehre fehlte ihm das mitfühlende Verständnis für die seelischen Äußerungen seines Schülers, er erkannte nicht die deutlichen Zeichen von Langweile, die Hans bei dem stundenlangen, meist so einförmigen Unterricht zu erkennen gab.»[56]

Mit den Tieren zu sprechen und von ihnen verstanden zu werden, ist einer der ältesten und schönsten Träume der Menschen; viele Mythen und Märchen wissen davon. In jüngerer Zeit reicht das Spektrum von dem sprechenden Pferdekopf der Grimmschen «Gänsemagd» bis zu

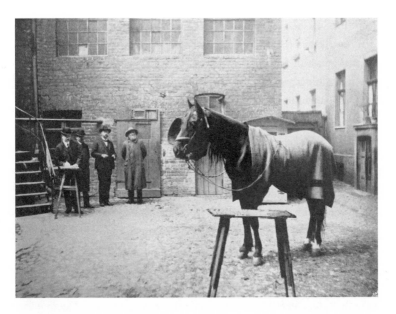

Prüfung des klugen Hans. Ganz rechts sein Lehrer, von Osten, und links von ihm die Herren von der Evaluation. Berlin 1907.

Zarif, eines der Elberfelder Pferde, lernt buchstabieren. Elberfeld 1909.

Jolly Jumper, dem Schimmelhengst von Lucky Luke, und Mister Ed, dem sprechenden Pferd. Früher verbrachten Kinder den ganzen Weihnachtsabend im Stall und waren nicht ins Bett zu bringen, weil man ihnen erzählt hatte, Schlag zwölf Uhr in der Heiligen Nacht könnten die Tiere sprechen wie die Menschen. Peter Kurzeck hörte als Kind beim Einschlafen, wie seine beiden Holzpferde auf dem Fensterbrett sich «in einer leisen, menschlichen Sprache» miteinander unterhielten.[57] Auch in Wilhelm von Osten waren offenbar Reste dieses Kinderglaubens lebendig, die er im Alter mit dem Starrsinn des Rittergutsbesitzersohns zu realisieren versuchte. Für ihn bestand kein Zweifel daran, dass Hans, auch wenn es ihm – noch – am Wort gebrach, selbständig zu denken vermochte. Aber so beeindruckend auch die Fertigkeiten und Leistungen des Hengstes waren, in diesem Punkt schieden sich die Geister: Nur ein Teil der Gelehrten, Zirkusleute und Zoologen, die sich das Spektakel im Hinterhof der Griebenowstraße im Sommer 1904 gefallen ließen, war vom eigenständigen Denken des Hengstes zu überzeugen.

Um die Geschichte kurz zu machen: Die Skeptiker waren und blieben davon überzeugt, dass der Kluge Hans nur ausführte, was ihm in irgendeiner Weise von außen vermittelt wurde, sei es durch kaum merkliche Zeichen, sei es durch «Suggestion». Was die winzigen Zeichen, etwa durch Kopfbewegungen seitens des Lehrers, betraf, so war die Gelehrtenwelt[58] zuzugestehen bereit, sie seien «unwillkürlich» gegeben worden. Niemand unterstellte von Osten und seinen Mitstreitern unlautere Absichten oder Rosstäuschung, zumal es nicht um Geld ging, sondern «nur» um die wissenschaftliche Wahrheit und der einzige Getäuschte offenbar das Ross war, was den Ausdruck freilich mit neuem Sinn versah. Ihren bündigen Ausdruck fand die Position der Skeptiker in dem 1907 erschienenen und kurz darauf ins Englische übersetzten Werk des Studenten Oskar Pfungst.[59] Dieser wies die Behauptung vom selbständig denkenden Tier scharf zurück[60] und begründete dessen vermeintliche Leistungen mit minimalen, aber für den scharfsichtigen Hengst wahrnehmbaren Bewegungen seines Lehrers oder – in den zahlreichen Überprüfungen durch dritte Personen – des Interviewers.

Von Osten war nicht bereit, seinem Tier den Rang eines eigenständigen Denkers absprechen zu lassen, und beklagte sich darüber, dass erst die Herren Pfungst und Stumpf[61] seinen Hengst auf Zeichen dressiert und verdorben hätten.[62] Längst war ihm in Gestalt des Elberfelder Juweliers Karl Krall ein ideenreicher Mitstreiter erwachsen, der mit neuen Versuchen die These vom selbständigen, keiner äußeren Beeinflussung unterlegenen Denken des Tieres zu beweisen suchte. Krall war es auch, der das Feld der tier-menschlichen Kommunikation weit über den schulmeisterlich engen Radius des Herrn von Osten (Lesen, Zählen, Rechnen …) auf den Bereich des ästhetischen Urteils, also der dritten Kantischen Kritik, zu erweitern unternahm und feststellte: Man kann sich mit dem Pferd auch über Gegenstände des Geschmacks und allgemeiner des Empfindungslebens verständigen.[63] Er versuchte, Hans mit den Kategorien des Schönen und des Hässlichen vertraut zu machen, musste aber resignieren, da die Erziehung mit Hilfe von Leckerbissen nur die bei Pferden verbreitete Tendenz, sich mitsamt der Liebe auch die ästhetischen Vorlieben durch den Magen gehen zu lassen, verstärken würde.[64]

Nach dem Tod von Ostens im Juni 1909 erbte Karl Krall den Klugen Hans und nahm ihn mit ins heimische Elberfeld, wo er auf eigene Kosten eine Versuchsstation einrichtete, auf der künftig noch zwei weitere kluge Pferde, die Hengste Muhamed und Zarif, den reformierten Unterricht («vereinfacht», «zusammenfassender, Zeitersparender»[65]) genießen sollten (S. 237). Vor allem sein 1912 erschienener Bericht[66] über die Berliner Versuche von Ostens und seine eigenen auf der Elberfelder Station sorgten dafür, dass Hans und seine Kommilitonen im Gespräch blieben. Auch in Elberfeld gaben die wissenschaftlichen Kommissionen einander die Klinke in die Hand.

Mit Hans hatte es übrigens ein unrühmliches Ende genommen. Als Maurice Maeterlinck, der berühmte Komponist und Tierseelenforscher, im September 1913 nach Elberfeld kam, verlangte er «den großen Ahnherrn, den klugen Hans»[67] zu sehen. Der Alte war indes nur noch ein Schatten seiner selbst und führte ein Leben in erzwungener Verborgenheit: «Hans ist ausgeartet und man spricht von ihm nur noch ungern.» Er, der «ein sittenstrenges, mönchisches Dasein

geführt, der sich dem Zölibat, der Wissenschaft und den Zahlen gewidmet hatte»[68], war, vom Anblick einer schönen Stute entflammt,
über Hecken und Zäune gegangen, hatte sich den Leib aufgerissen, so
dass der Veterinär kommen, ihm die Eingeweide ins Innere zurück-
stopfen und ihn zunähen musste; als ein Verfemter fristete er den Rest
seiner Tage. Die Stunde der sexuellen Befreiung für Hengste hatte
noch nicht geschlagen.

Maeterlinck beschrieb das Phänomen der Elberfelder Pferde, neben
denen unterdessen noch ein Pony und ein erblindeter Hengst die
Schulbank drückten, und bot eine Erklärung an, die man gern dialek-
tisch nennen würde, weil sie die beiden antagonistischen Positionen
von *selbständigem Denken* und *unwillkürlicher Zeichengebung* trans-
zendierte, täte sie dies nicht in einer Weise, die es jedem Dialektiker
schwer machte, mitzugehen. Der Autor, hingerissen vom Eindruck des
«erste(n) Aufdämmern(s) einer unverhofften Intelligenz, die sich plötzlich als menschliche offenbart»[69], imaginierte eine Art Seelenäther
oder «subliminale» Geisteskraft, «die sich unter dem Schleier unsres
Verstandes birgt und diesen … überrascht, überragt und beherrscht»[70].
Maeterlinck zögerte nicht, diese Geisteskraft in vermeintlicher Anleh-
nung an die Psychoanalyse als «Unterbewußtes» zu beschreiben[71] und
schon im nächsten Augenblick als den Hegelschen «Weltgeist» zu
identifizieren[72]. Von Ausnahmen abgesehen[73], hat die Forschung diesen von Maeterlinck gewiesenen «mediumistischen»[74] Weg zu einer
Lösung des Problems der denkenden Pferde nicht weiter verfolgt. An
ihrer Stelle setzte Franz Kafka einen ehrgeizigen Studenten auf die
Spur der Elberfelder Pferde.[75]

Von seinen ungünstigen finanziellen Verhältnissen gezwungen,
muss der Student zur Nachtzeit arbeiten. Er denkt aus der Not eine
Tugend zu machen und die Konzentration, welche die Nacht gewährt,
seiner Absicht nutzbar zu machen: «Die Reizbarkeit, von der Mensch
und Tier, wenn sie in der Nacht wachen und arbeiten, ergriffen werden, war in seinem Plan ausdrücklich verlangt. Er fürchtete nicht wie
andere Sachverständige die Wildheit des Pferdes, er forderte sie vielmehr, ja er wollte sie erzeugen …»[76] Gut möglich, dass auch hier wie
an anderen Stellen in Kafkas Aufzeichnungen die Bilder des Pferdes,

des Reitens und der Dressur des Pferdes als Metaphern für das Schreiben und die Selbsterziehung des Schreibenden fungieren.[77] So übersetzt liefe der Plan des Studenten denn darauf hinaus, statt der Klugheit und Folgsamkeit die Wildheit des Schreibens wiederzufinden. Angesichts der hohen Schätzung, derer sich seit Rousseaus Zeit die Idee der Wildheit erfreut, kann es nicht verwundern, dass gerade dieses Motiv geistvolle Kommentatoren Kafkas wie Gilles Deleuze[78] und Durs Grünbein[79] in Begeisterung versetzt hat.

Der springende Punkt

Münster in Westfalen am 18. Juli 2003. Reinhart Koselleck nimmt den Historikerpreis der Stadt entgegen und bedankt sich mit einer ungewöhnlichen Rede. Nach jahrelangen Studien zur Geschichte des Reiterdenkmals war ihm klar geworden, wo der blinde Fleck der Geschichtsschreibung lag: nicht beim Reiter und nicht beim Sockel, sondern bei dem Objekt dazwischen. In seiner Münsteraner Rede prägte er den Begriff des «Pferdezeitalters»[80] und beschrieb die historischen Leistungen des Pferdes. Er würdigte seine mythologischen und symbolischen Rollen und betonte seine militärische Bedeutung – bis hin zum tragischen Finale im Russlandfeldzug der Wehrmacht, unter den er den bereits zitierten Bilanzstrich zog: «Mit Pferden ließ er sich nicht gewinnen und ohne Pferde erst recht nicht.»[81] Koselleck hatte zu denen gehört, die diesen Krieg mit Pferden nicht gewonnen hatten. Als Angehöriger der bespannten Artillerie hatte er die Leiden der Tiere miterlebt.[82] Ihm selbst hatte ein Unfall mit Pferden, in seiner Truppe nachgerade klassisch, ein lebenslanges Gedächtnis des Schmerzes hinterlassen: Übermüdet hatte er sich gegen die Lafette gelehnt, ein Rad des anrollenden Fahrzeugs hatte dem Schlafenden den Fuß zertrümmert.

Koselleck war nicht der einzige seiner «Zunft», der als *embedded historian* das Ende des Pferdezeitalters miterfahren hatte. Der Althistoriker Andreas Alföldi, Sohn eines ungarischen Landarzts, hatte im Ersten Weltkrieg in der Kavallerie gedient. Viele Beobachtungen, die später Eingang in seine Untersuchungen zu Reiterei und Rittertum der frühen Römer fanden, verdankten sich offensichtlich den Erfahrungen des reitenden Kriegsteilnehmers.[83] So sah es auch sein späterer Kollege am Institute for Advanced Study, James Frank Gilliam, selbst Spezialist für römische Militärgeschichte: «Seine zahlreichen Zusammenstöße mit Kosaken gaben ihm Gelegenheit, ihre Taktiken zu studieren und halfen ihm später, die Reiterkrieger Nordasiens zu verstehen. Er gab bereitwillig zu, dass, wann immer er eines der kleinen, muskulösen Pferde der Kosaken eingefangen hatte und versuchte, es zu reiten, er regelmäßig durch die Luft flog.»[84]

In noch direkterer Weise als Alföldi griff der amerikanische Mediävist und Technikhistoriker Lynn White jr. auf seine praktischen Erfahrungen in der Kavallerie der Vereinigten Staaten zurück, als er Jahrzehnte später die Geschichte der mittelalterlichen Erfindungen schrieb. «Von 1918 bis 1924», schrieb White, «genoss ich den schlechten Unterricht einer kalifornischen Militärakademie, die auf dem technologischen Niveau des spanisch-amerikanischen Krieges operierte. Ich lernte ohne Sattel zu reiten und konnte fortan Pferde nicht mehr ausstehen. Meine Begeisterung für den Steigbügel wuchs, je weiter die Kavallerieausbildung fortschritt.» Er sei wohl, fuhr White selbstironisch fort, «der einzige lebende amerikanische Mediävist, der je eine Kavallerieattacke mit blankem Säbel in vollem Galopp mitgeritten ist. Wir schrien wie die Komantschen, nicht so sehr um den fiktiven Feind zu erschüttern, als um uns selber Mut zu machen angesichts der Möglichkeit eines stolpernden und stürzenden Pferdes. Unsere Steigbügel waren ein echter Trost. Wer immer noch nicht glauben will, dass die Einführung des Steigbügels dem Gefecht zu Pferd neue Möglichkeiten eröffnete, ... der möge ohne Steigbügel an strapaziösen Kavalleriemanövern teilnehmen.»[85]

Im Jahr 1962 veröffentlichte White ein bis heute vielgelesenes Werk, *Medieval Technology and Social Change*. Es sollte ihm nicht nur die heftige Kritik seiner Fachkollegen eintragen, sondern auch das Lob Marshall McLuhans.[86] Mit dem Adlerblick des Pioniers hatte McLuhan den Punkt erkannt, den der Mediävist mit der Erfindung des Steigbügels und der Revolutionierung des mittelalterlichen Lebens markiert hatte: eine bedeutsame Station auf dem Weg der Akkumulation von Energie, welche die Technik dem Menschen zur Verfügung stellte. Wie White hatte auch McLuhan das Auge für die einfachen Dinge, die dazu angetan waren, durch Summierung von Energie eine *amplificatio*, eine Stärkung und Steigerung des schwachen menschlichen Subjekts zustande zu bringen. Elementare Dinge wie ein simpler Reif aus Metall: An der richtigen Stelle eines Organismus oder Mechanismus angebracht, konnte er ein gewaltiges Mehr an *power* erzeugen – zu lesen als Energie *und* Macht.

Der spezielle Metallreif, von dem die Rede war, der *Stegreif*, wie er im älteren Deutsch hieß, tat seine Wirkung nicht wie eine Prothese, die direkt am Menschen anlag, sondern indem er das gesamte umweltliche Ensemble von Mensch, Tier, Werkzeugen und Waffen, sinnvoll ergänzte. Der Reif fasste das Potential der verschiedenen Teile zusammen, addierte es und erhöhte dadurch den Impakt des Vektors. Die Konsequenzen für den militärischen Nutzen des Pferdes lagen auf der Hand: Beim Gefechtseinsatz der Kavallerie kam viel auf ihre Geschwindigkeit an, aber auch auf ihre Verdichtung, die sie zu einem Geschoss machte, das die Wand der gegnerischen Infanterie durchschlug.

Das Problem, wie ein vergleichsweise kleines Tier wie der Mensch es anstellte, ein relativ großes Tier wie das Pferd zu besteigen, hatte schon die Antike beschäftigt.[87] Unter den praktischen Lösungen – Trittsteine, Leitern, Lanzen und Diener – tauchte der Steigbügel oder Stegreif erst relativ spät, nach dem Ende des Römischen Reiches auf. Wie so oft in der älteren Technikgeschichte war nicht der europäische Raum an der Tête geritten, sondern der Orient.[88] Wo im einzelnen die Ursprünge des Steigbügels und seiner Vorformen wie lederne Seile, Fußstützen, winzige Steigbügel nur für die große Zehe lagen, dies waren Fragen, mit denen sich Archäologen, Ikonografen und Philologen seit langem beschäftigen. White, der Mediävist, trug ihre Erkenntnisse zusammen[89], um Antworten auf eine andere Frage zu erhalten: Was passiert, wenn technische Erfindung und sozialer Kontext sich zu einem wechselseitigen Bedingungsgefüge verbinden?

Die Geschichte zeigte, wie dem Steigbügel, im selben Maß, wie sich sein Design und seine Stabilität veränderten, neue Aufgaben zuwuchsen: aus einer simplen Aufsteigehilfe wurde er zum unverzichtbaren Stützpunkt für den Reiter und zumal den berittenen Kämpfer. Im Lauf einer jahrhundertelangen Evolution rückte der Steigbügel in die Mitte eines komplexen bewegten Systems: ein stabiles Zentrum, ein *Stativ* gleichsam, das es erlaubte, die Energie des Systems zu konzentrieren und, ohne das Gesamtsystem zu destabilisieren, nach außen zu lenken. Innerhalb des bewegten Systems von Pferd, Reiter und technischen Objekten, sprich Waffen, bildete der Steigbügel eine Art internen festen Punkt. Diesen Punkt hatte es vorher nicht gegeben; er verlieh dem System eine singuläre und historisch unerhörte Effizienz. Historisch gesehen waren es die Franken, die den dadurch ermöglichten Systemprofit erstmals realisierten. «Als vorfeudale Lebensformen und Gebilde sich schon länger … über die zivilisierte Welt verbreitet hatten, haben nur die Franken … die Möglichkeiten, die im Steigbügel verborgen ruhten, voll erfaßt und haben auf ihm als Grundlage eine neue Art der Kriegführung aufgebaut. Sie hat ein neues Gefüge der Gesellschaft geschaffen, das wir heute Lehnswesen nennen.»[90]

Der Steigbügel, so White, sei in der Geschichte der Technologie ein eigentümliches Gerät gewesen, billig und einfach herzustellen, aber von erstaunlicher Effizienz unter dem Fuß eines berittenen Kriegers: «Solange ein Mensch sich bloß mit dem Druck seiner Knie an ein Pferd klammert, kann er einen Speer nur mit der Kraft seiner Arme schleudern. Sobald aber der Halt, den Knauf und Kranz eines schweren Sattels bieten, durch die seitliche Stütze von Steigbügeln verstärkt wird, verschmelzen Pferd und Reiter zu einem. Jetzt ist der Kämpfer in der Lage …, den Speer zwischen seinem Oberarm und Körper aufliegen zu lassen. Der Stoß wird nicht mehr mit der Muskelkraft eines Menschen, sondern mit der Wucht eines losstürmenden Hengstes und seines Reiters geführt. Der Steigbügel machte es möglich, menschliche Kraft durch tierische zu ersetzen. Er war die technologische Grundlage des berittenen Stoßangriffs, der typischen europäischen Kampfweise des Mittelalters.»[91]

Die durch die Steigbügel möglich gewordene Summierung der Energie, die sich an der Spitze der Lanze konzentrierte[92], hatte technische Folgen, darunter das gesteigerte Bedürfnis nach schwererer Pan-

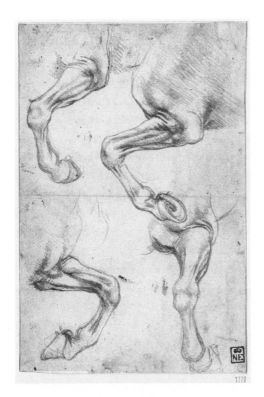

Klassischer Knielauf:
Leonardo da Vinci,
Bewegungsstudien.

Ballet moderne: Etienne-Jules Marey, 1890.

zerung und stärkeren Pferden. Sie hatte auch soziale Konsequenzen wie die Aufspaltung in eine berittene Kriegeraristokratie und die große Masse der Bauern, die sich den Krieg der Ritter nicht leisten konnten.[93] Der enge Zusammenhang zwischen Lehnswesen und Kriegsdienst rückte die Verbindung von Pferd und Reiter ins Zentrum des Feudalsystems und prägte dessen Ethik: «Die neue Kampfesweise, mit ihrer leichten Beweglichkeit und ihren fürchterlichen Zusammenstößen, eröffnete der persönlichen Tapferkeit ein weites Feld. Die Zeiten waren vorbei, wo man fest hinter der Mauer aus Schilden gestanden hatte, mit Speer und Schwert.»[94]

Der Steigbügel war zum archimedischen Punkt geworden, von dem aus Lynn White die Geschichte des Feudalismus rekonstruierte. Der Zauber seiner Demonstration ist noch wirksam, auch nachdem synthetische Entwürfe wie die seinen einen Kurssturz erlitten haben.[95] Schon beim Erscheinen seines Buches, Anfang der sechziger Jahre, musste sich der Autor technologischen Determinismus und überzogene Spekulation vorhalten lassen.[96] Aber Kritik konnte den alten Kavalleristen nicht erschüttern; er folgte einem Stern. Aufgegangen war er ihm Mitte der dreißiger Jahre, als er die französische Schule der *Annales* entdeckt hatte. Er las die Schriften von Marc Bloch und stieß in dessen Rezensionen auf den wundersamen Hippologen Lefebvre des Noëttes, den er im Rückblick als *an eccentric of genius* bezeichnete.[97] Ihm dämmerte, dass es für die Geschichte der Technik einen anderen Platz geben könnte als den auf dem Rücksitz von Historie und Geisteswissenschaft.

DIE LEBENDIGE METAPHER
PATHOS

Irgendwann einmal sind Sie, Lew Nikolajewitsch, ein Pferd gewesen.
Turgenjew zu Tolstoi, zit. V. Sklovskij

Sechstausend Jahre lang war das Pferd ein wichtiges Nutztier des Menschen. In dieser Eigenschaft war es nicht allein, auch andere Tiere hatten ihm Nahrung und Kleidung gespendet. Schwein und Schaf hatten seinen Teller gefüllt, die Gans hatte mit ihren Federn sein Bett gewärmt, der Hund sein Haus und seine Herde bewacht. Der Ochse hatte seinen Pflug gezogen, der Esel sein Korn zur Mühle getragen, die Katze das Heer der Parasiten in Schach gehalten. Nur selten hatte eines von ihnen zu Lebzeiten den Dienst quittiert: «Etwas Besseres als den Tod findest du überall.» Auch das Pferd hatte ihm Nahrung geliefert wie die Kuh, Zugdienste verrichtet wie der Ochse, sein Bündel getragen wie der Esel. War ihm zum Freund geworden wie der Hund. Auch in den Symbolsprachen, die sich der Mensch geschaffen hatte, in seinen Mythen und Märchen, seinen philosophischen Sinnbildern war das Pferd ein Akteur ersten Ranges gewesen. Aber anders als Löwe und Adler, die heraldischen Tiere, anders als Schlange, Eule, Pelikan und die mythologischen Wesen, anders auch als die Räuber und Parasiten wie Wolf, Maus und Ratte, die Staaten bauende Ameise und der in der Tiefe wühlende Maulwurf hatte das Pferd als symbolisches Wesen nie seine praktische Funktion verloren. Auch als Bedeutungsträger war es immer der Menschenträger geblieben, das Nutztier, der Beweger – und umgekehrt. Am nächsten stand ihm, nicht nur genetisch gesehen, der Esel.[1] Philosophisch war er zweifellos der bedeutendere Kollege, aber wann, außer beim Einzug nach Jerusalem, hatte das Grautier (*the Jerusalem pony*) je eine politisch bedeutsame Rolle gespielt? Literarisch und philosophisch war der Esel gleichen Ranges; politisch spielte das Pferd in einer anderen Liga.

Kraft seiner Geschwindigkeit, als animalischer Vektor, war das Pferd zum politischen Tier und wichtigsten Gefährten des Homo sapiens geworden. Sein Ross machte ihn zum Herrscher über alle anderen Spezies und vor allem über die eigene. «Der Reiter», schreibt der Ökonom Alexander Rüstow, «erscheint auf dem Schauplatz der Geschichte sozusagen als eine neue Menschenrasse von gewaltiger Überlegenheit: Mit einer Scheitelhöhe von über zwei Metern und einer Bewegungsgeschwindigkeit, welche die des Fußgängers um ein Mehrfaches übertrifft.»[2] Dem praktischen Nutzen des Tieres entsprach sein symbolischer Nutzwert: Das Pferd war im selben Atemzug praktisches Dasein und lebendige Metapher. Es verbreitete Schrecken und gab zugleich dem Schrecken ein Gesicht. Es gab dem Menschen die Macht, Herrschaft zu erlangen und zu sichern und lieferte ihm gleichzeitig das adäquate Bild der Herrschaft. So dass die Repräsentation der Herrschaft gar nicht mehr umzusatteln brauchte: Das Pferd war gleichsam von Natur aus die absolute politische Metapher.

Die Verbindung von Pferd und Reiter ist eines der ältesten und stärksten Symbole der Herrschaft. Seine Wirkung war höchst erstaunlich: Fast war es gleichgültig, ob einer bereits Herrscher war, gesalbt und gekrönt, wenn er zu Pferde stieg – das Ross und seine erhöhte Position würden ihn in den Augen der anderen dazu machen. Umgekehrt bewies sich die Qualität, die ein Fürst als Regent, Menschenführer und Staatenlenker besaß, in der Qualität, mit der er zu Pferde saß: Die legitime Macht des Princeps erwies sich in der Grazie und Leichtigkeit, mit der er sein Reittier lenkte.[3] Bis tief in die Dämmerung des Pferdezeitalters hinein behielt das Reiten als Metapher seine Kraft – wenn etwa Freud 1923 das Ich mit einem Reiter verglich, «der die überlegene Kraft des Pferdes zügeln soll, mit dem Unterschied, daß der Reiter dies mit eigenen Kräften versucht, das Ich mit geborgten».[4]

Das Wort Metapher kommt aus dem Griechischen, *metaphorein* heißt tragen, anderswohin tragen, und in diesem Sinn bezeichnet der Ausdruck den Akt, durch den etwas von hier nach da übertragen wird, zum Beispiel eine Bedeutung von etwas wörtlich Gesagtem auf etwas eigentlich Gemeintes. Anders gesagt, das metaphorische Vermögen besteht in einer geistigen Transportleistung oder einem Sprung aus Kontexten, die schwach genug bestimmt sind, um einen derartigen Ausflug zuzulassen.[5] Unter allen historischen Akteuren, die fähig waren, solche Transportleistungen zu übernehmen, bot sich das Pferd als eigentümliches Doppeltalent an. Zeichnete es sich doch bereits in der *Ordnung des Realen* dadurch aus, dass es in der Lage war, etwas zu tragen und, zweitens, dieses Etwas anderswohin zu tragen. In dieser praktischen Doppelfunktion ließ es sich von keinem Lebewesen übertreffen; kein anderes erfüllte die Leistungen der Erhöhung und der Fortbewegung mit annähernder Zuverlässigkeit, Schnelligkeit und Grazie.

Hinzu kam das metaphorische Vermögen des Pferdes in der *symbolischen Ordnung*, sprich seine Fähigkeit, Ideen und Empfindungen eine einprägsame Gestalt zu geben. Das Pferd konnte nicht nur menschliche und andere Lasten tragen, sondern auch abstrakte Zeichen und Symbole; es war, mit den Worten Krzysztof Pomians, nicht nur ein *phoros*, ein Träger von Etwas, sondern auch ein *semiophoros*, ein Zeichenträger.[6] Der König, um bei diesem Beispiel zu bleiben, ist nicht irgendein Reiter oder eine physische Last in menschlicher Gestalt, er ist ein über und über mit Zeichen und Geschichten bedeckter, ein *beschriebener* Mensch. Sein Pferd, und insofern gehört dieses einer besonderen Klasse von Semiophoren an, trägt nicht nur das Ensemble von Zeichen und Geschichten namens König, sondern ist selbst integraler Teil der Semiotik, die den König erst zum König macht: *Le roi n'est pas roi sans son cheval*.[7] Das Pferd ist ein sichtbarer, lebendiger Teil der Königswürde, aber es ist zugleich auch der reale, praktische Inbegriff ihrer dynamischen Potenz. Richard III., dessen Pferd im Sumpf von Bosworth Field versinkt, sieht sich nicht nur eines entscheidenden Teils seiner agonalen Potenz, nämlich seiner Fluchtgeschwindigkeit beraubt; er erfährt auch die Dissoziation seines *Königtums*. Das Königreich, das er in diesem Augenblick gegen ein Pferd einzutauschen bereit ist, ist nur dessen anderer, statischer Teil.

Der praktischen *Geschichtsfähigkeit* des Pferdes entsprach mithin eine kaum geringere literarische *Geschichtenfähigkeit*. Beide Potenzen spiegelten sich ineinander und erhöhten das singuläre metaphorische Vermögen des Pferdes, reale und imaginäre Kontexte im Sprung zu transzendieren oder gleichsam mit einem Hufschlag zum Kollabieren zu bringen. So dass man nicht fehlgehen wird, wenn man das Pferd als das metaphorische Tier schlechthin bezeichnet. Wobei immer wieder zu unterstreichen ist, dass das metaphorische Tier, das Bilder- und Bedeutungstier immer ein Teil der greifbaren, materiellen Wirklichkeit geblieben ist. Oder sich in überraschender Weise rematerialisieren konnte, wie jener metaphorische Löwe, der eines Nachts dem Philosophen und Metaphorologen Hans Blumenberg erscheint: «habhaft, fellhaft, gelb»[8]. Auch das Pferd war, allen Sublimationen und Projektionen zum Trotz, eine solche schnaubende, nickende, mit den Hufen scharrende und wohlriechende Realität geblieben. Metaphern und Bilder kann man kritisieren – aber wie kritisiert man eine reiche und *komponierte*[9] Natur?

Ein Bauer steht auf einem Feld, so beginnt ein Rätsel, ihm kommt ein Pferd entgegen. Im nächsten Augenblick ist der Bauer verschwunden. Was ist geschehen? Die Lösung lautet: Das Feld war Teil eines Schachbretts, der Bauer wurde von einem Pferd oder Springer geschlagen. Alle Tiere sind in die Arche gekommen, aber nur eines hat es auf das Schachbrett geschafft; nur das Pferd ist Teil des königlichen Spiels geworden. Mit zwei anderen Figuren, dem Läufer und dem Turm, gehört der Springer zu den mittleren Figuren oder Offizieren, die sich durch ein höheres Maß an Beweglichkeit auszeichnen als die Infanterie der Bauern. Unter diesen Figuren hat der Springer die höchsten Mobilitätspotenzen; er kann sich gleichzeitig vorwärts/rückwärts und seitwärts bewegen. Das macht diese Figur so gefährlich und so attraktiv.

Napoleon

Regieren ist Reiten.
Carl Schmitt

Im Spiegel der Mistpfütze

Wenige Autoren der europäischen Literatur haben die eigentümliche Doppelnatur des Pferdes so kunstvoll einzusetzen gewusst wie Heinrich von Kleist in seiner Erzählung vom unverdienten Geschick und furchtbaren Gerechtigkeitsstreben des Pferdehändlers Michael Kohlhaas. Zu Beginn der Geschichte, als die Welt des Pferdehändlers noch in Ordnung ist, sehen auch die beiden Rappen, die er als Pfand wird zurücklassen müssen, noch glatt und glänzend aus; die Ritter, die sie und die anderen Tiere des Kohlhaas bewundern, finden, «dass die Pferde wie Hirsche wären und im Lande keine bessern gezogen würden»[10]. Als hingegen der Kohlhaas zurückkommt, um seine Rösser wieder abzuholen, findet er an ihrer Statt ein Paar abgehärmte Mähren, die bei der Feldarbeit geschunden wurden und in einem Schweinekoben[11] stehen mussten. Luther, den er in seiner Not, nachdem ihm das Recht versagt wurde und er zur Gewalt griff, aufsucht, erweist sich als ein Mann der Bücher und des Papiers, ein hartherziger Pfaffe und eine rechte Advokatenseele.

Der Tiefpunkt der Erniedrigung, die dem Kohlhaas widerfährt, ist erreicht, als dieser seine Rappen oder vielmehr ihre Schatten in der Stadt Dresden wiedersieht. Dort, wo man sein Recht endgültig mit Füßen treten wird, findet er auch seine Rappen wieder, an den Karren eines Abdeckers angebunden, der neben ihnen schamlos sein Wasser abschlägt. Die folgende Szene, in der der Rosshändler die Tiere als die seinen anerkennt, obgleich sie durch den *unehrlichen* Beruf des Abdeckers selber unehrlich geworden sind, spielt auf dem Markt der Stadt, der sich in einer großen *Mistpfütze* (von Kleist im Abstand weniger Zeilen zweimal erwähnt) gleichsam in seiner Wahrheit gespiegelt sieht. Der wahre Index der moralischen Lage des Landes sind freilich weder die intriganten Mitglieder der Junkerkamarilla noch der nach Rache dürstende Rosshändler, sondern die beiden Rappen, die alles Unrecht der Welt an ihren geschundenen Leibern sichtbar werden lassen. In dieser Funktion kehren sie auch am Ende der Geschichte, kurz vor der Hinrichtung des Kohlhaas und nach gebührender Bestrafung seines Widersachers, als dergestalt Recht und Ehre wiederhergestellt sind, noch einmal auf die Bühne zurück als «die beiden von Wohlsein glänzenden, die Erde mit ihren Hufen stampfenden Rappen»[12].

Zweifellos biegt Kleist, wenn er im *Michael Kohlhaas* das Pferd als Metapher oder moralischen Pegelstab gebraucht, von der Hauptstraße der überlieferten Herrschaftsikonologie ab. Für diese ist nicht das *Pferd*, sondern das *Reiten* die traditionelle Hauptmetapher. Allerdings will Kleist auch etwas Anderes zum Ausdruck bringen als das, was Aufgabe des traditionellen Herrscherbildnisses ist. Seine Rappen sollen nicht die gute Regierung oder die Macht und Linienkompetenz eines Fürsten wiederspiegeln, sondern etwas schwerer Greifbares sinnfällig machen: die fatale Kontingenz der Rechtslage in einem Land wie dem Kurfürstentum Sachsen. Für diese Aufgabe eignen sich Pferde so gut, weil sie wie die Kühe des Pharao bald klapperdürr und bald von Wohlsein glänzend aus der Elbe steigen und als Indikatoren funktionieren können. Anders als traditionelle Figurationen der Gerechtigkeit wie die Justitia personalisieren Pferde den Zustand der Gerechtigkeit nicht; sie zeigen ihn bloß an.

Kleists Gebrauch des Pferdes als Metapher geht allerdings weiter und scheut nicht vor deren Inversion zurück. In der abendländischen

Überlebender der
ikonoklastischen
Geschichte:
Francesco Piranesi,
Reiterstatue von
Marc Aurel, 1786.

Der da oben, die
da unten, Pferde,
wohin man sieht:
Der städtische Platz
des 19. Jahrhunderts.
Reiterstandbild des
Feldmarschalls
Radetzky auf dem
Platz am Hof in
Wien.

Tradition hat bekanntlich das *weiße Pferd* eine besondere mythologische und eschatologische Bedeutungslast zu tragen. Antikem Mythos entstammt die solare Bedeutung der Rosse des Helios, christlicher Eschatalogie die des Schimmels der Apokalypse, der Christus als Weltenrichter trägt. Das Pferd als Symbol der Sonne findet sich, wie Jörg Traeger summarisch feststellt, «in fast allen Kulturen» und strahlt als solches auf die beiden wichtigsten Reiterfiguren des christlichen Mittelalters und der Neuzeit ab: «Der hl. Georg und der christliche Kaiser zu Pferd sind die ikonographischen Nachfolger des berittenen Sonnengottes.»[13] Auch Napoleon wird von den Malern seiner Zeit in diese Tradition gestellt und fast ausschließlich auf weißen Pferden, in der Regel Hengsten, dargestellt. An die Stelle dieser absoluten Metapher, die Stelle des weißen Pferdes also, setzt Kleist die zweifache Verneinung eines Rappenpaars. Dieses Paar schickt er nun auf eine *descensio ad inferos*, die auf dem Marktplatz zu Dresden ihren tiefsten Punkt und in einer Mistpfütze ihren Höllensee erreicht. In der letzten Szene, unmittelbar vor Hinrichtung und Tod des Kohlhaas, bezeugt das Auftreten der zwischenzeitlich für tot und begraben erklärten und nun völlig wiederhergestellten Rappen die Möglichkeit einer erneuten *ascensio* oder Wiederkehr von den Toten: Die Pferde sind ihrer bereits auf wunderbare Weise teilhaftig geworden; ob sie auch dem menschlichen Sünder winkt, lässt Kleist offen.[14]

Der historische Augenblick, in dem Kleist seine Geschichte vom erniedrigten und empörten Rosshändler niederschreibt, das Jahr 1808, bietet einen guten Aussichtspunkt, um den Blick nach vorwärts und rückwärts schweifen zu lassen. Nach vorn, in die Zukunft gesehen, übersieht man das letzte Jahrhundert der Pferde: Einhundert Jahre später werden motorgetriebene Kraftdroschken durch das Brandenburger Tor fahren, durch das, rückwärts gesehen, erst vor kurzem, am 27. Oktober 1806, Napoleon an der Spitze seiner siegreichen Truppen gezogen ist – Napoleon oder der Heros zu Pferde, der große Erneuerer der alten Herrscherformel. Noch einige Jahre früher, 1797, hatte Kant beklagt, dass der neue König von Preußen, Friedrich Wilhelm III., sich in einer Kutsche nach Königsberg begeben hatte, statt sich seinem Volke zu Pferde zu zeigen. Auch Kant mochte gedacht haben, der

König sei nicht König ohne sein Pferd, oder richtiger: der König sei König nur *als Reiter* – hatte er nicht, wenngleich aus sicherer Entfernung, als Zeitgenosse miterlebt, wie die revolutionären Pariser am 11. und 12. August 1792 die vier Reiterstatuen der Bourbonenkönige und drei Tage später auch das Reiterstandbild Heinrichs IV. gestürzt hatten? Wie zeitgenössische Stiche zeigten, hatten die Revolutionäre es nicht dabei belassen, die verhassten Könige vom Pferd zu holen, sondern auch deren Rösser umgerissen.[15] Wer Symbole zu lesen verstand, wusste, dass fortan der Kopf des Königs keinen Sou mehr wert war: Ein König war nur König, solange er zu Pferde saß. Wer Hand an sein Ross legte, brachte auch den König zu Fall. Auch wenn dies einstweilen bloß *in effigie* geschah.

Kants unmutige Sorge war nicht unbegründet. Als am 15. Februar 1798 französische Jakobiner in Rom die erneuerte Römische Republik ausriefen, gab es guten Grund, für den letzten Kaiser der Antike zu fürchten. Anders gesagt: um das letzte Reiterbildnis eines antiken Herrschers zu zittern. Vollzog sich das revolutionäre Spektakel doch auf dem Kapitol, unmittelbar beim Standbild des Marc Aurel, vor dem die Franzosen einen Freiheitsbaum aufgestellt hatten.[16] Wie durch ein Wunder blieb die Statue erhalten und mit ihr das letzte antike Glied in einer Kette, welche die Renaissance wieder aufgenommen und fortgesetzt hatte. Die Städte der Antike muss man sich voller Reiterdenkmäler denken; schon Cicero spottete über den «Schwarm» der Bildnisse, der seinerzeit das Kapitol erfüllte, und mit der Zeit, genauer mit dem Verlauf der Kaiserzeit, nahmen jene an Zahl und Umfang zu. Auch die beiden Haupttypen des Reiterdenkmals, das *schreitende* Pferd, wie man es bei Marc Aurel sieht, und das *steigende* Pferd (das Ross in der später so genannten *Levade*) waren damals bereits vollständig entwickelt.[17] Aber außer dem einen Stück auf dem Kapitol hat sich keines der großen Bildnisse erhalten.[18]

Seitdem mit der Schaffung der ersten neuzeitlichen Reiterbilder und -statuen in Florenz, Padua, Venedig und Piacenza das antike Bildschema wiederbelebt und auf die Fürsten und Feldherrn der Renaissance übertragen worden war[19], griffen die Maler gern zur dynamischen Formel der Levade, während die Bildhauer aus stati-

schen Gründen die Pose des schreitenden – betont «rhetorisch» aus-
schreitenden – Pferdes bevorzugten. Eine berühmte Ausnahme[20] bildete das Reiterstandbild Ludwigs XIV. von Bernini, das allerdings in
den Augen des allerhöchsten Auftraggebers keine Gnade fand und in
einen Winkel des Schlossparks von Versailles verbannt wurde. Im Verlauf des 17. und 18. Jahrhunderts avancierte die Levade so erfolgreich zur «Königsformel» des malerischen Reiterporträts, dass ein in
dieser Haltung dargestelltes reiterloses Pferd – Stubbs' *Whistlejacket* –
genügte, um alle Welt davon zu überzeugen, dass es sich um ein un-
fertiges Bild handele, in das der englische König nur noch hineingemalt
zu werden brauchte.[21] Englischer König zu jener Zeit war George III. –
derselbe, dessen Reiterdenkmal am 9. Juli 1776 mitsamt dem Pferd gestürzt worden war, nachdem man dem Volk von New York die Unab-
hängigkeitserklärung vorgelesen hatte (Tafel 18/19).[22]

Napoleon mochte das Schicksal all dieser Königsdenkmäler vor
Augen stehen, als er sich beharrlich allen Plänen verweigerte, einen
der prominenten Plätze der Hauptstadt mit seiner Reiterskulptur zu
schmücken. Ob ihm, wie Volker Hunecke vermutet, «bewußt (war),
daß das Reitermonument, Symbol dynastischer Fürstenherrschaft par
excellence, nicht zu ihm paßte»[23], dem Parvenü und Usurpator, sei
dahin gestellt. Umso bereitwilliger ließ er sich von David, Gros, den
beiden Vernets und anderen Malern seiner Zeit als Reiterheros und
Strategen malen.[24] Als David im Jahr 1800 die erste von fünf Fassun-
gen der berühmten Alpenüberquerung (*Bonaparte franchissant le
Grand-Saint-Bernard)* malte[25], ahnten vermutlich weder der Maler
noch sein Modell, dass dieses Reiterporträt das Zeug zu einer Jahr-
hundertikone hatte, die, hundert Mal paraphrasiert und parodiert,
der fixen Idee des 19. Jahrhunderts vom großen Mann und welthistorischen Individuum ihren emblematischen und gültigen Ausdruck verleihen sollte. Mit sicherem Instinkt lehnte Napoleon das Attribut des
gezückten Säbels ab, mit dem David ihn malen wollte: «Nein, mein
lieber David, Schlachten gewinnt man nicht mit dem Schwert. Ich
möchte ruhig auf einem feurigen Pferd gemalt werden.»[26]

Entscheidendes Attribut des neuen Herrschertyps war nicht sein
Feldherrnstab oder seine Waffe, sondern seine souveräne Ruhe inmit-

ten der entfesselten Energien des Krieges. In der bildhaften Übersetzung des Malers hieß das: inmitten des kreisenden Sturms des bewegten Beiwerks, bestehend aus Stücken von Tuch und Tier, der Toga des
Ersten Konsuls, Schweif, Mähne und Gliedern des Pferdes. Mit küh-
lem Kopf lenkte der Heros ein feuriges Pferd, und beide gemeinsam
ritten sie den Sturm: David malte Napoleon als Gott des Windes und
der Geschwindigkeit. Reiten als Metapher, die alte Formel der Herrschaft, hatte mit dieser Ikone ihre spezifisch moderne Facette erhalten,
das *Tempo*. Wer künftig herrschen wollte, musste vor allem eines sein:
schnell.

Den Sitzungen im Atelier von David vorangegangen waren Ereignisse, in denen sich Napoleons intuitives Verständnis der politischen
Bedeutung des Reitens in der unruhigen Realität des nachrevolutio-
nären Paris und seiner instabilen Machtverhältnisse glänzend bewiesen hatte. Um freilich Napoleons erfolgreiches Taktieren im Herbst
1799 zu verstehen, muss man sich das Scheitern des größten und
furchtbarsten unter seinen Vorläufern im Sommer 1794 ins Gedächtnis rufen.

Der achtzehnte Brumaire

Man schreibt den 27. Juli 1794, es ist der 9. Thermidor, der Tag, an
dem mit dem Sturz Robespierres die Schreckensherrschaft enden wird.
Am Morgen dieses Tages sind Robespierre und sein Freund und Ver-
trauter Couthon auf dem Weg von der Mairie zum Hôtel de Ville. Paris
ist unruhig, die Menschenmassen sind erregt, in jeder Faser seines ver-
sehrten Körpers spürt der gelähmte Couthon die Leidenschaften, die
dem Dirigenten des Schreckens entgegenschlagen. Robespierre, sagt
er, dies ist der Augenblick, aufs Pferd zu steigen! Führe das Volk gegen
den Convent! Nichts da, sagt Robespierre, ich kann nicht reiten, wir
wollen den Convent achten und durch Gründe gewinnen.[27] Obschon
Jurist wie Robespierre, weiß Couthon doch, welche Zeichen jetzt gesetzt werden müssen. Aber Robespierre verweigert sich, er ist Advokat
und will es bleiben, selbst in dieser Stunde vertraut er auf die Kraft des

Arguments: das Wort und nicht der Säbel! *Je ne sais pas monter à cheval*, sagt er, ich kann nicht reiten, und vielleicht will er es auch gar nicht.[28] Robespierres Waffe war stets das Wort, und wenige wussten es so gewandt zu führen wie der Advokat aus Arras. Aber an diesem Tag wird er das Spiel verlieren, und als er begreift, dass es verloren ist, greift er zur Pistole, um sich zu erschießen, aber selbst diese soldatische Geste misslingt ihm – sich totschießen kann er auch nicht.

Fünf Jahre später, im Herbst 1799, stehen die Planungen Sieyès' für einen Staatsstreich gegen das Direktorium kurz vor ihrem Abschluss. Am 30. Oktober kommt es zum Bündnis mit dem herzlich verabscheuten General Bonaparte. Jetzt hat Sieyès auch den geeigneten Mann für die Aktion; zehn Tage später werden die beiden losschlagen. Was tut der Abbé in diesen Herbstwochen, wenn er nicht die Fäden seiner Intrigen spinnt? Er nimmt Stunden: «Sieyès lernte um diese Zeit reiten!» notiert Jacob Burckhardt und erinnert sich: «Robespierre hatte es nie gelernt.»[29] Der Kleriker und Theoretiker, auch er ein Mann des Wortes, hat aus den Fehlern des Advokaten gelernt. Am Tag des Staatsstreichs, dem 18. Brumaire oder 9. November, macht freilich sein Spießgesell, der ruhmbedeckte General Bonaparte, so gut wie alles falsch – jedenfalls soweit es sich um rhetorische Aktionen handelt. Er hält wahnwitzige Reden, verrät die Absichten der Verschwörer, lässt seinen Willen zur Macht und seine Gewaltbereitschaft erkennen. Nur der parlamentarischen Erfahrung und dem Redetalent seines Bruders Lucien ist es zu verdanken, dass sich das Schicksal nicht zu Ungunsten der Putschisten wendet. Bloß in einem Punkt, dem des politisch-symbolischen Handelns, lässt sein Instinkt den General nicht im Stich: Wann immer es gilt, die Truppen hinter sich zu bringen oder die Massen zu beeindrucken, steigt er aufs Pferd.[30] Beim ersten Mal tut er es noch unbeholfen, eben erst ist er in der Ratsversammlung mit Faustschlägen und Flüchen (er wird sagen: mit Dolchstößen) traktiert worden, war kurze Zeit ohnmächtig, ist blass und ein wenig wacklig auf den Beinen; das Pferd, vom Tumult erschreckt, scheut und steigt, aber bald ist er wieder ganz er selbst, reitet Parade und verflucht die angeblichen Attentäter und Feinde des Vaterlandes.[31]

Mit der ungebrochenen Kraft des Herrschaftszeichens ist sein

Selbstvertrauen zurückgekehrt. In der Nacht wird er neben Ducos und Sieyès zum Konsul von Frankreich ernannt – ein später republikanischer Nachfahre Chlodwigs, von dem Gregor von Tours berichtet, im selben Augenblick, da er mit Diadem und Purpur aufs Pferd gestiegen sei, habe ihn das jubelnde Volk «Consul» und «Augustus» genannt.[32] Als sie gegen Morgen nach Paris zurückfahren, Sieyès, Lucien, der General Gardanne, Napoleon und sein Sekretär, wendet er sich zu diesem: «Bourienne, ich habe heute ziemlich viel Blödsinn gesagt. – Ja, ziemlich viel, General. – Ich spreche auch lieber zu Soldaten als zu Advokaten.»[33]

Das wird sich, wie er sogleich hinzusetzt, bald geben; Napoleon wird lernen, zu Advokaten zu sprechen; irgendwann wird ein berühmtes Gesetzbuch seinen Namen tragen. Aber bis zum Schluss, als er schon längst nicht mehr der junge Kriegsgott ist, zu dem Davids Pinsel ihn gemacht hat, sondern ein kleiner dicker Mann mit übler Laune und schlechten Manieren, wird er der Mann auf dem Pferd bleiben. Er mag sich als Jupiter auf dem Thron malen lassen, für die Nachwelt wird er der Reiter bleiben, der Soldatenkaiser, der Herrscher zu Pferde. Nietzsche, der nicht historisch, sondern typologisch dachte, sah in ihm den letzten antiken Heros und folgte bereitwillig Napoleons Selbststilisierung als wiedergeborener Alexander. Hegel, der ihn als «Weltseele zu Pferde» nach Jena einreiten sah[34], bewunderte ihn in seinen Vorlesungen über die Philosophie der Weltgeschichte als Mann, der aufzuräumen und zu herrschen wusste: «Was von Advokaten, Ideologen und Prinzipienmännern noch da war, jagte er auseinander, und es herrschte nun nicht mehr Mißtrauen, sondern Respekt und Furcht.»[35]

Wo der Held und echte Herrscher auftrat, hatte der Advokat ausgespielt. Vielleicht erklärt das auch den Hass der Advokaten gegen die Bildnisse der Heroen: Waren es nicht zwei Advokaten gewesen, Thuriot und Albitte, die im August 1792 in der Nationalversammlung die Anträge gestellt hatten, die Monumente des Despotismus zu zerstören? Als Herrscher *anerkannt* wurde freilich nur derjenige, der zu Pferde zu sitzen und zu reiten verstand. Dies ist die einfache Zeichenlehre, an die Couthon vergeblich seinen Freund erinnerte: Das Bild des Helden ist ein einfaches Piktogramm, ein Schema aus zwei Bestandteilen, oben ein Mann und darunter ein Pferd. Wie auf einem Verkehrsschild, das besagt: Achtung, Reiter! So sieht seit ältesten Zeiten ein Herrscher aus. Legitim oder nicht, ist nicht die erste Frage, die Hauptsache ist, man kann ihn fürchten.

Über die Legitimität der modernen Herrschaft, an die Robespierre denkt, wenn er dazu mahnt, den Convent zu achten, die Legitimität von Schrift und Wort, die Herrschaft des Gesetzes, ist mit dem Reiterschema nichts gesagt. Der Mann auf dem Pferd hat einen höheren Sitz, keine höhere Legitimität. Aber die Spezifik seines erhabenen Sitzes – ein Reiter zu sein – begründet seine Anciennität in der politischen Semantik. Thermidor ist die Tragödie des Advokaten, der 18. Brumaire die Komödie des Helden.

Große kleine Araber

Folgt man den Werken der Maler, die Napoleons Aufstieg begleitet haben, kann man sich des Eindrucks nicht erwehren, der Mann sei pausenlos auf weißen Pferden von einer Schlacht zur nächsten geritten: der Schimmelreiter der Weltgeschichte, Blondinen bevorzugt. Nun sind dies eindeutig Effekte der malerischen Überlieferung und der politischen Bildformel. Ein Weltenherrscher wie er hat auf einem weißen Pferd zu sitzen; diesen Tribut schuldet er der apokalyptischen Tradition. Hierin gehorchten die Ikonen Davids, Gros' und ihrer künstlerischen Zeitgenossen einer anderen Wahrheit, als es die der Historiker war. In der Realität diesseits der Ateliers scheint Napoleon zwar ein Liebhaber hellfarbiger Pferde gewesen zu sein (obwohl er auch einige schöne Rappen, Braune und Füchse besaß), aber die meisten von diesen waren von einem hellen Grau, wie es sich bei edlen Arabern und Berbern nicht selten findet. Diese Provenienz war für Napoleon das entscheidende Kriterium: Nach allem, was man von ihm als Reiter und Pferdebesitzer weiß, scheint er ein ausgesprochenes Faible für arabische Pferde, genauer arabische Hengste, besessen zu haben.

Man hat diese Neigung zu den feingliedrigen und nicht besonders großen Tieren aus dem Orient mit seiner geringen Körpergröße in Verbindung gebracht und vermutet, ihm sei geläufig gewesen, dass er auf größeren Pferden lächerlich wirkte. Aber abgesehen davon, dass das Gerücht von seiner angeblichen Kleinheit eher auf die Bosheit feindlicher Zeitgenossen und englischer Quellen zurückgeht (mit neuerdings berechneten 1,68 Meter Körpergröße besaß er das Mittelmaß seiner männlichen Zeitgenossen), lagen seiner Schätzung des arabischen Pferdes andere Motive zugrunde. Teils gründeten sie in der Natur der Tiere und teils in seinem Reitstil.

Schon lange bevor er am 1. Juli 1798 erstmals ägyptischen Boden betrat, scheint sich Napoleon bevorzugt auf eleganten, schnellen Pferden französischer, österreichischer und andalusischer Herkunft fortbewegt zu haben. Die Begegnung mit der Reitkunst der Mamelucken und die reiche Anschauung von den Qualitäten des orientalischen Pferdes, die ihm der Aufenthalt in Ägypten und Syrien vermittelte, öffneten ihm die Augen. Danach war an anderes als Araber nicht mehr zu denken. Die Schnelligkeit und Zähigkeit, vor allem die Wendigkeit des arabischen Pferdes, von der Schönheit seines «trockenen» Kopfes und der Feinheit und Eleganz seiner Glieder ganz zu schweigen, hatten den Willensmenschen, in dem sich ein Ästhet verbarg, hingerissen. Besonders beeindruckte ihn die Fähigkeit des gut trainierten arabischen Pferdes, aus vollem Lauf heraus jählings stehenzubleiben oder die Richtung zu wechseln. Diese Art von Agilität und Manövrierbarkeit gefiel dem ungeduldigen und zu abrupten Richtungswechseln neigenden Strategen. Tatsächlich ritt Napoleon nicht wie ein Kavallerist (der er auch nie gewesen war) oder Kenner und Liebhaber von Pferden, sondern wie ein ungestümer Berserker, der es gewohnt war, anderen seinen Willen aufzuzwingen, seien es Soldaten, Pferde oder Frauen.[36]

Es ging los mit dem, was man unter Autofahrern einen «Kavaliersstart» nennt. Griff er sich, unterwegs im Feld stehend, eines der Pferde, die beständig, 24 Stunden am Tag, gesattelt und geschirrt für ihn bereitstanden, ließ er sich sofort in vollen Galopp fallen, so dass sein Gefolge alle Mühe hatte, mit dem Anführer Schritt zu halten.[37] Zu jedem Zeitpunkt wollte er der Schnellste sein. Sein impulsiver und scharfer Reitstil führte dazu, dass er auf langen und schnellen Ritten seine Pferde zu Tode erschöpfte und häufige Stürze provozierte, über die tunlichst geschwiegen wurde.[38] Nicht anders verhielt er sich auf dem Kutschbock und riss gelegentlich, da er stets seinen Willen durchsetzen wollte, den Wagen mitsamt den Insassen um; einmal wäre er dabei selbst um ein Haar zu Tode gekommen.[39] Seine Haltung zu Pferde entsprach, wie auf vielen Abbildungen jener Zeit zu erkennen, keineswegs den Regeln vollkommener *horsemanship*. Zeitlebens behielt er den lässigen korsischen Reitstil bei, in dem das Pferd mangels Trense ähnlich wie ein Motorrad vorwiegend durch Verlagerung des Körpergewichts gelenkt wird, was, jedenfalls auf einem Pferd, nicht besonders elegant aussieht.[40] Je älter und schwerer er wurde, umso plumper, auch das verrät die zeitgenössische Ikonografie, wirkte seine equestrische Statur.

Napoleon, der nach Ägypten gegangen war, um nach dem Ruhm Alexanders zu greifen und das Land, aus dem jener die Perser vertrieben hatte, von den Osmanen zu befreien, Napoleon, der Ägypten französisch machen wollte, kehrte nach Paris zurück, um in den folgenden Jahren Frankreich zu orientalisieren und alle Welt mit seiner Ägyptomanie anzustecken. Dank der Mithilfe von Künstlern und Gelehrten wie Vivant Denon gelang es ihm, «ägyptisch» zum Stil des Kaiserreichs zu machen, und mit der Unterstützung von furiosen Reiterführern wie Joachim Murat brachte er seiner Kavallerie bei, so fließend zu reiten und tollkühn zu kämpfen wie die Mamelucken – nur mit viel höherer Disziplin als jene.[41] Für anderthalb Jahrzehnte wurde die napoleonische Kavallerie zu der am besten geführten und am meisten gefürchteten Waffengattung aller europäischen Armeen. Zwar ritten auch die englischen Kavalleristen, allesamt im wilden, ländlichen *steeple-chase* trainiert, furchtlos wie die Teufel drauflos, aber wenn es um rasche, geordnete Manöver ging, waren ihnen die Franzosen in ihrer heißen Melange aus orientalischem Furor und gallischer Disziplin weit überlegen.[42]

Durch das ägyptische Abenteuer raffiniert und durch die Visionen vom Orient befeuert, erwuchs aus Napoleons anfangs naiver Vorliebe für die eleganten kleinen Araber ein echtes Antidot gegen die Anglomanie, die noch über das Ancien Régime hinaus unter französischen

Reitern und in französischen Gestüten grassiert war.[43] Die mondänen Geschöpfe aus dem Orient, vom Nil und aus der Kabylei, deren endlose Stammbäume auf die Stuten Mohammeds zurückführten, lösten bei der Aristokratie des Kaiserreiches das englische Vollblut als Objekt des Begehrens ab.[44] Der Orientalismus der französischen Romantik, der schon zu Zeiten Napoleons eingesetzt hatte, sollte seinen Paten um ein halbes Jahrhundert überleben.

White horses, black boxes

Washington rallying the troups, so lautet der Titel eines klassischen Historienbildes aus dem Jahr 1848, das dem amerikanischen Maler William T. Ranney zugeschrieben wird (Tafel 20/21).[45] Es zeigt George Washington, der sich in die Schlacht von Princeton wirft, um seine versprengten Truppen zu sammeln. Es steht schlecht um die Sache der Amerikaner, die soeben ihren General, Hugh Mercer, an die Bajonette hessischer Söldner verloren haben. In dieser Situation, so wird berichtet, wirft Washington sich aufs Pferd, sprengt ins Getümmel und rettet die Situation. Mit dem Doppelgefecht von Trenton und Princeton wendet sich das Kriegsglück im Unabhängigkeitskrieg. Ranneys Bild, das siebzig Jahre nach der Schlacht von Princeton entsteht, stützt sich auf historische Quellen, aber seine Bildidee stammt nicht aus Texten. Auch die ästhetische Wahrheit braucht ihre Schwurhelfer. Ranneys wichtigster Zeuge heißt Jacques Louis David.

Offenkundig greift Ranneys Darstellung von Washingtons Aktion zurück auf Davids Gemälde von Napoleon, der die Alpen überquert. Davids Bild ist rasch berühmt geworden; schon kurz nach seinem Entstehen im Jahr 1800 wurde es von deutschen Malern kopiert.[46] Das auf der Hinterhand sich aufbäumende weiße Pferd, die Haltung des Reiters, das vom Sturm bewegte Beiwerk (Schweif und Mähne des Rosses, dort das Gewand Napoleons, hier die Fahne Washingtons), der gesamte Kolorit des Bildes mit seinen Sand- und Ockertönen und seiner differenzierten Graublau-Palette (der Staub um Washington lässt sich als Hinweis auf Zeus als Wolke lesen) – in der Kombination dieser Elemente entsteht eine Bildformel, die indifferent ist gegen eventuelle Differenzen im Detail. Für jedermann sichtbar lässt die Formel den Schemen Bonapartes erkennen.

Obwohl Davids Gemälde dem historischen Ereignis, Napoleons Alpenüberquerung im Mai 1800, auf dem Fuß folgte, scherte sich der Maler nicht im geringsten um Fragen der historischen Wahrheit. David stellte Napoleons Alpenübergang als Werk eines jugendlichen Heros dar. Mit der ausgestreckten Rechten weist dieser den Weg, auf dem ihm, wie die Inschrift auf den Felsen besagt, zwei welthistorische Individuen vorangegangen sind, Hannibal und Karl der Große. In Wahrheit hatte sich Napoleons Kampagne weniger spektakulär vollzogen. Auf einem Maultier reitend, war er im Abstand einiger Tage der Hauptmasse der Armee gefolgt. Paul Delaroche malte 1848 eine Version der Ereignisse, die der historischen Wahrheit wesentlich näher kam. Aber zu diesem Zeitpunkt, 1848, hatte sich Davids Vision längst verselbständigt und war von keinem Dementi, ob geschrieben oder gemalt, mehr einzuholen. Sie war zum gültigen Bild Napoleons geworden, und durch ihn zur dominierenden Ikone historischer Größe. Washington, der Held von Princeton, sollte nicht der einzige bleiben, der in dieses Schema eintreten musste.

In diesem Fall wies freilich das ikonografische Nachleben der beiden Großen eine besondere Ironie auf: Hatte Washington doch während der gesamten Zeit der Französischen Revolution die Rolle eines Leitbilds gespielt. Als *Cincinnatus moderne* war er verehrt worden, ein Mann, der militärischen Ruhm und republikanische Tugend vereinte. Er war der Bürger, der es abgelehnt hatte, König zu werden.[47] Es musste dem jungen Bonaparte schmeicheln, wenn er in den Jahren seines Aufstiegs als *Washington français* oder *jeune Washington* apostrophiert wurde.[48] Umgekehrt beließ die Formel vom jungen Washington denen, die seinem Aufstieg beiwohnten, die beruhigende Hoffnung, auch Bonaparte werde, wenn die Zeit gekommen sei, statt zum Diktator oder Monarchen zu werden, sich der republikanischen Werte besinnen.[49]

Mit dem 18. Brumaire war diese Hoffnung dahin; von nun an nahm sich Bonaparte in den Augen seiner kritischeren Zeitgenossen wie ein

Die Revolution reitet:
Emiliano Zapata zu Pferd.

Der Faschismus tut es ebenfalls: Mussolini zu Pferd.

zweiter Cäsar oder Cromwell aus. Spätestens mit der Kaiserkrönung, so schrieb François Furet, «verlässt Bonaparte die Welt Washingtons, um an die Tradition der Könige anzuknüpfen»[50]. Der Gefangene von Sankt Helena hat noch einmal den Vergleich mit Washington aufgegriffen und sich als *Washington couronné* bezeichnet: Für ihn habe es nie eine andere Wahl gegeben.[51] Es sollte nur drei Jahrzehnte dauern, bis sich das Blatt abermals wendete. Jetzt war es Washington, der, von Ranney gemalt, ins Bildschema Napoleons eintrat: Um 1848 machte der Pinsel des Malers aus Washington einen *Bonaparte américain.*

Washington war nicht der erste und sollte nicht der letzte militärische Führer bleiben, der gelegentlich aufs Pferd springen musste, um seine Truppen an der Verstreuung oder gar Flucht zu hindern. Noch im russischen Bürgerkrieg konnte es vorkommen, dass dem Oberkommandierenden der Roten Armee keine andere Wahl blieb: «Einmal bestieg er sogar ein Pferd, trieb die zurückweichenden Soldaten zusammen und führte sie zurück in den Kampf», heißt es von Leo Trotzki.[52] Allerdings gab es keinen revolutionären David, nicht einmal einen sowjetischen Ranney, um seine heroische Aktion in die bewährte Bildformel einzutragen. Der Bürgerkrieg war kein Milieu für Historienmalerei, und wenige Jahre nach seinem Ende verfiel Trotzki der *damnatio memoriae* und verschwand aus dem offiziellen Bildgedächtnis. Den Wert der Pferde oder vielmehr der Kavallerie hatte er im übrigen immer unterschätzt, bis ihn ein erfolgreicher Überfall der roten Reiterei auf die Kosaken der Weißen im Oktober 1918 eines Besseren belehrt hatte: «Proletarier auf die Pferde!» hieß von nun an die Parole.[53] Es klang wie ein Echo auf Schillers «Reiterlied» aus *Wallensteins Lager* und hatte vielleicht einen ähnlich revolutionären Hintergrund: Sitzt der gemeine Mann erst einmal zu Pferde, ist der Umsturz nur einen Hufschlag entfernt.

In der Bildergalerie der Diktatoren und Gewaltherrscher des 20. Jahrhunderts machen sich die weißen Pferde rar, von den Levaden ganz zu schweigen. Im Gegensatz zu Mussolini, der bereitwillig in alle Kostüme schlüpfte und in alle Bildformeln eintrat, die der antike, namentlich der römische Fundus für ihn bereithielt, wozu auch die imperialen Herrschafts- und Segensgesten der Cäsaren zu Pferde gehörten, konnte und wollte Hitler nicht reiten, verabscheute Pferde und sah der Auflösung der Kavallerieregimenter des Heeres beifällig zu. Der Dritte im Bund der Achsenmächte schließlich, der japanische Kaiser, zeigte sich gern auf einem Schimmel, seiner Generalität vorwegreitend. Offenbar hatte sich dieses Bild auch dem amerikanischen Kriegsgegner eingeprägt: In dem Film *December 7th* von John Ford, der vom Angriff auf Pearl Harbour und vom Kriegseintritt der USA handelte, ritt ein schemenhafter Tenno in den Traum des schlafenden Uncle Sam hinein (S. 273).

Das revolutionäre Russland wiederum hatte, wie schon der Fall Trotzki zeigt, ein komplizierteres Verhältnis zum Pferd und dem mit ihm verbundenen Herrschaftsformeln. Lenin, so will es scheinen, zog einen Schlussstrich unter das Pferdezeitalter und dessen Symbolik. Als am 3. April 1917 kurz vor Mitternacht sein Zug, aus Zürich über Berlin gekommen, in den finnländischen Bahnhof von Petrograd einlief, stieg er, statt sich auf ein Pferd zu schwingen, auf das Dach eines Kraftwagens, um zu der wartenden Menge zu sprechen, bevor er im Panzerwagen davonfuhr. Aber damit war die Sache noch nicht zu Ende. Zwar hatte Stalin, der in seiner Jugend geritten war, in seiner späteren Bildpropaganda als roter Zar für Pferd und Reiter keinen Platz mehr. Aber offenbar scheint er sich der Bedeutung gewisser Bilder erinnert zu haben. Als im Juni 1945 der russische Oberkommandierende, der populäre Marschall Schukow, der schon in Budjonnys Reiterarmee gekämpft hatte, bei der Siegesparade auf dem Roten Platz den Sowjettruppen auf einem weißen Pferd voranritt (S. 273) und sich anschließend in einer Paraphrase oder Travestie von Davids Napoleonbild als Sieger über das faschistische Berlin porträtieren ließ (Tafel 23), trug dieser kühne Griff nach der alten Königsformel mit dazu bei, ihn bei Stalin in Ungnade fallen zu lassen. Schukow verschwand in der politischen Versenkung, aus der erst Stalins Nachfolger ihn wieder hervorholten.

Die andere schwer verwüstliche Formel, die Opposition von Krieger und Advokat, hatte schon Nietzsche zu demontieren versucht, als er, Hippolyte Taine zitierend, den Advokaten in Napoleon entdecken wollte: «Der Advokat ist bei Napoleon von ebenso großer Bedeutung wie der Feldherr und der Verwaltungsmann. Das Wesentliche dieser Begabung ist, sich nie der Wahrheit zu unterwerfen ...»[54] Wirklich zu Tode geritten wird die Formel freilich erst Jahre später.[55] In seiner Erzählung *Der neue Advokat* schließt Kafka, indem er das Gegensatzpaar des Helden, repräsentiert durch dessen Heldenross, und des Advokaten synkopiert, ein für alle Mal das Heroenkapitel der Weltgeschichte. «In seinem Äußern», so heißt es von dem neuen Advokaten namens Dr. Bucephalus, «erinnert wenig an die Zeit, da er noch Streitroß Alexanders von Makedonien war.»[56] Aber ein einfältiger Gerichtsdiener «mit dem Fachblick des kleinen Stammgastes der Wettrennen» durchschaut den Fall, als er dem Advokaten zusieht, wie dieser, «hoch die Schenkel hebend, mit auf dem Marmor aufklingendem Schritt» die Treppe zum Gericht emporsteigt. Nachsichtig duldet man dort den Bucephalus, weil er «wegen seiner weltgeschichtlichen Bedeutung ... Entgegenkommen verdient». Die Zeiten freilich, in denen irgendwer noch nach Indien zu führen wusste, sind vorbei, und so wird es das Beste sein, «sich, wie es Bucephalus getan hat, in die Gesetzbücher zu versenken» und «bei stiller Lampe, fern dem Getöse der Alexanderschlacht» die Blätter unserer alten Bücher zu wenden. Die Zeit der Helden ist vorbei und mit ihr die der Schlachtrösser. Geblieben ist ein Advokat, der wie ein legendäres Pferd heißt und mit der Mähne den Staub von den Akten wischt, ein stiller, braver Bürohengst.

Als Ulrich, der Protagonist des «Manns ohne Eigenschaften», mit dessen Niederschrift Robert Musil 1921 beginnt, vier Jahre nach Kafkas Erzählung, sich seines jugendlichen Wunsches erinnert, ein bedeutender Mann zu werden, bemerkt er zwar den Zusammenhang seiner einstigen Bewunderung für Napoleon und seiner Entscheidung zum Eintritt in ein Reiterregiment. Als er aber kurz darauf in der Zeitung von einem «genialen Rennpferd» liest, dämmert ihm die Erkenntnis, dass ihm das Pferd zuvorgekommen ist, und dass «der Sport und die Sachlichkeit verdientermaßen an die Reihe gekommen (sind), die veralteten Begriffe von Genie und menschlicher Größe zu verdrängen».[57]

Der vierte Reiter

In die Fahne der Vereinigten Staaten gehüllt, ruhte der Sarg des Präsidenten auf einer Lafette, vor der sechs weiße Pferde gingen. Ein einzelner Fahnenträger folgte dem Trauerfuhrwerk, ein Soldat der Marine, der der Präsident selbst vormals angehört hatte. Was danach, an dritter Stelle des Zuges, kam, blieb für die meisten Zuschauer das rätselhafteste Element in der langen Prozession. Von einem Soldaten in Paradeuniform am Zügel geführt, lief unruhig tänzelnd ein braunes, reiterloses Pferd (S. 281). Das Tier war vollständig gesattelt und trug in den Steigbügeln ein Paar Reitstiefel in umgekehrter Richtung – so als hätte der Reiter, der sie zurückließ, rückwärts zu Pferde gesessen. Da John F. Kennedy zu keiner Zeit Kavallerist gewesen war, konnte es sich nicht um einen Hinweis auf seine militärischen Anfänge handeln. Aber auch wenn Sinn und Herkunft des Symbols den meisten Zeugen der Zeremonie vom 25. November 1963 dunkel blieben, dürfte die Kraft des seltsamen Bildes niemanden unberührt gelassen haben. Das reiterlose Pferd mit den umgekehrten Stiefeln, eine nervöse, tänzelnde und schnaubende Skulptur, evozierte nichts weniger als den Tod.

The caparisoned horse heißt das Trauerpferd des amerikanischen Staatsbegräbnisses. Beim Begräbnis George Washingtons im Jahr 1799 soll es zum ersten Mal zum Einsatz gekommen sein, 1865 lief es hinter Abraham Lincolns Sarg, und später sah man es in den Trauerkondukten von Franklin D. Roosevelt (1945), Herbert Hoover (1964), Lyndon B. Johnson (1973) und Ronald Reagan (2004). Als *caparison* (vom französischen *caparaçon*) bezeichnet man den Mantel, in den das Pferd gehüllt ist. Er umfasst eine Kapuze für den Kopf und geht zurück auf die massiven Schabracken mittelalterlicher Turnier- und barocker Trauerpferde. Seinem Namen zum Trotz trägt das *caparisoned horse* des US-Militärs nur noch Zaumzeug, Sattel und unter dem Sattel eine elegante schwarze Decke mit weißem Rand. Umso mehr stechen die in rückwärtiger Richtung weisenden Stiefel ins Auge. Durch schlichte Reduktion, durch das Weglassen der Schabracke und aller Schmuckelemente und durch Hinzufügen eines Details, eben der Stiefel, hat das militärische Zeremoniell eine Pathosformel geschaffen, die an Knappheit und Eindringlichkeit kaum zu überbieten ist. Anders als ihre barocken Vorgänger spricht sie nicht weitschweifig von der Vergänglichkeit des Irdischen, der Eitelkeit des menschlichen Seins und der Unvergänglichkeit des Ruhms; sie gibt dem Tod selber das Wort. Doch der große Umkehrer aller Dinge spricht nicht; einzig das Geklapper von Pferdehufen unterbricht die Stille.

Die populären Deutungen, die das Ritual begleiten und Auskunft über seine historische Herkunft versprechen, erschöpfen sich in Hinweisen auf Figuren wie Dschingis Khan, Buddha und tote Indianerhäuptlinge, die mitsamt ihrem Pferd begraben wurden. Statt den Nebel über den Ursprüngen aufzulösen, verdichten sie ihn.[1] Ungewollt komisch wirkt die Erläuterung, die umgedrehten Stiefel repräsentierten den gefallenen Anführer, der sich ein letztes Mal zu seinen Truppen umwendet[2] – so als habe dieser wie ein Turner die Kehre auf dem Pferd vollzogen und gegen dessen Laufrichtung Platz genommen. Der Qualität der Bildformel entspricht die Hilflosigkeit der Deutungen: Was große Bilder und Symbole auszeichnet, ist die Tatsache, dass jeder ihre Wucht verspürt, auch wenn die Wenigsten sie lesen können.

Allerdings gehört die Figur der *Umkehrung*, etwa von Waffen oder Schilden, seit dem Mittelalter zum Ritualbestand fürstlicher und militärischer Trauerzüge[3] – ebenso wie der Brauch, dem Sarg des Verstorbenen dessen Leibross nachzuführen.[4] Dieses Zeremoniell beobachtete der junge Hermann Heimpel in München vor dem Ersten Weltkrieg

anlässlich der Beisetzung des Prinzregenten Luitpold: «Den Leichen-
zug sah Erhard von einem Balkon in der Arcisstraße gegenüber dem
Garten der Glyptothek. Die Königliche Sattelkammer war lebendig
geworden: so viele Pferde, Schabracken, Bereiter. Die Gugelmänner
zogen als düstere Mummerei vor dem Sarge. Dieser ruhte auf einem
Wagen, den zwölf Pferde, mit schwarzen Decken überhangen, zogen,
von Pferdehaltern geleitet; doch hoch oben auf dem Bock des Leichen-
wagens thronte im Schmuck seines Dreispitzes der Kutscher, in den
Fäusten ein gewaltiges Zügelwerk. Dem Toten wurde das Leibpferd
nachgeführt – ‹spanisch-burgundisches Hofzeremoniell›, hörte Erhard
hinter sich sagen.»[5]

Im Unterschied zu den Ursprüngen des Rituals ist die Identität des
amerikanischen Trauerpferds gesichert. Das Pferd, das, fortwährend
tänzelnd und seitwärts ausbrechend, dem Sarg Kennedys folgte, trug
den Namen Black Jack. 1947 geboren, seit 1953 im Dienst der Army,
versah Black Jack seinen Dienst als militärisches Trauerpferd in mehr
als 1000 Trauerzügen, obwohl er als *uncontrollable* galt und unablässig die feierliche Ruhe des Kondukts störte. Nach zwanzigjährigem
Dienst wurde er im Juni 1973 pensioniert und nach seinem Tod im
Jahr 1976 (durch tierärztliche Euthanasie) eingeäschert und mit allen
militärischen Ehren in Fort Myers, Virginia, beigesetzt, unweit dem
Friedhof Arlington, auf dem John F. Kennedy begraben liegt. Rück-
blickend wird man in dem, was in den Augen seiner militärischen Vor-
gesetzten die größte Schwäche Black Jacks ausmachte, sein Eigensinn
und seine Nervosität, die sich in fortwährendem Scheuen und Ausbrechen ausdrückten, seine symbolische Stärke erkennen: In zahllosen
Mythen und Volkserzählungen der germanischen Welt kündete das
Scheuen und Schnauben der Rosse von der Nähe des Todes.[6]

Ein schreckhaftes Tier

Der Volksglaube, kritisch auch als Aberglaube bezeichnet, und die
Mythen des nördlichen und östlichen Europa sind voll von Pferden,
die ihre Nähe zum Geisterreich dadurch kundtun, dass sie entweder

besonders furchtsam und schreckhaft sind oder dass sie im Gegenteil über besondere divinatorische Fähigkeiten verfügen. Entweder deuten sie die beunruhigende Nähe der Geister an, oder sie zeigen, dass sie mit diesen im Bunde sind und deshalb über prophetische Gaben verfügen. Kein anderes Tier, die Katze ausgenommen, wird so stark von der anderen Seite mit Beschlag belegt. Besonders heftig wird die Beanspruchung der Pferde durch die Geister der Toten nach Einbruch der Dunkelheit; bei Nacht wollen Geister und Leichen reiten. Die vielfältigen Versionen der Lenorensage, am bekanntesten in der Form von Bürgers Ballade «Lenore» (1774), legen beredtes Zeugnis ab von diesem nächtlichen Reiterverein, dessen Tradition sich im Bereich des trashigen Horrorfilms («Die Nacht der reitenden Leichen») und der Zombie-Ikonografie bis heute fortsetzt. Aber auch die erzählerische Prosa des 19. Jahrhunderts kennt das Pferd als Verbündeten des Geisterreichs oder als Todesboten, man denke an Storms «Schimmelreiter» oder an Hofmannsthals «Märchen der 672. Nacht». Nicht zu vergessen endlich der sprechende Pferdekopf der Grimmschen «Gänsemagd», ohne dessen einprägsame Beschwörungsformel («O du Falada, die du hangest ...») eine Kindheit im 19. oder 20. Jahrhundert schwer vorstellbar war.

Der Historiker sieht – naturgemäß – die Sache nüchterner an und fragt nach dem harten Kern der Ideenverbindung: Was hat das Bild des Pferdes so eng, geradezu geschwisterlich mit der Ahnung des drohenden Todes verbunden? Reinhart Koselleck hat darauf eine sehr spezielle Antwort gegeben. Vor dem Erfahrungsraum des Historikers entwickelt er anhand von fünf Kategorien eine politische Anthropologie. Gleich die erste dieser Kategorien spricht vom Tod oder vielmehr vom Töten: «Heideggers zentrale Bestimmung des Vorlaufens zum Tode muß, um Geschichten zu ermöglichen, ergänzt werden durch die Kategorie des Totschlagenkönnens.»[7] Zur Condition humaine gehört, wie der Historiker weiß, die durchaus politikfähige «Drohung des Todes der anderen oder mehr noch durch den anderen»[8]. Das Beispiel, an dem Koselleck das Gemeinte demonstriert, ist die von Churchill beschriebene Kavallerieattacke von Omdurman (s. o., S. 112 ff.), der das auktoriale Talent des großen Briten die Qualität eines überzeit-

Der Tenno reitet in den Traum des schlafenden Uncle Sam: John Ford und Gregg Toland, December 7th (Standfoto), 1943.

Schimmelreiter der Roten Armee: Marschall Schukow bei der Siegesparade in Moskau, 24. Juni 1945.

lichen Bildes verliehen hat. So beschreibt Churchill die Lage dessen, der stark und gerüstet auf seinem Pferd sitzt, im Kontrast zur Lage dessen, der, ob verwundet oder gestürzt, selber zum Opfer einer Attacke wird. In ähnlicher Weise hat Koselleck selbst gelegentlich die Situation des Berittenen mit derjenigen des pedestren oder verwundeten Soldaten kontrastiert, dem das Schicksal droht, *überritten* zu werden.[9] Tatsächlich dürfte die sehr reale – und nicht bloß mythologische oder literarische – Vorstellung vom Pferd als Todesboten auf den Schlachtfeldern Asiens und Europas geschmiedet worden sein, auf denen heranstürmende Reiterei das Heer der Fußsoldaten in die Flucht schlug, sofern es sie nicht kurzerhand überritt.

Oder wiederum richtiger: zu überreiten drohte. Die Realität der Macht, in Niklas Luhmanns Theorie ist das berücksichtigt, liegt nicht in ihrem nackten Vermögen zuzuschlagen, sondern in der bekundeten Bereitschaft dazu und im Aufweis von Handlungsalternativen.[10] Die Ausübung von Macht hat einen theatralischen Grundzug; sie vollzieht sich nicht als Gewaltakt, sondern als Androhung ihrer Ausübung. Auf das Beispiel der Kavallerie übertragen, liegt die Macht nicht im *factum brutum* der überrannten oder überrittenen Infanterie, sondern in der *Drohung* des Überrittenwerdens, die sich das Fußvolk zu eigen macht. Bevor sie als Gewalt die Integrität des Körpers antastet, ist die Macht ein Theater der Angst.

Auf dieser Bühne ist das Pferd deshalb ein Hauptdarsteller, weil es im Lauf der Evolution seinen Ausdruck des Erschreckens perfektioniert hat. Dieser Ausdruck ist, wie Charles Darwin erkannt hat, beides gleichzeitig, mimisch-expressives Moment und praktisch-inzitativer Auslöser der Flucht: «Die Bewegungen eines Pferdes, wenn es stark erschreckt wird, sind äußerst eindrucksvoll. Eines Tages erschrak mein Pferd sehr ... Die Augen und Ohren wurden intensiv vorwärts gerichtet, und ich konnte durch den Sattel das Schlagen des Herzens fühlen. Mit geröteten, erweiterten Nüstern schnaubte es heftig und drehte sich rundum. Es wäre mit größter Eile davongestürmt, hätte ich es nicht daran gehindert ... Diese Ausdehnung der Nüstern ebenso wie das Schnauben und das Schlagen des Herzens sind Tätigkeiten, welche während einer langen Reihe von Generationen mit der Seelenerregung des Schrecks fest assoziiert worden sind; denn der Schreck hat gewohnheitsmäßig das Pferd zur heftigsten Anstrengung geführt, beim eiligsten Davonlaufen von der Ursache der Gefahr.»[11]

Niemand hat die theatralische Sendung der Macht und ihre Verkörperung im Pferd besser begriffen und grandioser dargestellt als Peter Paul Rubens in den Stürmen seiner Reiterschlachten und den wilden Szenen seiner Eber-, Löwen- und Tigerjagden. «Wie vor ihm kein anderer», schreibt Jacob Burckhardt, schilderte Rubens «die Teilnahme des Rosses an der allgemeinen Leidenschaft, wie es den Menschen schon schnell und wild ins Gewühl hineinträgt; er kennt das Tier in Gefahr und Wut und erhebt es zum wesentlichen Träger der großen, furchtbaren Augenblicke in Schlachten und Tierkämpfen.»[12] Rubens und nach seinem Vorbild einige seiner Schüler hatten erkannt, worin die einzigartige Qualität des Pferdes in der Darstellung der Macht lag: nicht in der Potenz seiner Physis, so sehr auch schiere Größe des Pferdeleibes die Leinwand dominierte. Das Pferd war nicht deshalb machtvoll, weil es ein großes und starkes Tier war, was als Feststellung trivial gewesen wäre, sondern weil es ein einzigartig expressives Subjekt der Angst war. Das Pferd konnte Schrecken verbreiten, während es oder richtiger: *weil* es, selbst vom Schrecken durchdrungen, diesen wie kein anderes Wesen zum Ausdruck brachte. Der Ort, an dem sich aktive und passive Schreckhaftigkeit des Pferdes versammelten, war sein großes, expressives Auge.[13] Die Blicke, die aus diesem Auge fielen, waren keine Medusenblicke; sie versteinerten nicht. Wohl aber vermochten sie den Schrecken zu übertragen, der sich in ihnen spiegelte, die Panik, die jähe Angst. Im Auge des Pferdes fand die Malerei die konzentrierteste, knappeste Formel für das Entsetzliche, das Mensch und Tier auf dem Schlachtfeld oder dem blutigen Höhepunkt einer Jagd entgegentrat.

In allen Reiterschlachten und Jagdszenen, die Rubens zeichnete und malte (Tafel 25), wurde konsequenterweise das Auge des Pferdes (oder eines der Pferde, dem diese besondere ikonische Aufgabe zufiel) zum organisierenden Zentrum des gesamten Bildes. Alle anderen Blicke der Akteure: Menschen, Tiere oder Ungeheuer, bleiben im Kreislauf des Bildes gefangen und suchen nicht den Betrachter. Ein einziger

Blick trifft ihn direkt – der Blick eines Pferdes. Von diesem Blick, in dem unverkennbar der Ausdruck des Entsetzens steht, fühlt sich der Betrachter in jedem Moment gemeint. Das weit aufgerissene Auge wird zum Zentrum des Bildes und zum Spiegel der Macht. Es ist ein gleichzeitig passiver und aktiver Spiegel: Das Pferd verkörpert die Macht, weil es fähig ist, ihren Schrecken zu verspüren, zum Ausdruck zu bringen und weiterzugeben. In diesem rollenden Prisma, in diesem gewölbten Augapfel sammelt sich der Strahl der Macht, um erneut nach außen gelenkt zu werden, auf den Betrachter, den Zeugen, den Feind.

Die Dialektik dieses Blicks, dessen innere Widersprüchlichkeit Rubens so scharf erfasst und seinem Bildaufbau zunutze macht, ist freilich die Dialektik des Tieres selbst, das – leicht scheuend und von Natur aus zur Flucht neigend – vom Menschen gleichsam umcodiert und zum Vehikel einer Schreckensmacht gemacht wurde. Erschrickt es unter dem Reiter, scheut es und will ausbrechen, so sind all dies Zeichen seiner ursprünglichen Natur und haben, wie Darwin wusste, einen praktischen Zweck, «aber», so schreibt der Dichter Albrecht Schaeffer, «durch seine schöne … Gestalt wirken sie auf den Zuschauer so, als entsprängen sie einer Kühnheit, und sein entsetztes Auge scheint von Kampflust zu flammen»[14]. Dies ist es, was Rubens gesehen hatte: Im Innern der perfekten Inkarnation der Macht steht der Ausdruck des blanken Entsetzens.

Auf diese Doppelnatur der *Pferdeangst* sollte auch Sigmund Freud im Zuge seiner Analysen zur infantilen Sexualität stoßen. Es war die Phobie des kleinen Hans[15], die ihm den ambivalenten Zusammenhang zwischen der Angst *um etwas* und der Angst *vor etwas* vor Augen führte. In den ersten, von seinem Vater aufgezeichneten Gesprächen, äußerte Hans anfangs seine Angst vor dem Wegfahren der Tiere und «daß die Pferde umfallen, wenn der Wagen umwendet». Aber schon wenig später ergänzte er, dass er sich davor fürchte, dass ein Pferd «umfallen und beißen» und mit den Beinen zappeln und «einen Krawall» machen werde.[16] Hier zeigte sich schon die Ambivalenz der Angst, die Hans abwechselnd fürchten ließ, das Pferd könnte ihn beißen und dem Pferd könnte etwas zustoßen, «und beide», vermerkt

Freud, «das beißende wie das fallende Pferd, sind der Vater, der ihn strafen wird, weil er so böse Wünsche gegen ihn hegt»[17].

Mehr als für diese «klassisch» anmutende Reduktion auf den Vater scheint sich Freud allerdings für den überraschenden Phasenwechsel innerhalb der Angst zu interessieren: «Für uns mag es ... interessant sein hervorzuheben, wie sich die Verwandlung von Libido in Angst auf das Hauptobjekt der Phobie, das Pferd, projiziert. Pferde waren ihm die interessantesten großen Tiere, Pferdespiel das liebste Spiel mit seinen kindlichen Genossen ... Nach eingetretenem *Verdrängungsumschwung* mußte er sich nun vor den Pferden fürchten, an die er vorher soviel Lust geknüpft hatte.»[18] Der phobische Prozess, schreibt Freud, habe das Pferd «zum Sinnbild des Schreckens erhoben»[19] und bezeichnet derart das vorläufige Resultat eines Phasenwechsels, den vor ihm bereits der Maler realisiert und bildwirksam genutzt hatte: den fliegenden Wechsel des Pferdes vom Objekt des Schreckens zu dessen Subjekt.

Die Großen Sammlungen

Der namenlose Fremde, den Clint Eastwood in *Pale Rider*, einem Spätwestern von 1985, spielt, ist ein wandernder oder vielmehr reitender Prediger. In einem früheren Leben muss er ein Revolvermann gewesen sein, vielleicht ein Outlaw, ein Desperado.[20] Wie alle Westernhelden hat er einen festen Wohnsitz: Er kommt aus dem Nichts. Auf seinem Rücken trägt er die Narben von Schusswunden, aufgrund derer man ihn einst für tot liegengelassen hatte. Vielleicht war er es ja gewesen; kein normaler Mensch überlebt derartige Verletzungen. Gleichgültig, ob seine Hand die Bibel hält oder den Colt, immer umgibt ihn die Kühle des steinernen Dandy, in die sich der kalte Lufthauch des Todes mischt. Der Reiter auf seinem fahlen Pferd, *pale rider on a pale horse*, ist ein Wiederkehrender von der anderen Seite. Die düstere Aureole des Todes umgibt ihn und sein schönes Pferd, dessen Kopf das Vollblut verrät. Wie nicht wenige Western ist *Pale Rider* eine filmische Gespenstergeschichte. Der Mann, der sich Marshall nennt und der zynische Anführer einer Truppe von Auftragskillern ist, fällt am Ende unter den Schüssen des Pale Rider; seine Schusswunden weisen ein ähnliches Muster auf wie die des Predigers. In allen Gespenstergeschichten dreht sich die Mühle der Wiederholung; ihre ausgeglühten Helden sind Revenants.

Sitzen die Wiedergänger zu Pferd, und tatsächlich sind die meisten von ihnen Berittene, so liegen ihre mythologischen und ikonologischen Ursprünge entweder in den nebligen Gefilden des Nordens oder in den Buchten der Ägäis. Ihre Drehbücher schrieben Johannes auf Patmos und das namenlose Heer der Erfinder von Mythen, Legenden und Figuren des vor- und subchristlichen Europa: Die Johannes-Apokalypse und die nordische Mythologie samt ihren populären Apokryphen, dem weiten Feld des Aberglaubens, sind die literarischen Pferdemärkte, auf denen sich die Geister der Toten mit ihren Reittieren versorgen.

Die Apokalypse des Johannes (Offb. 6, 1–8) lässt die vier *apokalyptischen Reiter* in Erscheinung treten: Der erste, auf einem weißen Pferd, führt einen Bogen, trägt einen Kranz oder eine Krone und wird als «Sieger» bezeichnet; traditionell als Herrscher gedeutet, wurde er mit dem siegreich wiederkehrenden Christus identifiziert. Der zweite, auf einem roten Pferd, führt ein großes Schwert und bedeutet Krieg und Gewalt; der dritte, auf einem schwarzen Pferd und eine Waage schwenkend, verkündet Hungersnöte. Der vierte, der auf einem fahlen Pferd reitet, bringt den Tod durch Pest, Krieg und wilde Tiere.[21] Er ist der bleiche Reiter auf einem *fahlen* Pferd, dessen farblose Farbe («aschfahl») an die Blässe der Sterbenden erinnert (S. 281). Dieser vierte Reiter beherrscht die kulturelle Imagination der Nordamerikaner, soweit sie durch das protestantische Sektenwesen geprägt ist, bis hinein in die Filmscripts Hollywoods.

Auch die nordische und die kontinentalgermanische Mythologie stehen im Zeichen einer riesenhaften Reiterei, beginnend mit Odin und seinem achtbeinigen Heldenross Sleipnir. Seit Jacob Grimms Sammlung *Deutsche Mythologie*, die 1835 in erster Auflage erschien, sind die Volkskundler, Mythologen und Sprachwissenschaftler des 19. und 20. Jahrhunderts nicht müde geworden, alle lokalen Varianten und Subvarianten von Reitersagen, von heiligen und teuflischen Pferden zusammenzutragen – eine uferlose Hippo-Mythologie, für die sich niemals eine Grammatik aufstellen oder eine Entwicklungslehre formulieren ließ. Für literarische Erzähler wie für die Autoren theorie-ähnlicher Texte bot freilich dieser Termitenhügel des ethnografischen Positivismus einen überquellenden Materialbestand. Realistische Erzählungen ließen sich damit ins Phantastische übersetzen, theoretische Konstruktionen im Treibsand volkskundlicher Realien verankern. In dem gigantischen und chaotischen Fundus der Großen Sammlungen fand jeder Theoriehengst, was er suchte.

Als Theodor Storm 1886 seine letzte große Novelle, den «Schimmelreiter» in Angriff nimmt, bedient er sich zur Einkleidung der dramatischen Geschichte vom Deichgrafen Hauke Haien bis zum Überdruss aus dem besagten Bilder- und Sagenschatz. Seine Erzählung ist als Gespenstergeschichte gedacht und lässt keinen Zweifel daran, mit wem der faustische Typ des technisch und mathematisch begabten, energisch modernisierenden Deichgrafen im Bunde steht – zumindest in den Augen seiner argwöhnischen Dorf- und Deichgenossen. Unübersehbar werden die Marken des Teuflischen und des Untoten gesetzt, nächtliche Erscheinungen, wandernde Skelette bei Mondschein, Wasserfrauen, Seeteufel und eine zertretene Möwe, ein Tieropfer und die letzten Worte einer Sterbenden – die norddeutsche *Fantasy* scheint unerschöpflich. Tiefere und subtilere Kontur gewinnt die Figur des Deichgrafen erst dort, wo ihm der Erzähler den Spiegel des Pferdes entgegenhält.

Die Mähre, die Hauke Haien einem verdächtigen Tiermenschen, einem «Slowaken» mit brauner Hand, «die fast wie eine Klaue aussah», abgekauft hat, entpuppt sich schon nach wenigen Wochen intensiver Pflege als edles Tier. Die rauen Haare verschwinden, «ein blankes, blau geapfeltes Fell» kommt zum Vorschein; vor allem aber hat es, «was die Araber verlangen, ein fleischlos Angesicht; draus blitzten ein Paar feurige Augen». Mit anderen Worten, dem Deichgrafen ist ein orientalisches Pferd zugeführt worden, vermutlich der einzige Araber, der es bis in die Boxen des norddeutschen Realismus geschafft hat. Die abergläubische Umwelt des Deichgrafen wird der «fleischlose»

oder konkave Kopf des Arabers freilich nur in ihrer Auffassung bestätigen, dass das Ross ebenso des Teufels ist wie sein Herr und Reiter;
wo dieser die Zeichen equiner Schönheit erkennt, sehen jene den
Totenschädel des Bösen. Hinzu kommt, dass der Herr, aus dessen
«hageren Gesicht die Augen starrten», seinem unheimlichen Reittier
immer ähnlicher wird. Das Pferd wiederum will keinen anderen Reiter
dulden als den Deichgrafen, und antwortet auf dessen Schenkeldruck
wie eine Geliebte; «kaum saß er droben», heißt es in Storms Erzählung, die die keusche Erotik der Gattenliebe nach der Festigkeit des
Händedrucks und der Farbkarte des Errötens skaliert, «so fuhr dem
Tier ein Wiehern wie ein Lustschrei aus der Kehle». Es sollte der einzige Lustschrei bleiben, der aus dieser Pflichtlektüre ganzer Generationen durch die Klassenzimmer der Nation fuhr.

Wenn aber der Schimmelreiter der *pale rider* der nordischen Mythologie ist, was ist dann sein Pferd? Sein eigentümliches «Leben» entwickelt sich in drei Phasen. In der ersten ist es ein Gerippe am Strand
der Hallig, das sich nächtens erhebt und umgeht, in der zweiten das
teuflisch-elegante Reittier des Deichgrafen, und in der dritten, nach
ihrem gemeinsamen Untergang, erscheint es wieder wie zuvor als spu-
kendes Skelett. Kein Zweifel, der Apfelschimmel, das fahle Pferd, ist
ein Untoter, eine Schreckensgestalt, der ihr Autor das Namenlose dieser Novelle zu tragen aufgegeben hat: das Todesverlangen eines Mannes, dem auf Erden nicht zu helfen war. Indem das vitale Pendel des
untoten Tiers zwischen Unter- und Überlebendigkeit, beinerner Kälte
und lüsterner Hitze schwingt, empfiehlt es sich als Träger des Grauens.

Als Träger und Gestalt des Grauens tritt das Pferd auch in Johann
Heinrich Füsslis berühmtestem Gemälde, *The Nightmare*, von 1781/82
in Erscheinung (S. 293). Das Bild zeigt eine kurvenreich hingesunkene,
leichtbekleidet schlafende Schöne, auf deren Brust ein dämonisch grin-
sender Kobold kauert – vermutlich der Alb –, dieweil hinter ihm ein
übernatürlich strahlender Pferdekopf aus der Kulisse des nachtdunk-
len Zimmers starrt. In einem wenige Jahre später, um 1793 entstandenen Gemälde hat Füssli das Thema des Traums erneut aufgegriffen
und dabei den Zusammenhang der beiden Quälgeister, des tierhaften
Zwergs und des Pferdes, verdeutlicht. Unter dem Titel «Ein Nacht-

Trauerzug für den ermordeten Präsidenten John F. Kennedy. Washington, 25. November 1963.

Auch er reitet:
John Hamilton Mortimer,
Death on a Pale Horse,
um 1775.

mahr verlässt das Lager zweier schlafender Mädchen» zeigt das Bild den Alb, wie er durch die Luft davonreitet; zurück bleiben die beiden Mädchen, die er soeben bedrückt hat. Unklar bleibt freilich auch jetzt, wer mit dem Ausdruck *nightmare* eigentlich bezeichnet wird: der affenartige Zwerg, sein Reittier oder beide gemeinsam. Die lautliche Identität von *mare* = Alb und *mare* = Mähre oder Pferd, die das Englische herstellt (und die direkter ist als die Nähe von *Nachtmahr* und *Nachtmähre* im Deutschen), hat dazu geführt, dass sich im englisch-amerikanischen Sprachbereich der Albtraum aufs Engste mit der Vorstellung des Pferdes verbunden hat.

Ernest Jones, der Freud-Schüler und -Biograf, hat Füsslis *Nightmare* als Frontispiz seiner Studie über den Albtraum von 1949 vorangestellt[22] und der Deutung des unheimlichen Pferdekopfes ein ganzes Kapitel seines Buches gewidmet.[23] Er beginnt mit der Feststellung, dass es sich um eine falsche, vom Wortklang irregeführte Etymologie handelt, und dass in Wahrheit der zweite Wortteil von *nightmare* auf das angelsächsische Wort *mara* zurückgeht, das soviel wie Incubus oder Succubus bedeutet, also ein erotischer Eindringling bei Nacht. Aber, so Jones weiter, im linguistischen Irrtum könnte eine andere, tiefere Wahrheit schlummern, zu der die Psychoanalyse Zugang hat: Wo Philologie sich auf ihren Gewissheiten zur Ruhe bettet, erwacht der Verdacht der Analyse. Und wenn an der Gleichung mit zwei Bekannten, welche die englische Sprache herstellt, wenn an der falschen Identität von Sexspuk und Pferd doch etwas wäre? Jones ist sich sicher: Die Gleichsetzung von menschlichen Wesen und Tieren im Traum hat stets einen Sinn: «Kurz gesagt, die Gegenwart eines Tiers in solchen Zusammenhängen gibt immer einen Hinweis auf das Wirken eines Inzestkomplexes.»[24] Das ist in der Tat kurz gesagt: Wem im Traum die Luft wegbleibt, und wer in diesem Zustand Pferde sieht, muss Inzestwünsche hegen.

Jones hält sich zunächst an den bereits bekannten Max Jähns[25], der eine beträchtliche Sammlung nordisch-germanischer Pferdesagen und -sprüche mit der Bemerkung resümiert: «Ganz eigentümlich und beispiellos ist die innige Zusammenstellung von Pferd und Frau in Dichtung, Spruchweisheit und Redensart ... Diese Zusammenstellung von Frau und Pferd ist uralt.»[26] Über die auf einem Besen reitenden Hexen und den Stab des *hobby-horse* oder Steckenpferds gelangt er sodann zu der Tierverehrung phallischer Religionen, was wiederum einer tiefen psychoanalytischen Einsicht entspricht: «Unmerklich sind wir vom Thema der *mara = mare* zu dem des Pferdes als phallischem Tier hinübergeglitten, aber darin zeigt sich die bemerkenswerte Austauschbarkeit der Geschlechter in dieser gesamten Gruppe von Mythen ... Dieser Sachverhalt erklärt sich daraus, dass die treibende Kraft hinter all diesen Glauben und Mythen das unterdrückte sexuelle Inzestverlangen ist, und eine höchst charakteristische Abwehr gegen das Bewusstwerden dieses Verlangens besteht darin, es durch die Identifikation mit dem entgegengesetzten Geschlecht unkenntlich zu machen.»[27]

Mit dem Findwillen eines Pilzsuchers im Wald geht Jones durch die Bestände der Großen Sammlungen und erntet: Odin und das nächtliche Heer (263), der Tod als Reiter (265), das Pferd und die Sonne (278), Zeus als Müller (281), die Bedeutung des Pferdeschädels (287), Pferd, Wasser und Urin (291), Sturmgötter (293), die Bedeutung des Pferdehufs (297), das Hufeisen (301), Pferdediebstahl (304), Pferdemist (305), Sex und Wiehern (311), Orakel der Pferde (312), Glanz der Stute (314), das teutonische Wunschross (323) usw. – hinter all diesen Erzählungen und Metamorphosen steckt das verdrängte Verlangen nach dem Inzest.[28] Durch Jones' Deutungsraster betrachtet, werden die Großen Sammlungen der Volkskunde, aus der sich wenige Jahre zuvor noch die Arierforschung in anderer Intention, aber ähnlicher Weise bedient hatte, zur Asservatenkammer psychischer Verdrängungsvorgänge. Der gesamte umfangreiche Pferdestall der nordischen, germanischen, teilweise sogar mediterranen Mythen wird als Masken- und Kostümfundus des Inzestwunsches in Anspruch genommen. Wer zusehen will, wie eine schwache Theorie mit starkem Erklärungsanspruch ihre Belege organisiert, findet in Ernest Jones' Deutung des Albtraums reiche Anschauung.

Ausbrechende Gewalt

Nur scheinbar psychologisch ist die Deutung von Füsslis *Nightmare*, die ein Vierteljahrhundert nach Jones der Schweizer Mediziner und Literaturwissenschaftler Jean Starobinski gegeben hat.[29] Starobinski folgt den Linien und Figuren des berühmten Gemäldes, bevor er, ausgreifend auf das zeichnerische Œuvre und die Biografie Füsslis, dessen Platz in der Ideen- und Emblemgeschichte des Revolutionszeitalters bestimmt. Er beschreibt das Klima einer drückenden, klaustrophobischen Angst, das Füsslis Gemälde eingeschrieben ist, deutet es aber nicht als Ausdruck eines innerpsychischen Mechanismus, sondern als die geschichts- und moralphilosophische Aussage des Malers. Für Füssli wird es aus dieser Welt der vernunftlosen Gewalt keinen Ausweg geben: «Ihm liegt nichts am großen Tag der Geschichte ... Sünde und Tod regieren die Welt, und Füssli richtet beständig seine Fragen an sie.»[30] Obwohl Füssli die sexuelle Besessenheit seiner Figuren in kaum verhüllter Gestalt sichtbar werden lässt, betritt der Betrachter seiner Werke kein intimes erotisches Theater. Füssli träumt den Zustand der Welt nach der Revolution, aber anders als David, in dem man seinen Antipoden erblicken kann, formuliert er seine Antworten nicht in klassischer Draperie und in der Zeitform des Futurs; Füssli buchstabiert die zeitlose Ontologie des Bösen in der Philosophie des Boudoirs.

Von einer genauen Betrachtung des Bildes ausgehend bestreitet Starobinski die Rückführung auf das Thema des Inzestverlangens: Sollte diese Deutung zutreffen, müsste Füssli vorsätzlich die Darstellung eines Albtraums gewählt haben.[31] Es scheint aber nicht, als habe der Künstler nur eine Galerie von «Fällen», vergleichbar der Charcotschen Ikonographie der Hysterie, bereichern wollen. Starobinski sieht den Maler nicht in die Pathologie der Angst eindringen, sondern in die der Schaulust an der Qual: «Er sieht das Leiden; er erregt das Leiden. Er beobachtet den Zerfall der raffinierten Kunstgriffe, die die schöne Verführerin zu Eroberungszwecken vor dem Spiegel verfertigt hatte. Er sieht sie in einer Notlage, die dem Tode nahe ist ...»[32] Anders als der Füssli-Forscher Nicolas Powell, der ein Jahr zuvor einen Band zur ikonografischen Deutung von Füsslis *Nightmare* veröffentlich hatte[33], forschte Starobinski nicht nach den möglichen Vorlagen der Bildelemente – im Fall des Pferdes etwa Baldung Grien, Veroneses *Venus und Mars* (Tafel 27) oder die Pferdeführer von der Piazza Quirinale in Rom –, sondern spürte die *literarischen* Quellen der Bildfindung auf: «es ist eine visionäre Inszenierung, und sie verfügt frei über ihre dramatischen oder epischen Vorlagen ... Füssli spielt sich mit dem Stift in der Hand das gelesene Werk vor und entwickelt in intensiver Nachzeichnung das Bild der Dichtung bis in ihre verborgensten Aspekte.»[34]

Aber trotz dieser literarischen Deutung übersah Starobinski nicht die Eigentümlichkeiten der Darstellung. Das zeigte sich nicht nur in der eleganten Nachzeichnung der Figur der Schläferin, sondern auch in der Aufmerksamkeit, die er dem dritten der Beteiligten, dem Pferd, schenkte. Starobinski bemerkte die abrupte Heftigkeit seines Eindringens – «die Erscheinung des Kopfes und des langen Halses im Spalt des Vorhangs ist eine Vergewaltigung. Der Körper des Pferdes ist draußen in der Nacht geblieben»[35]. Er notierte die Lumineszenz des Pferdes («das wie eine Lichtquelle wirkt»[36]) und speziell seiner wie Glühlampen strahlenden Augen: «auf dem Gesicht des Pferdes begegnen wir dem paroxystischen Ausdruck, jener Über-Präsenz, die der Über-Abwesenheit der Schlafenden entspricht»[37]. Er wies auf die Öffnung des Raums, die das Pferd bewirkte: «das Zimmer des Nachtmahrs ist durch das Eindringen des aus weiter Ferne herbeigeeilten Pferdes aufgebrochen»[38]. Während die beiden anderen Hauptfiguren des Bildes und das sie umgebende Interieur angetan waren, die Atmosphäre einer drückenden, schwer lastenden Angst zu vermitteln, verkörperte das Pferd den jähen Einbruch des blanken Entsetzens. Füsslis Zeichnungen und Gemälde, so schreibt Starobinski, «waren stets von leidenschaftlicher Gewalt beherrscht: die Nacht, der Mord, die erotische Verführung und die Sonderbarkeit des Bösen sind bei ihm Festwerte.»[39]

Das Erscheinen des Pferdes oder vielmehr seines Kopfes auf der Szene des *Nightmare* liefert insofern eine maximale Ausdrucksformel für die Gegenwart der Gewalt, als er ihre Verbindung mit der Dynamik des Eindringens herstellt. Der Pferdekopf repräsentiert den Augenblick der ausbrechenden Gewalt und vermittelt dem Betrachter als einzig angemessene Rezeptionsform die Empfindung reinen Entsetzens.

Unter dem Datum des 23. Dezember 2002 hielt der Historiker Reinhart Koselleck erstmals ein Bild schriftlich fest, das er in seinem Gedächtnis sechzig Jahre lang mit sich herumgetragen hatte. Es war das Bild eines schwerverletzten Pferdes, das er im Sommer 1942 gesehen hatte: «Ich sah Tote, deren halber Schädel weggerissen war – in Borissow[40] nach der Wiedereroberung – aber der Tote war tot. Dann sah ich das Pferd, dessen halber Schädel weggerissen war und das Pferd lebte, im Vollgalopp an der marschierenden Kolonne entlang galoppierend, die tödliche Verzweiflung selbst – und niemand konnte das Pferd erlösen, weil kein Rennpferd zur Hand war, um das andere zu überholen – und weil ein Schuß aus dem Stand die marschierenden Soldaten tödlich gefährdet hätte. So raste das Pferd mit seinem halben Schädel weiter – eine Inversion der Apokalypse: das Pferd trug nicht den Todesboten – es war die Inkarnation der menschlichen Selbstvernichtung, die Alles Lebende mit sich reißt.»[41]

Das verwundete Pferd schien der Apokalypse selbst entstiegen, aber Koselleck wusste, dass es nicht literarischer Herkunft war. Es hatte kein Drehbuch dafür gegeben, kein Vorbild. Das unheimliche Geschehen, zu absurd[42], um erfunden zu sein, hatte sich tatsächlich so ereignet, er hatte es mit eigenen Augen gesehen. Wie oft war seitdem die Erinnerung wiedergekehrt, wann hatte er das Pferd zuletzt gesehen? Warum griff er erst jetzt zum Stift, um die Erinnerung festzuhalten? Begriff er erst jetzt ihre volle emblematische Bedeutung? Es war wie ein Einbruch des Surrealen in die Realität des Krieges gewesen, und fast noch entsetzlicher als das, was in der Apokalypse stand: gerade darum, weil es keinen Reiter mehr gegeben hatte. Weil da nur noch das Pferd gewesen war, seine klaffende Wunde und seine *tödliche Verzweiflung*. Nicht von außen kommend war die Apokalypse über die Welt hereingebrochen, sondern als das Ereignis «der menschlichen Selbstvernichtung, die Alles Lebende mit sich reißt». Sechzig Jahre später, am Vorabend von Weihnachten, saß Koselleck an seinem Schreibtisch, notierte, was das Gedächtnis ihm lieferte und unterdrückte das aufsteigende Pathos. Es fiel ihm nicht leicht, das Entsetzliche, dessen Bild ihn so lange begleitet hatte, in Worte zu fassen. Aber er sah den Punkt, auf den es ankam, das Fehlen des Reiters. Seine Abwesenheit war es gewesen, die das Bild schlechthin unerträglich gemacht hatte. Selbst für die Bilder Füsslis hatten sich noch literarische oder ikonografische Vorläufer finden lassen. Für die Inversion der Apokalypse hatte es kein Skript mehr gegeben.

Die Peitsche

Jeder Hengst kriegt seine Stute – alles Gute.
William Shakespeare,
Ein Sommernachtstraum

Was früher allein die Landbevölkerung aus eigener Anschauung kannte, liegt heute für jedermann nur einen Mausklick entfernt. Im nächsten Augenblick befindet man sich in einem großen, heißen Zoo voll kopulierender Tiere, an deren Treiben kein Wärter Anstoß nimmt. Wozu auch, im Fernsehen gab es das alles längst zu sehen: *You and me baby ain't nothin' but mammals / So let's do it like they do on the Discovery Channel.*[1] Unter den Tieren im Zoo der Triebe scheinen sich Pferde besonderer Beliebtheit zu erfreuen. Das mag an ihrer Größe und Schönheit liegen, kann aber auch andere Gründe haben wie zum Beispiel die Vorstellung, Pferde seien besonders edle Tiere und deshalb keuscher als andere oder unberührbar wie Brahmanen. Oder die gegenteilige Meinung, die schon Aristoteles hegte, Pferde besäßen unter allen Lebewesen nach dem Menschen den stärksten Sexualtrieb. Jedenfalls bekommt man, wenn man im Suchmaschinenzoo nach *mating horses* fragt, ein umfangreiches Menü vorgelegt, das auch die Rubrik *hard* umfasst und zeitgenössische Varianten griechischer Mythen kennt, in denen, ganz wie bei den alten Griechen, die Artenschranke von Mensch und Tier locker übersprungen wird.[2]

So auch in dem isländischen Film *Of Horses and Men*, der 2013 in die Kinos kam und zu dessen Höhepunkten der Liebesakt zweier Pferde gehört, auf dessen weiblichem Part während der gesamten Szene ein ziemlich ratloser und leicht peinlich berührter Mann sitzt – und vergleichsweise ruhig sitzen bleibt, weil der Hengst, weniger peinlich berührt, an seiner Gegenwart nicht den geringsten Anstoß nimmt. Wesentlich dramatischer ist die Szene, die Hans Henny Jahnn in *Medea* (1926) den älteren der beiden Knaben des Jason erleben und berichten lässt: Er ist zum *sandwich kid* geworden, das zwischen zwei kopulierende Pferde geriet und fast zerdrückt wurde. Der Gefahr knapp entronnen, verliebt er sich in die Reiterin des aufgesprungenen Hengstes, «ein Amazonenkind voll Lachen», empfindet sich plötzlich als Mann und beginnt sich nach der jungen Frau zu sehnen. Doch statt sie wiederzusehen, wird er der Rachsucht seiner Mutter zum Opfer fallen. Im Rückblick erscheint die Pferdeszene als grelles Vorzeichen für die Gewalt einer das Leben der Familie zerstörenden und sogar die Bande der Kindesliebe zerreißenden Macht, der Sexualität.

Seit alters gilt der Sex als gefährliche, Haus und Hof des Einzelnen und den Zusammenhalt der Gemeinschaft gefährdende Macht – erst recht, wenn er sich in Formen äußert, die auch das weite Feld der zwischenmenschlichen Beziehungen noch hinter sich lassen. Wie eine drastische Warntafel vor den Verlockungen des sodomitischen Geschlechtstriebs, denen ein Menschenmann erliegen kann, erhebt sich Hans Baldung Griens berühmter Stich des «Verhexten Stallknechts» aus der Ikonografie der Renaissance. Er zeigt in extremer und erniedrigender Verkürzung den rücklings am Boden liegenden Stallknecht und hinter ihm, in der Zentralachse des Bildes, die Vulva der Stute, deren Hinterbacken vom raffiniert geführten Bildlicht erglänzen. Folgt man Pia F. Cuneo, die an der Universität von Arizona Kunstgeschichte lehrt und selber passionierte Reiterin ist, so sind die handfesten und misogynen Anspielungen des Bildes nicht zu übersehen – vor allem nicht für ein gebildetes und mit der pferdekundlichen Literatur der Zeit vertrautes Publikum: «In Teilen der hippologischen Literatur ist der Vergleich eines gut gebauten Pferdes mit einer schönen Frau geläufig. Demzufolge sollen sowohl das Pferd wie auch die Frau ein wohlgeformtes Hinterteil ... besitzen, des weiteren das Verlangen, ‹geritten› zu werden und die Fähigkeit, unter ihren Reitern angenehme Bewegungen auszuführen.»[3]

Cuneo liest den Stich, der ein Jahr vor dem Tod des Künstlers entstand, als eine an die humanistisch gebildete, wohlhabende und edle Pferde haltende Schicht seiner Zeit gerichtete Warnung vor den Folgen, die eine zu weit gehende Liebe zu den schönen Tieren nach sich ziehen kann.[4] Tatsächlich ist Sodomie eine, wenngleich seltene Form, zu der sich die Erotik zwischen Menschen und Pferden entwickeln kann; die Literatur kennt den Fall seit der von dem römischen Schriftsteller Aelian mitgeteilten Geschichte des Stallknechts Eudemus. Am anderen Scheitelpunkt des erotischen Pendelschlags steht die unterschwellige Sexualität der jungen Mädchen, die im endlosen Wellengang der Generationen den Reiterhof in das Lustrevier der Nymphen zwischen neun und zwölf verwandeln. Dazwischen – aber wo liegt es? – befindet sich das unübersichtliche Gelände der Lüste des Quälens und Gehorchens, der Spielzeuge, Posen und Peitschen: Auch sie kommen ohne die Bilder des Reitens und Ziehens, ohne die Metaphorik der Pferdeliebe nicht aus.

Lässt man die Realität der Sodomie, die zu Zeiten und in Bereichen engen Zusammenlebens von Menschen wie Hirten oder Stallknechten und den Tieren in ihrer Obhut tatsächlich eine gewisse Rolle gespielt haben mag[5], beiseite, so bleiben Bildwelten, Metaphoriken und Besetzungen – eine ganze Phänomenologie der Sexualität zwischen Menschen und Pferden im Irrealis. Aber die wenigsten jener Objekte, die wir gemeinhin als «Bilder» bezeichnen, existieren ohne eine Verbindung zur vermeintlich anderen, bilderlosen «Realität». So wie umgekehrt diese aufs Engste von Bildern, Zeichen und Symbolen durchsetzt ist und ohne deren Vorhandensein vermutlich nicht wahrgenommen würde, so sind die Bilder und Symbole durch zahllose Fäden und Partikel mit der Wirklichkeit verbunden und können nur dadurch ihre Wirkung entfalten. Sexualität, das ist nun allerdings banal, ist die am stärksten von Bildern vermittelte und interpunktierte «Realität»; manche meinten schon, sie bestünde aus nichts als Bildern und Diskursen. Um nun – zum Beispiel – das Phänomen der «Pferdemädchen» zu verstehen, reicht es nicht, von Projektionen und Besetzungen zu reden, solange man nicht reflektiert, worauf diese sich richten, nämlich auf große, charaktervolle Tiere von besonderer Schönheit, eigenem Verhalten und Geruch. Pferde sind keine Teddybären oder Smartphones, sondern sehr spezielle lebendige Wesen, auf die man nicht nur projizieren, sondern in die man sich ernsthaft verlieben kann: *lebendige Metaphern* eben.

Aber die Pferdemädchen sind ein spezieller Fall, eine Welt für sich. Die andere Phänomenologie, die ebenfalls in dieses Kapitel fällt, ist die Reit- und Fahrschule des Verlangens, in die uns die Romanautoren des 19. Jahrhunderts eingeführt haben. So gut wie sämtliche der bekannten Liebes- und Ehebruchromane des 19. Jahrhunderts geben sich bei näherem Hinsehen als Pferderomane zu erkennen und kommen ohne die großen, warmen Körper der einhufigen Säugetiere nicht aus. Sie zeigen, wie Menschen mit Tierbildern spielen, sich als Tiere erträumen und verkleiden oder hinter Pferdemasken sagen können, was sonst nur vieldeutig beschwiegen wird.

Im bronzenen Dreieck

Dicht bei der Alten Nationalgalerie in Berlin stehen unweit voneinander drei bronzene Großplastiken, in denen Pferde eine tragende Rolle spielen. Auch ihrer Entstehungszeit nach stehen sie einander nah; die älteste entstand in den Jahren nach der Reichsgründung, die jüngste um 1900. Damit sind ihre Gemeinsamkeiten erschöpft, und es beginnt die Liste ihrer Unterschiede. Tatsächlich umschreibt der Vergleich der drei Skulpturen so etwas wie den Raum der erotischen Möglichkeiten, der sich zwischen Männern, Frauen und Pferden auftut, literarisch, plastisch und so weiter. Da man nicht alle drei auf einmal in den Blick nehmen kann, eine Synopse im strengen Sinn also nicht möglich ist, muss man sie nacheinander betrachten. Beginnen sollte man mit dem größten, mächtigsten, wenngleich nicht unbedingt schönsten der drei Bildwerke, dem Reiterstandbild Friedrich Wilhelms IV., das sich auf hohem Podest vor dem Eingang der Galerie erhebt.

Ausgeführt wurde das Werk nach einem Entwurf von Gustav Bläser von dem Berliner Bildhauer Alexander Calandrelli zwischen 1875 und 1886, dem Datum seiner Aufstellung. Es zeigt den Preußenkönig und Freund der Künste hoch zu Ross in südliche Richtung reitend, nicht, wie der Duktus des Monuments erwarten ließe, in westlicher gegen Frankreich. Der Aufritt des Königs ist nämlich durchaus martialischer Natur. Das Pferd, ein Hengst von starker Physis und ostentativer Männlichkeit, schreitet verhalten kraftvoll aus. Es trägt seinen Reiter, einen Mann von kräftiger Statur, energisch über unsichtbare Widerstände hinweg. Alles an diesem dominanten Doppelwesen, von den geblähten Nüstern des Rosses bis zu seinem auffallend buschigen Schweif, ist machtvolle Dynamik und dynamischer Machtausdruck.

Der Kontrast zur reitenden Amazone von Louis Tuaillon, die rechter Hand des königlichen Reiters vor der Längsseite des Neuen Museums steht, könnte nicht größer sein. Die jugendliche Kriegerin, sattellos reitend, eine kleine, wenig bedrohliche Streitaxt in der Hand, ist nur mit einem Hauch von einem Chiton bekleidet, der ihre zierlichen Formen mehr hervorhebt als verhüllt und Gesäß und Schenkel freilässt. Dort, wo sie das Pferd berührt, ist die Amazone vollkommen nackt. Anders als das Standbild des Preußenkönigs, das den Distanzsinn des Gesichts anspricht, lädt Tuaillons Amazone zur Empathie ein. Nicht in dem Sinne, dass sie den Betrachter zum Reiter machte, der die Bewegung des Pferds aufnähme – das Tier steht still und hält den Kopf leicht nach links gewendet –, sondern indem sie die Wärme des Pferdekörpers, den Schlag seines Herzens und das Pulsieren seines Blutes auf den Betrachter überträgt. Die gelassene Grazie, die Leichtigkeit der Plastik macht es ihm möglich, sie ganz in sich aufzunehmen und die Erotik, die in der Berührung der zwei unterschiedlichen Körper spürbar wird, nachzuempfinden. Für einen kurzen Augenblick *wird* der Betrachter zur Amazone, deren bronzener Blick in die Weite des Platzes schweift.

Die dritte Figur, vor der Kolonnade auf der anderen Seite der Nationalgalerie aufgestellt, stammt von dem Rauch-Schüler und neubarocken Bildhauer Reinhold Begas. Sie zeigt einen älteren, bärtigen und dem Künstler nicht unähnlichen Kentauren, der einer jungen, nackten Nymphe beim Aufstieg – zum Damensitz – auf seinen Pferderücken behilflich ist. In jungen Jahren hatte Begas eine Zeitlang in Rom gelebt

The Nightmare und die Nachtmähre: J. H. Füssli, 1781.

Parthenonfries der Moderne: Chronofotografie von E. J. Marey, 1886.

und studiert und dort neben Anselm Feuerbach auch Arnold Böcklin kennengelernt. Dessen zuweilen derbsinnliche Kunst scheint noch das Bildnis des galanten Kentauren zu inspirieren. Obwohl die Skulptur der zwei mythischen Wesen, beide von schönem Wuchs und erotisch entflammt, durchaus darauf angelegt ist, den Betrachter zu entzücken, bleibt dieser in sicherer Distanz: Die Narrativität der Plastik geht auf Kosten ihres inzentiven Vermögens. Gleichwohl eröffnet sie den Spielraum der Assoziationen kentaurischen Liebeslebens, in dem sich oft genug Verführung mit Entführung paart und drohende Gewalt das Liebesspiel der Geschlechter ins Finstere abkippen lässt.

Das Pferd, von dem man denken könnte, es spiele in dieser dritten Skulptur die stärkste, weil aktiv zupackende Rolle, wird durch die Hybridisierung mit dem bärtigen Menschenmann um seine phänomenale Wirkung gebracht. Anders als im Denkmal des Preußenkönigs, in dem es die gesamte Dynamisierung des Machtspektakels besorgt, anders auch als in der stillen Stutengelassenheit der Amazonenskulptur ist der Kentaur kein echtes Pferd und kann nicht dessen eigentümliche Vermögen ins Licht rücken, sondern schließt als vierbeiniger Mythenonkel die erotische Szene wieder in den Raum des Textes ein.

Bis ins 20. Jahrhundert wird das Spiel von Verführung und Entführung, das beständig ins Gewaltsame umzukippen droht, anhand der Figur des Kentauren geschildert; noch Max Slevogt hat als Zeichner sich dieser Chiffre bedient. Von Natur aus ein geiler Raufbold, kann der Kentaur aber auch, wie das Beispiel des antiken Prinzenerziehers Cheiron zeigt, im Alter zu einem Weisen werden, der über den Dingen steht. Überdies kommt das besagte Spiel auch ohne die Mitwirkung des Kentauren in Gang; auch ganz «normale» Pferde sind in der Lage, als dynamisierende und auf den sexuellen Akt vorausweisende Elemente jenen zu vertreten, wie dies etwa die «Entführung der Töchter des Leukippos» von Rubens (Tafel 24) zeigt. Ein anderes Beispiel ist die von Franz Anton Maulbertsch, einem spätbarocken Paten des Impressionismus, gemalte «Entführung eines jungen Mädchens» (*Enlèvement d'une jeune fille*), die im Musée des Beaux Arts von Rennes hängt: Während die junge Frau, in den Armen ihres Entführers, noch einen entsetzensvollen Blick auf den Leichnam ihres enthaupteten Gefährten zurückwirft, tritt das Pferd in die Rolle des Verführers und wirft der unglücklichen Schönen einen Blick zu, in dem Mitleid und Verlangen sich mischen. Alles Weitere lässt Maulbertsch, der sensible Kolorist, die Farbe sagen: Die milchig weiße Haut der jungen Frau und das im selben Hautton erglänzende Fell des Schimmels verraten, dass vom selben Fleische ist, was sich alsbald in diesem erkennen wird.

Welche Kraft der Verstörung von einem Bild ausgehen kann, in dem sich die von Koselleck bezeichnete Inversion vollzogen hat, zeigt Goyas Radierung *El caballo raptor*, das Pferd als Entführer. Sie entstammt der Folge der *Disparates* oder *Proverbios*, die zwischen 1815 und 1823 entstanden. Man könnte «raptor» auch anders und härter übersetzen, dann wäre das Pferd ein Räuber oder Vergewaltiger. Es liegt Gewalt in der Luft dieser Szene, kein Zweifel, und wer, wie Robert Hughes, nichts als den Ausdruck des Orgasmus in den Zügen der Frau lesen will, ersetzt das Hinsehen durch Projektion. Wozu greift sich denn das zur Levade erhobene Pferd die Frau, die es mit starrem Blick fixiert – will es sie rauben, entführen, verführen, will es ihr Gewalt antun, oder hebt es sie hoch, um sie aus weiß Gott welcher Bedrängnis zu retten? Ist der *raptor* vielleicht ein hilfreicher Retter, der die Frau einer größeren Gefahr entreißt? Etwa aus der Gefahr, von den Bestien im Hintergrund des Bildes verschlungen zu werden? Welcher Art sind überhaupt diese Biester, die im Wasser zu leben scheinen wie überdimensionale Biber oder Ratten? Sieht man genauer hin, bemerkt man, dass das Pferd ebenfalls schon mit den Hinterbeinen im Wasser steht, im Flutsaum, so dass sein nasser Schwanz ihm an den Beinen klebt. Gesetzt nun, die Tiere im Bild ständen stellvertretend für die Mächte von Land und Meer, die feisten Ratten für den Leviathan, und das Pferd für den Behemoth, das langzahnige Ungeheuer, den Beherrscher des Landes – was wäre dann die Aussage des Bildes, und wofür stände die Frau?

Die ikonografische Tradition, zu der Goyas Bild sich auf seltsame Weise schräg stellt, ist dieselbe, in der auch Reinhold Begas' Werk steht: die Bildformel des Kentauren, der auf seinem Rücken eine Nymphe entführt. Aber im entscheidenden Punkt, und ihn bezeichnet Kosellecks Begriff der *Inversion*, weicht Goya vom gesicherten Weg der Tradition ab: Er überträgt dem Pferd und ihm allein, was vorher Sache des Kentauren war. Oder der gewalttätigen Männer, die auf Pferden saßen. *El caballo* aber ist ein *Pferd* und kein Kentaur. Goya illuminiert nicht den Märchenpark der griechischen Mythen, sondern untergräbt den Bestand der politischen Zoologie. Was sieht die Frau hinter ihren geschlossenen Augen: die Gewalt, die vor ihr, oder die, die hinter ihr liegt?

Kleine Amazonen

Mit der *low budget*-Produktion *Von Mädchen und Pferden* kehre sie zurück zu ihren biografischen Anfängen, schreibt die Filmemacherin Monika Treut in der Ankündigung ihres Pferdefilms: «zurück zu den Pferden, die meine besten Freunde waren in der schwierigen Zeit des Erwachsenwerdens. Ich war fasziniert von der Gemeinschaft von Mädchen und Pferden, es war eine Gemeinschaft ohne Jungs und Männer, ein ‹bonding› zwischen den Tieren und den Mädchen und Frauen ... Die Körperlichkeit und Energie des Reitens, das Pflegen und Zähmen der scheuen und starken ‹Fluchttiere› hatte eine eigene Erotik, die uns bezauberte und erdete. Aus dieser unschuldigen, energetischen Perspektive wollte ich einen einfachen Film erzählen: wie ein ‹troubled teenager› durch den Kontakt mit den Pferden langsam fähig wird, eine Beziehung zu sich selbst aufzunehmen und Vertrauen zu anderen aufzubauen.»[6]

Junge Mädchen und Pferde. Wie alle großen Liebesgeschichten bleibt auch diese im Kern rätselhaft. Natürlich bieten Psychologen Erklärungen an. In der Regel sind ihre Konzepte sexueller Evolution am Modell der Heterosexualität orientiert; das Pferd stellt in ihren Augen das letzte Ersatzobjekt vor der Wahl eines männlichen Partners dar, eine Art *Transferobjekt*: «Das Pferd ist zwischen Puppe und Partner das ultimate Kuscheltier, also das größte, schönste und letzte, im Übergang von Herkunftsfamilie zu neuer sexueller Partnerbeziehung.»[7] Demgegenüber beschreibt Monika Treut eine Welt, über der noch nicht der Richtungspfeil der Teleologie hängt. Pferde und junge Mädchen begründen eine Welt für sich, «ein ‹bonding› zwischen den

Tieren und den Mädchen und Frauen …» In dieser Welt ist das Pferd mehr als bloßes *cargo*-Objekt, das die Libido des jungen Mädchens langsam, aber sicher ans Gestade heterosexueller Bindung trägt. Seine *physis*, sein starker, lebensvoller Körper, und seine *dynamis*, die sich in der Energie des Reitens äußert, ergeben, in Verbindung mit der Pflege seines Körpers, eine Erotik, die für eine gewisse Zeit zum eigentlichen Inhalt der Gemeinschaft und ihrem Bindemittel wird. Wie lange diese Zeit dauern wird, wie haltbar die Gemeinschaften von Mädchen und Pferden sind, darüber sagt die Autorin wenig. Aber ihre «energetische Perspektive» macht es möglich, diese kleinen Frauenstaaten als temporäre Symbiosen eigenen Rechts zu betrachten: Mädchen und Pferde sind Inseln im Strom der Zeit.

Für einige Jahre wird der Reiterhof zur Gegenwelt von Schule und Familie, ein Abenteuer, während dessen das Mädchen die Möglichkeit einer Wildheit in sich selbst entdecken kann, für die ihm jenseits des Amazonenreviers kein Raum zur Verfügung steht: «Das Mädchen darf hier nicht nur Mädchen sein, sondern auch Junge: nicht nur liebend, sondern auch hassend, nicht nur defensiv, sondern auch aggressiv, nicht nur zärtlich, sondern auch gewalttätig, nicht nur sanftmütig, sondern auch befehlend, nicht nur bescheiden, sondern auch beherrschend. Es findet als Reiterin einen Ort und ein Objekt der Geschlechtsüberschreitung.»[8]

«Das Pflegen und Zähmen der scheuen und starken ‹Fluchttiere› hatte eine eigene Erotik», heißt es in den Erinnerungen der Filmemacherin. Mädchen und Pferde, beides sind schnelle und scheue Wesen, schwer zu zähmen, jederzeit zur Flucht bereit. Junge Mädchen, schreiben Deleuze und Guattari, Marcel Proust zitierend, sind «ewigfliehende Geschöpfe». Ihrer Natur nach sind sie «reine Schnelligkeits- und Langsamkeitsverhältnisse, sonst nichts. Aufgrund der Geschwindigkeit kommt ein Mädchen zu spät: es macht zu viele Dinge, durchquert zu viele Räume im Verhältnis zur relativen Zeit dessen, der es erwartet. So verwandelt sich die scheinbare Langsamkeit des jungen Mädchens in die verrückte Geschwindigkeit unserer Erwartung.»[9]

Von den Skythen erzählt Herodot die Geschichte, wie sie die Amazonen gezähmt haben.[10] Nach der siegreichen Schlacht am Thermodon fahren die Hellenen heimwärts, die gefangenen Amazonen auf drei Schiffe verteilt. Unterwegs erheben sich die Amazonen, bringen alle Männer um und segeln allein weiter. Der Schifffahrt unkundig, werden sie lange umhergetrieben, bis sie endlich in Kremnoi am Asowschen Meer landen. Sie rauben eine Pferdeherde und marodieren, jetzt wieder hoch zu Ross, im Skythenland. Als die verblüfften Skythen kapieren, dass es sich nicht um eine Bande junger Männer, sondern um eine Frauengang handelt, trommeln sie ihre jüngsten Krieger zusammen, ungefähr so viele wie die Amazonen sind. Sie sollen sich in deren Nähe lagern, fliehen, wenn sie von den Kriegerinnen angegriffen werden und zurückkehren, wenn sie von ihnen ablassen. Als die Amazonen merken, dass die Jünglinge friedfertig sind, lassen sie sie gewähren. Die Jünglinge leben nun wie die Amazonen, von der Jagd und vom Raub, und täglich kommen die beiden Lager einander näher. Gegen Mittag verstreuen die Amazonen sich einzeln oder zu zweit, um ihre Notdurft zu verrichten, die Jünglinge machen es genauso, und irgendwann überfällt einer von ihnen eine einzelne Amazone. Sie wehrt sich nicht, sondern gibt ihm durch Zeichen zu verstehen, er solle am nächsten Tag wiederkommen und einen Gefährten mitbringen, sie werde ebenfalls eine Freundin mitbringen. Die vier treffen einander, mögen einander, alles läuft wie es soll. «Als das die anderen Jünglinge erfuhren», schreibt Herodot, «machten auch sie die übrigen Amazonen zahm.»[11]

Damit ist die Geschichte nicht zu Ende, denn nun gilt es, an das Erbteil der Jünglinge zu kommen und so etwas wie mobile Hausstände zu begründen. Die Amazonen fürchten die Rache der ihrer Söhne beraubten Skythen und können sich nicht vorstellen, mit ihren Schwiegermüttern und Schwägerinnen zusammenzuleben: «Wir haben andere Sitten als sie, denn wir schießen mit Pfeilen und Speeren und sind beritten, Frauenarbeit jedoch verstehen wir nicht.»[12] Wieder fügen sich die jungen Gatten, die halbzahmen Pferdemädchen und ihre Männer ziehen weiter und leben das wilde Leben berittener Jäger und Räuber.

Bis heute ist das Bild der Amazone geprägt von den Mythen der Griechen, die in einer seltsamen Mischung aus *shock and awe*, Abscheu und Faszination die wilden reitenden Frauen, mit denen sich jeder ihrer legendären Helden – Herakles, Theseus, Achill – irgendwann

Wappenschild des Todes: Pferdekadaver in einem Hohlweg an der Somme, aus Ernst Jüngers Bildband «Das Antlitz des Weltkrieges», 1930.

Ist ein Schnitter, der Name ist Tod: Aus Jüngers Bildband (wie oben).

einmal herumschlagen musste, bedichtet und auf Vasen gemalt haben. Der blühenden Fantasie der Griechen sind auch die spektakulären Attribute der Amazonen wie ihre vermeintliche Busenlosigkeit oder Einbrüstigkeit geschuldet. Angeblich hätten die Kriegerinnen, um die Muskelkraft ihres Arms zu steigern, sich die rechte Brust ausgebrannt. Da die griechische Kultur keinen Platz für den Prototyp der Femme fatale hatte, lokalisierte man den Gefahrenherd ausreichend weit entfernt vom Heimatland der Griechen bei den Skythen im Nordosten des Schwarzen und des Kaspischen Meers. Die Amazonen, eine griechische Männerfantasie? So hat man lange gedacht. Die gegenwärtige Archäologie kommt zu anderen Befunden: «Entdeckungen aus jüngster Zeit liefern erstaunliche Beweise für die Existenz echter Frauenkrieger, deren Lebensweise den Beschreibungen in griechischen Mythen, Kunstwerken, Historien, Ethnographien und anderen Schriften entsprach. Skythische Gräber enthalten von Schlachten gezeichnete Frauenskelette, die mit ihren Waffen, Pferden und Besitztümern begraben worden waren. Wissenschaftliche Knochenanalysen erweisen, dass Frauen ritten, jagten und kämpften, und zwar in eben jenen Gegenden, in denen griechisch-römische Mythographen und Historiker einst die ‹Amazonen› ansiedelten.»[13]

Übrigens waren die Griechen nicht die einzigen, die von Amazonen träumten und fabulierten; in allen literarischen Kulturen des Nahen und des Fernen Ostens (Ägypten, Persien, Indien, China) findet sich die Figur der militanten Reiterin, deren tatsächliche Lebenswelt freilich eher unter den nomadischen Steppenvölkern des eurasischen Raums zu lokalisieren ist. Unter diesen Reitervölkern war es üblich, dass die Mädchen ebenso reiten und mit dem Bogen schießen lernten wie die Jungen, zur Jagd gingen und sich an Raub- und Kriegszügen beteiligten. Vielfach waren sie es, die ihre männlichen Partner wählten oder sich erst nach einem rituellen Zweikampf «erobern» ließen. Amazonen, schreibt Adrienne Mayor, waren «enthusiastische Geliebte der Männer, die sie selbst ausgewählt hatten», sie neigten zu Gelegenheitssex, aber wie Herodots Bericht zeigt, gingen sie auch feste Bindungen ein.[14]

Besonders eng gestaltete sich das Zusammenleben der Kriegermädchen und -frauen mit ihren Pferden. Die einen lernten von den anderen und umgekehrt. Das war nicht nur bei ihnen üblich. Schon früh, praktisch seit den Anfängen ihrer Verbindung, hatten Nomaden das Verhalten ihrer Pferde studiert. So wussten sie zum Beispiel um die Macht, die Stuten in einer Herde besitzen: «Stuten können genauso stark und schnell sein wie Hengste, und sie können erbittert kämpfen. Ein weibliches Alphatier dominiert die anderen Mitglieder der Herde und weist die jungen männlichen Pferde in die Schranken, während die Hengste helfen, die Herde zu verteidigen, und auf das sexuelle Interesse der Stuten warten.»[15] Dass man von den Pferden lernen konnte, war insofern keine Entdeckung der antiken Reiterinnen. Zwischen den Stämmen der Nomaden und ihren Reittieren liefen seit jeher Lernprozesse ab, die alle gemeinsamen Lebensbereiche betrafen: Wanderungsbewegungen und Ruhezeiten, Sexualverhalten, Kampfweisen und die Vermeidung von Gefahr, Muster von Aufmerksamkeit und körpersprachlicher Verständigung. In diesen Lernprozessen ging es darum, gemeinsame Rhythmen zu entwickeln und ein schnelles, sensibles, wechselseitiges Verstehen auszubilden.[16]

Sicherlich würde niemand auf die Idee kommen, die traditionelle Psychologie, die nicht von ihren Kuscheltieren und ihren Phasenmodellen lassen will, gegen die Lektüre Herodots oder die Resultate der Archäologie und der kulturellen Kognitionsforschung einzutauschen: So anachronistisch wird niemand denken wollen. Aber vielleicht muss man doch in aller Bescheidenheit notieren, dass über junge Mädchen, Pferde und die tieferen Gründe ihrer Affinität das letzte Wort noch nicht gesagt ist.

Reiten und Ziehen

Mehr als ein halbes Jahrtausend ist vergangen, seit Hans Baldung Grien ein gut gebautes Pferd mit einer schönen Frau verglich, aber sein Vergleich ist keine Sache der Vergangenheit. So wenig wie die Semantik des Reitens und Gerittenwerdens gehört er in die Abteilung für ältere Literatur und Kunst. Im Jahr 2013 wurde ein Werbespot für das Superbike Honda CBR 1000 RR abgesetzt, weil er als sexistisch in die

Kritik geraten war. Er zeigte die Verwandlung einer schönen Frau, des spanischen Models Angela Lobato, in ein gut gebautes Motorrad, mit dem sich ein männlicher Fahrer genussvoll in die Kurven legte. Begleitet wurde die Metamorphose, an der Ovid Gefallen gefunden hätte, von den Anfängen des Songs «Smack my bitch up» der Gruppe *Prodigy*. Darüber hinaus hatte der Clip keinen Text; in der englischen Sprache, die mit dem Verb *to ride* die Erinnerung an die Ursprünge des Motorradfahrens lebendig hält, wäre Redundanz unvermeidlich gewesen. Jedenfalls zeigte der Spot, dass die leichte metonymische Verschiebung vom Reitakt zum Sexualakt und zurück auch Kulturen noch geläufig ist, die vermeintlich alle Brücken zum Pferdezeitalter hinter sich abgebrochen haben.

Man bewegt sich hier auf schlüpfrigem Boden; unschuldige Positionen werden sich schwer behaupten lassen. Wer Menschen malend, zeichnend oder filmend in die Position von Pferden versetzt, wer sie wie Reittiere behandelt, kann sich schlecht auf Unwissen herausreden. Reiterspiele sind keine Doktorspiele, wo geritten wird, da fallen Äquivalenzen. Zumindest der Möglichkeit nach wird Egalität ausgesetzt, Umkehrbarkeit ausgeschlossen. «Humiliation », schreibt der amerikanische Essayist Wayne Koestenbaum, «is an observable lowering of status and position»[17], wobei der Sichtbarkeit ebenso viel Bedeutung zukommt wie der Minderung von Status und Position. Weshalb es auch trivial ist zu sagen, dass die Erniedrigung ein Dreiecksverhältnis herstelle: das Opfer, den *abuser*, sprich Täter, und einen Zeugen.[18]

Um andere zu erniedrigen, muss man sie nicht unbedingt zu Reittieren machen; auch Zugtiere sind schlecht dran. Die römischen Kaiser zum Beispiel waren, wie Montaigne berichtet, äußerst experimentierfreudig, was die Traktion ihrer Triumphwagen betraf: «Marcus Antonius ... war der erste, der sich in einem mit Löwen bespannten Wagen durch Rom fahren ließ, neben sich eine junge Spielfrau. Heliogabal tat später dasselbe und nannte sich dabei Kybele, die Mutter der Götter; sein Wagen wurde nach Art des Gottes Bacchus von Tigern gezogen; zuweilen ließ er auch zwei Hirsche davorspannen, ein andermal vier Hunde, dann wieder vier nackte Mädchen, die ihn, ebenfalls völlig nackt, in feierlicher Prozession durch die Stadt ziehen mußten.»[19]

Ein verbreitetes, von Künstlern der Renaissance und des Barock wiederholt bearbeitetes Motiv zeigt einen alten Mann, der von einer jungen Frau geritten wird. Meist reitet die Frau im sogenannten «Damensitz» und hält in der Rechten die Peitsche, in der Linken die Trense, mit der sie den Alten lenkt. Auch Hans Baldung Grien hat 1513 dieses Motiv in Holz geschnitten, und zwar, wie meistens bei erotischen Themen, mit größerer Drastik als seine Zeitgenossen. Bei Baldung sind beide Personen nackt, und die Reiterin spreizt den kleinen Finger der rechten Hand ab (der Hand, welche die Peitsche hält), wie um zu zeigen, welch exquisiten Genuss ihr der sexuelle Machtmissbrauch vermittelt. Der Alte, auf dem sie reitet, ist freilich nicht irgendwer. Die Geschichte, die Baldung ins Bild setzt, ist die von einer mittelalterlichen Verserzählung populär gemachte Geschichte von Aristoteles und Phyllis.[20]

Sie erzählt davon, wie der alte Philosoph, der Lehrer Alexanders des Großen, sich in dessen Geliebte Phyllis verliebt. Alexander redet sie ihm aus, und nun rächt sich Phyllis, indem sie den Alten zwingt, sie vor jedem Erweis erotischer Gefälligkeiten auf seinem Rücken reiten zu lassen: In so erniedrigter Gestalt erblickt Alexander seinen Lehrer. Er ist der Zeuge dieser Szene der Erniedrigung, und der Künstler lässt sie ihn durch seine Augen sehen, versetzt den Betrachter des Blattes gleichsam in die Alexanderposition.

Die junge Frau, die einem lüsternen Alten den Kopf verdreht und ihn zu entwürdigenden Handlungen verleitet, war und ist ein beliebter Komödienstoff, man denke an den *Zerbrochenen Krug*. Was bei Phyllis und Aristoteles hinzukam, war der Umstand, dass der alte Mann ein bedeutender Philosoph war; immerhin hieß der Stagirit lange Zeit nur *der* Philosoph. Umso entwürdigender, dass er sich hier von einer jungen Frau zum Tier machen ließ, und nicht, wie es kürzlich in einem Werbeslogan hieß, zum Bärchen oder Hengst, sondern zum simplen Reittier. Tatsächlich ging der denkende, der philosophische Mensch jetzt wieder, wie man polemisch gegen Rousseau eingewandt hatte, *à quatre pattes*, auf allen Vieren. Durch seine unbeherrschten Triebe war er unter die Tiere herabgedrückt; er sah sich buchstäblich *erniedrigt*.

Technikgeschichtlich lässt sich an den Blättern Baldungs und seiner

Zeitgenossen der Befund ablesen, dass die Ausdifferenzierung von Peitsche und Reitgerte im 16. Jahrhundert noch nicht erfolgt war. Phyllis und ihre grausamen Cousinen bearbeiten ihre alten Reittiere mit der bei damaligen Reitern üblichen kleinen Peitsche mit kurzem Griff und kurzer Schnur. Näher als einer regulären Fuhrmannspeitsche steht sie der Spielzeugpeitsche, mit der Friedrich Nietzsche die angebetete Lou Salomé für ein berühmtes Foto in Luzern ausstaffiert hat. Fünfzig Jahre später berichtet diese in ihren Memoiren vom Zustandekommen des denkwürdigen Bildes im Cabinet-Portrait von Jules Bonnet. Damals im Mai 1882, so schreibt sie, «betrieb Nietzsche auch die Bildaufnahme von uns Dreien, trotz heftigem Widerstreben Paul Rées, der lebenslang einen krankhaften Abscheu vor der Wiedergabe seines Gesichts behielt. Nietzsche, in übermütiger Stimmung, bestand nicht nur darauf, sondern befasste sich persönlich und eifrig mit dem Zustandekommen von den Einzelheiten – wie dem kleinen (zu klein geratenen!) Leiterwagen, sogar dem Kitsch des Fliederzweigs an der Peitsche usw.»[21]

Von Rées angeblichem Widerstreben ist auf dem Bild nichts zu sehen; im Gegenteil, keiner der drei schaut behaglicher in die Kamera: die Bonhommie in Person. Seine rechte Hand, das geometrische Zentrum des Bildes, ist mit dem Daumen in die Weste eingehängt, die vier anderen Finger liegen locker vor dem Bauch, auf halber Strecke zwischen dem oberen Knopf, der den Gehrock, und dem unteren, der die Hose hält; keine napoleonische Geste, sondern der perfekte Ausdruck saturierter Bürgerlichkeit. Wie anders das zweite Pferd im Gespann! Nietzsche, der Ältere, mit 38 ein reifer Mann, nimmt den Mummenschanz im Fotoatelier, vor der Bildtapete der verschneiten Jungfrau (!), verblüffend ernst. Der seherische Blick des Pfarrerssohns ist in unbestimmte Fernen gerichtet, so als sähe er schon Zarathustra talwärts schreiten.

Endlich die junge Schöne auf dem Wagen: Geduckt wie eine Katze, leicht nach vorn rechts geneigt, hält sie in der Linken (wie Phyllis) die Zügel, an denen sie die Philosophen führt, in der Rechten die mit einer Blüte verzierte Kinderpeitsche. Sie gibt dem Bild, was Roland Barthes dessen *Punctum* genannt hätte. Es ist der klare, starke Blick der jungen Russin, die als einzige die Kamera und damit den Betrachter scharf

Durchgehendes Pferd.
Gustave Courbet, 1861.

Seelenvolles
Pferdeauge: A. van
Dyck, Reiterporträt
Karls I., 1637/38.

Die Bürger von New York stürzen das Reiterstandbild von Georg III. Johannes Oertel, 1852/53.

*Wendepunkt
der Schlacht:
William T. Ranney,
Washington Rallying
the Americans at
the Battle of
Princeton, 1848.*

*Dreh- und Wendepunkt der
gemalten Weltgeschichte:
Jacques Louis David,
Napoleon überquert den
Großen Sankt Bernhard,
1802/3.*

Marschall Schukow als Sieger
über das faschistische Berlin.
Wassili Jakowlew, 1946.

Peter Paul Rubens,
Der Raub der Töchter
des Leukippos, um 1618.

Löwenjagd.
Peter Paul Rubens, 1621.

Die Literatur spricht gern
von «weiblichen Formen»:
Franz Marc, Die kleinen
gelben Pferde, 1912.

*Liebeshändel mit
Zuschauer: Paolo Veronese,
Venus und Mars mit
Cupido, 1570.*

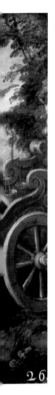

*links oben: Eros auf dem
Wagen, der launische Gott.
Paolo Fiammingo,
Castigo d'amore, um 1585.*

*links unten: Zugvögel:
Männer vor dem Wagen.
Thomas Couture,
Der dornige Pfad, 1873.*

*Bourbaki Panorama Luzern.
Edouard Castres, 1881.*

oben: Hitzefrei für Ross und
Mann: Vincent van Gogh,
Die Diligence von Tarascon,
1888.

links: Zügellose Jugend:
Pablo Picasso, Knabe als
Pferdeführer, 1905/6.

Reiter ohne Zaum
und Zügel: Honoré
Daumier, Don
Quijote, um 1868.

Der Wallach als Kritiker:
Lucian Freud, Grey
Gelding. Foto David
Dawson, 2003.

fixiert – scharf wie ihre atemlos eng geschnürte Wespentaille. Nur die vierte Figur ist auf dem Bild nicht zu sehen, obwohl sie dessen eigentliche Hauptperson ist. Persönlich tritt das Pferd nicht in Erscheinung, sondern lässt sich von seiner Arbeitsplatzbeschreibung vertreten. Sie liegt sowohl im Wagen, den es ziehen, als auch in der Peitsche, die es fürchten soll. Seine stärkste Repräsentation *in absentia* hat das Pferd allerdings in den beiden Männern, die an seiner Stelle eingespannt sind.

Zu den Hauptsätzen einer Kritik des Weibes, die Nietzsche in dem nur wenige Monate nach dem Ulk von Luzern entstehenden *Zarathustra* formuliert, gehört die fundamentale Differenz der Herrschaftspositionen: «Das Glück des Mannes heißt: ich will. Das Glück des Weibes heißt: er will.»[22] In seinen Aufzeichnungen auf dem Weg dahin geht der Autor noch einen Schritt weiter und deutet orientalische Ursprünge dieser erotischen Despotie an: «Vermöge der Liebe sucht der Mann die unbedingte Sklavin, das Weib die unbedingte Sklaverei. Liebe ist das Verlangen nach einer vergangenen Cultur und Gesellschaft – sie weist nach dem Orient zurück.»[23] In diesem Zusammenhang fällt auch der berüchtigte Satz von der Peitsche, die nicht vergesse, wer zum Weibe gehe.[24] Anders als in den Aufzeichnungen der *Nachgelassenen Fragmente*, wo der Satz noch quasi nackt auftritt[25], hält er sich im *Zarathustra* literarisch bedeckt und doppelt eingeklammert: Nicht Zarathustra spricht ihn aus, souffliert vom Autor, sondern ein «altes Weiblein» vertraut ihn jenem an[26]: ein literarischer Trick des Autors, um sich aus der Schusslinie zu bringen und seinen Text erfolgreich zu verrätseln. Als Strategie *against interpretation* mag das hilfreich sein – das, was Jacques Derrida das «Klima» eines Texts genannt hat, ist mit solchen Kunstgriffen nicht zu retten. Gerade das erste Buch des *Zarathustra* zeigt, wie der Autor an Souveränität gewinnt, je weiter er das Feuchtgebiet der Geschlechterpsychologie hinter sich lässt. Dieses Sumpfland fruchtbar zu machen, ist Nietzsche nicht gelungen; ein Ibsen, Schnitzler, Wedekind, Weininger, ein Freud vor der Zeit ist er nicht geworden. Das Land des Sexes hat er nur aus der Ferne gesehen; betreten hat er es nicht.

Formal gesehen parodiert das Foto von Luzern eine Kinderszene, wie Runge sie in den *Hülsenbeckschen Kindern* (1805) gemalt hat.

Der Ikonograph stört sich freilich daran, dass Runges Kleine auf dem Wagen keine Anstalten macht zu lenken, und dass nicht sie die Peitsche schwingt, sondern der jüngere ihrer Brüder. Zeitlich näher an der Luzerner Konstellation ist *Der dornige Pfad* (1873) des französischen Salonmalers Thomas Couture (Tafel 28). Das Bild zeigt zwei junge Künstler, Dichter und Maler, flankiert von Ritter und Silen, vor dem Wagen einer freizügig entblößten Allegorie der Schönheit, die über ihnen die Peitsche schwingt, während sie von der gebeugten Alten hinter ihr an die Vergänglichkeit von Jugend und Schönheit gemahnt wird. Anders als der Leiterwagen im Luzerner Fotoatelier ist die Kutsche hier kein Kinderspielzeug, sondern ein ausgewachsenes Fuhrwerk, die typische Pariser Droschke ihrer Zeit. Mit seiner Bildidee knüpft Couture an eine Tradition an, die ihm als akademischem Lehrer vertraut war, die Ikonografie Apolls auf dem Sonnenwagen. Gut denkbar, dass dem Altphilologen Nietzsche als Cheftheoretiker der ungleichen Götterbrüder Dionysos und Apoll diese Bildtradition vor Augen stand, als er die Szene im Atelier von Bonnet arrangierte.

Indessen muss man auf der Differenz der Zugtiere bestehen. Auf Seiten der klassischen Mythologie hat man es mit Tieren, in der Regel Pferden, zu tun. Auf dem Foto aus Luzern und im Bild von Couture erblickt man Männer, über denen Frauen die Peitsche schwingen. Als Reittier ist der Mann schon länger gefragt, siehe Aristoteles und Phyllis; neu ist, dass er jetzt auch das Zugtier Pferd zu ersetzen imstande ist. Man könnte an dieser Stelle sich der Kulturgeschichte zuwenden und an die schwarze Romantik erinnern, den Kult der Femme fatale und die literarische Tradition des Masochismus. Das späte 19. Jahrhundert, kurz vorm Fin de siècle, sieht den Kontinent der Sexualität explodieren und sich immer weiter differenzieren, zumal an seinen Rändern, an denen Herrschaft, Gewalt und Ungleichheit der Rollen eindringen. So gesehen sind die beiden Philosophen, die sich 1882 in Luzern vor den Wagen einer jungen Russin spannen, nichts als Figuren eines *grand récit*, den man, liefe man nicht Gefahr der Verwechslung, den Mythos des 20. Jahrhunderts nennen könnte.

Mögen die *männlichen* Zugtiere eine Erfindung des nervösen Zeitalters sein, die *menschlichen* sind älter. Die Römer kannten das be-

rühmte Joch, unter dem die von ihnen Besiegten hindurchgehen mussten (*missio sub iugum*); zweimal mussten sie selbst diese Demütigung
hinnehmen[27]. Ein Gemälde des Flamen Paolo Fiammingo, *Castigo
d'amore* (um 1585) aus der vierteiligen Reihe seiner *Amori* zeigt, was
es heißt, unterm Joch des Liebesgottes zu gehen: Menschen mit ange-
deuteten Pferdegeschirren vor der Deichsel eines Wagens, von dem
herab ein ungnädiger Wagenlenker sie antreibt (Tafel 28). In diesem
Fall handelt es sich um einen kleinen Eros, und was er über den Häup-
tern seiner Zugtiere schwenkt, ist nicht die Peitsche, sondern das
Flammenschwert der Vertreibung aus dem Paradies. Tatsächlich handelt es sich bei den Zugtieren um ein Menschenpaar, das von dem zor-
nigen Gott der Liebe gezüchtigt und aus dem Garten verjagt wird.
Verflucht sind demnach nicht die Männer, die zu Pferden werden, und
nicht die Frauen, die sie reiten; verflucht sind beide Geschlechter, weil
sie Geschlechter und Getrennte sind. Verflucht der Sex, der sie aus
dem Paradies vertreibt und zugleich auf ewig an den Wagen Eros'
kettet.

So ungefähr könnte die Botschaft Nietzsches lauten, die er in der
komischen, verklemmten Studioaufnahme von Luzern zum Ausdruck
bringt: Vergesst die Peitsche, die Sache mit der Liebe ist so oder so aus-
sichtslos. Gleichgültig, wer jetzt oben sitzt und wer unten den Karren
zieht, die Sache endet für beide Seiten mit Erniedrigung. Deshalb
strebt jede Liebe in den Orient zurück: weil sie, Erhöhung suchend,
Erniedrigung schafft. In der Stadt des ausgehenden 19. Jahrhunderts,
die überquillt von Droschken, die unter Reiterdenkmälern parken,
fungieren Pferd und Wagen als einfacher Index sozialer Ungleichheit:
der eine hockt oben, der andere zieht und müht sich drunten. Sex ist
einer der Generatoren sozialer Ungleichheit, den einen bringt er nach
oben, den anderen nach unten; aber er ist auch der große Verkehrer
der Hierarchie, der erniedrigt, wen er zuvor erhöht hatte. Wer vom
Sex redet, spricht auch von Erniedrigung; keines der Geschlechter ist
davor sicher.

In dieser Botschaft liegt Nietzsches Aktualität, darin berührt er sich
mit den Dramatikern und Analytikern des Sex, die zehn, zwanzig
Jahre nach ihm kommen werden, und darin schließt er an die Erfah-

rungen und das Bildgedächtnis der Menschen des 20. und 21. Jahrhunderts an. Die heftigste Peitschenszene im Kino des 20. Jahrhunderts dürfte übrigens von John Huston stammen. In dem Film *Reflections in a Golden Eye*, den er 1967 nach der gleichnamigen Erzählung von Carson McCullers drehte, reitet Marlon Brando als Major der US Army mit homophilen Neigungen das Pferd seiner Frau Leonora zuschanden, worauf sie, gespielt von Elizabeth Taylor, ihn im Angesicht ihrer Gäste mehrmals mit der Reitgerte durchs Gesicht schlägt. Der dramatische, erotisch hoch aufgeladene und für die späten Sechziger möglicherweise zu barocke Film fiel beim Publikum durch.

Emma, Anna, Effi und die anderen

Nicht wenige der berühmten Gesellschaftsromane des 19. Jahrhunderts handeln von illegitimer Liebe und gebrochener Ehe. Wolfgang Matz, der drei großen Ehebrecherinnen – Madame Bovary, Anna Karenina und Effi Briest – eine subtile Studie gewidmet hat[28], ergänzt im Untertitel ihre Vornamen um den Zusatz «und ihre Männer». Wird man es der Obsession des historischen Hippologen aufs Konto setzen, wenn er behauptet, mit kaum geringerem Recht hätte der Untertitel auch «Emma, Anna, Effi *und ihre Pferde*» lauten können? Tatsächlich sind diese prominenten Liebesromane wie viele ihrer erzählerischen Zeitgenossen von eindringlichen Pferde- und Kutschenszenen durchschossen. Reitend und fahrend bahnt sich an, wonach die Intrige verlangt, fahrend und reitend ereignet sich, was mit schönem Doppelsinn als Verkehr bezeichnet wird. Die Liebe weiß ihre rollenden Verstecke zu finden, das Schicksal den reitenden Boten, der Tod sein fahles Ross.

Für sich genommen ist dies kein spektakulärer Befund, sind doch Reitpferd und Kutsche die Transportmittel der Zeit, und wer sich vor Augen ruft, welche Bedeutung das Automobil im Roman, erst recht aber im Film des 20. Jahrhunderts erhalten sollte, wird die merkliche Präsenz von Pferden und Kutschen im Erzählwerk des 19. Jahrhunderts als trivial empfinden. Weniger trivial sind Beobachtungen dazu, *wie* Autoren wie Flaubert, Tolstoi und Hardy das Pferd einsetzen:

Fortschritte der Grausamkeit: Tiere werden gequält, ein Kind wird überfahren. William Hogarth, The Second Stage of Cruelty, 1751.

Die im Dunkel sieht man nicht: Grubenpferd in der Schmiede, Saint-Éloy-les-Mines, Auvergne 1912.

Sie verwenden es bewusst als Symbol und Substitut für etwas, was es gleichzeitig zu besprechen und zu beschweigen gilt, gleichsam als verbergenden Hinweis auf das zentrale Ungesagte ihrer Romane. Deshalb steht zwischen den liebenden Frauen und ihren Männern das Pferd als lebendige Metapher der Liebe und des Todes. In dieser Welt der Mieder und der Musselins ist das Pferd das einzige Wesen, das den Augenblick der Nacktheit vertritt: *tout nerveusement nu dans sa robe de soie*, wie Degas in einer Gedichtzeile von einer Vollblutstute sagt.[29] An den Pferden zeigt sich, wovon die Menschen schweigen, sie sind das Ausdrucksmittel für die innere Bewegung der Liebenden und die Wegweiser durch alle Schicksalskurven des Romans, die *chevaux fatals* des 19. Jahrhunderts.

Die Art und Weise, wie ein Mensch zu Pferde sitzt und sich mit dem Tier bewegt, sagt alles über seinen inneren Sinn, sein Körpergefühl, seine Geschicklichkeit und seine Qualität als Liebender oder als Geliebte. Charles Bovary hat zwar sein Studienpensum «wie ein Dressurpferd» absolviert, doch später macht der reitende und fahrende Tolpatsch schlechte Figur. Als er das erste Mal nach Les Bertaux, dem Gut seines künftigen Schwiegervaters, einreitet, schlittert sein Pferd auf dem nassen Gras, scheut und tut «einen großen Sprung». Zum ersten, unbeabsichtigten Körperkontakt mit Emma kommt es, als er etwas sucht, das er gedankenlos verlegt hat. *Comme il faut* ist es seine Reitpeitsche, nach der beide sich gleichzeitig bücken, wobei seine Brust ihren Rücken streift: «Mit rotem Kopf richtete sie sich auf und blickte über die Schulter, in der Hand seinen Ochsenziemer.»[30] Bovarys Lebensreise durch das Ungeschick, die auf der *Eselsbank* einer normannischen Landschule begonnen hat, führt ihn zum Schluss auf den Markt von Argueil, wo er, nach dem Tod seiner Frau rasch verfallend, sein Pferd, «die letzte Geldquelle»[31], verkauft.

Die junge Reiterin, die Bauer Gabriel Oak, der Protagonist von Thomas Hardys Roman *Far from the Madding Crowd*, beobachtet, scheint mit ihrem Tier wie verwachsen. Als sie unter den tiefhängenden Zweigen eines Baumes hindurchreitet, lässt sie sich wie gewichtslos nach hinten auf den Rücken des Ponys fallen, «den Kopf am Schwanz, die Füße gegen seine Schultern und die Augen gen Himmel gerichtet. Sie glitt in diese Lage mit der Schnelligkeit eines Eisvogels und der Lautlosigkeit eines Falken … Die Reiterin schien überall zwischen dem Kopf und Schwanz des Pferdes zu Hause zu sein, und da diese ungewöhnliche Haltung nach dem Passieren des Wäldchens nicht länger notwendig war, nahm sie wieder eine andere an … Sie sprang wie ein junger Baum in ihre gewohnte aufrechte Haltung zurück …, nahm den Sitz ein, den der Sattel erforderte, obgleich man das kaum bei einer Frau erwartete, und trabte in Richtung Tewnell Mill davon.»[32] Bathsheba Everdene, wie die junge Frau, eigentlich noch ein Mädchen, heißt, reitet nicht nur wie eine Amazone, sie spricht auch wie eine Reiterkriegerin bei Herodot, wenn sie zu dem verliebten Bauern sagt: «Es würde nicht gehen, Mr. Oak. Ich brauche jemand, der mich zähmt, ich bin zu unabhängig, und sie würden das niemals schaffen, das weiß ich.»[33] Tatsächlich entwickelt sich der gesamte folgende Roman als lange, schmerzhafte Geschichte der Zähmung einer widerspenstigen Frau, an der noch zwei starke, harte Männer zerbrechen werden, bis sie endlich den Weg zu dem (im Widerspruch zu seinem Namen) biegsamen Oak findet, der während all der Zeit in ihrer Nähe ausgeharrt hat. Die Szene der auf dem Pferderücken kreisenden Amazone hatte nicht nur seine Augen, sondern auch mit einzigartigem Schwung den Raum der Erzählung geöffnet.

Was sich dort hell und feurig – der Roman umschließt eine große Brand- und eine Gewitterszene – und gleichsam in Dur abspielte, kehrt in *Tess of the d'Urberville* in ähnlicher Weise, nur diesmal düster, dramatisch und in Moll wieder: die Eröffnung des Romans durch ein Pferdethema. Hier ist es der nächtliche Unfall des Pferdes Prinz, dem die spitze Deichsel der Postkutsche «wie ein Schwert in die Brust» gedrungen ist, und dessen Sterben Tess in hilfloser Verzweiflung miterleben muss. Aus dem Versuch, das von ihr verschuldete Unglück wieder gutzumachen, entfaltet sich die gesamte unglückliche Liebesgeschichte von Tess, einer «reinen Frau», die auf dem Schafott endet, nachdem sie dem Verderber ihres unschuldigen Lebens, Alec, dem falschen d'Urberville, ein Messer ins Herz gestochen hat, so dass er verblutet ist wie weiland das Pferd auf der Landstraße. So liefert die Pferdeszene in *Tess* nicht nur das Eröffnungs-, sondern auch das

Schlussmotiv des Romans, den Stich in die Brust und die unaufhaltsam sich ausdehnende Blutlache. Wie in *Far from the Madding Crowd* vertritt auch in *Tess* der Körper des Pferdes den Körper des Mannes oder vielmehr seine vitale, naturhafte, animalische Seite im Gegensatz zu seinem sozialen, in Geschichten verstrickten Dasein.

Demgegenüber vertauscht der Autor von *Anna Karenina* den Körper der begehrten Frau mit dem der Stute. Kurz vor der großen Rennszene betritt Wronski gegen den Rat des englischen *groom* die Box der nervösen Frou-Frou: «Oh, meine Liebe! Oh! Wronski näherte sich der Stute und redete ihr gut zu. Doch je näher er kam, desto mehr regte sie sich auf... Die Aufregung des Pferdes hatte sich auf Wronski übertragen; er fühlte, dass ihm das Blut zum Herzen strömte und er genauso wie das Pferd sich gern bewegt und gebissen hätte...»[34] Die Übertragung wird dadurch weiter verstärkt, dass Wronski nach diesem Besuch seiner Stute nochmals zu Anna fährt, die ihm in dem kurzen Augenblick auf der Terrasse, wo sie die Rückkehr ihres Sohnes erwartet, gesteht, dass sie schwanger ist. Er verlässt sie, «Begeisterung im Blick», nachdem er ihr «begeistertes Lächeln der Liebe» aufgefangen und die beiden sich flüsternd für die Nacht verabredet haben, und kehrt zurück zu der Stute, die ihn in ähnlicher Weise wie zuvor die Frau sinnlich entzückt: «Wronski umfing noch einmal mit dem Blick die hinreißenden, geliebten Formen der Stute, die am ganzen Leib zitterte; mit Mühe riss er sich von dem Schauspiel los und verließ die Baracke.»[35]

Sowohl Flaubert als auch Tolstoi und Fontane unterstreichen den Kontrast zwischen den langweiligen (Bovary), kalten (Karenin) oder strengen Gatten (Innstetten) und den schneidigen, charmanten und frechen Liebhabern ihrer Heldinnen (Rodolphe/Léon, Wronski, Crampas[36]), indem sie diese als perfekte Reiter, jene als Lenker und Benutzer von Kutschen schildern. Wohl darf Bovary sich auch als mediokrer Reiter zeigen, und Fontanes Innstetten sogar als ein guter, dennoch gehören beide der behäbigen Kutschenwelt an, in der Bovary unvermeidlich den unglücklichsten Eindruck macht.[37] Als rollende Architektur, als eine Art Holzhaus oder Datscha auf Rädern repräsentiert die Kutsche die etablierte Welt von Ehe und Familie, die von der Kavallerie der freien Liebe bedenkenlos überritten und zerstört wird.

Der Pfeil des Verführers hat getroffen, als Emma und Effi einwilligen, mit ihm auszureiten (in Effis Fall freilich unter den argwöhnischen Augen des Gatten). Effi wird in einem Schlitten verführt, Emma, bei ihrem zweiten Seitensprung, in einer Kutsche genommen, Tess wird nach einem langen nächtlichen Ritt und von einer Droge betäubt im Schlaf vergewaltigt. Als Anna sich zu Pferd – «einem mittelgroßen, stämmigen englischen Cob mit gestutzter Mähne und kurzem Schweif»[38] – sehen lässt, sieht es einen kurzen, glücklichen Augenblick lang so aus, als solle ihr, der sich der *beau monde* von St. Petersburg und Moskau verweigert, zumindest der Eintritt in die Kreise des Landadels gelingen.

Tolstoi, der einmal ausgerechnet hat, dass er etwa sieben Jahre seines Lebens im Sattel verbracht hatte[39], und Hardy waren beide dem Land eng verbunden. In ihren Darstellungen setzen sie ein zweites starkes Kontrastmittel ein: Sie zeigen das Eindringen der Maschine in die bei aller Kargheit (Hardy) und Dumpfheit (Tolstoi) noch pastorale Sphäre des Landes. Bei Tolstoi ist es – klassisch – die Eisenbahn, *the machine in the garden*[40], die den bukolischen Raum aufsprengt; bei Hardy (*Tess*) ist es zunächst die noch mit Pferden bespannte Mähmaschine[41] und später die von einer Dampfmaschine angetriebene Dreschmaschine[42], deren unerbittlich wirbelnde Räder keine Ruhepause dulden und Tess weit über den Rand körperlicher Erschöpfung hinaus in seelische Verzweiflung treiben. Tolstoi, in dessen Apokalyptik die Maschine auf den ersten Blick eine geringere Rolle zu spielen scheint, gestaltet den Kontrast in Wahrheit umso dämonischer. Um die Kraft seines Kunstgriffs zu bemerken, muss man zu der berühmten Szene des Pferderennens[43] zurückgehen.

Wronskis Aufstieg «mit einer gewandten und starken Bewegung» auf den «geschmeidigen Rücken» der erneut als schön und nervös beschriebenen Stute setzt den Auftakt zu einem Geschehen, das über die längste Strecke des Vier-Werst-Rennens wie ein einziger vollkommener Liebesakt von Mensch und Pferd, Mann und Stute erscheint, begleitet von den inneren Ausrufen Wronskis – «‹Oh, meine Liebe!› dachte Wronski» –, bis zu dem leuchtenden Augenblick, als der Reiter sich des Erfolges sicher wähnt: «Seine Erregung, Freude und Zärtlich-

keit für Frou-Frou wurden immer stärker.»[44] Kurz darauf tritt der
fatale Moment ein, in dem Wronski einen Reitfehler macht, die Stute
stürzt und sich nicht mehr erheben kann: «... sie zuckte vor seinen
Füßen auf der Erde wie ein angeschossener Vogel. Die ungeschickte
Bewegung Wronskis hatte ihr das Rückgrat gebrochen.»[45] Anna, die
von der Tribüne aus dem Rennen folgt, verliert vollkommen die Fassung und spiegelt ungewusst die verzweifelten Bewegungen der Stute
wider: «Sie zuckte und flatterte wie ein gefangener Vogel, bald wollte
sie aufstehen und fortgehen, bald wandte sie sich an Betsy.»[46]

Karenin, der Zeuge der Verzweiflung seiner Frau wird, begreift in
diesem Augenblick, wie die Dinge zwischen ihr und dem Offizier stehen; auf der Heimfahrt kommt es in der Kutsche zur Aussprache und
zu Annas leidenschaftlichem Geständnis; das Verhängnis nimmt seinen Lauf. Auf der Tribüne der Rennbahn hat Anna ihr sozialer Tod
ereilt; sie weiß es nur noch nicht. Die folgenden Monate werden sie
darüber belehren, langsam und unerbittlich. Mehr als 800 Seiten werden vergehen, bis Tolstoi, ganz gegen Ende des Romans, den Suizid
Annas unter den Rädern eines Güterwaggons beschreibt. Ihr wirklicher Tod repliziert noch einmal das Schicksal der unglücklichen Stute.
Anna sieht unter dem Zug schattenhaft den Boden, «den mit Kohle
vermengten Sand, mit dem die Schwellen bestreut waren», verpasst
den ersten Waggon, dann aber, so heißt es, «warf sie das rote Täsch-
chen weg, und den Kopf zwischen die Schultern gezogen, ließ sie sich
unter den Waggon auf die Hände fallen und mit einer leichten Bewegung, als wollte sie gleich wieder aufstehen, nieder auf die Knie»[47]. So
auf den Knien hockend, in der Haltung eines Tiers, erfasst sie das Rad
und bricht ihr das Rückgrat.

Das sagt der Autor zwar nicht explizit, aber er lässt es erschließen, denn als Wronski seine tote Geliebte wiedersieht, «auf dem Tisch
der Baracke, umringt von Fremden, schamlos hingebreitet der blut-
beschmierte Körper, noch voll des jüngstvergangenen Lebens», ist ihr
Leib zwar zerschmettert, aber Kopf und Gesicht sind unverletzt:
«zurückgeworfen der unversehrte Kopf mit den schweren Zöpfen und
den Haarringeln an den Schläfen, und auf dem betörenden Gesicht
mit dem halboffenen Mund ein erstarrter, seltsamer ... Ausdruck»[48].

Wronskis Erinnerung an die Autopsie in der Bahnhofsbaracke lässt seinen fatalen Sturz auf der Rennbahn wie die Präfiguration des Endes von Anna Karenina erscheinen. Im Tod der schönen Stute war derjenige der geliebten Frau gleichsam vorgezeichnet gewesen – mit dem Unterschied, dass das Rückgrat der einen ein menschlicher Reiter brach und das der anderen die Eisenbahn.

Man hat den Eisenbahnunfall zu Beginn des Romans, bei dem ein Gleisarbeiter von der Bahn erfasst und getötet wird, was Anna tief bewegt – «‹Ein böses Vorzeichen›, sagte sie.»[49] – als Blaupause für das Ende der Karenina lesen wollen. Aber dieser Unfall, spektakulär wie er ist, liefert doch nur eine Art abstraktes Modell für den späteren Suizid der Protagonistin. Erst der Unfall auf der Rennbahn erfüllt das «Vorzeichen» mit Blut und animalischem Leben. Die schöne Stute ist die lebendige Metapher des Romans, ihr Tod die Vorzeichnung des Schicksals, das am Ende ihres Weges auf Anna wartet.

Reiten ist Regieren, notiert Carl Schmitt und bringt apodiktisch knapp zum Ausdruck, dass Reiten mehr ist als ein zeichenhaftes oder symbolisches Tun. Tatsächlich lässt sich Reiten – neben anderem – als eine elementare Praxis des Lenkens beschreiben. Eine Weise des Antreibens, Steuerns und Beherrschens eines anderen Wesens und Willens. So etwas wie eine Vorschule der Kybernetik, nur viel direkter: eine Neuronavigation der verbundenen Naturen. Zwei bewegte, lose miteinander verkoppelte Systeme tauschen, ohne die lange Leitung des Denkens zu benutzen, auf dem kurzen Weg ihrer Nerven und Sehnen, ihrer Thermik und ihres Metabolismus Informationen miteinander aus. Reiten heißt Lenkungsinformation qua Leibesinformation: ein ziemlich direkter Austausch sinnlicher Botschaften. Reiten ist die nur durch einen Sattel, eine Decke oder die bloße nackte Haut vermittelte Verbindung zweier warmer, atmender, blutdurchpulster Körper. Menschen gehen untereinander ähnlich informative Verbindungen ein, wenn sie miteinander tanzen, ringen oder einander umarmen. Ich konnte, schreibt Darwin über sein erschrecktes Pferd, durch den Sattel das Schlagen seines Herzens fühlen: Pferd und Mensch, eines fühlt den Puls des anderen, spürt dessen Nervosität, riecht seinen Schweiß. Diesseits aller symbolischen und metaphorischen Überformungen ist das Reiten eine Artikulation zweier lebendiger Körper, und wie im Sex erhält sich auch im Reiten ein irreduzibles Moment reiner Physik.

Woher auch immer seine Kenntnis stammen mag, Gustave Flaubert *weiß* um diese Physik der lebendigen Körper. Das Schicksal der jungen Frau, die einen pedantischen Landarzt geheiratet hat und nun ihrerseits mit pedantischer Gründlichkeit alle literarischen Klischees der romantischen Liebe abarbeitet, trägt er auf einer Skala der Körpertemperaturen ein, die sämtliche Äußerungen ihres Lebens und Begehrens und alle Stadien ihres langsamen, grausamen Sterbens abbildet.[50] Der Autor spürt seinen Figuren nach, und dieses Spüren ist gar nicht buchstäblich genug zu nehmen. «Heute zum Beispiel», schreibt Flaubert im Dezember 1853, als er an *Madame Bovary* schreibt, an Louise Colet, «bin ich als Mann und Frau zugleich, als Liebhaber und Geliebte ... durch einen Wald geritten.»[51] Als Autor wie als Reiter ist er in der Lage, die Schattenlinie zu überschreiten, die die Metapher von der Metamorphose trennt. Bevor Rodolphe Emmas Liebhaber wird, hat sie sich schon ganz dem Rhythmus des Ritts hingegeben und vom Wiegen des Tieres verführen lassen; am Rand des Waldes angekommen, ist sie selbst Pferd geworden. Wie Traumwandler suchen und finden Flaubert und Tolstoi die Zone, in der zwei nervöse Fluchttiere, die verliebte Frau und das erregte Pferd, ihre Naturen vertauschen; mit erzählerischen Mitteln erzeugen sie die unerhörte, erregende Fluidität der beiden Spezies. Aber sie sind nicht allein auf diesem Weg; ein Anderer ist ihnen vorangegangen: Als sich Werther, Vorläufer aller großen Liebenden und Geliebten des europäischen Romans, dazu bekennt, schon hundertmal habe er ein Messer ergriffen, um seinem gedrängten Herzen Luft zu machen, spielt ihm sein Autor unvermittelt das Bild des Pferdes und der Hitze zu: «Man erzählt von einer edlen Art Pferde, die, wenn sie schrecklich erhitzt und aufgejagt sind, sich selbst aus Instinkt eine Ader aufbeißen, um sich zum Atem zu helfen. So ist mir's oft, ich möchte mir eine Ader öffnen, die mir die ewige Freiheit schaffte.»[52]

Turin, ein Wintermärchen

Das Dreieck der Grausamkeit

Mehr als zehn Jahre liegt das Ende des Ersten Weltkriegs zurück. Ernst Jünger hat in diesen Jahren nicht aufgehört, dem Schrecken des Krieges, aber auch der Faszination seiner Gewalt Ausdruck zu verleihen. Auf die *Stahlgewitter* folgt *Der Kampf als inneres Erlebnis*, dann kommen *Feuer und Blut* und schließlich *Das Wäldchen 125*. Jetzt, im Jahr 12 nach dem Waffenstillstand, wechselt der Autor das Register und vertauscht die literarische Notiz mit der fotografischen, das Schriftgedächtnis des Kriegs mit dessen Bildarchiv. Unter dem Titel *Das Antlitz des Weltkrieges* gibt Jünger einen Bildband heraus, der aus den Abertausenden von Fotos schöpft, die während des Kriegs von 1914 bis 1918 entstanden sind, Propagandabilder, Reportagen und private Aufnahmen, Offizielles und Persönliches. Freilich löscht sich der Textautor nicht aus, er verdoppelt sich nur um den Fotomonteur, der in Bildern schreibt: Jünger wählt aus, gruppiert, verfasst Legenden und einleitende Kurzessays. Der Ton, der in diesen Texten hörbar wird, ist der kalte, sachliche Sound, der seinen Autor berühmt gemacht hat. Ebenso typisch ist der Augenblick des Kriegs, dem sein besonderes Interesse gilt: der Augenblick des Sturmangriffs, wenn das wie leer erscheinende Schlachtfeld sich plötzlich mit Bewegung füllt, der *gefährliche Augenblick*[1], in dem die Lähmung der Gräben der explosiven Dynamik des Angriffs weicht.[2]

Im Schatten dieser speziellen Energetik steht eine kleine Gruppe von Fotos, deren Bedeutung man aufgrund ihrer Verstreuung durch den Gesamtband leicht übersieht. Es sind Bilder der *negativen Energie*, Fotos der Toten und ihrer Überreste auf dem Schlachtfeld. Darunter sind nicht wenige Aufnahmen von toten Pferden. Auf den ersten Blick scheinen sie nicht zu dem kalten Dandytum dieses Autors zu passen: Was könnte weniger schneidig und *cool* sein als tote Pferde, die ihre gedunsenen Bäuche und erstarrten Beine aus der Schlammwüste Flanderns recken? Die Aufnahmen von zerstörtem Kriegsgerät, zumal von schweren Waffen, geborstenen Panzern und abgeschossenen Fliegern, kann man sich leicht erklären: In dieser Auswahl erkennt man den künftigen Autor des *Arbeiters*, der den Krieg als Teil des Titanenwerks der Technik schildern wird. Aber wozu die toten Pferde?

Pferde stehen nicht im Fokus von Jüngers Aufmerksamkeit. Freilich musste er im Zuge seiner Offiziersausbildung reiten lernen. Danach hat er mit den Tieren nicht mehr viel zu tun: Er dient in der Infanterie. Wofern er mit einer anderen Waffengattung kokettiert, ist es die Fliegerei. Wieso interessiert er sich um 1930, als er den Bildband komponiert, plötzlich für tote Pferde? Der postheroische Heroismus Jüngerscher Prägung, so könnte man argumentieren, hat seinen Träger gewechselt. Der neue Mensch der Materialschlacht ist vom Ross gestiegen und hat sich in die stählernen Gehäuse des technischen Kriegs zurückgezogen. Deshalb zeigt Jünger die toten Pferde; sie sind die Besiegten der internationalen Moderne. Aber als Illustrationen einer schlichten historischen Ablösungsdynamik taugen die Bilder der Pferdekadaver nicht – jedenfalls nicht diejenigen, die Jünger präsentiert; dazu sind sie zu komplex, zu ästhetisch, zu emblematisch. Nehmen wir das Foto der Pferdeleichen auf Seite 267 (in Jüngers Band). Die Legende sagt «Pferdekadaver in einem Hohlweg an der Somme» (S. 291). Nüchterner, schmallippiger kann man es nicht sagen. In einer sparsam mit Büschen, Trümmern und Leitungsmasten möblierten Landschaft, der existentialistischen Bühne des Kriegstheaters, erblicken wir zwei tote Tiere, einen Schimmel und einen Grau- oder Apfelschimmel. Der

Death in the afternoon:
Stierkampf, Málaga,
um 1900.

Ende einer Dienstfahrt: Der Hof des Abdeckers. George Cruikshank, The Knacker's
Yard or the Horses last home, 1831.

Graue zur Linken ist stärker verstümmelt, Splitter einer Granate haben ihm ein Vorderbein abgerissen, die Brust zerfetzt und seine Nüstern zerstört, während das Fell des Schimmels zur Rechten zwei Einschüsse oder Einschlaglöcher aufweist. Die Parallelität der Körper und Köpfe ist es, die dem grausigen Bild seine makabre Schönheit verleiht; aus den Leibern zweier toter Pferde macht sie eine heraldische Gesamtfigur, ähnlich den verdoppelten Greifen und Löwen in den Wappenzeichen alter Geschlechter. So bleibt auch in den Bildern der toten Pferde immer noch die ästhetische Regie des Kriegstheaterdirektors Jünger spürbar. Im Hintergrund aber, gleichsam in der Kulisse und der Regie selbst verborgen, tragen die Bilder der toten Pferde eine andere Botschaft. Sie ist emotionaler Art.

Konträr zum geläufigen Gestus des Kriegsautors Jünger, der als *kalter* Flaneur durch die Materialschlacht wandert, transportieren die Bilder der toten Pferde einen schwachen, aber unverkennbaren Wärmestrom: Wie beiläufig schaffen sie dem Mitleid eine schmale, übersehbare Gasse. Was der Textautor Jünger nicht sagen will, kann der Bildautor Jünger *zeigen*: das stumme Leiden und Sterben der Kreatur. Nicht durch die Fotos gefallener Soldaten, sondern durch die Ansichten toter Pferde öffnet Jünger dem Mitleid einen Spalt in der Hermetik seines Werks. In diesem Punkt kommen die Erfahrung des Kriegsteilnehmers und die des Betrachters von Kriegsfotos überein: Die Bilder toter Soldaten mögen Grauen erregen, die Bilder toter Pferde erwecken Mitleid.[3] Noch in den Gesprächen kriegsgefangener deutscher Offiziere des Zweiten Weltkriegs kehrt dasselbe Motiv unverändert wieder. Wir haben Kolonnen angegriffen, erzählt ein Flugzeugführer, und mit allen MGs reingehalten: «Da haben wir Pferde herumfliegen sehen.» Sein Zuhörer ist schockiert: «Pfui Teufel, das mit den Pferden ... nee!» und gleich lenkt der Erzähler ein: «Die Pferde taten mir leid, die Menschen gar nicht. Aber die Pferde taten mir leid bis zum letzten Tag.»[4]

Mitleid mit dem Kriegspferd ist ein in der Literatur weit verbreitetes Motiv – mit einer für das 20. Jahrhundert eigentümlichen Wendung: Das Pferd im Krieg ist unwiderruflich auf die Seite der Opfer gewechselt. Anders als noch im 19. Jahrhundert, anders als zu allen

früheren Zeiten erscheint das Pferd nicht mehr auf Seiten der historischen Täter – als Teil einer gewaltsam alles überreitenden und überrol-
lenden Maschine –, sondern ist selbst unter die Räder des Fortschritts
geraten. Die Literatur der Weltkriege sieht das Pferd fast ausschließlich
als sterbendes, totes oder verwesendes Tier. So das im Straßengraben
verendende Pferd, an dem in Joseph Roths Gedicht «Der sterbende
Gaul»[5] die Kollegen von der bespannten Artillerie achtlos vorüber-
ziehen; so die über Nacht erfrorenen und im Eis eines finnischen Sees
erstarrten Pferde in Curzio Malapartes Roman «Die Haut»; so die
schlammbedeckten und verwesenden Pferdeleichen in der wiederhol-
ten Erzählung vom Untergang der französischen Kavallerie in den
Romanen Claude Simons.[6] Es ist, als hätte in der Literatur des
20. Jahrhunderts das sterbende oder tote Pferd das geschlagene Pferd
des 19. Jahrhunderts als Emblemtier abgelöst. Tatsächlich besaß das
Pferd des 19. Jahrhunderts ja noch gewisse Wildheits- und Schreckens-
reserven, während das Pferd des 20. Jahrhunderts in erster Linie als
Abschiedssignal und Verlustanzeige funktioniert.[7]

Damit ist nicht gesagt, das geschlagene oder gequälte Pferd sei
rasch und rückstandslos vom moralischen Bildschirm des 20. Jahrhunderts verschwunden. Karl Kraus sollte das Thema noch in den
zwanziger Jahren verfolgen, oder richtiger, das Thema sollte ihn verfolgen[8], und Else Lasker-Schüler beschrieb 1913 die Leiden der Pferde
auf den Reitwegen seitlich des Kurfürstendamms, auf denen schweiß-
und blutüberströmte Tiere von rohen Fuhrleuten halb zu Tode ge-
peitscht wurden, ohne dass sich in «den neumodischen, wogenden
Busen der Damen» ein Funke von Mitleid regte.[9] Dass es indes auch
um die Jahrhundertwende Busen gab, in denen Mitgefühl lebte, beweist die von dem Kunsthistoriker Colin Rowe mitgeteilte Bemerkung
einer alten Dame schwedischer Abstammung, deren Vater, Dekan an
der Kathedrale von Uppsala, wünschte, sie möchte einen jungen Mann
preußischer Herkunft heiraten, was die Tochter kategorisch ablehnte:
«Aber, lieber Colin, niemals hätte ich Kurt von Beckenrath heiraten
können! Er war so grausam zu seinen Pferden!»[10]

Im Ausgang des Pferdezeitalters hat Else Lasker-Schüler noch einmal das grausame Dreieck der Pferdequälerei an die Tafel des Ethik-

unterrichts gezeichnet: Rohe, oftmals besoffene Kutscher, fühllose Passanten und die stumm leidende Kreatur. Stets erweitert sich das Paar der ursprünglichen Grausamkeit – Kutscher und Pferd – um das Auge des Zuschauers oder Zeugen, der nichts unternimmt, um das Tier zu retten und dem Peiniger Einhalt zu gebieten. Oft genug ist er es, der fühllose Passant, der zum eigentlichen Ziel der Anklage wegen moralischen Versagens und mangelnder Empathie wird. Denn der Kutscher ist ein roher, ungebildeter Mensch, betrunken oder von Sinnen, dem geprügelten Tier näher als dem ungerührt zuschauenden Bourgeois. Seit dem 18. Jahrhundert zieht sich die Beschreibung des Dreiecks der Grausamkeit durch die Literatur der Städte und der Reisen; in seinem *Tableau de Paris* hat Louis-Sébastien Mercier ihm ein solides Denkmal aus Papier gesetzt.[11]

Im Zeichen dieses Dreiecks setzt mit dem ausgehenden 18. Jahrhundert eine europäische Debatte ein, in der es äußerlich gesehen um die verbreitete Grausamkeit gegen Tiere geht, und darum, wie man sie vermeidet. Daneben aber, und vielleicht ist das der eigentliche Kern der Sache, geht es um eine Neubestimmung des Humanen; es geht um einen neuen Menschentyp. Im Schatten des alten *heldischen Menschen*, dem das 19. Jahrhundert noch einmal Kränze flechten und Denkmäler errichten wird, etabliert sich ein neuer Typ, der *Mensch des Mitleids*.

Figuren des Mitleids

Das 19. Jahrhundert hat nicht nur das Dynamit, das Automobil und die Weltausstellungen erfunden, es hat auch moralische Erfindungen gemacht. Deren wichtigste war zweifellos das Mitleid, nicht im Sinn einer schönen Tugend unter anderen, sondern als die Grundlage humanen, moralischen Empfindens und Verhaltens. Tatsächlich bringt das 19. Jahrhundert nicht das Mitleid in die Welt, wohl aber gibt es ihm seinen fundamentalen Wert, und zwei der besten Autoren deutscher Sprache werden diesen Wert bezeugen, der eine im Modus des Lobes (Schopenhauer), der andere in dem der Kritik (Nietzsche).[12]

Wie jede neuartige Empfindungsweise brauchte auch diese Figuren, an denen sie kristallisieren, das heißt sichtbar und begreiflich werden konnte. Es waren Personifikationen eines Unglücks, das dessen Zeugen als unerträglich empfanden, eines Elends, das buchstäblich zum Himmel schrie. Da aber aus dem toten Himmel des 19. Jahrhunderts keine Hilfe kam, mussten sich die irdischen Räderwerke in Bewegung setzen, die aus einer akuten Erschütterung oder Empörung soziale und juristische Schutz- und Regelwerke machen sollten, die Redaktionen, Kanzeln, Kabinette.

Aus der Zahl der Figuren, an denen die Gesellschaften des 19. Jahrhunderts Erfahrungen machten, die à la longue ihr moralisches System veränderten, ragen vier besonders heraus.[13] Das geschlagene Pferd, die gemarterte Kreatur ist eine davon. Die anderen sind das arbeitende Kind, der verwundete Soldat und die Waise. Gemeinsam wandern sie durch die Albträume eines harten Jahrhunderts, die Erniedrigten und Geschundenen, das Quartett des säkularen Unglücks: der auf den Schlachtfeldern des Krieges Verblutende, die in den Fabriken des Kapitals geopferte Jugend, das vater- und mutterlose Kind und das vor kalten Menschenaugen gequälte Tier. Vier Verkörperungen der *miseria hominis*, an denen sich ablesen lässt, zu welchem Grad an Niedrigkeit der Furor der Nationen, die Raubzüge des Kapitalismus und die Rohheit seines Herzens den Menschen geführt haben.

Nie zuvor ist das Leiden auf dem Schlachtfeld so schonungslos und so mitfühlend beschrieben worden wie von Henri Dunant in seinen *Erinnerungen an Solferino*. Sein Text, der drei Jahre nach der Schlacht zwischen Österreichern und Franzosen im Jahr 1859 erschien, ist zum Auslöser für die Gründung des Roten Kreuzes geworden und wird bis zum heutigen Tag als Muster einer schriftstellerischen Intervention in humanistischer Absicht zitiert.[14] Dabei ist dieser Text ein spätes Fanal. Seit den napoleonischen Kriegen, seit dem Debakel in Russland 1812 mehren sich die Schriften, aus denen ein ähnlicher Geist spricht, Beschreibungen, die versuchen, das Unsägliche zu sagen. Dort wo sie verstummen, setzt – wie in Umkehrung von Lessings *Laokoon* – die stumme Rede der Malerei ein und verleiht dem Entsetzen Ausdruck: J. M. W. Turners 1818 erstmals ausgestelltes Gemälde *The field of Waterloo* zeigt die grausige Realität der Schlacht in der Nacht danach: Massen von Toten, Sterbenden und Verwundeten, verzweifelte Frauen, und im Dunkel das Heer der Hunde und Ratten. Dieselbe Realität bezeugt Dunant ein Halbjahrhundert später immer noch. Aber sein Text stößt nicht mehr wie Turners Bild auf geschlossene Augen und Ohren. Die Sensibilitäten haben sich gewandelt.

Als der Vierundzwanzigjährige im Sommer 1845 sein vielleicht berühmtestes Buch veröffentlicht, sind die Phänomene, die er beschreibt, erheblich älter als er selbst. Aber Friedrich Engels ist mit dem Elend der Arbeiter und speziell ihrer Kinder groß geworden; er kommt aus einer Dynastie von Textilindustriellen, die neben ihren Fabriken auch Schulhäuser errichtete. Wenn es einen roten Faden gibt, der *Die Lage der arbeitenden Klasse in England* durchzieht, so ist es der Raub an Geist und Leben, den die kapitalistische Gesellschaft an ihren Jüngsten und Schwächsten begeht. Wer die Kinder ihrer elementaren Schulausbildung beraubt, bringt sie um ihre Zukunft. In Engels' Augen wiegt diese Sünde schwerer als die körperliche Verkümmerung, die die brutale Ausbeutung des arbeitenden Kindes nach sich zieht. Das Halbjahrhundert seit 1780 sieht den Pegel der sozialen Gewalt gegen Kinder beständig steigen; erst um 1830 rührt sich vereinzelt erster Widerstand.[15] In seiner Studie über *The Making of the English Working Class* stellte E. P. Thompson 1963 fest, dass «die Ausbeutung von kleinen Kindern, in diesem Ausmaß und mit dieser Intensität, eines der beschämendsten Ereignisse unserer Geschichte ist»[16].

Der hohen Kindersterblichkeit in der sozialen Wirklichkeit des Jahrhunderts entspricht eine noch höhere Elternsterblichkeit in seinen Romanen und Erzählungen: «Die Literatur wimmelt von Waisen, Halbwaisen, Verstoßenen, Findlingen, Stiefkindern, Gestalten dunkler oder verschwiegener, wenn nicht inzestuöser Herkunft.»[17] Obskur wie ihre Herkunft ist das Schicksal ihrer Eltern, deren Verschwinden nur selten, und wenn, dann meist in wenigen, dürren Zeilen geschildert wird; noch seltener ist der Fall, dass einer von beiden Elternteilen wieder auftaucht wie der gewalttätige Vater von Huckleberry Finn. Der freilich auch nur wiederkehrt wie ein lästiges Gespenst, das vor Tagesanbruch zurück muss auf die andere Seite. Der Reigen der Waisen und Findelkinder beginnt mit Mignon; er zieht sich über Ottilie (in den «Wahlverwandtschaften»), über Oliver Twist, Quasimodo, das Meretlein im «Grünen Heinrich», Andersens kleines Mädchen mit den Schwefelhölzchen und Dostojewskis Smerdjakow bis hin zu dem großen Waisenhaus der Märchen, in dem Aschenputtel, Schneewittchen, die sieben Raben und die zwölf Schwäne hocken und der Erlösung harren. Das erhabenste Waisenhaus seiner Zeit errichtete freilich der Zauberer von Bayreuth, Richard Wagner; «er hat den Elternlosen, Ausgestoßenen ihre ... unvergeßliche Tonsprache geschenkt».[18]

Das in unseren Tagen verfassungsgerichtlich affirmierte Grundrecht des Einzelnen, den Namen seiner Eltern zu kennen, ist dem 19. Jahrhundert unbekannt. Die Literatur beklagt das Los der Waisen und benutzt es, um heimlich mit den Motiven des Vatermords und der inzestuösen Verbindung, deren Frucht das Kind mit der dunklen Vergangenheit ist, zu spielen.[19]

Historisch neu ist keine dieser vier Figuren. Die europäischen Gesellschaften brauchten nicht die Schwelle zum 19. Jahrhundert zu überschreiten, um sich mit dem Anblick sterbender Soldaten, verwahrloster Kinder und misshandelter Tiere konfrontiert zu sehen: Bilder wie diese begleiten ihre Geschichte seit Jahrhunderten. Aber Schlachten zwischen Armeen, die nach Zehntausenden zählen und innerhalb weniger Stunden Legionen von Leichen und unversorgten Halbtoten hinterlassen, Kinder, die elternlos durchs Leben irren oder sich unter Maschinen und in engen Schächten buchstäblich zu Tode arbeiten, Pferde, die auf offener Straße lahmgeprügelt werden – sie sind die Totems einer neuen Zeit. Ein gemeinsames Merkmal verbindet die, die unter die Räder der beschleunigten Geschichte geraten sind, den verletzten Soldaten, das ausgesetzte und ausgezehrte Kind, das gestürzte und geschlagene Tier. Diese Wesen können sich aus eigener Kraft nicht mehr erheben. Sie sind *Erniedrigte*, von einer unmenschlichen Gesellschaft zu Boden Geworfene.

Rousseau war es gewesen, der den Horizont des Mitleids so weit ausgedehnt hatte, dass er auch die Tiere noch umschloss. Schopenhauer ging über ihn hinaus und machte das Mitgefühl mit der leidenden Kreatur zum echtesten Ausweis humanen Mitleids. Aber eine

Sache ist es, den Tieren sein Mitleid zu schenken, eine andere zuzusehen, wie die Erniedrigung durch seinesgleichen den Menschen auf eine Stufe mit dem Tier stellt. Man hatte Rousseau vorgeworfen, er wolle den Menschen wieder zu einem Wesen machen, das *à quatre pattes*, auf allen Vieren ging. Wen die Gewalt des Krieges oder der frühkapitalistischen Produktion zu Boden geschleudert hat und wen keine Hand wieder aufrichtet, der wird tatsächlich zum Vierbeiner: Er ist zum Kriechen gezwungen. Dies ansehen zu müssen, ist unerträglich; vor diesem Anblick empört sich der Sinn des Betrachters. Es ist unerträglich, einen Menschen zu sehen, dem, am Boden liegend, nichts bleibt als der niedrige Gang und die Existenzweise eines Tiers. Es waren Ansichten des Unerträglichen, an denen die Empörung erst von Einzelnen, dann von größeren Gruppen und Vereinen des 19. Jahrhunderts wuchs, bis endlich die Stunde der Publizisten, Reformer und Gesetzgeber schlug.

Können sie leiden?

Die Engländer, deren Königin noch 1868 meinte, ihre Untertanen «neigten dazu, grausamer zu Tieren zu sein als einige andere zivilisierte Nationen»[20], waren immerhin die ersten gewesen, die dem Schutz der Tiere gesetzlichen Nachdruck verliehen. Zwar scheiterte der im April 1800 von William Pulteney eingebrachte Gesetzesentwurf, dessen Ziel es war, die Bullenhatz abzuschaffen, und auch der 1809 unternommene Versuch des eloquenten Lord Erskine, ein allgemeines Gesetz zum Schutz der Tiere durchzubringen, passierte nicht das Unterhaus. Erst im Juni 1822 wurde der nach Richard Martin (*Humanity Dick*) benannte *Martin's Act*, der Grausamkeit gegen Tiere unter Verbot stellte, von beiden Häusern des Parlaments verabschiedet.[21] Zwei Jahre später wurde die *Society for the Prevention of Cruelty to Animals* (SPCA, seit 1840 RSPCA) in London gegründet, der welterste Tierschutzverein. Wie in anderen Ländern, die dem englischen Beispiel folgten, lagen die Wurzeln der Bewegung in religiösen und philosophischen Schichten, die deutlich älter waren.[22] In England waren

In den Trümmern von Stalingrad sucht ein Pferd Nahrung, 1943.

Nicht nur die Skythen begruben, wie Herodot berichtet, mit ihren Königen auch deren Pferde. Auch die Gallier teilten sich ihre Gräber mit den Pferden: Ausgrabungen in Évreux, 2007.

dies vor allem Sekten, die, wie die Quäker, um 1650 entstanden waren, und die in der Regel den Tieren eine Seele zuerkannten. Aus ihren Reihen gingen viele Autoren des frühen Vegetarismus im 18. Jahrhundert hervor, an die wiederum radikale Vertreter der romantischen Generation wie Percy Bysshe Shelley (mit seinem «Essay on the Vegetable System of Diet», 1814) anschlossen. Auch die mit wissenschaftlichen Argumenten begründete Vivisektion fand früh prominente Gegner wie Samuel Johnson, der 1758 bekundete, er verachte alle diejenigen, deren Lieblingsbeschäftigung es sei *to nail dogs to tables and open them alive*.[23] In ähnlichem Sinn, wenngleich in anderer Kunstform äußerte sich William Hogarth, der 1751 *Four Stages of Cruelty* darstellte, zu denen das Bild eines brutalen Kutschers gehört, der auf ein Pferd einschlägt, das mitsamt der schweren Kutsche gestürzt ist und sich ein Vorderbein gebrochen hat (S. 309).

Gleichsam ein natürliches Gegenstück findet diese Szene der Grausamkeit in dem Bild des Begründers der methodistischen Kirche, John Wesley, der ein Leben lang zu Pferd unterwegs war und es sich zum Prinzip gemacht hatte, mit losem Zügel zu reiten und dabei zu lesen, während das Pferd von allein seines Weges ging. Angeblich soll sein Pferd nie gestrauchelt sein, was Wesley, der sich auch in diesem Punkt als Proselytenmacher bewährte, damit begründete, dass sein Tier weder Zwang noch Schmerz erdulden musste.[24] Neben religiösen Motiven kamen mit der englischen Aufklärung auch genuin philosophische Argumente ins Spiel, so als Jeremy Bentham, der Begründer des Utilitarismus, die geläufigen Diskussionen, ob Tiere vernunft- oder sprachfähig seien, abschnitt und durch die bis heute aktuelle Frage nach ihrer Fähigkeit, Schmerz zu empfinden, ersetzte: «The question is not, can they reason? Nor, can they talk? But, can they suffer?»[25]

Wie im Mutterland des Pferderennens zu erwarten, nahm sich die der SCPA nahestehende Autorschaft besonders des harten Loses der Rennpferde an, denen nach kurzen anstrengenden Jahren in Newmarket ein tristes Nachleben als Karrengaul und Schindmähre winkte.[26] Scharfe Attacken auf die Pferdequäler wie Henry Curlings *A Lashing for the Lashers* (1851) und populäre Titel wie John Mills' *Life of a Racehorse* (1854), mit dem das Genre der Pferdebiografie bzw. -autobiografie einsetzte, wurden sekundiert von den grafischen Künsten, in denen die Hogarthsche Tradition der Grausamkeitskritik fortlebte: Bereits in den zwanziger Jahren des 19. Jahrhunderts behandelte der nachmals berühmte Tiermaler und *Royal Academician* Sir Edmund Landseer das Schicksal der Pferde und Esel in London; 1830 schockierte George Cruikshank («the Hogarth of the present age») das Publikum mit seiner ungeschönten Darstellung vom Hof eines Abdeckers (S. 309) – eine Tristesse, die niemand sehen wollte.[27] Aber auch der Tierschutz hatte seine dunkle Seite. Lewis Gompertz, einer der führenden Köpfe und Autoren[28] des britischen Tierschutzes, der 1826 den Vorsitz der SPCA übernommen hatte, musste diesen sechs Jahre später wieder abgeben, nachdem der Führungsausschuss der Gesellschaft beschlossen hatte, nur noch christliche Mitglieder aufzunehmen, was Gompertz, der jüdischer Herkunft war, praktisch ausschloss. Antisemitische Strömungen, die mit dem Vegetarismus, dem Kampf gegen die Vivisektion und dem Schutz der Tiere schon früh einhergingen, sollten diesen Bewegungen treue Begleiter bleiben.[29]

Der prominenteste unter den frühen Tierfreunden und -schützern in Deutschland war nicht aus religiösen Gründen zu seiner Haltung gelangt. Schon früh hatte Friedrich der Große die Gesellschaft seiner Pferde und Hunde der menschlichen wenn nicht vorgezogen, so doch zumindest gleich gestellt. Er lehnte den Gebrauch von Sporen und Peitsche ab und pflegte zumal im Alter einen sehr entspannten und wenig schulgerechten Reitstil. Den Pferden seines ungewöhnlich großen Marstalls pflegte er Eigennamen zu verleihen, die anfangs auf deren Besonderheiten anspielten, während sie später aus dem historischen Fundus (Caesar, Pitt, Brühl) schöpften. Das letzte Lieblingspferd des Königs, ein Fliegenschimmel-Wallach, war nach dem französischen Prinzen Louis Henri de Bourbon-Condé, einem bedeutenden Feldherrn des 17. Jahrhunderts und großen Mäzen der Künste, insbesondere Molières, benannt. *Condé* folgte seinem Herrn wie ein Hund und naschte von den Feigen, Melonen und Orangen, die der König liebte und in der Orangerie von Sanssouci ziehen ließ; er war auch so frei, sich aus den Taschen seines königlichen Freundes zu bedienen, wenn dieser ins Gespräch vertieft war.[30] Das kluge Tier überlebte den König um 18 Jahre und erreichte das für Pferde biblische Alter von 38; sein Skelett ist in der Sammlung der Humboldt-Universität zu Berlin überliefert. Aufgestellt ist es vor dem Seminar für Kunstgeschichte, was sehr sinnvoll ist: Das Skelett des Tiers gehört den Zoologen, sein Bild den Kunsthistorikern.[31]

Wie in England erwuchs auch in Deutschland die Tierschutzbewegung aus religiösen Wurzeln. Der erste deutsche Verein zum Schutz der Tiere wurde 1837 in Stuttgart gegründet. Seine Urheber waren zwei württembergische Pfarrer, Christian Adam Dann, der noch im selben Jahr verstarb, und Albert Knapp. Dann hatte zuvor als Autor versucht, mit flammenden Appellen das Gewissen seiner Zeitgenossen wachzurütteln.[32] Beide Pfarrer waren tief pietistisch geprägt und standen in der Tradition der Herrnhuter Erweckungsbewegung.[33] Danns leidenschaftlicher Aufruf zählt immer neue Gewalttaten roher Herren, Kutscher und Kinder, unter denen neben Hunden und Ochsen vor allem Pferde («das allergequälteste Thier») zu leiden hatten und über denen sie Augen und Gehör verloren. Dann ist überzeugt davon, dass alle Untaten, die am «Mitgeschöpf» verübt wurden, sich irgendwann am Menschen rächen und dass Kinder, die Tieren ungestraft Böses tun, ihrerseits zu bösen Menschen werden. Den schlimmen Ansichten dieser «alten Erde» stellt er die trostreiche Hoffnung auf «einen neuen Himmel und eine neue Erde»[34] entgegen, da weise und gerechte Menschen mit den Tieren in seligem Frieden leben werden. Zu Recht weist der Herausgeber der Dannschen Schriften darauf hin, dass sich der Tierschutzgedanke des württembergischen Pietismus aus tiefen Quellen speist, zu denen unter anderem auch der Chiliasmus von Johann Albrecht Bengel und Friedrich Christoph Oetinger gehörte. Den «seligen Bengel» zitierte Dann selbst im Zusammenhang seiner Vorstellung von einer endzeitlichen Befreiung der Kreatur. Insofern stehe Danns Tierschutzgedanke, so Martin Jung, «in Verbindung mit der weltzugewandten Eschatologie des württembergischen Pietismus»[35], der durch das Vorbild des ersten Stuttgarter Tierschutzvereins in der ersten Hälfte des 19. Jahrhunderts auf ganz Deutschland ausstrahlte.[36]

Demselben geistigen Nährboden entstammte der originellste und engagierteste Autor, der sich um die Mitte des 19. Jahrhunderts der

Sache der geschundenen Tierheit annahm: Friedrich Theodor Vischer. 1838 wird der Philosoph und künftige Publizist und Romanautor zum Mitbegründer des «Vereins gegen Thierquälerei» in Tübingen. Schon mit seiner ersten öffentlichen Intervention, einem längeren, dreiteiligen Zeitungsaufsatz von 1847, ist der Ton gesetzt, den die Zeitgenossen mehr als ein Vierteljahrhundert lang nicht mehr aus dem Ohr verlieren sollten, die Stimme eines temperamentvoll austeilenden, philosophisch tief gegründeten Charakters. Gleich im ersten Teil seines Artikels zieht Vischer gegen die Pferdemisshandlungen der Italiener vom Leder.[37] Sie werden sich in der Folgezeit mit den Württembergern den zweifelhaften Ruhm teilen müssen, in Vischers Augen als die schlimmsten Barbaren der zivilisierten Welt zu gelten: «Die Thierquälerei der Italiener ist grausenhaft ...»[38]

Nicht ohne Stolz berichtet er in einem anderen Brief aus Italien von einem Zusammenstoß mit einem Kutscher, den er knapp für sich entscheiden konnte: «Ich hatte nämlich im Heimweg herausgebracht, dass der Barbar nach einem Weg von 6 Stunden und in einer Zeit von 4 Stunden Ruhe in Pästum die Pferde nicht hatte saufen lassen. Es war unterwegs nicht mehr möglich, da sie einmal im Schweisse waren. Ich machte ihm harte Vorwürfe ... Als ich ausstieg, verlangte er ein Trinkgeld. Ich sagte ihm, er brauche nicht zu trinken, er solle den Durst nur auch versuchen, da er die armen Pferde habe schmachten lassen. Er erwiderte in groben Ausdrücken, ich verstehe mich nicht auf Behandlung der Pferde, das Trinken wäre ihnen schädlich gewesen; ich hiess ihn eine Bestie, er warf mir höhnisch Weichherzigkeit vor, und ich weder geneigt, mich mit ihm herumzuschimpfen, noch mir seine Insulten gefallen zu lassen, gab ihm einen Faustschlag aufs Maul. Er wurde still und bleich und griff in die Tasche an das Heft eines Messers, ich trat zwei Schritte zurück, griff auch in die Tasche und liess den Hahn einer Terzerole knacken, worauf er sich eines besseren besann, aufstieg und fortfuhr.»[39]

Themen, die für die englische Tierschutzbewegung auslösend gewirkt hatten, fehlen bei Vischer naturgemäß: Deutschland kannte nicht die in allen Schichten der englischen Gesellschaft populären *blood sports*. Weder an Bullenhatz noch an Hahnen- oder Hundekämpfen delektierten sich die von Vischer gegeißelten Württemberger. Auch die Italiener, Vischers zweite Liga von Sündenböcken, machten sich anderer Vergehen schuldig. Obgleich der Kritiker gern reiste und auf seinem Weg in den Süden wiederholt die Alpen überquerte und die Vielfalt der Landschaften Italiens genoss, war seine Wahrnehmung, anders als etwa die des Pfarrers Dann, die eines typischen Stadt-bewohners: Die klassischen Objekte seines Mitleids waren Pferde und Hunde, die unter den Bedingungen des städtischen Alltags, schwerster Transportarbeit und der Moral roher Kutscher zu leiden hatten. Es war nicht der blutige Massensport und nicht das grausame Volksver-gnügen wie in England, es war der massenhafte Einzelfall gewaltför-miger Mensch-Tier-Beziehungen. Diese Gewalt ergoss sich nun aus-gerechnet über diejenigen Wesen, die als die treuesten und edelsten Gefährten des Menschen galten. Es waren seine engsten Freunde und in besseren Augenblicken diejenigen, in die er sich am ehesten hinein-versetzte: «Mitgefühl mit den Leiden des Thiers ruht auf dem Denken, das den innern Zustand eines fremden Wesens sich vergegenwärtigt», schrieb Vischer[40] und gab sich als Rationalist der Empathie zu erken-nen. In den «klugen» Pferden und Hunden fand solche Empathie ihre bevorzugten Objekte – während umgekehrt das Phänomen des totalen Empathieausfalls den Philosophen fassungslos machte, so dass er nicht anders als mit einem Fausthieb zu antworten wusste.

Für die Grausamkeit der Italiener im Umgang mit Tieren hatte Vischer eine probate Erklärung. Er maß, wie er selbst sagte, «die Haupt-schuld am Großwachsen des schwarzen Zuges im italienischen Volks-charakter den Priestern bei, die, statt ihn zu bekämpfen, ihn noch näh-ren, und zwar durch die katholisch-kirchliche Doktrin, daß das Tier keine Seele habe.»[41] Der katholischen Kirche gehe es, so Vischer, allein darum, «ihre magischen Mittel als die allein wirksamen anzupreisen» und derart die Geister zu fesseln: «Schonung des Tieres zu predigen, das hilft ja nicht zum Herrschen ... ein Wesen, das nicht beichten und Absolution empfangen kann, gegen Weihwasser und heiliges Öl gleichgültig ist, muß keine Seele haben.»[42] Jetzt freilich, Vischer schreibt dies im Jahr 1875, sei Italien erwacht, lebe und fühle Ehre. Der hier beschriebene Charakterzug gehöre zum alten, verachteten

Italien, das neue sei anders: «In den Tierschindern sahen wir vor der Zeit der Auferstehung Italiens die Enkel jenes Gesindelvolkes, das einst den Tierkämpfen und Gladiatorengemetzel zujubelte, sahen wir die späten Früchte der Fäulnis des alten kaiserlichen und der giftigen Verderbnis des priesterlichen Rom.»[43] Was dem württembergischen Protestanten Vischer der römische Klerus, das war dem britisch-puritanischen Tierschutz der irische Katholizismus. Auch auf Seiten katholischer Länder wie Italien, Spanien und Frankreich, vor allem aber im ewig suspekten Irland registrierten die englischen Tierschützer Grausamkeiten gegenüber Tieren. Den Grund dafür fanden sie in der Leugnung der Existenz einer Tierseele.[44]

Mein Bruder

Friedrich Theodor Vischer ist nicht der einzige Deutsche, der in Italien auffällig wird, weil ihn die Misshandlung eines Pferdes empört. Berühmter als der seine ist der Fall Nietzsche. Dessen Absturz in den Wahnsinn wird augenfällig, als er in Turin an einem Wintertag Anfang Januar 1889 Zeuge einer nachgerade klassischen Straßenszene wird: Ein brutaler Kutscher prügelt auf einen lahmen Droschkengaul ein. Die Szene, von der ironischen Regie des Schicksals in den Schatten einer monumentalen Reiterstatue verlegt, ist so alltäglich, dass der Durchschnittspassant, gegen solcherlei Rohheit abgestumpft, sie nicht mehr wahrnimmt. In Nietzsche dagegen, so will es die Legende, regt sich das Mitleid, unter Tränen wirft er sich dem geschlagenen Tier um den Hals, will es nicht mehr loslassen, und nennt, so wird man später irgendwo lesen, das Pferd seinen Bruder. Menschen bleiben stehen, Neugierige sammeln sich, Nietzsches Vermieter kommt vorbei, erkennt den Professor und bringt ihn nach Haus.

Soweit die geraffte Erzählung einer Geste, die unter die berühmtesten Anekdoten der Geschichte aufgestiegen ist. So berührend ist sie, dass es fast gleichgültig scheint, ob sie so stattgefunden hat oder anders oder vielleicht gar nicht. Von einer Biografie zur anderen, von einem Film zum nächsten wird sie weitergereicht, die kleine literarische Wanderhure. Längst hat ihre Wahrheit sich von der Geschichte gelöst und mit der Kunst verbunden. Jetzt ist sie kostbar, unverzichtbar, wie eine Arie in einer Sprache, die man nicht versteht.

Natürlich kennt Nietzsche den Ausdruck «Tierquälerei»; wer in der zweiten Hälfte des 19. Jahrhunderts lebt und die Zeitungen liest, muss ihn kennen. Nietzsche gebraucht ihn sogar, aber nicht in seiner ursprünglichen Bedeutung. Er gebraucht ihn spöttisch, ironisch, vielleicht metaphorisch: so, als er sich, wir schreiben das Jahr 1882, mit seiner neuen Schreibmaschine herumplagt. Mit diesem tückischen Instrument zu schreiben sei wahre «Tierquälerei». Mit anderen Worten: Nietzsche, das Opfer der Technik, ist das gequälte Tier. Auch wenn er an anderer Stelle, als Genealoge der Moral, die Gewissenspathologie des modernen Menschen kritisiert, spricht er von «Selbst-Tierquälerei».[45] Außerhalb solcher Zusammenhänge bedeuten ihm Tiere wenig.[46] Zwar kennt auch sein *Zarathustra* eine eigene Zoologie, präsidiert von Adler und Schlange, Zarathustra nennt sie «meine Tiere», aber sie sind Statisten einer Weisheitslehre, Messdiener einer neuen Religion; wirkliche Tiere sind sie nicht. Mit realen Tieren gibt Nietzsche sich nicht ab.[47] In diesem Punkt unterscheidet er sich von seinem Landsmann Vischer, der die wirklichen Tiere liebt, auch wenn es nur Katz und Hund sind, die mit ihm Stube und Vesperbrot teilen.

Unterschiedlich sind auch die Reaktionen der beiden Philosophen auf das Phänomen der Gewalt, die ein roher Mensch – der *vetturino* Vischers, der Droschkenkutscher von Turin – am Tier verübt. Beide sind sie keine indifferenten Passanten, keine indolenten Zuschauer. Aber die Szenen, in denen das Unglück der Kreatur vor ihre Augen tritt, entwickeln sich in unterschiedlicher Verlaufsrichtung, und ähnlich gegenläufig agieren die beiden Philosophen. Vischer, der Hegelianer, verhält sich als Dialektiker: Über Stunden hinweg notiert er die latente, in der Geste des Dürstenlassens gleichsam thetisch gefangene Gewalt. Dann, als der Streit mit dem Vetturin eskaliert, legt er die Lunte seines Zorns an das Pulverfass und lässt die Gewalt in die Antithesis eines Faustschlags explodieren. Ganz anders Nietzsche: Er wird, kaum ist er aus dem Haus getreten[48], zum Zeugen manifester Gewalt und übersetzt sie alsbald in den inneren Zustand des Mitleids. Oder

Der Halbschlaf der Autorin gebiert Pferde: Gräfin Lichnowsky verhält sich kritzelnd. Mechthilde Lichnowsky, Der Lauf der Asdur, DLA Marbach, Handschriften, Arbeitsheft Lichnowsky.

Lang der Strich und kurz die Pause: Der Künstler weiß, wie man Pferde striegelt und zeichnet. Picasso, Petit cheval.

335

besser, er versucht, offene, bereits explodierende Gewalt zurückzubinden in die Form verzweifelter Empathie – nicht ahnend, dass dies der Tropfen sein wird, der das Fass an Leidensenergie, das in ihm angefüllt ist, zum Überlaufen bringt.

Lange Zeit lag der Ursprung der Erzählung von Nietzsches Zusammenbruch im Dunkeln. Die meisten Nacherzähler und Biografen, auch Dichter wie Gottfried Benn[49] hielten sich an die präzis und zuverlässig erscheinende Fassung, die Erich Friedrich Podach der Sache im Jahr 1930 gegeben hatte: «Am 3. Januar, als Nietzsche sein Haus eben verläßt, sieht er, daß auf der piazza Carlo Alberto am Droschkenstand ein müder alter Gaul von einem brutalen Kutscher gepeinigt wird. Mitleid übermannt ihn. Schluchzend und schützend wirft er sich um den Hals des gemarterten Tieres. Er bricht zusammen. Zum Glück kommt, vom Straßenauflauf angelockt, Fino[50] vorbei. Er erkennt seinen Mieter und führt ihn mit großer Mühe in die Wohnung hinauf.»[51]

Vierzig Jahre nach Podach, achtzig nach Nietzsches Zusammenbruch in Turin ist der Philosoph und Schriftsteller Anacleto Verrecchia den Ursprüngen der Erzählung vom armen Pferd, dem bösen Kutscher und dem mitleidenden Philosophen nachgegangen.[52] Ihren ersten schriftlichen Niederschlag fand sie in einem anonymen Artikel in der «Nuova Antologia» vom 16. September 1900. Ihm sollten kurz darauf weitere Artikel in anderen italienischen Organen folgen; offenbar hatte Nietzsches Tod am 25. August 1900 eine Reihe von Federn in Italien in Bewegung versetzt. Jener erste Text, als dessen Autor Verrecchia einen Piemonteser Journalisten namens Giovanni Cena vermutet, enthielt eine Reihe von Informationen und Nachrichten, die, aus welchen Gründen auch immer, in der bisherigen Literatur (Overbeck, Bernoulli, Elisabeth Förster-Nietzsche) nicht vorgekommen waren. Als ihre Quelle vermutet der Autor Gespräche mit Davide Fino.[53] Dazu gehört auch die Episode mit dem Gaul, der somit hier seinen ersten literarischen Auftritt hat. Fino, so schreibt der anonyme Journalist, habe seinen Mieter aus den Händen zweier Stadtpolizisten übernommen: «... diese berichteten, daß sie diesen Ausländer bei den Arkaden der Universität angetroffen hätten, als er heftig den Hals eines Pferdes umarmte, das er nicht loslassen wollte.»[54] Die schon erwähnten Texte der Folgezeit tragen weitere Details bei, teils aus Gesprächen mit dem Sohn Davides, Ernesto Fino, teils aus der Fantasie der Autoren; dazu gehört auch das Bild von Nietzsche, der den Gaul küsst und ihn Bruder nennt.[55]

Die Nietzsche-Philologie hat noch auf weitere mögliche Herkünfte der Turiner Pferdegeschichte hingewiesen.[56] Da ist zum einen der Brief an von Seydlitz, in dem Nietzsche selber eine Szene «von einer moralité larmoyante, mit Diderot zu reden» beschreibt, die er sich eben ausgedacht hat: «Winterlandschaft. Ein alter Fuhrmann, der mit dem Ausdruck des brutalsten Cynismus, härter noch als der Winter ringsherum, sein Wasser an seinem eignen Pferde abschlägt. Das Pferd, die arme, geschundene Creatur, blickt sich um, dankbar, sehr dankbar.»[57] Die aparte Briefstelle, Janz spricht von einer «peinliche(n) Szene», leistet dreierlei: Zum einen zeigt sie, wie präsent in der Imagination des 19. Jahrhunderts das *in dolore* vereinte unheilige Paar von brutalem Kutscher und geschundenem Pferd ist. Zweitens verweist sie auf Kleists *Michael Kohlhaas* als mögliche Inspirationsquelle: Dort findet sich ja tatsächlich das Bild des – zwar nicht *an* seinen Pferden, wohl aber in deren unmittelbarer Nähe – sein Wasser abschlagenden Abdeckers.[58] Und drittens nimmt sie Nietzsche praktisch in die Autorschaft seines eigenen Finales mit hinein, was in der Logik seines Größenwahns konsequent gedacht ist.

Die andere von der Philologie gelegte Fährte führt zu dem grausigen Traum Raskolnikows in Dostojewskis *Verbrechen und Strafe*, besser bekannt unter seinem alten Titel *Schuld und Sühne*, in dem ein Pferd erschlagen wird, und Raskolnikow, ein Kind noch, sich dem geschundenen Gaul an den Hals wirft und das sterbende Tier küsst.[59] Bislang hat allerdings niemand schlüssig nachgewiesen, dass Nietzsche die Szene kannte und er dem russischen Drehbuch folgte, als er das Turiner Pferd umarmte. So bleibt es denn ein Rätsel, wieso zwei der größten Philosophen, die das alte Europa hervorgebracht hat, Sokrates und Nietzsche, beide mit der Anrufung eines Tieres enden, im Fall Sokrates' eines Hahns, den er dem Asklepios zu schulden meinte, und im Fall Nietzsches eines Pferdes, dem er sein Mitleid schenkte.

Der unterschiedlichen Art der Tiere entsprachen Stil und Bühne des jeweiligen Endes: Des Sokrates' Tod ereignete sich auf der Kammer-spielbühne seines Hauses, während Nietzsches geistiger Tod den öffent-lichen Platz einer Stadt als Bühne fand, einer Stadt, die – jedenfalls für Nietzsche in diesen letzten Tagen – das alte Europa vertrat. Das Pferd wiederum stand stellvertretend für die ganze Geschichte, die Nietz-sche, der eben dabei war, sich mit allen Figuren der europäischen Geschichte zu identifizieren, nicht anders als in der Gestalt eines ge-schlagenen Tiers umarmen konnte: das Schmerzenstier dem Schmer-zensmann, der seine letzten Briefe abwechselnd mit Christus und Dio-nysos unterzeichnete.

Nochmals das Dreieck

Das grausame Dreieck der Pferdequälerei – rohe Kutscher, fühllose Passanten und die stumm leidende Kreatur – existiert noch immer. Nur sind die Medien verändert und die Positionen anders besetzt; an die Stelle des Kutschers ist der Pferdehändler getreten, und der achtlos vorbeigehende oder neugierig hinschauende Passant bewegt sich nicht mehr auf der Straße, sondern im Netz, zum Beispiel auf Youtube. Dort stößt man unter Suchbegriffen wie «Pferdehölle» immer noch auf dieselben, alten, brutalen Szenen: halbtote und vor Durst halbirre Pferde, die von fluchenden, offenbar alkoholisierten Treibern, Fahrern und Knechten auf polnischen (Skaryszew) und österreichischen (Mais-hofen) Pferdemärkten malträtiert, von Lastwagen heruntergezerrt, herumgestoßen, auf andere Lastwagen gezerrt, geschlagen und weiter-transportiert werden. Sofern sie die Fahrt überleben, stehen für viele, wenn nicht die meisten, am Ziel der Reise der Schlachthof und die Wurstfabrik.

Ein anderer Schauplatz der Pferdequälerei liegt in derselben Kultur-zone, in der die Pferdekultur einst zu höchster Blüte gebracht und dann über die halbe Welt verbreitet wurde, am Rand der arabischen Halbinsel. Das Emirat Dubai im Besonderen und die Vereinigten Emirate im Allgemeinen sind in den Ruf geraten, durch Distanzritte in

Wüstengebieten und unter hohen Temperaturen den Tod zahlloser Pferde riskiert oder verursacht zu haben.[60] Auch in diesem Fall kann man im Netz die Position des Passanten einnehmen und zusehen, wie Pferde bis zur völligen Erschöpfung geschunden oder so schwer verletzt werden, dass sie zusammenbrechen und von Tierärzten «erlöst» werden müssen.[61]

Auch die Position dessen, der einen Augenblick lang das Dreieck der Grausamkeit aufbricht, der verrückte Philosoph, der sich dem gequälten Pferd an den Hals wirft und «Bruder!» schreit, ist wieder besetzt. Heute sind es Aktivisten von Tierrechtsorganisationen, junge Leute mit Öljacken und Wollmützen, die mit ihren Mitteln – Aufklärung, Filme, spontane Aktionen, verzweifelte Ankäufe einzelner Tiere – gegen die Missstände und für die Schließung der Pferdemärkte kämpfen. Werden sie langfristig mehr Erfolg haben als der Philosoph von Turin? Speriamo.

DER VERGESSENE AKTEUR.
HISTORIEN

Die Trennung von Mensch und Pferd zu beschreiben, ist eine Sache. Nach Sinn und Zweck ihres vormaligen Zusammenlebens zu fragen, eine andere. Was gewann der Mensch, als er sich mit dem Pferd verbündete? Was konnte das Pferd, was andere Wesen nicht konnten? Die erste Antwort lieferte die Physik. Das Pferd konnte, so lautete sie, Energie erzeugen, indem es Energie umwandelte. Aus der unscheinbaren potentiellen Energie, die in harten Steppengräsern, ungenießbar für fast alle anderen Tiere, eingeschlossen war, konnte es die spektakuläre Energie eines schnellen, ausdauernden Läufers gewinnen. Kraft seiner natürlichen Eigenschaften als Umwandler von Energie konnte es Könige, Ritter, liebende Frauen und Landärzte tragen, Kutschen und Kanonen ziehen, Heere von Arbeitern und Angestellten transportieren und ganze Nationen mobilmachen. Dies war die erste Antwort.

Das Pferd konnte auch, so lautete die zweite Auskunft, Kenntnisse erzeugen und Wissen transportieren. Als wichtigster und engster animalischer Partner des Symbole bildenden und Geschichte machenden Menschen wurde das Pferd selbst zum privilegierten Objekt menschlichen Forschens und Erkennens. So gründlich widerfuhr ihm dies, dass es schließlich hinter allen Diskursen zu verschwinden drohte, hätten nicht Maler und Bildhauer ihm zu einem zweiten Leben in der

Kunst verholfen: bis es schließlich hinter allen Bildern zu verschwinden drohte. Das Pferd war Teil einer komplexen Ökonomie verschiedener Wissensgebiete (medizinisch, agrarisch, militärisch, künstlerisch) und Wissensarten (empirisch, kennerschaftlich, wissenschaftlich) sowie einer langen, in der Antike begründeten literarischen Tradition. Dass diese Wissensökonomie heute weitgehend vergessen ist, mindert nicht ihr einstiges Gewicht, das seinen Höhepunkt im 18. und 19. Jahrhundert hatte.

Die dritte Auskunft betraf die großen Gefühle, die sich mit dem Pferd verbanden, Emotionen wie Stolz und Bewunderung, Machtwillen und Freiheitsstreben, Angst, Lust und Mitleid. In seiner Eigenschaft als Zeichen- und Bedeutungsträger, in seinem Beruf als *Semiophore* war das Pferd auch immer ein bedeutender Träger und Überträger von menschlichen Emotionen, Stimmungen und Leidenschaften. Neben seinen Funktionen als Converter von Energie und Objekt von Erkenntnis wirkte das Pferd auch als Umwandler von Pathos. Dies ist die *dritte Ökonomie*, in der das Pferd eine zentrale Rolle als Objekt und Akteur spielte: Durch die Bilder, die es trug, und kraft der leidenschaftlichen Zuschreibungen, deren Gegenstand es wurde, hatte es Teil am Schicksal der menschlichen Passionen.

Innerhalb dieser drei Ökonomien – *Energie, Wissen, Pathos* – verbanden und durchdrangen die Geschichte der Menschen und die der Pferde sich aufs Engste. Aber folgen nicht diese drei Ökonomien unterschiedlichen Gesetzen? Inwiefern sollten sie untereinander konvertibel sein? «Materielle Ursachen», schrieb der Romancier Thomas Hardy, «können mit emotionalen Wirkungen nicht in eine reguläre Gleichung gebracht werden. Was das Kapital ergibt, das beim Hervorbringen einer Bewegung geistiger Natur eingesetzt wird, ist zuweilen ebenso gewaltig, wie die Ursache lächerlich geringfügig ist.»[1] Aber wer erwartet angesichts so unterschiedlicher Sphären – Energie, Wissen, Pathos – schon reguläre Gleichungen? Für den Anfang ist viel gewonnen, wenn man sich des Reichtums der Phänomene versichert: der Fülle und Vielfalt an Bildern, Texten und Objekten, den die gemeinsame Geschichte von Menschen und Pferden hinterlassen hat.

Irgendwann werden sich andere Fragen aufdrängen. Sie werden

nicht mehr lauten: Was wissen wir von der Pferde- und Menschengeschichte? Was hat uns das Pferd bedeutet, welche Zeugnisse hat uns seine Geschichte hinterlassen? Welche Erkenntnisse wurden gewonnen, und in welchen Institutionen wurde das Wissen verwaltet? In welchen Literaturen lebt es fort, in welchen Depots wurde es vergessen? Statt nach dem zu fragen, was wir vom Pferd wissen, ehedem wussten oder vergessen haben, werden wir fragen, was das Pferd *uns lehrt*, gegenwärtig und in der kurzen Zeitspanne, die wir absehen können, und die wir doch immer noch mit dem großen Namen Zukunft belegen. Was werden uns die Equiden künftig lehren, wie werden wir davon sprechen, welche Form werden wir unserem Wissen geben? Das sind die Fragen, um die dieses letzte Kapitel kreist, das im Untertitel *Historien* heißt (was ganz griechisch und buchstäblich zu nehmen ist, als Erkundungen und Untersuchungen) und was mit gleichem Recht Ästhetik heißen könnte, historische Ästhetik.

Manche Bücher enden mit einer Art sinfonischem Schluss, bei anderen fällt die Zusammenfassung aus. Auch mein letztes Kapitel ist nicht der klassische vierte Satz. Anstelle einer Summe oder Synthese steht deren Gegenteil, eine Zerstreuung, ein offenes Ende. Im Kapitel *Historien* geht es zu wie auf einem Markt: Verschiedene Techniken und Stile, Pferdegeschichten zu erzählen, werden durch die Manege geführt, historische und philosophische Narrative, Forschungsberichte, literarische Texte, Bruchstücke von Theorien, Erinnerungen des Autors, Bilder, Witze und Zitate. Nichts, was nach einem Ganzen aussähe, nichts, was sich schlüssig rundete. Keine Konklusion, sondern eine Kollektion: eine lockere Sammlung von Möglichkeiten, die Geschichte von Pferden und Menschen zu erzählen, zu reflektieren, zum memorieren. Wie ein Teppich läuft der Text am Schluss in ungezählten Fransen aus. Ein Essay darf sich das erlauben. Er genießt Freiheiten, die der strengen wissenschaftlichen Form versagt sind. Auf dem Titelblatt seiner Methode stehen nur drei Wörter: *Suchen und Finden*. Mehr kann und will der Essay nicht. Daneben bleibt ihm noch eins zu tun: *Zeigen*. Und sein Finderglück mit anderen teilen.

Zahn und Zeit

Großer Stil, große Politik

Im September 1528 tragen die Regensburger dem Maler Albrecht Altdorfer das Bürgermeisteramt an. Er lehnt ab, hat Wichtigeres zu tun, arbeitet an einem großen Bild für den Herzog Wilhelm IV. von Bayern. Ein enormes Bild mit tausend Figuren, die ganze Schlacht von Issos 333 vor Christus wird zu sehen sein, mit dezenten Hinweisen auf die aktuelle Gegenwart und die Abwehr der Türken. Georg Simmel wird sich eines Tages fragen, wie ein Historiker des 20. Jahrhunderts es anstellt, ein Großereignis wie die Schlacht von Marathon in allen Einzelheiten zu erzählen. Altdorfer zeigt, wie ein Maler des 16. Jahrhunderts das Problem löst: indem er ein Wimmelbild malt. Das weite Schlachtfeld, die Ebene von Issos, dahinter die Berge, das Meer und der Himmelsozean, das alles lässt sich mit einem Blick erfassen. Löst sich der Betrachter aber vom Anblick des Ganzen und schweift durch die zahllosen dramatischen Details des Geschehens, so ist er rettungslos verloren. Halt findet er nur im Zentrum des Geschehens, dort, wo soeben die welthistorische Wende eingetreten ist: Dareios, der Perserkönig, hat seinen Streitwagen mit den drei Rössern gewendet und tritt die Flucht an; Alexander, der jugendliche Held, verfolgt ihn auf Bukephalos, seinem berühmten Lieblingsross. Der Ausgang der

Schlacht ist in der augenblicklichen Konstellation der Protagonisten vorgezeichnet, der Sieg fällt an den Reiter. Glanzvoll behauptet sich die neue Kriegstechnik der Kavallerie gegen die ältere des Streitwagens; der junge Gott des Krieges triumphiert über den Hegemon der alten Welt.

Ein Leser von Reinhart Koselleck könnte sich fragen, ob der Autor vielleicht dieses Bild vor Augen hatte, als er die Epochenschwelle, die seine wichtigsten geschichtstheoretischen Konzepte tragen sollte, auf den Namen der *Sattelzeit* taufte. Sicher ist immerhin, worauf Koselleck mit dem bildhaften Begriff hinweisen wollte: Gegen Ende des 18. Jahrhunderts, um 1780, vollzog sich eine Wende von den vielen verschiedenen Geschichten zu der einen Welt *der Geschichte*. Vom Wimmelbild der Narrationen zum Singular des vereinheitlichten Zeitraums. Für den Historiker war dies der Augenblick, in dem die Moderne begann: Wer die Zukunft als Erwartungshorizont vor sich aufbaute, musste die Geschichte als einheitlichen Erfahrungsraum hinter sich legen.

Zu der Erfolgsgeschichte des Begriffs gehört, dass seine Evidenz kaum je in Frage gestellt wurde. Gelegentliche Anfragen nach Herkunft und Sinn des Wortes wurden mit dem Hinweis auf die Geologie beschieden: Ein *Gebirgssattel* sei ein Höhenkamm, der zwei Gebirgshänge gleichzeitig scheide *und* verbinde. Die Sattelzeit war so gesehen eine Art Wasserscheide der Zeiten. Aber niemand schien sich zu fragen, wer zuvor die Geologie in den metaphorischen Sattel gehoben hatte. Ein Blick darauf, wie ein Sattel auf dem Rücken eines Pferdes aufliegt, hätte genügt, um sich den Weg der Metapher zu verdeutlichen. Aber was musste geschehen, um den geologischen Begriff wieder in Bewegung zu versetzen, um aus ihm einen *Zeitbegriff* der Geschichte zu machen? Um vom Boden der Tatsachen auf die Zeit der Erfahrung umzusatteln? Dies war das Werk eines Historikers und Temporalstrukturalisten.

Der Verdacht ist nicht abwegig, dass Koselleck als Polemiker, der er auch war, wie beiläufig einen Gegenbegriff prägen wollte. Einer seiner akademischen Lehrer Ende der vierziger Jahre in Heidelberg war der Philosoph Karl Jaspers. 1949 erschien dessen geschichtsphilosophi-

Der Geschichte die Zähne zeigen: Pferdegebisse des französischen Arztes Louis Auzoux aus Papiermaschee, Ende des 19. Jahrhunderts.

Der Künstler als junger Indianer: Bleistiftzeichnung des 10-jährigen Paul Klee.

sches Deutungsbuch *Vom Ursprung und Ziel der Geschichte*, eine Phänomenologie des historischen Bewusstseins.[2] Wann hatten die Menschen in den großen Kulturräumen, die Jaspers verglich – dem griechisch-okzidentalen, dem indischen und dem chinesischen –, damit begonnen, ein historisches Bewusstsein von sich selbst, ihren Lebensformen und Artefakten auszubilden? Wann hatten sie, fragte sich der Philosoph, ihren innerweltlichen Horizont überschritten und in Gedanken die Transzendenz erfasst? Jaspers' Antwort lautete: im Zeitraum zwischen dem achten und dem zweiten Jahrhundert vor Christus. In einer erstaunlichen Fast-Gleichzeitigkeit ereignete sich damals in allen betrachteten Hochkulturen ein Reflexivwerden des Denkens, das sich seiner Endlichkeit, aber auch seiner Überschreitbarkeit bewusst zu werden begann. Für diese bewusstseinsgeschichtlich entscheidende Zeitzone fand Jaspers den Begriff der *Achsenzeit*.[3]

Natürlich wollte Koselleck, als er die *Sattelzeit* erfand, keinen spiegelbildlichen Gegenbegriff liefern. Ihn kümmerte es wenig, wo und wann sich eine Art frühestes Bewusstsein von Geschichtlichkeit entwickelt hatte, Paläohistorismus war nicht seine Sache. Er wollte die Zäsur bestimmen, seit der die Moderne in ein reflektiertes Verhältnis zu sich selbst getreten war, den Moment, in dem sie einen einheitlichen Raum dessen entworfen hatte, was hinter ihr lag: *die Geschichte*. Ihn interessierten die dynamischen Begriffe der Moderne, nicht die holistischen Konzepte der Geschichtsmetaphysik. Also doch die Jugend der Welt im kühnen Aufritt gegen die Streitwagenkultur der älteren Schule? Die Begriffsgeschichte im Sattel gegen eine Geistesgeschichte auf Achse? Zweifellos ein schöner Sandalenfilm: Alexander gegen Dareios, *Sattelzeit* vs. *Achsenzeit*, Begiffsgeschichte gegen Geschichtsphilosophie, und von vornherein wäre klar gewesen, wer gewinnen würde.

Ein historischer Kalauer? Vielleicht eine Spur mehr. Jaspers hat selbst die Fährte gelegt, die auf die historische Reitbahn führt. Im Anlauf zu seiner Theorie der Achsenmächte des Bewusstseins stellte er die Frage, was für die neue Denkweise ursächlich gewesen sein könnte. Auf die Frage: «Warum die Gleichzeitigkeit?» gebe es, so Jaspers, nur eine einzige diskutable Hypothese. Sie stamme von Alfred

Weber: «Der Einbruch der Streitwagen- und dann der Reitervölker aus Mittelasien ... hat, wie er sagt, in den drei Gebieten analoge Folgen: Die Menschen dieser Reitervölker machen dank dem Pferde die Erfahrung der Weite der Welt. Sie bemächtigen sich erobernd der alten Hochkulturen. Mit den Wagnissen und Katastrophen erfahren sie die Fragwürdigkeit des Daseins, entwickeln als Herrenmenschen ein heroisch-tragisches Bewußtsein, das im Epos Ausdruck findet.»[4]

Das Buch Alfred Webers, auf das Jaspers Bezug nahm, hieß *Das Tragische und die Geschichte*, war nicht zufällig im Jahr von Stalingrad erschienen und intonierte die aktuelle «tragische Daseinssicht», die bekanntlich die Deutschen mit den Griechen teilten, zitierte aber auch zustimmend den Emigranten Heinrich Zimmer.[5] Auf die Frage, wie der Sinn für das Tragische in die Welt – und nicht nur in die der Griechen – gekommen sei, antwortete Weber mit dem Hinweis auf zwei Wellen von Eroberungen, die seit 2000 v. Chr. über die europäischen und asiatischen «Vorkulturen» hinweggegangen seien: zunächst eine auf Streitwagentechnik beruhende und dann, seit 1200 v. Chr., eine von Reiterheeren getragene Eroberung. Vor allem diese zweite habe einen Prozeß größter kultureller Dynamik ausgelöst: «Diese Reiterwelle ist wie eine ungeheure Dünung, die größte, die Eurasien jemals in zeitlichem Zusammenhang überspült hat. (...) Indem die Völker, die sie trugen, mit ihrer sozialen und politischen Struktur überall ihr seelisches Wesen, die Herrenqualität ihres Kriegertums und seine Atmosphäre unverlierbar mit sich führten ..., brach eine neue Weltperiode an, eine Periode geistiger Umwälzung. (...) Sie war überall eine Auseinandersetzung maskuliner, freibeweglicher Herrenanschauung und Herrenhaltung mit im Boden, der ‹Mutter Erde› verwurzelter, ursprünglich matriarchaler ... Ackerbauverbundenheit ...»[6]

Der große Stichwortgeber hinter den monumentalischen Figuren vom kriegerischen Herren- und Heldentum heißt nicht Friedrich Nietzsche, sondern Oswald Spengler. Auch wenn die Farben, in die dieser seine historischen Prospekte taucht, von jenem stammen, hat doch erst Spengler, der Geschichtslehrer und Zoologe, der sein Studium mit einer Arbeit über *Die Entwicklung des Sehorgans bei den Hauptstufen des Tierreichs* abgeschlossen hatte, die umwälzende

Rolle, die das Pferd und seine militärische Nutzung in der Geschichte gespielt haben, hellsichtig bezeichnet. Mit einer leichten «technologischen» Verschiebung: Spenglers Interesse an der Technik lässt ihn die Waffe in den Vordergrund und das Pferd leicht in den Hintergrund rücken. Deshalb gilt seine Begeisterung nicht den historisch späteren Reiterkriegern, sondern dem früheren Streitwagen; darum erscheint ihm die Reiterei als abgeleitetes, sekundäres Phänomen: «Keine Waffe ist so weltverwandelnd geworden wie der Streitwagen, auch die Feuerwaffen nicht. Er bildet den Schlüssel zur Weltgeschichte des 2. Jahrtausends v. Chr., das in der gesamten Geschichte die Welt am meisten verändert hat. (…) Vor allem tritt hier *das Tempo als taktisches Mittel* zuerst in die Weltgeschichte ein. Die Entstehung der Reiterei … ist nur die Konsequenz aus dem Streitwagenkampf.»[7]

Spengler hält seinen Vortrag im Februar 1934 vor der Münchner Gesellschaft der Freunde asiatischer Kunst und Kultur, und es klingt, als spräche er als Prophet eines kommenden, mit Streitwagen neuen Typs geführten Blitzkriegs: als schriebe er das Drehbuch für die Panzerspitzen Guderians. Aus dem groß inszenierten Auftritt des Streitwagens zieht der Autor noch größere anthropologische Konsequenzen: «Das *Tempo als Waffe* tritt damit in die Kriegsgeschichte ein, und ebenso der Gedanke, daß der waffengeübte Berufskrieger ein Stand, und zwar der vornehmste im Volke ist. Zu dieser Waffe gehört eine neue Art Mensch. (…) Es entstehen Herrenrassen, die den Krieg als Lebensinhalt betrachten und mit Stolz und Verachtung auf Bauernvölker und Viehzüchterstämme herabsehen. Hier, im 2. Jahrtausend, spricht sich ein Menschentum aus, das noch nicht da war. Eine neue Art Seele wird geboren. Von da an gibt es bewusstes Heldentum. (…) Das Ergebnis für die Weltgeschichte ist ungeheuer. Sie hat einen neuen Stil und Sinn erhalten.»[8]

Herren, Helden, Krieger und ein neuer Mensch. Drei Jahre nach dem Zweiten Weltkrieg wandelt Hans Freyer, der 1948 eine zweibändige *Weltgeschichte Europas* erscheinen lässt, immer noch in Spenglers Spur. Auch er will in der Verbindung von Pferd und Streitwagen «eine der ganz großen Revolutionen des Kriegswesens in der Geschichte der Menschheit»[9] erkennen. Noch direkter und apodiktischer verbindet Freyer die neue Fahr- und Kampftechnik mit einer monumenta-lisierenden Anthropologie und einer Metaphysik des Willens: «... es handelt sich um eine der naturhaften Eruptionen des Kriegswillens ... ihr Auftreten (bedeutet) eine neue Epoche; denn es bedeutet, daß ein neuer Wille zur Eroberung als ganz konkretes Ethos, nämlich als wirkliche Waffe an bestimmten Punkten durch das bisherige Macht-relief der Erde durchbricht wie eine vulkanische Gewalt. (...) Jetzt erst gibt es bewußtes Heldentum ... Jetzt erst wird *Epos* möglich.»[10]

Aber es ist nicht nur das Epos, das Eintritt in die Geschichte gefun-den hat, seit die Menschheit sich mit Tempowaffen bekriegt: «Aus die-sem Geist wird eine neue Welttatsache geboren, die es im ersten Jahr-tausend der alten Kulturen nicht gegeben hat: die *Politik* ... Jetzt erst gibt es die echte Dramatik der politischen Geschichte; nicht mehr bloß jene typischen Herrschertaten, Strafgerichte und Befriedungen im Chronikstil, sondern den jähen Wechsel von Größe und Sturz, von Glanz und Untergang, in dem die Staaten selbst auf das Spiel gesetzt sind.»[11] Als Schicksal betritt die Politik die Bühne der Geschichte, un-erklärbar und groß, und ist doch nur die Folge eines technischen Durchbruchs.

Auch Jaspers, in dessen Sound Ende der vierziger Jahre noch viel Herrentum und Schicksal nachklingt, steuert direkt auf den neuen Menschentyp los. Allerdings verliert er den animalischen Träger der technischen Umwälzung nicht gänzlich aus dem Auge. Das Aufkom-men des Pferdes veränderte mit der Position des Menschen – der Kavaliersperspektive – auch dessen Blick auf die umgebende Welt: «Es (das Pferd) brachte die Loslösung des Menschen vom Boden zur Weite und Freiheit, neue überlegene Kampftechnik, brachte ein Herrentum, das verknüpft ist mit der Zähmung und Zügelung des Pferdes, dem Mut des Reiters und Eroberers, dem Sinn für die Schönheit des Tieres.»[12]

Spätestens jetzt ist es an der Zeit, sich von der scheinhaften Analo-gie zwischen Achsenzeit und Streitwagenkultur zu verabschieden: Adieu, falscher Freund. Jaspers fuhr nicht als philosophischer Wagen-lenker durch die Geschichte; der Autor, dem er folgte, hieß nicht Oswald Spengler, sondern Alfred Weber. Als historische Protagonisten, die den epochalen Phasenwechsel der Achsenzeit ausgelöst haben mochten, kamen für ihn nur «die *Reitervölker* der Indoeuropäer» in Frage, die um 1200 v. Chr. «mit einem neuen großen Schub» aufgetreten waren, mit dem sie nun auch Iran und Indien erreichten.[13] Im übrigen tragen alle Autoren, die nach 1939 schreiben, sie heißen Weber, Jaspers oder Freyer, denselben kleinen Katechismus der Archäo-Hippologie in der Tasche: Joseph Wiesners Schrift *Fahren und Reiten in Alteuropa und im Alten Orient.*[14] In einer immer noch erstaunlichen Weise führt Wiesner beides zusammen, den historischen Kenntnisstand um 1940 und die Farben des ideologischen Narrativs.

Zugunsten einer konsequenten Historisierung des frühen Pferdezeitalters verzichtet der Historiker und Archäologe auf die Plötzlichkeitsfiguren, jene schicksalhaften Eruptionen, die der nietzscheanischen Rechten (Spengler, Freyer) teuer sind. Doch wie jene kann auch er der Vorstellung nicht entsagen, erst mit dem Auftreten des Streitrosses und des Kampfwagens in Alteuropa und dem vorderen Orient habe eine Epoche *großer Politik* begonnen.[15] Diese große Politik verlangt nach einem neuen Träger, neuen historischen Subjekten: «ein ritterliches besitzendes Herrentum ... mit dem unbändigen Willen zur Darstellung seiner Taten und damit zur Geschichte, die nicht im Dunkel leben will».[16] Dieser «Wille zum Äternisieren des eigenen Herrentums» sei, wie Wiesner zu betonen nicht müde wird, *arische Geistesart.* Sie werde jetzt für den gesamten Bereich des Orients zwischen Iran und Assyrien prägend, während sie in anderen Kulturen, wie der ägyptischen, fehle: Auch die alte Welt kannte offenbar schon den Gegensatz von Helden und Händlern.[17]

Mit deutlichem Abstand von einem halben Jahrtausend geht das kriegerische Fahren dem Reiten voran; «im vorderen Orient ist das Reiten selten. (...) Militärisch wird es nicht angewendet; auch die Vorstellung vom erhabenen Reiter fehlt. (...) Vom Ethos des Reitens ist nichts zu spüren. Reitende Götter sind darum nicht bekannt.»[18] Das Reiten zu militärischen Zwecken, als *Kavallerie*, daran lässt der Archäologe keinen Zweifel, ist gegenüber dem Fahren eine späte Erfindung. Die Perspektive des Kavalleristen, der Fontane durch den Mund des General Bamme Ausdruck verliehen hat[19], eine Perspektive, in der die gesamte Geschichte als Reitergeschichte erscheint, erweist sich demgegenüber als retrospektive Täuschung. Die Faszination durch das Tempo der Eroberer blieb übrigens nicht auf die Nationalsozialisten und die von ihnen bevorzugten oder geprägten Autoren beschränkt. Der Neoliberalist und Mitbegründer der sozialen Marktwirtschaft Alexander Rüstow räsonierte um 1950 über den «Geschwindigkeitsrausch» und ein «völlig verändertes Selbstgefühl des Menschen gegenüber Raum und Entfernung», das die «neue Bewegungstechnik des Schnellfahrens und des Reitens» geschaffen haben müsse.[20]

Auch Elias Canetti sah den welthistorischen Beitrag, den die Reitervölker dank ihrer Geschwindigkeit zu leisten imstande waren: «Die Unterwerfung des Pferdes und die Ausbildung der Reiterheere in ihrer vollkommensten Form haben zu den großen historischen Einbrüchen aus dem Osten geführt. In jedem zeitgenössischen Bericht über die Mongolen wird hervorgehoben, wie *rasch* sie da waren. Immer kam ihr Auftauchen unerwartet: sie erschienen so plötzlich, wie sie verschwanden, und erschienen noch plötzlicher wieder.»[21] Noch die «Schizo-Analyse» des heroischen Poststrukturalismus meinte auf die Zigarettenbilder der schnellen Reiterkrieger nicht verzichten zu können: «‹… sie kommen wie das Schicksal … sie sind da, wie der Blitz da ist, zu furchtbar, zu plötzlich …›» schreiben Deleuze und Guattari, Nietzsche zitierend, und fahren mit Kafka fort: «Die Eroberer sind da gleich einer aus der Wüste kommenden Wolke: ‹Auf eine … unbegreifliche Weise sind sie bis in die Hauptstadt gedrungen›, unbegreiflich, wie sie es geschafft haben, denn ‹wüste Hochländer sind zu durchqueren, aber auch weite fruchtbare Länder … Jedenfalls sind sie also da; es scheint, daß es jeden Morgen mehr werden.›»[22]

Die enge Pforte

In den sechs Jahrzehnten, die seit Jaspers' Erfindung des Achsenzeitalters vergangen sind, hat die Erforschung der Frühphase des Pferdezeitalters beträchtliche Fortschritte gemacht. Sie hat ideologischen Ballast abgeworfen und mitsamt dem arischen Geist die Herren und

Helden verabschiedet: Die Archäologie und Archäozoologie hatte sich freigemacht von der *Ariomanie*, wie Peter Raulwing schrieb[23], jener Faszination durch die Arier, die angeblich als erste das Pferd domestiziert und sodann den Streitwagen erfunden hatten. Generell werden die Deutungsmuster nicht mehr von der Makro- oder Kavaliersperspektive der Geschichtsphilosophie vorgegeben, sondern den Mikroperspektiven archäologischer Befunde angepasst.[24] Das heißt nicht, dass die Archäologen, die heute in der Weite des euro-asiatischen Raums zwischen Schwarzem Meer und Zentralasien nach Zeugnissen der Verbindung von Mensch und Pferd graben, auf sämtliche traditionellen Figuren der Interpretation verzichten. So hat gerade in den letzten Jahren die Figur des eurasischen *Nomadenkriegers*, jenes «natürlichen» oder «geborenen» Kriegers, der, ebenso zäh wie sein ausdauerndes und genügsames Pferd, zum Schrecken der sedentären Völker Europas und des Orients wurde, eine erstaunliche Konjunktur in der Forschung erlebt.[25] Die Tatsache, dass der Steppenkrieger nicht mehr wie der Blitz aus dem Himmel der politischen Ideen herabfährt, hat ihn für die historische Forschung nicht verzichtbar gemacht; verändert hat sich allerdings seine *raison d'être*: Nicht mehr die Politik ist das Schicksal, sondern die Ökologie. «Die Nomaden», schrieb ein Erforscher der chinesischen Kriegsgeschichte schon 1974, «konnten gar nicht anders, als zu Reitern, Jägern und berittenen Bogenschützen werden, sie waren die natürlichsten Krieger, die je von ökologischen Umständen erzeugt wurden.»[26]

Von Seiten der Archäologie her ist auch der Begriff des *Kriegers* problematisiert worden. Pferde, daran erinnert der Verfasser einer umfassenden Studie über die eurasischen Reiter des Bronzezeitalters, ließen sich ausgezeichnet zum Hüten von Viehherden benutzen, aber ebenso gut auch zum Stehlen und Davontreiben von Vieh, und obendrein ließen sie sich selbst leicht stehlen: «Als die amerikanischen Indianer auf den nordamerikanischen Ebenen zuerst mit dem Reiten begannen, wurde das Pferdestehlen chronisch und verdarb die Beziehungen zwischen Stämmen, die bis dahin in Frieden gelebt hatten.»[27] Der Gebrauch von Pferden schuf neue Konfliktlagen und ließ neue Stile der Auseinandersetzung entstehen, die es schwer machen, Reiten und Kriegführung klar von einander zu unterscheiden: «Viele Fachleute sind davon ausgegangen, dass erst seit 1500–1000 v. Chr. Pferde im Krieg geritten werden, aber sie haben nicht den Unterschied zwischen dem berittenen Raubzug (*mounted raiding*), der wahrscheinlich sehr alt ist, und der *Kavallerie*, die mit dem Eisenzeitalter seit etwa 1000 v. Chr. aufkommt, gesehen.»[28]

Weil diese alten Konflikte von osteuropäischen und asiatischen Nomaden untereinander nicht die großen Städte Mesopotamiens und des Vorderen Orients bedrohten, blieben sie außerhalb des Lichtkegels der Geschichte. Um in diesen einzutreten, musste sich nicht nur die Bewaffnung der Krieger verbessern (kürzere, stärkere Bögen und Pfeilspitzen aus Eisen), sondern auch ihr geordnetes Zusammenwirken und ihre Disziplin: Aus Stammeskriegern mussten Staatenkrieger werden. Diese Transformation scheint sich zwischen 1000 und 900 v. Chr. abgespielt zu haben: «Bald schon verdrängte die Kavallerie den Streitwagen vom Schlachtfeld, und eine neue Ära der Kriegführung begann.»[29] Anders gesagt, zu dem Zeitpunkt, als Jaspers die Achsenzeit einsetzen ließ, um 800 v. Chr., hatte in der Militärgeschichte längst die Stunde der Sattelzeit geschlagen.

Für den, der nach den Wurzeln der Verbindung von Mensch und Pferd gräbt, sind Sattel und Achse schlechte Indikatoren: Beide kommen historisch deutlich zu spät. Wer die Domestikationsgeschichte des Pferdes – des Pferdes nicht als Objekt des Verzehrs, sondern als Motor von Zug- und Tragelasten – erforscht, tut gut daran, der Spur der Zähne zu folgen. Lange bevor es unter Menschen, die mit Pferden handelten, üblich wurde, dem Gaul ins Maul zu schauen, hatte das Pferd seinerseits der Geschichte schon zweimal die Zähne gezeigt: das erste Mal in der Frühzeit seiner Evolution, und das zweite Mal in den Anfängen seiner Domestikation.

In der Erforschung der Domestikationsgeschichte hat sich die Archäologie einerseits mit der Ikonographie, andererseits mit der Osteologie verbündet. Während derjenige Flügel der Archäologie, der seine Beweisführung vorwiegend auf Abbildungen von gerittenen Pferden (oder pferdeähnlichen Tieren) und einschlägige Schriftquellen stützte, zu der Einsicht gelangte, «dass es keine *verlässlichen* Text- oder Bildquellen des Reitens vor dem Ende des zweiten Jahrtausends gibt»[30], konnten die Verbündeten der Osteologie und der Paläohippologie zwei bis drei Jahrtausende weiter vorstoßen. Ihr wirkungsvollstes Instrument war lange Zeit die Radiokarbonmethode. Mit ihrer Hilfe ließen sich etwa die Funde von Pferdeknochen, die man zuerst in Dereivka (ukrain.: Derijiwka) am mittleren Dnepr, dann in Botai in Nordkasachstan, beides kupferzeitlichen Siedlungen, gemacht hatte, auf das ausgehende vierte und beginnende dritte Jahrtausend datieren. Aber die entscheidende Frage: Kalorien oder Kinetik? blieb ohne Antwort. Zu welchem Zweck die Tierpopulationen gehalten worden waren, darüber sagten die Knochen nichts aus. Aber neben den Knochen hatte man an beiden Plätzen Trensenknebel aus Hirschhorn gefunden. Sie wiesen darauf hin, dass die Tiere nicht bloß dem Verzehr gedient hatten, sondern als Reit- oder Zugtiere verwandt worden waren.[31]

Einen weiteren Schritt konnte die Archäologie tun, als sie begann, den Tieren auf den Zahn zu fühlen. Gleichgültig welcher Art die Trense gewesen war und aus welchem Material sie bestand, ob aus Hartholz, Leder oder textilen Fasern wie Hanf, sie hatte Druck- oder Schleifspuren am Zahnschmelz eines mit solchen Instrumenten gelenkten Pferdes hinterlassen.[32] Aufgrund solcher Spuren ließ sich die früheste Nutzung des Pferdes als Zug- oder Reittier auf den Zeitraum von 4200 bis 3700 v. Chr. datieren.[33] Dafür spricht auch die Herdenhaltung domestizierter Tiere (Pferde, Rinder, Schafe), die ebenfalls für diese Zeit nachweisbar ist. Während Rinder und Schafe sich auch von Fußgängern hüten lassen, ist dies à la longue mit Pferden nicht möglich. Um Pferde dauerhaft in Herden halten zu können, muss der Hirte beritten sein.[34]

Allen archäologischen Landgewinnen zum Trotz bleibt die eigentliche kulturelle und moralische Leistung der Domestikation im Dunkeln: Kein Text, kein Bild und keine materielle Spur bekunden den Mut des Menschen, der zum ersten Mal ein wildes Pferd bestieg und es dazu brachte, den Reiter zu dulden und seinem Willen zu gehorchen. Nicht zu Unrecht beschreibt die Historikerin Ann Hyland diesen Augenblick mit Worten, wie sie vor bald fünf Jahrzehnten die Schritte des ersten Menschen auf dem Mond begleiteten: *It was a small step, albeit a brave one, for man to mount a horse.*[35] Sicherlich ist der Vergleich mit der Mondlandung nicht zu hoch gegriffen. Der Moment, in dem er begann, durch Zähmung und Züchtung sein Schicksal mit dem des Pferdes zu verbinden – und zwar nicht in nutritiver, sondern in *vektorieller* Absicht – dieser Moment könnte vor der Erfindung der Schrift die enge Pforte gewesen sein, durch die der Mensch den Raum der Geschichte betrat.

Das harte Gras

Mit dem Pferd verfügte der Mensch nicht nur über einen besonders schnellen und wendigen Gefährten, dessen Kraft, Ausdauer und Geschwindigkeit es ihm möglich machte, in einer neuen, unerhörten Weise Krieg zu führen und «große Politik» zu treiben. Das Pferd war auch ein vergleichsweise genügsamer und robuster Partner und fast so anpassungsfähig wie der Mensch selber. Das hängt vor allem mit der Ernährung und Verdauung des Tiers zusammen. Pferde ernähren sich von Grassorten, die unter keine Kuhhaut gehen, sprich die aufgrund ihrer Zellulosestruktur zu hart und aufgrund ihres niedrigen Proteingehalts zu wenig nahrhaft für Kühe und die meisten Paarzeher sind. Außerdem brauchen Kühe Ruhezeiten, während derer sie dem Geschäft des Wiederkäuens nachgehen, während Pferde dank ihrem einfachen Magen im Weiterlaufen verdauen können. Die erste Voraussetzung für die Zähigkeit und Genügsamkeit des Pferdes freilich ist sein Gebiss: Dank ihren besonders hoch und hart überkronten Zähnen können Pferde und andere Equiden das harte Gras der Prärien, Steppen und Savannen mit seinem hohem Anteil an Silizium in den Zellwänden abweiden und zerkleinern (S. 345). Im selben Maß, wie die Vorläufer des Pferdes diese Art von Gebiss ausbildeten, wurden sie fähig, ihrer bisherigen weicheren Blattkost zu entsagen und ihren alten Lebensraum, die Wälder, mit der Steppe zu vertauschen.[36]

Um eine ausreichende Ernährungsbasis zu bieten, musste das neue, proteinärmere Futter allerdings in größeren Mengen aufgenommen werden. Das wiederum setzte voraus, dass sich die Neuankömmlinge in den Steppen und semiariden Zonen frei schweifend bewegten, große Strecken zurücklegten und in kleinen Gruppen lebten. Es war dieses Bündel von Umständen aus physischer Konstitution und Lebensweise, welches das Pferd zum idealen Partner eines Menschen, der nach Expansion seines Lebens- und Wirkungsradius strebte, werden ließ. Hinzu kam die dem Pferd (bzw. einzelnen Typen von Urpferden, zu denen etwa das Przewalskipferd, aber nicht der Tarpan gehörte) inhärente Möglichkeit der Domestikation. Einmal aus seiner Wildheit «gebrochen», konnte das Pferd zu einem zuverlässigen und sensiblen Gefährten des Menschen werden. Während nun die Geschichtsphilosophie und die Theorie der Macht in der Schule Nietzsches und Spenglers ihren Blick allein auf den Effekt *Tempo* und dessen makrohistorische Konsequenzen (Krieg, große Politik) richtete, blieb die historische Ökologie dichter an den Prozessen, die sich zwischen Tier und Umwelt abspielten und einschneidende Folgen für die Energiebilanz hatten.

«Das Pferd», schreibt Jürgen Osterhammel im Blick auf den «Wilden Westen» Nordamerikas im 19. Jahrhundert, «wirkte als Energietransformator. Es verwandelte die im Grasland gespeicherte Energie in Muskelkraft, die – anders als diejenige nicht domestizierbarer Großtiere – menschlicher Führung gehorchte.»[37] Tatsächlich stellten nicht nur die Prärien Nordamerikas, sondern alle großen Graslandzonen und Halbtrockengebiete der Welt gigantische Energiespeicher dar, die sich mit Hilfe von domestizierbaren Tieren wie Pferden nutzbar machen ließen. Diese Tiere waren imstande, die potentielle Energie der Steppengräser aufzunehmen und in kinetische Energie zu verwandeln, die sich sodann für andere Zwecke, wie Krieg oder Büffeljagd, nutzen ließ.

Diese Theorie des tierischen Organismus als Energietransformator, wie Osterhammel sagt, oder *converter*, wie es in der englischen Terminologie heißt, geht zurück auf Maschineningenieure und Physiker des ausgehenden 19. Jahrhunderts, die im Bemühen, die energetische Effizienz von Maschinen zu erhöhen, das Tier als *lebendige Kraftmaschine* studierten. Allen voran ist Robert Henry Thurston zu nennen, dessen Überlegungen dank Franz Reuleauxs Übersetzung auch eine deutsche Leserschaft erreichten.[38] Die Übertragung dieser

Schatten der Gejagten: Dreharbeiten zu «The Misfits», John Huston, 1961.

*Bild der Macht:
Barbara Klemm,
Blick aus dem Neuen
Museum auf die Alte
Nationalgalerie und
eine Reiterstatue,
Berlin 2000.*

Energetik auf historische Menschengesellschaften war das Werk des Chicagoer Soziologen Fred Cottrell.[39] Ihm zufolge ist der erste und bedeutendste, weil erfinderische *converter* der Mensch selber, versteht er es doch, die unterschiedlichsten Arten potentieller Energie zu erschließen und sich zunutze zu machen. Aber der Mensch, so Cottrell, «gebraucht für seine Zwecke auch Umwandler (*converter*) außerhalb seines Körpers, und die Energie, die ihm diese Umwandler zur Verfügung stellen, lässt sich messen. Wo immer andere Umwandler sich einsetzen lassen, um die Energien des Menschen zu ersetzen oder zu ergänzen, lässt sich der relative Vorteil, energetisch gesehen, ihrer Nutzung gegenüber dem Einsatz seiner eigenen Kräfte berechnen.»[40]

Als animalischer Metabolismus ist das Pferd ein Umwandler von Energie: Es nimmt die in Pflanzen gespeicherte Energie auf und transformiert sie derart, dass sie als kinetische Energie (Laufen, Ziehen, Tragen) abgerufen werden kann. Das setzt freilich voraus, dass die Konversion von pflanzlicher Materie in Pferdefleisch nicht mehr einmalig – qua Verzehr – genutzt wird, sondern dass das Pferd als nachhaltiger Erzeuger von kinetischer Energie erkannt ist und benutzt wird. Die technischen Instrumente, die am Pferd zur Anwendung kommen (Zügel, Sattel, Sporen etc.), lenken die durch diesen Umwandlungsprozess zur Verfügung stehende Energie und geben ihr die von der jeweiligen historischen Gruppe gewünschte Richtung.

Auch der Mensch ist, wie Cottrell zeigt, ein *converter*, und obendrein ein besonders raffinierter: Er lernt, sich anderer Energieumwandler zu bedienen und sie für seine Zwecke einzuspannen. Dieses *Einspannen* ist so wörtlich wie umfassend zu verstehen: Der Mensch erweitert seinen Radius nicht oder nicht allein dadurch, dass er seine Muskeln *anspannt*, sondern dadurch, dass er andere Umwandler für seine Zwecke nutzt, anfangs nur als Lieferanten von Nahrung und später, auf einer höheren Stufe der Entwicklung, als *Vektoren*, d. h. als Lieferanten von kinetischer Energie: «Die Domestikation von Zugtieren erhöht in beträchtlichem Ausmaß die mechanische Energie, die ihren Besitzern zur Verfügung steht.»[41]

Eine historische Ökologie hat es, so gesehen, mit unterschiedlichsten Akteuren zu tun, mit Tieren, Pflanzen, Mikroben, Viren, mit Technik, Wasser und Wind, den Staub nicht zu vergessen, den Sand im Getriebe. Da wir in aufgeklärten Zeiten leben, schließt die Liste ohne Geister, Teufel und Faune, wohl aber umfasst sie Katastrophen. Selbstverständlich sind auch Menschen Subjekte der historischen Ökologie, aber ihre Rolle erscheint geringer als in der klassischen politischen Geschichte, weil sie jetzt stärker im Zusammen- und Gegenspiel mit Naturprozessen wahrgenommen werden. Je weiter wir uns ins 21. Jahrhundert hinein bewegen, umso deutlicher zeigt sich, was im Zentrum einer historischen Ökologie stehen wird: die Geschichte der *Energie*, der Wandel ihrer Formen und ihrer Träger, die Kämpfe um ihre Verteilung. Zwar wird auf absehbare Zeit der Kernbereich der Geschichte noch vom Ensemble der politischen Ideen und Aktionen beherrscht sein: Krieg und Frieden, Recht, Verwaltung und der Raum der Freiheit. Aber alle politischen Haltungen, Handlungen und Ideen werden künftig im Licht der energetischen Bilanzen neu zu lesen und zu bewerten sein. Im Unterschied zur bisherigen Geschichte unterscheidet diese Energetik die historische Welt nicht länger in zwei separate Hälften: menschliche und nichtmenschliche Geschichte. Im Pferd besitzt sie eines ihrer wichtigsten Leitfossilien.

Land nehmen

Indianer werden

Durch das Repertoire an Witzen, mit dem der Entertainer Myron Cohen in den fünfziger und sechziger Jahren des vergangenen Jahrhunderts durch die nordamerikanischen Nachtclubs tingelte, zogen sich unverkennbar Spuren der Immigration. Manche Gags waren aus Italien eingewandert, andere kamen aus Irland oder Polen, die meisten waren jüdischer Herkunft. Aber auch die anscheinend autochthon amerikanischen Nummern Cohens waren irgendwo zwischen den Kulturen unterwegs. Zu ihnen gehörte auch die von dem Mann, der in verkehrter Richtung durch die Einbahnstraße fährt und von einem Polizisten angehalten wird. Sagt der Polizist zum Autofahrer: Haben Sie denn den Pfeil nicht gesehen? Wieso, sagt der Mann, ich habe ja nicht einmal den Indianer gesehen.

Cohens Witz zeichnet sich nicht nur durch Kürze aus, er ist auch universell verstehbar; ein Österreicher oder Chinese kann darüber genauso lachen wie ein Amerikaner. Dass sich der Amerikaner am besten amüsiert, liegt daran, dass der Witz, indem er zwei Sorten von Pfeilen verwechselt, zugleich zwei Jahrhunderte amerikanischer Kultur und Lebenswelt vertauscht. Mit anderen Worten, für den Amerikaner ist der Witz nicht nur ein semiotischer, er ist auch ein historischer Scherz. Aus der Welt des Automobilverkehrs und seiner Verkehrszeichen, von denen einige pfeilförmig sind, um eine Richtung zu bezeichnen, springt er zurück in die Welt der Pferde und Reiter, der Indianer und ihrer Pfeile, die man nicht sieht, weil sie zu schnell sind.

Allerdings ist das Bündnis zwischen Pferd und Pfeil alles andere als eine rein amerikanische Erfindung. Asiatische Nomaden, Bewohner der Steppen haben es zuerst geschmiedet, arabische Reitervölker sollten es später bekräftigen. «Der Pfeil», schreibt Elias Canetti, «ist die Hauptwaffe der Mongolen. Sie töten auf Entfernung; aber sie töten auch in Bewegung, von den Rücken ihrer Pferde her.»[1] Der Amerikaner hat natürlich nur die Indianer vor Augen; so will es seine historische Blickrichtung oder kulturelle Einbahnstraße. Die Verbindung zwischen Pferd und Pfeilwaffe ist insofern realer Natur, sie ist «historisch», wenn wir uns unter Geschichte Ereignisse vorstellen, die sich wirklich zugetragen haben und Dinge, die es wirklich gegeben hat. Aber bekanntlich existieren neben diesen Dingen und in den Falten dazwischen weitere Verbindungen von Pferd und Pfeil, Konjekturen und Konjunkturen, die sich im Raum der Vorstellung gebildet haben. Wieso sollten sie weniger real sein als die Dinge aus Holz, Eisen, Fleisch und Blut? Auch Vorstellungen sind Tatsachen, sagte Jacob Burckhardt.

In Cohens Witz sehen wir zwei Bilder in engster Berührung, ein Bild des Pferdes und ein Bild des Pfeils, zwei Indikatoren für schnelle Bewegung im Raum. Das windgeschwinde Tier verbindet sich mit dem schnellen Geschoss, dem technischen Objekt, dem von Menschenhand geschaffenen Artefakt (wie es auch das domestizierte Pferd ist). Der Indianer wiederum ist ihr Verbindungsoffizier, er ist Pferde-Mensch und Pfeil-Mensch in einer Gestalt, er herrscht über zwei Arten von Schnelligkeit, die animalische des Pferdes und die technische des Pfeils. Der Indianer ist der Agent, der ihr Zusammenwirken organisiert, ihre Lenkung und Addition, der Steuermann, der sie zusammenführt. Er ist der *Arrownaut* im Luftraum über der Prärie.

In einem kurzen, windschnellen, tatsächlich nur aus einem einzigen Satz bestehenden Stück unter dem Titel *Wunsch, Indianer zu werden* schildert Franz Kafka die blitzartig, in einem Stakkato von Nebensätzen sich vollziehende Metamorphose vom Reiter zum Pfeil oder eigentlich zum bloßen, materielosen Dahinstürmen: *Wenn man doch ein Indianer wäre, gleich bereit, und auf dem rennenden Pferde, schief in der Luft, immer wieder kurz erzitterte über dem zitternden Boden, bis man die Sporen ließ, denn es gab keine Sporen, bis man die Zügel wegwarf, denn es gab keine Zügel, und kaum das Land vor sich als glatt gemähte Heide sah, schon ohne Pferdehals und Pferdekopf.*

Sieht man genauer hin, erkennt man, was sich im Ritt oder Wunschritt des Indianers tatsächlich vollzieht: ein einziges, atemloses Ablegen und Wegwerfen, eine Reduktion von Zügel, Sporen und Materie, die zum Schluss auch das Pferd noch verschlingt. Nichts bleibt übrig vom dahinstürmenden Ensemble als der Reiter, schief in der Luft, und auch von ihm nicht mehr als sein Blick, ein Erzittern und eine rasende Bewegung, die den Blick über die gemähte Heide weiter ins Leere trägt. Und wiederum ist es der Satz, dieser eine und einzige Satz, der über den Pferdekopf hinaus weiterfliegt, gleichsam als Blick oder Blitz, und von dessen Dynamik der Leser sich forttragen lässt, hin über etwas, das wie kahle Heide erscheint und vielleicht doch die Prärie ist. Und während der Satz noch alles demontiert und fortwirft, was ihm unter die Hände kommt, Sporen, Zügel, Pferdehals und -kopf, ruft er andere Vorstellungen herauf und zwingt die Vorstellung des Lesers zu ergänzen, was er, der galoppierende Satz, explizit nicht mehr zu sagen braucht.

Es ist der Doppelschlag der gleichlautenden Wörter oder Silben (*erzitterte/zitternden, bis/bis, denn/denn, Pferdehals/Pferdekopf*), in dem der Takt der Hufe des galoppierenden Pferdes hörbar wird, es ist die Ersetzung des erwarteten Konjunktivs durch den Indikativ Imperfekt, es ist, mit einem Wort, die zerrittene und zerrüttete Struktur des Satzes, der zu keinem syntaktischen Abschluss findet, und so dem Leser den Eindruck vermittelt, er säße mit zu Pferd, hinter dem Autor, über dessen Schulter blickend, oder auch allein, er wäre der Reiter selber und würde geschüttelt und gerüttelt, dass ihm Hören und Sehen verginge. Würde zum Pfeil der reinen Kinetik und flöge nach Westen, in die amerikanische Bewegungsrichtung schlechthin, dieselbe Richtung, die auch Kafkas Amerika-Roman zugrunde liegt, der an der Ostküste beginnt, um sich immer weiter nach Westen, bis nach Oklahoma, zu bewegen.

Mit einer einzigen, relativ kurzen Satzkonstruktion, die obendrein grammatisch und syntaktisch *kaputt* ist und jeden Augenblick in ihre Bestandteile zu zerfallen droht wie eine ramponierte oder von Indianern überfallene Kutsche, legt Kafka den Keim zu einer Erzählung, die sich im Kopf des Lesers weiterentwickelt, einer Erzählung, die mit kulturellen Beständen spielt, auf deren Verfügbarkeit der Autor sich verlassen kann: Indianer, Cowboys, Pferde, Reiter, die Prärie, der Westen – so wie Myron Cohen sich darauf verlassen kann, dass sein Publikum weiß, was eine Einbahnstraße ist, ein Auto, ein Fahrer, ein Polizist, ein Pfeil und ein Verkehrsschild. Der Satz spielt mit dem vorhandenen Material dessen, was Flaubert die *Idées reçues* nannte, Gemeinplätze oder Gemeingüter, über die jeder Teilhaber am Sprachspiel seiner Zeit verfügt; hier sind es eher *objets reçus*, Gemeinobjekte, deren Semantik jeder kennt und deren Gebrauch ebenfalls bekannt ist. Nur scheinbar schreibt Kafka mit 61 Wörtern, zehn Kommas und einem Punkt auf fünf Zeilen, die auf weißem oder von der Zeit vergilbten Papier stehen; in Wahrheit schreibt er in ein Material, das ungleich massiver und diffuser ist, das Sediment der kulturellen Reste, die Partikel, die der Hufschlag des Satzes aufwirbelt, den Staub, in den jeder schreiben darf, so gut er eben kann, wie Zedlers sterbender Soldat[2].

Mit anderen Worten, der Leser erlebt, wie Kafkas Satz, im selben Maß, wie er sich, erzitternd über dem zitternden Boden, in seine Bestandteile auflöst, zu einer Erzählung, nein, nicht aufquillt, sondern im Gegenteil zerfällt. Kafkas Satz ist wie der Beginn eines Feuerwerks, das kurz über dem Boden zerplatzt, zerfällt und verglüht. Gleichzeitig aber ist er das mikroskopisch kleinste Filmscript zum kürzesten Western der Filmgeschichte, das Miniaturdrehbuch zu der einsamen Szene aus der Perspektive – der Kavaliersperspektive – eines reitenden Indianers, ein mit den Mitteln sprachlicher Mimesis nachgebildetes filmisches *travelling*: Erst fährt die Kamera über den Hals des galoppierenden Tiers und dann weiter, über seinen Kopf hinaus in die Weite der endlos sich hinstreckenden Prärie, ein Land, das nichts weiter ist als *zitternder Boden* und, ein wenig später, *gemähte Heide*.

Bekanntlich hat sich Kafka, wie viele Künstler seiner Zeit, wiederholt mit dem Phänomen der Geschwindigkeit beschäftigt. Ihn faszinierte das Paradox des Zenon, welches besagt, dass alle Dinge in Bewegung sind bis auf eines, der fliegende Pfeil: Ruhe ist nur in der von allen Reibungsmomenten befreiten absoluten Bewegung. Kennt auch der *Wunsch, Indianer zu werden* ein solches paradoxes Ruhemoment? Unverkennbar geht das Bestreben des Wünschenden dahin, sämtliche Akzidenzen des Reitens wie Sporen und Zügel abzutun, um schließlich reine Bewegung zu werden, Vektor im leeren Raum. *Indianer werden* hieße demnach, das Beiwerk eliminieren, um die Reibung zu minimieren, oder mehr noch und radikaler: das Pferd hinter sich lassen, den materiellen Träger, um gänzlich immateriell zu werden.

So gesehen hat sich Kafkas Miniatur auf den Weg einer Abstraktion begeben. Mit jedem Satz des galoppierenden Pferdes entfällt ein anderes zivilisatorisches Element, mit dem der Mensch das Pferd beherrschte und lenkte, erst die Sporen, dann die Zügel. Von einem Sattel ist nicht die Rede, auch nicht von Steigbügeln; was Kafka wegwirft, sind die Instrumente der Direktion und der Inzitation, *Stachel und Zaum*. Die sichtbarsten, akutesten Instrumente der Domestikation: Herrschaft drückt sich aus in der Möglichkeit, Schmerz zuzufügen und Lenkung auszuüben. Wie kein anderes Tier in der Geschichte ist das Pferd umgeben worden von einem Kranz technischer Objekte, die seine Benutzung, seine Lenkung und Leitung erleichtern sollten. Alle dienten sie ein und demselben Zweck: das Pferd aufs Engste in die Zivilisation einzubinden, das Tier zu einem signifikanten Teil der Menschenwelt zu machen, zu ihrem lange Zeit wichtigsten Energielieferanten. Diese Geschichte löst sich vor unseren Augen und unter Kafkas Feder auf, ein paar Hufschläge noch, und sie ist für immer vergangen: *es gab keine Sporen, es gab keine Zügel.*

Im selben Maße, wie die Instrumente der Beherrschung wegfallen, tritt der negative Pfeil der Bewegung hervor, rein, absolut, *abstrakt*. Kafkas Indianerwunsch lässt den Raum der Geschichte hinter sich. Sämtliche historischen Zivilisationen sind den umgekehrten Weg gegangen: Mit ihren Instrumenten, ihren Bremsen und Stacheln haben sie den wilden Träger animalischer Energie domestiziert und die Nutzung

Im Augenblick des Sturzes: Römisches Wagenrennen à la russe. Siegesparade von Einheiten der 5. Sowjetischen Stoßarmee vor dem Alten Museum, Berlin 4. Mai 1945.

Ein schöner Fang: Französische Infanterie führt einen gefangenen deutschen Ulanenoffizier ins Gefängnis von Amiens (1915).

oder Umformung seiner Energie perfektioniert. Nicht der Wegfall von Sporn und Zügel hat den positiven Pfeil der Energie freigesetzt, sondern ihre systematische Anwendung und ihre Verkettung oder Vernetzung mit anderen Instrumenten (Wagen, Geschirr, Straße usw.). Technische Erfindungen haben das System Mensch-Pferd in seiner energetischen Effizienz wie in seiner Steuerbarkeit optimiert. Kafkas Indianer durchläuft diese Einbahnstraße in umgekehrter Richtung, sein Pfeil weist ins Leere der Zivilisation. Zügel und Sporen abwerfend, die Instrumente der Herrschaft, setzt sich der Reiter-Autor selbst als Lenker und Herrscher ab. Aber dieser Sturz der Herrschaft, den der Indianer an sich vollzieht, oder in dem sich sein Indianerwerden vollzieht, ist nicht mit einem dramatischen Sturz vom Pferd verbunden. Kafkas Indianer ist kein Saulus vor Damaskus. Er verlässt sein Pferd nicht im Sturz, sondern lässt es unter oder hinter sich, er transzendiert es, entlässt sich selbst und das Pferd in den Zustand der Wildheit.

Kafkas Wunschindianer hat den Raum der Geschichte hinter sich gelassen. Worin hat das Werk der Geschichte bestanden, wenn nicht darin, den Raum zu durchdringen und zu besetzen, das Land zu erobern, den Boden zum Territorium zu machen. Kafkas Indianer besetzt den Boden nicht mit Marken, er überfliegt ihn ohne ihn zu beschreiben oder sich auf ihn zu beziehen: Es ist, als nähme er ihn nicht wahr, er sieht ihn *kaum*, er hört ihn bloß, der rhythmische Hufschlag seines Pferdes bringt den Boden zum Erzittern. Der Boden ist der Resonanzraum des Reiters, ein gespanntes Trommelfell, auf das die trockenen Schläge der Hufe fallen, die Rhythmusmaschine des Wilden Westens. Der Reiter hält nicht an, um den Boden zu beschreiben und zu besetzen, er berührt ihn mit den Trommelstöcken der Pferdehufe und entreißt ihm «das mechanische Licht» (Hegel) des Geräuschs von Hufschlägen auf der Prärie oder der gemähten Heide. Es gibt keine Schrift, es gibt keine Zeichen, kein Territorium, keine Geschichte, keinen Raum, es gibt nur das rhythmische Klopfen und Stoßen auf dem Trommelfell der Prärie und darüber das Surren des von der Sehne geschnellten Pfeils. Kafkas Indianer *macht keine Geschichte*; er macht im strengen Sinne gar nichts, er *ruft etwas hervor*, etwas, das im Boden schlummerte, in den Hufen und in der Luft: die Möglichkeit des Erzitterns der Materie, die geklopft, gestoßen, gerieben und zum Erklingen gebracht wird, die Möglichkeit des Klangs und des Geräuschs. Kafkas Indianer macht keine Geschichte, er treibt Physik, er stampft den Boden, er reibt die Luft, er weckt den Klang.

Das weite Land

In den vierziger Jahren des 19. Jahrhunderts schafft der Münchner Landschaftsmaler Carl Rottmann im Auftrag Ludwigs I. einen Zyklus von 23 Griechenlandbildern, deren originale historische Schauplätze er auf einer langen Reise besucht und skizziert hatte. Eines dieser Bilder, vielleicht das berühmteste, zeigt die Ebene von Marathon, über der soeben ein gewaltiges Gewitter aufzieht, das man als deutlichen Hinweis auf die schicksalhafte Schlacht der Athener und Plataier mit dem Heer der Perser unter Dareios I. gedeutet hat. Als sollte es mit der symbolträchtigen Meteorologie nicht getan sein, setzt der Maler ein weiteres, diesmal vierbeiniges Geschichtszeichen: Im Zentrum des großformatigen Bildes in der Neuen Pinakothek erblickt man ein reiterloses Pferd, das, ein rotes Tuch hinter sich herziehend, in rasendem Tempo die Ebene durchquert. Als Gewährsmann für dieses Detail mochte dem Maler der bewährte Griechenlandführer Pausanias dienen, der berichtet hatte, allnächtlich seien auf dem ehemaligen Schlachtfeld Kampfgeschrei und das Wiehern von Rossen zu hören gewesen.[3] Herodot, die eigentliche Hauptquelle der Schlacht, weiß demgegenüber nichts von Pferden und Kavallerie zu berichten.[4] Aber da auch der legendäre Läufer, der sich opfernde Siegesbote, eine Zutat aus späterer Zeit ist, mag das reiterlos rennende Ross als historisches Feuerzeichen seine höhere, poetische Wahrheit besitzen. Von der Signalfarbe des Tuches unterstrichen, liefert es die kürzeste, dichteste, zusammenfassende Formel für die Summe der historischen Gewalt, die an dieser Stelle explodiert ist. Das Pferd als dynamisches Zeichen, als pfeilschneller Vektor, macht die Weite zum Raum und die Ebene zum Feld, dem Ort, an dem an einem Spätsommertag des Jahres 390 v. Chr. das Abendland gerettet wurde.

Franz Kafka, Carl Rottmann, Carl von Clausewitz – es sind nicht viele Künstler und Autoren, an die man sich halten kann, wenn man nach einer dynamischen Auffassung des Raumes fragt. Die meisten philosophischen, politischen und soziologischen Theorien des Raumes kommen ohne den realen humanen oder nicht-humanen Vektor aus, der den Raum durchquert und erschließt. Der Raum, seit dem jüngsten *spatial turn* vor zehn, fünfzehn Jahren oft und gern beschworen, erscheint als eine Art stabiler, präexistenter Container, in den sich sodann Bewegungen eintragen können.[5] Nur wenige Autoren haben erkannt, dass der Raum nicht vor der Bewegung da ist, sondern erst durch den Ablauf einer Aktion konstituiert wird: dass die Bewegung es ist, aus der heraus räumliche Verhältnisse sich entwickeln. Es ist die Schlacht, die das Feld erzeugt wie der Segler das Kap, der Reiter den Weg, der Kletterer den Steig, der Passant die Passage. Raum ergibt sich nicht aus dem statischen Nebeneinander des Verschiedenen, sondern aus der Bewegung, die die verschiedenen Elemente zueinander in Beziehung setzt.[6] «Ein Raum entsteht», schreibt Michel de Certeau, «wenn man Richtungsvektoren, Geschwindigkeitsgrößen und die Variabilität der Zeit in Verbindung bringt. Der Raum ist ein Geflecht von beweglichen Elementen. (...) Insgesamt ist der Raum ein Ort, mit dem man etwas macht.»[7]

Wir verkennen die Bewegung, indem wir sie räumlich und segmentiert denken, so lautete schon der Tenor von Bergsons Kritik der Metaphysik. Kants transzendentale Ästhetik setze den Raum als «fertige Form unseres Wahrnehmungsvermögens»[8] voraus, gleich einem *deus ex machina*, von dem niemand weiß, woher er kommt. Kant, so heißt es an anderer Stelle, legt dem Raum eine von seinem Inhalt unabhängige Existenz bei[9]; mit anderen Worten, Kant, der nach Bergson dem landläufigen Denken näher steht, als seine Anhänger behaupten, denkt den Raum als Container. Bergson schickt seine Leser zurück in die Schule der Phänomene, damit sie lernen, den Raum von der Bewegung her zu denken – und diese wiederum ausgehend von der Dauer zu begreifen. In diesem Sinn löst er das Zenonsche Paradox des fliegenden Pfeils als sinnlos auf: Es beruhe auf der täuschenden Annahme, die sich vollziehende Bewegung hinterlasse praktisch in jedem Augenblick einen Ruhepunkt, während der Flug des Pfeils in Wahrheit ein Kontinuum sei oder, wie es in der poetischen deutschen Übersetzung heißt, «eine einzige einheitliche Geschnelltheit».[10]

Will man Bergsons Lehre auf den Raum der Geschichte übertragen, braucht man nur der Spur des Pferdes zu folgen. Die Geschichte vom Pferd her sehen, heißt, sie vom *Beweger* her begreifen, vom *Vektor*. Wie dies Carl Rottmann in seinem Marathon-Gemälde augenfällig werden lässt: Erst das rasende Pferd machte die Ebene als historischen Raum sichtbar, als Raum der Schlacht, Raum der Erinnerung.[11] Die Geschichte vektoriell zu begreifen, heißt keineswegs, sie als einsinnig gerichtete, im Sinne eines Zeitpfeils oder einer Einbahnstraße gerichtete, zu entwerfen. Der Raum, hieß es bei de Certeau, sei ein Geflecht beweglicher Elemente: «Er ist gewissermaßen von der Gesamtheit der Bewegungen erfüllt, die sich in ihm entfalten.»[12] Der Raum der Geschichte oder vielmehr *die Räume* der Geschichte entstehen aus einer Vielzahl menschlicher, tierischer und technischer Bewegungen, aus konkreten Bewegungen in verschiedensten Tempi, vom Blitzschlag bis zur scheinbaren Nicht-Bewegung des Erstarrten. Auch ein Schiff im Eis bewegt sich immer noch, weil die Elemente arbeiten, der Wind, der Frost und das Holz. Das Pferd, lehrten die Araber, ist ein Wesen aus Wind; es kann uns helfen, die Bewegungen im Raum zu sehen und die Dinge von der Bewegung her zu verstehen.

Der Vektor kann ein berittener Bote sein, ein einzelner Jäger oder eine ganze Armee; seine Bewegung lässt das durchquerte Land als solches greifbar und erkennbar werden. *Landnahme*, ein Begriff, den Carl Schmitt ins Zentrum seiner geopolitischen Theorie stellte («Nehmen, teilen, weiden»)[13], ist das Konzept eines Juristen, das die sukzessiven Akte einer territorialen Inbesitznahme beschreibt. Stellt man es auf die Probe der historischen Wirklichkeit, so zeigt sich alsbald, dass eine derartige Aneignung praktisch nie ohne Pferde stattfinden konnte (es sei denn im Orient, wo Kamele und Dromedare an die Stelle der Equiden traten). Bevor der Eroberer vom Nehmen zum Teilen und schließlich zum Weiden übergehen konnte, musste er in der Regel den genommenen Bezirk zuerst durchquert, d. h. *durchritten* und gesichert haben. Sollte aus dem *Nehmen* ein echtes Behalten und Verwalten hervorgehen, so musste sich der Vermessung und Kartographierung die Herstellung eines Netzes von Kommunikationskanälen und Kontrollpunkten (Wege, Straßen, Befestigungen, Depots, Zollstellen, Poststationen) anschließen. Der Betrieb eines derartigen Netzes wiederum setzte voraus, dass animalische Vektoren (Boten- und Postpferde, Remonten, Zugtiere) in ausreichendem Maß und angemessener Verteilung bereitgestellt werden konnten.

Am Beispiel der spanischen *conquista* Amerikas lassen sich diese Abläufe prototypisch ablesen. Man hätte sich den spanischen Eroberer ohne das Nutztier Schwein vorstellen können, schreibt A. W. Crosby jr., aber wie sollte er ohne sein Pferd denkbar sein?[14] Anfangs ein erstrangiges Instrument der kriegerischen Eroberung (*nehmen*), war das Pferd später unverzichtbar, um das Land zu beherrschen und seine Nutzung zu sichern (*teilen, weiden*): «Der Eroberer wäre nie in der Lage gewesen, die gewaltigen indianischen Populationen unter Kontrolle zu halten, hätte sein Pferd ihn nicht in die Lage versetzt, Informationen, Befehle und Soldaten rasch von einem Punkt zum anderen zu befördern. (...) Das Pferd ermöglichte die gewaltige Rinderhaltung des kolonialen Amerika, die insgesamt betrachtet weit größere Teile der Neuen Welt betraf als jede andere europäische Unternehmung zu jener Zeit. Ein Schweinehirt kann sein Werk zu Fuß verrichten; ein *vaquero* oder Cowboy braucht ein Pferd.»[15]

Ein anderes historisches Beispiel, der Südwesten Afrikas im 19. Jahrhundert, ist kürzlich ins Blickfeld der deutschen *human-animal studies* geraten. Auch auf dem afrikanischen Kontinent, der gewöhnlich nicht im Brennpunkt der Pferdegeschichte steht, erwies sich die Entfaltung politischer Macht vermittels der Kontrolle von Land als an das Vorhandensein und den Gebrauch der Tiere gebunden. Allerdings waren Pferde nicht nur instrumentell bei der Errichtung und Sicherung von Herrschaftsstrukturen, sondern auch in der Entgrenzung von Gewalt, etwa in der räumlichen Erweiterung von kriegerischen Überfällen und Viehraubzügen. In diesem Sinne haben Pferde tatsächlich, wie Felix Schürmann zeigen konnte, «die Bedingungen und Möglichkeiten von Herrschaft und ihrer räumlichen Entfaltung sowie den Charakter gewaltsamer Konfrontationen radikal verändert».[16]

Die spektakulärsten Akte einer Landnahme in jüngerer Zeit hat allerdings der Mittlere Westen der Vereinigten Staaten gesehen. Der Oklahoma Land Rush (oder Land Run) von 1889 und die ihm folgenden *runs* zwischen 1893 und 1906 sahen Zehntausende von Siedlern sich in das ursprünglich als Indianerterritorium ausgewiesene Land von Oklahoma ergießen. Besondere Berühmtheit erlangte der erste Land Run am Ostermontag, dem 22. April des Jahres 1889, nicht zuletzt durch die farbige Berichterstattung, die dieser Akt massenhafter Landnahme (um nicht zu sagen Landraubs) erfuhr. Den Korrespondenten konnte nicht entgehen, dass sich das «Landrennen» im Wesentlichen als gigantisches Pferderennen abspielte (S. 103). So schrieb William Willard Howard, der später durch seinen Bericht über die Lage der Armenier berühmt wurde[17], in seinem Bericht für *Harpers's Weekly*: «Zur festgesetzten Stunde standen Tausende von hungrigen Landsuchern ... an der Grenze aufgereiht, bereit ihren Pferden die Zügel schießen zu lassen im Rennen um fruchtbare Stücke des schönen Landes vor ihnen ...»[18] Noch sensibler für den hippodromischen Aspekt des Land Run konzentriert schrieb ein Augenzeuge des zweiten Rennens von 1893: «In der ersten Reihe stand eine geschlossene Front von Pferden; manche trugen Reiter, andere waren an leichte Wägelchen, Karren und Planwagen geschirrt, aber für das Auge bildeten sie eine zwei Meilen lange Reihe von nickenden Köpfen, glänzenden Brüsten und unruhig scharrenden Hufen.» Der Startschuss fällt, die Welle rollt: «Dieser erste donnernde Augenblick eines einzigen, bebenden, lospreschenden Pferdekörpers war ein Geschenk der Götter, nie wieder wird man Ähnliches sehen.»[19]

Franz Kafka, der den Protagonisten seines ersten Romans, *Amerika* oder *Der Verschollene*, exakt bis ins Land Oklahoma führt, muss von den Land Runs gewusst haben. Wie Lauffeuer waren sie seinerzeit auch durch die europäische Tagespresse gegangen.[20] Statt sie jedoch «realistisch» wiederzugeben, verschmolz oder überblendete Kafka die Bilder des Landrennens mit denen eines echten Pferderennens, wie er es im Oktober 1909 gesehen hatte, als er gemeinsam mit Max Brod Paris besuchte und sich vom Hippodrom von Longchamps im Bois de Boulogne faszinieren ließ.[21] Allerdings scheint ihn das Ziel der Landrennen von Oklahoma, die Inbesitznahme eines *claim*, eines Stück Lands, weniger interessiert zu haben, als der Lauf, der dahin führte. Kafka, so ist zu vermuten, und sein Indianerwunsch spricht dafür, war an Prozessen der Territorialisierung weniger interessiert als an ihrem Gegenteil, dem Landloswerden, dem Pfeil- und Indianerwerden: weshalb er auch als Ratgeber für Historiker nur bedingt zu empfehlen ist. Denn diese müssen sich bekanntlich für das Nehmen, Tun und Haben genauso ernsthaft interessieren wie für das Geben, Lassen und Loswerden. Und für die Katastrophen, wie es der Verlust ihres Landes für die Indianer war.

Ein Tier und ein Strick

Der Alte saß am Tische und trank den kühlen Wein.[22] Der gemütliche Dämmerschoppen endet, als das Töchterchen vom Spielen heimkehrt. Als er sieht, was die Kleine von draußen mitbringt, ist der Chef des elsässischen Riesenhauses Nideck nicht amüsiert. Hat das Kind doch tatsächlich den Bauern mitsamt Pflug und Gespann vom Acker gehoben und in ihr Tüchlein gewickelt. Aber so leicht steckt man den Bauern und seine Pferde nicht in die Tasche. Der Alte wird ungemütlich: «Der Bauer ist kein Spielzeug, was kommt dir in den Sinn?»

Auch die Riesen der Theorie hätten den handfesten Zugriff der jungen Dame aus dem Elsass befremdet zur Kenntnis genommen. Keiner von ihnen wäre auf die Idee gekommen, das vollständige agrarische Netzwerk vor sich auf den Schreibtisch zu stellen: Realismus gern, aber bitte nur als Prinzip. Ursache dafür war die übliche professionelle und arbeitsteilige Deformation. Die Anthropologen sahen den Menschen, die Historiker den Bauern, die Technologen den Pflug, vielleicht interessierte sich sogar irgendwer für das Geschirr, bloß für die Pferde fühlte sich niemand zuständig. Ernst Bloch hat einmal bemerkt, eine Anthropologie, die nur den Menschen zum Mittelpunkt habe, greife zu kurz. Aber dieses Konstruktionsmerkmal – oder soll man sagen dieser Baufehler? – lag auch den meisten Texten der Historie zugrunde: Sie stellten den Menschen ins Zentrum und isolierten

Bewegtes Beiwerk oder Was ist ein Cowboy ohne Pferd?

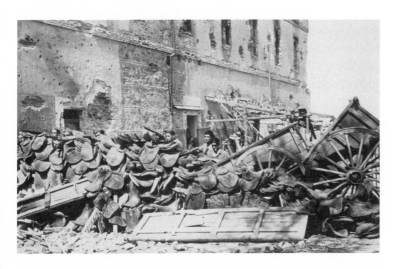

Sattelzeit des Bürgerkriegs: Kämpfe am Fuß des Alcázar von Toledo. Foto Hans Namuth, Barricade at Toledo, 1936.

ihn von seinen Mit- und Gegenspielern in der belebten und unbelebten Natur. Wie anders soll man erklären, dass sie seinen wichtigsten animalischen Partner in dem Geschäft, das die Philosophen gern als das «Machen» der Geschichte bezeichneten, übersehen haben?

Bislang sind die Ausnahmen von der generalisierten Hippophobie der Historiker, Soziologen und Anthropologen, sind Technikhistoriker wie Lynn White jr.[23], Frühneuzeitler wie Peter Edwards,[24] Stadthistoriker wie McShane und Tarr[25] und Militärhistoriker wie Gene Marie Tempest[26] noch Ausnahmeerscheinungen. Auch die Globalgeschichte, sowohl in ihrer älteren (Arnold J. Toynbee) wie in ihrer jüngeren, zeitgenössischen Spielart, hat bisher wenig *horse sense* entwickelt. Zur Zeit der globalen Elektrifizierung gebrauchte sie die Metapher der «Leitfähigkeit» (*conductibility*) von Kulturen und Territorien (Toynbee); heute, im Zeitalter der digitalen Vernetzung, spricht sie von der «Konnektivität» (*connectivity*) von Kulturen (Osterhammel und Iriye). Aber den zentralen Vektor jeder historischen Landmacht, das Pferd, dieses historische Elektron und diese sehr spezielle *soft hardware*, hat die eine so wenig wie die andere im Blick. Selbst die Historiker und Theoretiker der Kommunikation wie Harold A. Innis (der immerhin als Kind auf einer Farm in Ontario aufwuchs), Marshall McLuhan und ihre Nachfolger neigten dazu, den – in Verbindung mit dem menschlichen Boten – wichtigsten Träger und Überbringer von Nachrichten zu übersehen. Analog dazu zogen die zur Geschwindigkeits- oder Tempogeschichte sublimierten Verkehrsgeschichten es vor, in Netzwerken und Systemen zu denken[27], die freilich, anders als van Goghs *diligence*, auch ohne Zugpferd auskommen.[28] Als hätte es Kommunikation in großen Räumen jemals ohne die entsprechend schnellen und (dank regelmäßigem Wechsel an Poststationen) ausgeruhten Reittiere gegeben: Waren nicht die zahlreich durch Kafkas Erzählungen reitenden Boten eben dies, nämlich *reitende* Boten?

Doch der Anthropozentrismus hat ein zähes Leben. Noch dort, wo eine neuere, empirisch denkende Theorie der Geschichte, informiert durch die «symmetrische Anthropologie» Bruno Latours, die Einbeziehung der *non-human actors* fordert, findet sich der historisch bedeutendste unter den nicht-menschlichen Akteuren keines Wortes gewürdigt. Ja, es scheint, als rede sogar Latour selbst, von dem die Pferdegeschichte einige Lektionen lernen kann, bevorzugt von *Dingen*, wenn er nichtmenschliche Akteure meint, und lasse *die Tiere*, wenngleich sie summarisch durch seine Aufzeichnungen von Wolken, Göttern, Seelen, Ahnen und anderen Wesenheiten ziehen[29], im Zweifelsfall eher unsortiert und unbenannt. Zwar ist Latour als gebürtiger Burgunder ein Kind des ländlichen Frankreich, aber er ist kein Bauernkind, das mit Pflug und Gespann aufgewachsen ist, sondern ein Winzerssohn; nicht die Zucht von Fohlen interessierte ihn, sondern die von Hefen und Mikroben, nicht die Kavallerieschule von Saumur, sondern das Labor von Pasteur.

Dennoch ist Latours symmetrische Anthropologie eine der besten Schulen, in die die Geschichte von Pferden und Menschen heute gehen kann. Handeln seine Lektionen doch von der *Großen Trennung* im abendländischen Denken und wie diese aufzuheben sei. Gemeint ist «die totale Trennung von Menschen und nichtmenschlichen Wesen», die einhergeht mit der radikalen Unterscheidung von relativen Kulturen und einer als universell gedachten Kultur. «Aber gerade der Begriff Kultur», so Latour, «ist ein Artefakt, das wir durch Ausklammern der Natur produziert haben.»[30]

Erst wenn man die künstliche Trennung in ein Reich der Kultur (verstanden als Reich der Zeichen und Bedeutungen) und ein Reich der Natur (verstanden als Reich der Wesen und Materien) hinter sich gelassen und erkannt hat, das man es immer mit gemischten Realitäten zu tun hat, steht der Weg offen zu einer historisch und ökologisch informierten Anthropologie. Sie beschreibt den Menschen nicht länger unter Absehung von seinen Mit- und Gegenspielern: «Keine Natur/ Kultur lebt in einer Welt der Zeichen und Symbole, welche einer... äußeren Natur willkürlich aufgezwungen würde. Keine, und vor allem nicht unsere, lebt in einer Welt der Dinge. Alle teilen ein, was Zeichen trägt und was nicht... Wenn es etwas gibt, das wir alle gleichermaßen tun, so ist es die gleichzeitige Konstruktion unserer Menschen-Kollektive und der sie umgebenden nicht-menschlichen Wesen... Niemand hat je von einem Kollektiv gehört, das zu seinem Aufbau nicht Himmel, Erde, Körper, Güter, Recht, Götter, Seelen, Ahnen, Kräfte, Tiere,

Glaubensformen und fiktive Wesen mobilisiert hätte. Dies ist die alte anthropologische Matrix, die wir nie verlassen haben.»[31]

Die alte anthropologische Matrix. Sie sollte nicht nur die anderen Wesen umfassen, mit denen es die Menschen zu tun haben, Götter, Geister, Ahnen, Tiere, sondern auch die Werkzeuge, Instrumente und Artefakte, die Objekte der *Technik*, mit denen sie sich in der Welt und gegen sie behaupten, von den elementarsten Verbindungen, etwa zwischen einem Tier und einem Strick, bis hin zum Kernspintomographen. Die Technologie, schrieb der vermutlich bedeutendste Schüler von Marc Bloch und Marcel Mauss, der Agronom, Linguist und Ethnologe André-Georges Haudricourt, «ist nicht eine mechanische oder physikalische Wissenschaft, sie ist eine Humanwissenschaft»[32]. Wie ein Echo darauf klingt die Bemerkung, die Bruno Latour ein Halbjahrhundert später notiert: «Die seltsame Idee, wonach die Gesellschaft nur aus menschlichen Beziehungen gebildet würde, ist ein Spiegelbild jener anderen, nicht weniger seltsamen, wonach die Technik gänzlich aus nicht-menschlichen Beziehungen bestehen würde.»[33]

Ein technischer Gegenstand wie zum Beispiel ein Fahrzeug, heißt es bei Haudricourt weiter, sei «das Resultat menschlicher Arbeit, und menschliche Arbeit ist ein Zusammenspiel von Bewegungen; insofern ist eine Technik ein System traditioneller (d. h. weder natürlicher noch instinktiver) muskulärer Bewegungen. Einen solchen Gegenstand in technischer Hinsicht untersuchen, heißt, ihn in einer gewissen Anzahl solcher Systeme zu lokalisieren und sodann zu erklären, wie und auf welche Weise das hergestellte Objekt seine praktische Funktion erfüllt. Ein Gegenstand unterliegt nämlich in jedem Fall zwei technischen Registern, einer Technik der Herstellung und einer der Nutzung.»[34] Bevor Haudricourt eine Typologie der Verbindungen von Pferd und Wagen entwarf und ihrer geografischen Verteilung nachging, notierte er die beiden Grundprinzipien, die dem Transport mit Pferd und Wagen zugrunde liegen, nämlich *soutien* und *déplacement*.[35] Oder zu deutsch: Tragkraft und Zugkraft, Hub und Zug. Das gilt nicht nur für die Verbindung von Pferd und Wagen, sondern auch für die Verbindung von Pferd und Reiter. Das Pferd *trägt* den Reiter, es erhebt ihn über den Boden (und über seinesgleichen), und es trägt ihn *fort*, transportiert ihn von hier nach da.

Indem man auf solche einfachen Prinzipien zurückgeht, ist ein erster und wirksamer Schritt getan, um die *Große Trennung* in Kultur und Natur, Zeichen und Ding, zu überwinden. Nehmen wir den Anfang der Pferdegeschichte (die tatsächlich nichts anderes ist als eine historische *Anthro-Hippologie*, eine um die Equidengeschichte erweiterte Menschengeschichte): Wo liegt ihr Ursprung, wenn nicht in dem Moment, in dem erstmals eine einfache Verbindung zwischen einem menschlichen und zwei nichtmenschlichen Akteuren hergestellt wurde? Die beiden nichtmenschlichen Akteure sind in diesem Fall ein Strick und ein Pferd: Die Affäre zwischen Homo sapiens sapiens und den Equiden begann in dem Augenblick, als zum ersten Mal ein Mensch ein Seil oder einen Riemen durch die weichen Lippen eines Pferdes zog und in jene spezielle Lücke seines Gebisses legte, auf deren Vorhandensein die Möglichkeit der gesamten weiteren Geschichte beruht. In diesem Augenblick wurde eine *technische* Verbindung hergestellt, die als elementar für ungezählte weitere Verbindungen technischer ebenso wie politischer, symbolischer und emotionaler Art gelten darf. Mit anderen Worten, eine technische Verbindung, auf deren Existenz zahllose historische Kollektive (Latour) beruhen sollten – und unter allen tier-mensch-technischen Verbindungen sicherlich diejenige, die am wirkungsvollsten die Tür zum Raum der Geschichte aufstieß (Spengler).

In seinem Nachruf auf den Gelehrten, der im August 1996 starb, schrieb Antoine de Gaudemar, mit erstaunlicher Unbefangenheit habe sich Haudricourt ein ganzes Leben lang gefragt, «ob es nicht im Grunde die anderen Lebewesen gewesen seien, die die Menschen erzogen hätten, ob es nicht die Pferde gewesen seien, die sie das Laufen, die Frösche, die sie das Springen, und die Pflanzen, die sie Geduld gelehrt hätten»[36]. Derart radikal haben in der Tat nur wenige die Frage nach der Entstehung und der Vermittlung des Wissens gestellt. Haudricourt hat gelegentlich dargelegt, welch zwingende Netzlogik sich aus einer «Erfindung» wie der erwähnten Verbindung eines Tiers mit einem Strick ergab. Eine erste Nutzanwendung daraus, dass man ein Tier gefangen und gezähmt hatte, war die Jagd: Auf einmal hatte der Mensch einen wesentlich schnelleren, effektiveren und findigeren Partner. Die zweite Nutzanwendung war die Zugkraft: «Hat man ein Tier gefangen und an die Leine gelegt, fällt es nicht schwer, darauf zu kommen, dass man es dazu benutzen kann, etwas zu ziehen. Nun gab es aber vor dem Gebrauch der tierischen Zugkraft praktisch kein Objekt oder Landfahrzeug zu ziehen. Die Geschichte des Anspannens hängt untrennbar mit der Geschichte der Fahrzeuge und der anderen Zugobjekte zusammen.»[37] Mit anderen Worten, das Wissen verbreitet sich und entfaltet seine Dynamik in Netzen von Techniken und technischen Objekten, an deren Zustandekommen es ursächlich beteiligt ist. Umgekehrt können auch als elementar erscheinende technische Objekte nur im Kontext eines praktischen oder Umgangswissens wirksam zum Einsatz gelangen, wie dies etwa Heideggers Analyse der «Zuhandenheit» eines Hammers in *Sein und Zeit*[38] gezeigt hat. Tatsächlich sind die Phänomene, die wir als «Dinge» bezeichnen, formvermittelte Synthesen aus Wissen und Materie oder dinghafte Erscheinungsweisen von Wissensnetzen.

Das elliptische Tier

Ausgelassen

Ein Witz aus dem alten Osteuropa. Ein Jude steigt aus der Eisenbahn, der Kutscher fährt ihn ins nahegelegene Stetl. Der Weg ist steil, nach einer Weile steigt der Kutscher ab und geht neben dem Wagen her. Auch den Koffer nimmt er bald darauf herunter, und wieder ein Stück weiter bittet er den Fahrgast: «Hier ist der Berg ganz besonders steil, und mein Pferd ist schon alt, die Steigung fällt ihm schwer. Würde es Ihnen etwas ausmachen, das letzte Stück zu Fuß zu gehen?» Der Fahrgast steigt ab, nachdenklich geht er neben dem Kutscher her, und schließlich sagt er: «Alles versteh ich. Ich bin hier, weil ich ins Stetl muss. Sie sind hier, weil Sie nebbich etwas verdienen wollen. Aber warum ist das Pferd hier?»[1]

Warum ist das Pferd hier. Kann sein, dass der Fahrgast sich schon vor der nächsten Frage des Kutschers fürchtet: ob der Herr vielleicht anfassen und den Wagen die restliche Strecke Weges ziehen würde. Bei Beckett wäre dies der nächste logische Schritt. Das Pferd des zartfühlenden Kutschers ist anwesend, aber auf etwas gespenstische Weise ist es auch abwesend. Ein Pferd, das nichts trägt und das nichts zieht, ein Pferd das einfach nur so nebenherläuft, wo gehört das hin? Ist das überhaupt ein echtes Pferd? Aber das Pferd läuft nicht nebenher, immerhin zieht es noch den Wagen. Sein Geschirr, sein Zaumzeug, der Wagen, das alles ist noch da. Nur sein eigentümlicher Zweck hat sich verflüchtigt, seine logistische Funktion zwischen Bahnhof und Stetl. Sein Kutschpferdsein ist unterwegs verloren gegangen, sein *Sinn*. Zwei ratlose Männer folgen einem Wagen, vor dem ein müdes Pferd geht, einer von ihnen trägt einen Koffer.

Gegen Ende des 19. Jahrhunderts beginnt das Pferd aus der Malerei zu verschwinden, anfangs noch langsam und wie auf Raten. Die Historienmalerei hat ein zähes Leben. Erst sind es nur Teile des Apparats, Geschirr oder Zaumzeug, die wegfallen. Stärker als in anderen Künsten wird das Fehlen der Dinge fühlbar. Die Bilder beginnen leer zu werden. Die Malerei übt sich in einer Kunst des Weglassens, wie es das seit Stubbs nicht mehr gegeben hat; die Fotografie wird folgen. Daumier macht den Anfang; sein 1868 gemaltes Bild des Don Quixote (Tafel 31) zeigt den Ritter als gesichtslosen Schemen auf einer Mähre, die zwar noch einen Sattel, aber keinen Zügel mehr trägt. Daumiers Don Quixote reitet freihändig. Wie sollte er auch anders: In der einen Hand trägt er den Schild als Palette, in der anderen die Lanze als Pinsel. Wo soll da noch eine Hand sein für das Pferd.

Als Picasso vierzig Jahre später einen Knaben als Pferdeführer malt (Tafel 30), lässt er ausgerechnet die Elemente der *Führung* weg: Sein Pferd ist ohne Zügel und Zaum. Dabei scheint doch die Handhaltung des Jungen das Vorhandensein eines solchen Instruments zu suggerieren. Der einsame Kastor – oder ist es Pollux? – steht immer noch in der Jahrtausende alten Haltung, in der der Mensch das Pferd nach seinem Willen führt und lenkt. Aber das Gerät der Lenkung, das technische Instrument, ist ausgelassen, und der Betrachter des Bildes kann erleben, wie seine Wahrnehmung und das in ihr gespeicherte kulturelle Wissen unwillkürlich das fehlende Teil ergänzen.

Daneben entstehen Bilder, auf denen das Pferd selbst abwesend ist, aber aus seinen Attributen wie aus einer historischen Gießform erschlossen werden kann. Dinge sind die Grenzen der Menschen, sagt Nietzsche, aber auch den domestizierten Tieren setzen Dinge eine Grenze. Da ist die *Diligence de Tarascon*, die Vincent van Gogh 1888 malt: eine Postkutsche in der menschenleeren Mittagshitze eines südfranzösischen Marktplatzes (Tafel 31). Die Pferde sind ausgeschirrt, vermutlich führt der Kutscher oder ein Bursche von der Poststation sie soeben zur Tränke. Für den Betrachter unsichtbar, kann er ihre Präsenz doch erahnen, ja geradezu sinnlich empfinden: Ihr Geruch schwebt noch in der Luft. Ihre Gegenwart bleibt spürbar, solange der Kranz der Grenz-Dinge, die aus einem Tier ohne Eigenschaften einen Postkutschengaul machen, im Bild sichtbar ist.

Die Fotografie erweist ihre Souveränität in der Kunst des Weglassens. Was mag aus dem Pferd des Ulanenoffiziers geworden sein, den französische Infanterie als Gefangenen ins Gefängnis von Amiens führt (S. 365)? Ein reiterlos irrendes Tier mit schleifendem Zügel, ein gedunsener Leichnam, die Beine erstarrt, das blutverkrustete Fell von Fliegen übersät? Zwischen dem schweren Tritt der *poilus* läuft behende der Offizier, jockeyhaft tänzelnd in schlanken Stiefeln, eine gewichtslose Figur; die leichte Verletzung am Kopf scheint ihn nicht zu behindern, sein Blick ist klar, fast heiter, für ihn ist der Krieg zu Ende. Kein Säbel mehr an der Seite, alle Rangabzeichen perdu, den Waffenrock halb geöffnet, scheint er wie auf dem Sprung zu einem Aperitif oder einem Stelldichein. Dabei ist er die Trophäe in einem Triumphzug; er macht den Tag der Infanterie, die ihren alten Angstfeind, den Berittenen, wie einen Hasen gefangen hat und als Beute durch die Straßen führt. Kein Pferd weit und breit, und doch ist das Tier deutlich zu sehen: Zwischen den O-Beinen des Reiters wird das Pferd sichtbar; in dieser Hohlform zeichnet es sich plastisch ab.

Das nächste Foto stammt aus dem spanischen Bürgerkrieg; Hans Namuth hat es 1936 aufgenommen (S. 373). Am Rand des Alcázar von Toledo hat sich eine republikanische Brigade verschanzt. Hinter einer enormen Barrikade aus Reitsätteln, Wagenteilen und Rädern operiert eine Truppe von Leichtbewaffneten; die einen zielen, ein anderer raucht. Aber woher stammen die Sättel, die ihnen als Kugelfang dienen, wo sind die Pferde geblieben, die zu diesen Sätteln gehörten und die jene Karren zogen? Stehen sie lose angebunden hinter der nächsten Ecke, weil sie im Straßenkampf nutzlos wurden? Oder liegen sie irgendwo mit geblähten Bäuchen tot in der Sonne, vom Desaster einer letzten, gescheiterten Kavallerieattacke verschlungen? Sind die

Kämpfer auf dem Bild abgesessene Kavalleristen, oder sind es Freischärler, die das benachbarte Arsenal geplündert haben? Wieder ist das Pferd der große Abwesende, der aus den Zeichen seiner vormaligen Präsenz, aus den Resten seines Apparats erschlossen wird.

Noch sprechender ist seine stillschweigende Anwesenheit auf dem *film still* aus einem Western (S. 373). Ein einsamer Mann durchquert die Wüste, im Hintergrund erheben sich die Berge, über denen Wolken ziehen. Der Mann schleppt Lasten am langen Arm, in der Linken einen Sack oder eine Satteldecke, in der Rechten einen Sattel und das Zaumzeug. Noch vor kurzem war er ein Cowboy. Wo ist sein Pferd geblieben, was mag aus ihm geworden sein? Gestohlen, entlaufen, getötet? Das einsame Standfoto schweigt sich aus. Umso beredter bringt es das Abwesende ins Spiel, das fehlende Reittier. «Mehr als jedes andere Tier», schreibt der Historiker Reviel Netz, «war das Pferd von menschlichen Werkzeugen umgeben»[2] – und so wie ehedem aus dem Apparat seiner Insignien der König, so lässt sich aus dem Netz dieser Werkzeuge ihr Träger und Objekt erschließen: das Pferd. Jetzt ist es der demontierte Cowboy, der sie schleppen muss und darüber zur komischen Figur wird. Aus einer in Jahrhunderten kultureller Arbeit verfeinerten Armatur ist ein Haufen Schrott geworden, der ihm die Arme lang zieht. Zugleich spricht der Schrotthaufen von der Hoffnung des Mannes auf ein anderes Pferd, dem er diese Montur anlegen und das ihn, den lächerlichen Fußgänger der Filmwüste, wieder zum König der Prärie machen wird.

In diesen Beispielen erscheint das Pferd als das elliptische oder durch Aussparung angedeutete Tier. Das Netzwerk ist da, nur der zentrale Akteur ist abwesend. Als Sujet ausgelassen, lässt sich das Pferd vom Rand her, vom Kontext der es definierenden Objekte, es seien Sättel oder eine Postkutsche, erschließen. In anderen Fällen ist das Pferd bloß in Gestalt eines abstrakten Stellvertreters gegenwärtig. Hierzu gehört das Steckenpferd oder *hobby horse*, ein Stecken mit einem hölzernen Pferdekopf daran, der bis ins 20. Jahrhundert hinein der equestrischen Sozialisation der männlichen Jugend diente. Ebenfalls ins Repertoire der Stellvertreter gehört der abstrakte Torso eines Pferdes, ein hölzerner Rumpf, hinsichtlich des Durchmessers dem

Wie viel die Klassiker zu Pferde gesessen haben: Arbeitszimmer mit Schreibstuhl in Goethes Gartenhaus, Weimar.

«Der Gnadenschuss» schreibt Ernst Jünger unter dieses Foto aus dem Ersten Weltkrieg.

Leibesumfang eines ausgewachsenen Reitpferds entsprechend, der das gesamte 19. Jahrhundert hindurch die Ateliers der Maler möblierte, die sich auf Reiterporträts spezialisiert hatten: ein Gestell, das heute in den Depots historischer Museen schläft.

Woran mag Goethe gedacht haben, als er den Schreibstuhl für sein Gartenhaus erwarb? Waren die Erinnerungen dessen, der oftmals im Reiten gedichtet und auf langen Kutschfahrten geschrieben hatte, so glücklich, dass er sich von der Positur des Reiters eine Förderung seines dichterischen Schaffens versprach? So hat man angenommen und gemutmaßt, «nicht umsonst» habe Goethe sich «einen sattelähnlichen Sitzbock für sein Schreibpult im Gartenhaus anfertigen lassen»[3]. Der Stuhl hatte vier Beine, auf denen eine gepolsterte hölzerne Tonne ruhte – ein Reitstuhl, unverkennbar, auf dem man, wie Friedrich Justin Bertuch schrieb, «schrittlings wie auf einem Sattel sitzt»[4]. Dem heutigen Betrachter erscheint die Abstraktionsleistung, die in Goethes Stuhl zum Ausdruck kommt, wie die noch unbeholfene, aber treffsichere Vorwegnahme eines Bauhausmöbels. Das Buch von Max Kommerell, «Der Dichter als Führer durch die deutsche Klassik», schreibt der Rezensent Walter Benjamin, habe ihn gelehrt, «wieviel die Klassiker zu Pferde gesessen haben»[5]. Ein Satz, der so lange rätselhaft bleibt, bis man Goethes Reitstuhl gesehen hat.

Eine andere, historisch späte, um nicht zu sagen endzeitliche Version eines Pferdestellvertreters hat Stanley Kubrick mit *Dr. Strangelove or: How I Learned to Stop Worrying and Love the Bomb* ins Bild gesetzt: Kurz vor dem Ende des Films reitet der Pilot des fatalen B 52-Bombers, der für keinen Rückholcode mehr erreichbar war, als texanischer Cowboy, seinen Hut schwenkend, auf einer Atomrakete ins Armageddon. Sein Pferd, schon auf dem Weg zum Pfeil, zum bloßen Zeichen, rematerialisiert sich kurzfristig noch einmal in Gestalt einer Rakete. Es ist das Steckenpferd des Nuklearzeitalters, dessen Sprengkopf im nächsten Augenblick den Norden der Sowjetunion unbewohnbar machen und die Weltvernichtungsmaschine auslösen wird.

Wie haltbar ist ein Eintrag im kollektiven Gedächtnis? Wie lange werden Menschen nach dem Ende des Pferdezeitalters noch in der Lage sein, in unscheinbaren Überresten und Andeutungen die Kontur des Pferdes zu erkennen? Was bleibt übrig, wenn die schleichende Amnesie des Virtuellen die Erinnerungsspuren der einstigen Gemeinschaft gelöscht hat? Ein Nachleben kann lang sein, und das Imaginäre hat eine andere Viskosität als das Reale. Aber muss es nicht Folgen für das Leben der Menschen und ihre Gefühle haben, wenn der wichtigste nicht-menschliche Körper, in dem sie sich so lange Zeit erkannt und verkannt haben, ihr alter Begleiter, ihr Freund, nicht mehr da ist? Mit dem sie Glück und Unglück geteilt haben, Gutes und Schlechtes, Brot und Gewalt, der sie getröstet und gerettet, getreten und gebissen hat: Wer wird ihnen künftig zeigen, was es heißt, einen Körper zu haben, einen Rhythmus und eine Welt? «Dieses Verlangen», schreibt Paul Virilio, «nach einem *fremden*, nicht nur nach einem *heterosexuellen Körper* erscheint mir in mehrfacher Hinsicht als bedeutsames, der Erfindung des Feuers vergleichbares Ereignis, als eine Erneuerung allerdings, die wie alles Animalische der Vergessenheit anheimgefallen ist.»[6]

Weiterziehen

Der Weg zum Stetl zieht sich in die Länge. Das trockene Holz des roh gezimmerten Wagens ächzt, die Achsen quietschen, zwei schwitzende Männer trotten hinterdrein. Auch das Pferd davor ist müde, aber es zieht seine sinnlose Fuhre weiter, was soll es tun. Eigene Reisepläne verfolgt es seit langem nicht mehr. Früher, als es noch seinen eigenen Kopf hatte, unternahm es von Zeit zu Zeit Ausflüge und genoss es, hinter einer Ecke verborgen in der Sonne zu stehen und sich von einem fluchenden Menschen suchen zu lassen. Aber diese schönen Zeiten sind vorbei. Das Pferd allein unter allen Tieren, schreibt der Dichter Albrecht Schaeffer, «ist tragisch in seiner Erscheinung»[7]; tragisch deshalb, weil es gänzlich auf seinen Willen und seine Freiheit verzichtet hat. Dies habe zwar auch der Hund getan, aber dieser wisse wenigstens wofür: Er diene, um seinem Herrn zu dienen. Das Pferd dagegen wisse, «daß es frei sein möchte …, aber die Bürde ist ewig, und es darf selten laufen und es muß stehn, wenn es erschrickt und jede seiner

Fasern es in seine Natur, in die Flucht reißt ... Es ist gefangen in ewiger Gefangenschaft; immer ist ein Wille über ihm unentrinnbar, dem es sich fügt, ohne ihn je zu erraten.»[8]

In Schaeffers Augen erscheint das Pferd zerrissen wie der Held einer griechischen Tragödie, gefangen in zeitloser Knechtschaft, die es dazu zwingt, seine Natur zu verraten: sein Verlangen zu fliehen und zu laufen. Der Wille des Pferdes sei gebrochen, und nicht nur sein Wille. Auch wenn es noch Stuten gebe und vereinzelt echte Hengste, sei doch der eigentliche Inbegriff des domestizierten Pferdes der Wallach, der Eunuch, der verkümmerte Charakter, «in dem mit Trotz und Eigensinn Freiheit und Flüchtigkeit nicht mehr wesenhaft lebendig sind, sondern nur als Erinnerung».[9] Es ist die Dialektik von Herr und Knecht, die hier verhandelt wird, kein Zweifel, aber das Pferd ist ein Knecht, dessen Herr keinen Widerstand und keine servile Hinterlist mehr zu befürchten hat. Und doch erscheine uns, so Schaeffer, dieses in ewiger Gefangenschaft gehaltene Tier als Inbegriff all dessen, was in der Natur Adel und Seelengröße, edle Gestalt, Stolz und Mut verkörpern könne.

Das Paradox, an dem Schaeffer sich abarbeitet, ohne es anders als im Begriff des Tragischen lösen zu können, gründet in der Lage des domestizierten Tiers, das vielfach gegen seine Natur und seine natürlichen Instinkte eingesetzt wurde, zugleich aber vermöge seiner Doppelbegabung als Lasten- *und* Bedeutungsträger zum Objekt zahlloser historischer Zuschreibungen und Überschreibungen geworden ist. Dazu gehören nicht zuletzt die zahllosen Adelsprädikate, die dem Pferd beigelegt wurden (Schönheit, Reinheit, Stolz ...), Zuschreibungen, deren Zauber auch unser Gewährsmann sich nicht entziehen kann. So wie es vielen Autoren unmöglich war, die ihr Scherflein dazu beitrugen, der Pferdeliteratur und -ikonografie zu einem nicht unbeträchtlichen Anteil an Talmi zu verhelfen und das Pferd zum prominenten Objekt im Setzkasten unseres Bildgedächtnisses zu machen. Auch anderen Tieren hat der Mensch glänzende Rollen in seinen Wunsch- und Wahnwelten zugewiesen; der Löwe weiß davon ein rauhes Wüstenlied zu singen.[10] Statt die von Natur aus dumme Taube für die Rolle des *sexual maniac* im Garten Eden zu besetzen[11], hat der

Mensch sie mit einer Friedensmission betraut; umgekehrt hat er die harmlos-ungiftige, allenfalls Feldmäuse erwürgende Natter unter den alttestamentarischen Generalverdacht der Bosheit gestellt.

Das Pferd, dieses unendlicher Verkitschung fähige Wesen, hat seit langem seinen festen Platz im Gotha der Tiere: Ein angeblich friedliebender Vegetarier von angenehmer Gestalt und gutem Geruch, der selbst seine Fäkalien noch umweht, steht das Tier für alles, was dem Menschen als schön, gut und edel erschien und wovon er gern die eigene Natur durchgängig bestimmt gesehen hätte. Stets verkörperte das Pferd die edlere Seite des Menschen, sein besseres Selbst; auch deshalb mochte der Mensch es nicht leiden sehen. Diesem Nobilitierungsdrang ist die Erinnerung daran zum Opfer gefallen, dass es auch böse Pferde geben kann, was Pferdekennern wie Hans Baldung Grien, Hugo von Hofmannsthal oder John Wayne durchaus geläufig war, und wie es jener englische, zur Reiterei gezogene Rekrut erfahren hatte, der an seine Braut schrieb, das Pferd sei vorn und hinten ein sehr gefährliches Tier und in der Mitte unbequem. Demgegenüber gelangte Otto Weininger angesichts des fortwährenden Nickens der Pferde zu der Überzeugung, dass ein Tier, das sich dermaßen dem Hang zum Ja-Sagen ergeben habe, den Irrsinn repräsentieren müsse. Kaum aber verglich Weininger das angeblich irre Tier mit dem Hund, wollte ihm wieder scheinen, dass es sich beim Pferd doch um ein *aristokratisches* Tier handele, denn es sei «sehr wählerisch bei der Wahl des sexuellen Komplementes».[12]

Das 19. Jahrhundert erlebte nicht nur den historisch stärksten Anstieg in der Zahl der real gebrauchten und verbrauchten Pferde, sondern auch den stärksten Zuwachs seitens der metaphorisch verschlissenen Tiere. Kaum eine der Ideen, die das Jahrhundert bewegte, die nicht mit dem Pferd verbunden worden wäre. Es begann mit der Obsession von historischer Größe, der Verehrung «welthistorischer Individuen» (Hegel) und dem gesamten Vorstellungskreis der Souveränität: all die Helden, die zu Pferde saßen. Es ging weiter über die Ideen der Freiheit und des Fortschritts bis zu den Bildern der Angst und der Lust und machte bei den Figuren des Mitleids nicht Halt. Es schien, als könnten und müssten die Pferde alles tragen, allen Jubel und Jammer der Menschheit, all ihre Hoffnungen und ihre Befürchtungen, all ihre *Gefühle*. Vermutlich ist nach dem Menschen selbst das Pferd das am stärksten beschriebene und immer neu überschriebene Wesen, das resemantisierte Wesen par excellence. Und blieb dabei doch immer der rätselhafte, in allen Zu- und Umschreibungen nicht aufgehende Rest, das Wesen aus Fleisch und Blut, die *lebendige* Metapher. Die geliebt, gehütet und gepflegt sein will und die man nicht sterben sehen kann. Die einen tröstet und die einen Kummers zerreißt. *Habhaft, fellhaft, gelb*, wie der leibhaftige Löwe, der eines Nachts dem Philosophen Blumenberg erscheint.

In Florenz lebte gegen Ende des 19. Jahrhunderts ein Mann, der für die gewaltigen Wirkungen geringfügiger Ursachen, wie es die Details in Bildern sind, besonders empfindlich war. Sein ganzes Forscherleben sollte er daransetzen, die Ökonomie der menschlichen Leidenschaften, soweit sie der eigentümliche «Stoff» der Kunst waren, zu ergründen. Schon während seines Studiums hatte Aby Warburg, dem die Kunstgeschichte den Begriff der *Pathosformel* verdankt, bemerkt, dass die Maler und Bildhauer der Frührenaissance aus Bildwerken der Antike, in erster Linie Skulpturen und Reliefs von Särgen, Triumphbögen und -säulen, jene eigentümlichen Formeln der Gebärdensprache entnahmen, in denen die Antike Emotionen wie Trauer, Wut oder Raserei dargestellt hatte. Ohne sich um die archäologische Herkunft und antike Bedeutung der Bildwerke zu kümmern, deuteten die Florentiner Künstler sie neu im Sinn vitaler und psychischer Dynamik, wobei sie nicht selten theatralisch überzogen und gemeines Pathos in gesuchte, «manirierte» Rhetorik verwandelten.[13] Von der in den antiken Formeln steckenden Erregung berührt, ja gleichsam angesteckt, übersetzten Künstler wie Botticelli, Pollaiuolo und Donatello sie in moderne Figuren und Kontexte wie beispielsweise elegante Interieurs. Sie deuteten diese Formeln um und gaben sich dabei alle Lizenzen eines zeitgenössischen Souveräns. Sie behandelten die antiken Formeln, Gebärden und Ausdruckswerte wie plastische Morpheme, mit deren Hilfe sich neue Sprachen konstruieren ließen. Indem die Künstler den antiken Bestand an emotionalen Ausdrucksmitteln (Pathosformeln) in eine Sprache der Gegenwart übersetzten, *prozessierten sie Erregung*, wie

Niklas Luhmann gesagt hätte. Dabei spielte häufig das Pferd die Rolle des privilegierten zweiten Akteurs oder Sekundanten.

Da die Mehrzahl der antiken Bilder, an denen Warburgs Blick hängen blieb, entweder von Sarkophagen oder von Triumphbögen und -säulen stammten, überwogen Ausdrücke der Trauer, des Kampfes und des Triumphes. Daneben sammelte er auch Ausdrücke der Gewalt und der sexuellen Raserei, für die Kentauren und Mänaden als mythische Figuren Modell gestanden hatten. In der Mehrzahl dieser Szenen, namentlich in denen des Kampfes und des Triumphes, assistierte das Pferd als erster Ausdruckshelfer und Träger des «tragischen Pathos der griechischen Mythen». Häufig waren die zentralen Figuren, vor allem wenn es um die Darstellung von Kämpfen ging, Kompositfiguren aus Mensch und Tier (sprich Reittier), während in den männlich dominierten Gewaltszenen Kentauren als monopersonale Hybride und energetische Chiffren («Ursymbole Frauenraubender Animalität»[14]) ihren Auftritt hatten.

Schon Warburgs erste Seminararbeit als Student der Kunstgeschichte und Klassischen Architektur hatte den in Olympia und am Parthenon überlieferten Darstellungen des Kampfes zwischen Kentauren und Lapithen gegolten, und fasziniert bemerkte der junge Mann die «tierische Kraft», «mit welcher der Centaur sein Opfer umklammert, und dessen wilde Begehrlichkeit, die selbst der nahende Tod nicht dämpfen kann ...»[15] Warburg, soviel zu seinen Ehrentiteln, darf füglich nicht nur als Entdecker einer unruhigen, von Leidenschaft erfüllten und zerrissenen Antike gelten, sondern auch als der Wiederentdecker des Pferdes als eines privilegierten Trägers der Formeln der Leidenschaft.

Energie, Wissen, Pathos, die drei Ökonomien. Ist es legitim, sie getrennt voneinander zu betrachten? Die Heuristik spricht dafür, vielleicht auch die vereinfachte Darstellung. Die Wirklichkeit hält sich freilich nicht an solche Trennungslinien. Wie man es dreht und wendet, wir sind theoretisch nicht auf der Höhe der Welt, in der wir leben und die wir praktisch *irgendwie* bewältigen. Vielleicht liegt es daran, dass wir dazu neigen, das Gewicht des Irgendwie zu unterschätzen. In den Tatsachen, die die Pferdegeschichte isoliert und in ihrem Zusammenhang erforscht, überschneiden und durchkreuzen sich beständig

Ökonomien und Kategorien, die wir aus Gründen des theoretischen Komforts gern getrennt halten. Aber wieso sollte die Kennerschaft der Pferdehalter und -züchter weniger von Leidenschaften geprägt sein als die der Liebhaber von schönen Frauen, Opern und Autographen? Sind nicht die Praktiken der Pferdezucht ebenso Objekte der Ideengeschichte, wie sie Ausdruck tradierter Empirie sind? Was sind die Artefakte der Pferdegeschichte wie Sättel, Kutschentypen und Geschirre wenn nicht Gegenstände kulturellen und anatomischen Wissens in materieller Gestalt?

Solange wir uns handelnd, prüfend, abschätzend, vergleichend in der Immanenz des Pferdewissens, in Ställen, Markthallen und Bibliotheken bewegen, denken wir nicht daran, die Phänomene, die sich uns augenblicklich zeigen, zu dividieren und zu klassifizieren. Nach dem Schema: dies ist eine Tatsache, sogar eine wissenschaftlich gesicherte, und das da sind Ideen oder Bilder oder Gefühle. Stattdessen prozessieren wir Emotionen und erleben den Strom dessen, was uns als Wirklichkeit begegnet, in wenig schulgerechten Kategorien. Wir erfahren diesen Strom als eine Gegenwart, die in jedem Augenblick wertgetönt und emotional temperiert ist. Unsere Orientierung darin beruht weitgehend auf Ahnungen und unserem praktischen Sinn für das Irgendwie.[16] Darin kommt nicht zum Ausdruck, was die Marxisten «falsches Bewusstsein» nannten, im Gegenteil. Vielmehr fälschen wir die Wirklichkeit in dem Augenblick, in dem wir in den Modus wechseln, den wir für «theoretisch» halten und umschalten auf die Großen Unterscheidungen: *res extensae* und *intensae*, Dinge an sich und für uns, Hardware und Software. Das Erstaunliche an der Pferdegeschichte liegt aber gerade in dem Umstand, dass sie uns mit einem Objekt oder besser einem reichen und von Tradition schweren Phänomen bekannt macht, das beständig die großen Unterscheidungen unterläuft oder – artgemäß – überspringt. Das führt dazu, dass sie, die Pferdegeschichte, uns immer wieder auf sanfte, manchmal auch unsanfte Weise («so sind Pferde nun einmal») an den Anfang des Erkennens, das Erstaunen, erinnert.

Erstaunen nicht zuletzt darüber, wie heteroklit ein ganzes, großes, auf jahrhundertealter Empirie und Überlieferung beruhendes Wissen sein kann, wie unrein und wie wahr. Denjenigen, die meinen, ein Wis-

Ein Tier aus Staub. Polen 1939, ein Pferd inmitten des Infernos.

Ein Tier aus Wörtern.
Apollinaire, Calligrammes,
1918.

sen sei umso wahrer, je reiner es ist und je weniger die Emotionen und Regungen des «erkennenden Subjekts» darin vorkommen, erteilt die Pferdegeschichte eine Lektion in Realismus. Der Gedanke einer reinen Wissenschaft, hat Michel Serres einmal gesagt, sei der reine Mythos. Liebhaber und Leser des Alten Testaments wissen, dass Liebe und Erkenntnis einander nicht ausschließen, im Gegenteil. Dasselbe gilt von der Pferdegeschichte; auch sie ist voll von unreinen Liebes-Erkenntnissen. Objektivität, die asketisch betriebene Ausschaltung des fühlenden, berührten oder erregten Subjekts, stößt hier an ihre natürliche Grenze, die Leidenschaft. Das erkennende Subjekt soll sich selbst eliminieren? Erzählen Sie das einem Liebhaber, einem Sammler, einem Kenner. Nein, Wissensformen sind umso interessanter, je dichter Erkenntnis und Emotion in ihnen unauflösbar verbunden sind.

Herodot

Der Wallach als Kritiker

Da die Zeit der Queen knapp bemessen war, verständigten sich der Maler und sein Modell auf eine begrenzte Zahl von Sitzungen. Obwohl es sich um ein kleinformatiges Porträt handelte, zogen sich diese über einen Zeitraum von anderthalb Jahren, vom Mai 2000 bis zum Dezember 2001, hin. Dem Bild lag kein Auftrag von Seiten des Königshauses zugrunde, und als es fertig war, machte Lucian Freud es der Königin zum Geschenk. Seine persönliche Unabhängigkeit sollte nicht dem geringsten Zweifel unterliegen. Die Sitzungen verbrachten Freud und Elisabeth in lebhaftem Gespräch. An Stoff fehlte es ihnen nicht, denn beide liebten Pferde und Hunde. Ihr Leben lang war die Queen eine echte *horsewoman* gewesen wie ihre große Namenscousine in der Renaissance.[1] Einige der eindrucksvollsten Bilder Freuds zeigen nackte Menschen, umgeben von ihren schlafenden oder dösenden Hunden. Er hatte früh zu reiten begonnen, war später ein notorischer Besucher von Rennen und Wettbüros geworden und verspielte Unsummen auf den Plätzen. Neben der Malerei und seinen zahllosen Affären mit Frauen war dies die dritte Leidenschaft seines Lebens. Manche der fleischigen Männer auf seinen Gemälden zeigen Buchmacher und zwielichtige Figuren aus dem Rennbetrieb. Als Maler war Freud ein Perfektionist; Sitzungen für ein Porträt konnten bei ihm leicht Hunderte von Stunden verschlingen. Auch die Tiere, die er malte, mussten sich in Geduld üben und ganze Tage in seinem Atelier verbringen, sofern er es nicht vorzog, in ihren Stallungen zu arbeiten, wo auch die Handvoll großer Pferdebilder entstanden, die er in seinem letzten Lebensjahrzehnt malte.[2] Zu ihnen gehört *Grey Gelding*, das Porträt eines grauen Wallachs, das 2003 entstand.

Ein Foto aus demselben Jahr (Tafel 32) zeigt Freud, wie er seinen *sitter* vor die Leinwand mit dem schon fortgeschrittenen Porträt führt. Beide Protagonisten, der Maler und sein Modell, tragen helle Farbtöne zwischen schmutzigweiß und grau. Die Farbe von Freuds Händen kehrt an den Nüstern des Pferdes wieder, und dessen braunem Lederhalfter entspricht ein gemusterter Seidenschal, den der Maler locker um den Hals geschlungen trägt. Aber der Partnerlook der beiden beschränkt sich auf Gewand und Inkarnat; im Angesicht der Kunst und ihrer Beurteilung trennen sich die Wege. Während der Blick des Malers konzentriert auf das Bild gerichtet ist, wendet das Pferd desinteressiert oder unwillig den Kopf beiseite und hält die Augen geschlossen. Von dem lebhaft und vergnügt dreinschauenden Tier des Gemäldes ist keine Spur zu sehen; angesichts seines eigenen Bildes stellt der lebendige Wallach sich tot.

Es geschieht nicht zum ersten Mal, dass Lucian Freud, der Enkel des Begründers der Psychoanalyse, vor der Kamera posiert und eine Erzählung, einen Mythos oder eine Legende zum *tableau vivant* werden lässt. Hier ist es gleich eine ganze Handvoll von Geschichten auf einmal, auf die der *pictor doctus* als Regisseur und Sujet des Bildes anspielt. Zwei junge Gelehrte aus dem Wiener Umkreis seines Großvaters, Ernst Kris und Otto Kurz, haben sie ehedem eingesammelt und analysiert[3], und natürlich weiß der Enkel um diese Zusammenhänge. Es waren in der Regel kurze Geschichten, Anekdoten, die in der frühesten Kunstliteratur auftauchten, von Autoren wie Platon, Xenophon, Plinius überliefert und später von Vasari nacherzählt wurden. Sie stellten den Künstler selbst, seine Herkunft, seine Eingebungen und sein Talent, ins Zentrum der Erzählung. Besonders beliebt waren Anekdoten, die die Kunst als *Mimesis*, als Nachahmung oder Nachäffung der Natur begriffen und fabelhafte Geschichten davon erzählten, wie die Tiere selbst, von der Kunst des Malers getäuscht, ihre künstlichen Artgenossen anbellten, flohen oder zu begatten versuchten. «Die Zahl gleichlautender oder ähnlicher Anekdoten», schreiben Kris und Kurz, «läßt sich kaum überblicken. Sie begegnen schon in der klassischen Antike in vielen Varianten: Ein Hengst sucht die von Apelles gemalte Stute zu bespringen; Wachteln fliegen auf ein Bild zu, auf dem ... Protogenes eine Wachtel gemalt hat; das gemalte Bild einer Schlange bringt das Zwitschern der Vögel zum Verstummen ...»[4]

Es hat den Anschein, als habe Bernhard Grzimek, der Zoologe und Verhaltensforscher, bei seinen Versuchen mit Tieren, namentlich mit Pferden, sich von der antiken Kunstliteratur inspirieren lassen. Anfang der vierziger Jahre, als Heerestierarzt in Berlin und im besetzten Polen, unternahm Grzimek Versuche zuerst mit einem ausgestopften, dann mit gemalten Pferden, um zu sehen, wie die lebendigen Tiere auf die Attrappen reagierten.[5] Die Ergebnisse waren dazu angetan, einen Plinius zu begeistern: Die Pferde zeigten das lebhafteste Interesse nicht nur an dem ausgestopften Tier, sondern auch an ihren gemalten Artgenossen, betrachteten, beschnupperten und berührten die Kunstwerke und kehrten immer wieder zu ihnen zurück. Einzig eine alte Stute zeigte sich gänzlich gleichgültig, und Grzimek hielt sie anfangs für so intelligent, die Täuschung zu durchschauen, bis er dahinter kam, dass sie auch für lebende Kollegen nicht das geringste Interesse aufbrachte.

Auch der Grauschimmel, den Lucian Freud vor sein gemaltes Porträt führt, verhält sich indifferent bis ablehnend. Nun könnte man sagen, er sieht das Bild ja nicht zum ersten Mal, schließlich ist er das Modell und hat seiner Entstehung beigewohnt. Kurz, das Pferd ist gelangweilt. Oder sollte es sich etwa in derselben Weise wie jene Affen betätigen, die Gabriel von Max gemalt hat, nämlich als Kunstkritiker? Will es dem Maler gegenüber sein Missfallen am Porträt bekunden, will es ihm zu verstehen geben, dass er kein zweiter Apelles ist? Hat es überhaupt erkannt, wer da im Konterfei zu sehen ist, hat es *sich selbst* in dem Gemälde erkannt? Eine schwierige Frage, die man vermutlich mit Nein beantworten muss. Nicht viele Tierarten sind in der Lage zu erleben, was dem menschlichen Kind von ein bis anderthalb Jahren in jenem von Jacques Lacan berühmt gemachten Augenblick des *Spiegelstadiums*[6] widerfährt, den das Menschenkind mit einem Freudenschrei quittiert: das Erkennen des Gegenübers als eines Bildes *seiner selbst*. Freuds Wallach müsste nicht nur wie Grzimeks Pferde sich für gemalte Kollegen schlechthin interessieren, sondern vor Freuds Leinwand gleichsam sein Spiegelstadium erleben und jubilierend wiehern: Na sowas, das bin ja ich! Aber so weit reicht offenbar die Intelligenz des schönen Tieres nicht.

Die Erforschung der tierischen Intelligenz hat das Stadium der Experimente, die vor hundert Jahren Aufstieg und Fall des Klugen Hans begleiteten, lange hinter sich gelassen. Kein Pferd muss heute mehr lesen lernen und Quadratwurzeln ziehen, um seine Klugheit unter Beweis zu stellen. Selbst der alte Begriff der Intelligenz ist unterdes durch den der Kognition, meist englisch als *cognition* gebraucht, ersetzt worden. Die *equine cognition studies* verknüpfen Forschungen zur Physiologie der Pferde, etwa zur Funktion ihrer Sinnesorgane, ihrer Nervenzellen und ihres Gehirns, mit Fragestellungen der Verhaltensforschung. Aus dem vertieften Verständnis der Tiere leiten sie Empfehlungen für den Umgang mit ihnen ab, die vielfach als unmittelbar anschlussfähig an die Lehren der älteren Autoren erscheinen, von Xenophon über die englischen und französischen Reitlehrer des 17. Jahrhunderts (Cavendish, de la Guérinière), die auf Sanftmut und Verständnis des Tieres setzten statt auf Zwang und Strenge (wie die italienische Schule von Grisone)[7].

Der Einsatz des Computers, von Alan Turing erstmals 1936 skizziert – im selben Jahr wie Lacans Spiegelstadium, das ebenfalls ein Feedback-Konzept entwickelte – und die durch die Kybernetik ausgelöste «kognitive Revolution» haben seit den fünfziger Jahren die Erforschung der Art und Weise, wie Pferde ihre Umwelt wahrnehmen, wie sie ihre Sinneswahrnehmungen deuten, wie sie mit ihresgleichen, ihrer Umwelt und anderen Spezies, darunter Menschen, interagieren, in beeindruckender Weise beschleunigt und differenziert.[8] Die Erforschung der *cognition* verschiedenster Arten von Säugetieren hat die Kluft, die Descartes inmitten der belebten Natur aufgerissen hatte, überwunden. Seit einigen Jahren ist sie sogar dabei, die von der Philosophie zäh verteidigte Doppelbindung von Bewusstheit an Denken und von Denken an Sprache aufzulösen. Die Forschungen zur Evolution der menschlichen Intelligenz[9] verdanken den Studien der Verhaltensökologie und der *cognitive ethology* von Affen, Hunden und Pferden ebenso viel wenn nicht mehr wie der Humanpsychologie und der Ethnologie. Das Pferd, sechstausend Jahre lang unser erster Beweger, ist immer noch ein großer Beweger unserer Erkenntnis: unser Freund, unser Gefährte, unser Lehrer.

Auf der Suche nach den Feldern, von denen sich die Pferdeforschung für heute und morgen den reichsten Zuwachs erhoffen darf, stößt man neben der Verhaltensökologie und den *cognition studies* auf die Archäologie.[10] Nicht wenige Regionen und Kulturen der Erde haben eine Geschichte nur deshalb, weil es die Archäologie gibt. Dazu gehören auch die Regionen, auf die letzten Endes alle Pferdekulturen der Geschichte, von den arabischen bis zu den amerikanischen, zurückgehen, weite Gebiete nördlich und östlich von Schwarzmeer und Kaspischem Meer sowie die enorme Landmasse Zentralasiens. Für die historischen Ereignisse und Evolutionen in diesen Bereichen verfügt die Forschung nur über wenige Schriftquellen, unter ihnen die *Historien* des Herodot. Die weit vor den Gebrauch der Schrift zurückreichende Geschichte der Besiedlung dieser Räume, der Begründung von Herrschaften, der Geburt zahlloser Sprachen und der Erfindung von Jagd- und Kriegstechniken basiert auf der geduldigen Schürfarbeit der Archäologen.[11] Dazu gehören auch die Erkenntnisse, welche die Paläontologie und die historisch forschende Zoologie im letzten Halbjahrhundert über die Frühgeschichte des Zusammenlebens von Menschen und Pferden gewonnen haben.

Historiker, die für den Anteil der Pferdegeschichte an der Geschichte der Menschen sensibel waren, wie der Mediävist Hermann Heimpel und der Geschichtstheoretiker Reinhart Koselleck, haben den *Tonus* registriert, die eigentümliche Spannung, die sich der Geschichte mitteilt, sobald sie ihr Beobachtungsfeld um die Wahrnehmung des Pferdes erweitert. Wie Koselleck erkannte[12], war das Pferd ein herausragender Agent der Modernisierung gewesen: Ohne den Anteil der

Pferde an der Dynamisierung der Produktion, der Zirkulation und der Kriege wäre die im späten 18. Jahrhundert – der berühmten «Sattelzeit» – einsetzende Modernisierung schwerer in Gang gekommen und mit Sicherheit anders verlaufen, als es der Fall war unter der Voraussetzung, dass Pferde das jeweils benötigte Maß an kinetischer Energie lieferten.

Auf der anderen Seite stellten Pferde, woran Hermann Heimpel nachdrücklich erinnerte[13], Brücken in die Vergangenheit dar. Sie waren Bindeglieder in die Zeit Karls des Großen und über ihn hinaus in älteste Zeiten der historischen Menschheit. Pferde verbanden den Menschen der «Spätkultur», wie gleichzeitig mit Heimpel der konservative Philosoph Arnold Gehlen formulierte, mit dem «Urmenschen», der die Tiere erstmals domestiziert hatte. Pferde waren nicht nur in der jüngsten Zeit, die in etwa mit Napoleon begann, Agenten der Modernisierung gewesen, sie waren auch *agents de liaison*, die uns mit den frühesten Phasen jener Sphäre verbanden, die wir als Geschichte bezeichneten. Während dieser gesamten Zeit waren Pferde unsere Gefährten und Leidensgenossen gewesen. Ja, im Rückblick schien es fast, als hätten sie so etwas wie eine Solidarität des Menschen von heute mit seinen Vorfahren im Neolithikum gestiftet: Stellten uns nicht die nickenden, prustenden und mit ihren Hufen klappernden Wesen immer noch den Menschen von Botai und Dereivka an die Seite? Gemeinsam mit den Menschen hatten Pferde den Raum der Geschichte geöffnet, und zum selben Zeitpunkt, als sich (nach Ansicht konservativer Denker) dieser wieder schloss, trennten sich auch die Wege der Equiden und der Menschen. Mittlerweile liegen die Theorien vom «Ende der Geschichte» schon wieder ein Stück Weges hinter uns, und die Geschichte, statt still zu enden oder im Archiv zu verschwinden, ist unverkennbar weitergegangen, wenn auch eher ohne Pferde als mit ihnen. Allerdings hat sich unsere Wahrnehmung der Geschichte verändert: Sie scheint gleichzeitig räumlich gewachsen und zeitlich geschrumpft zu sein.

Als die vielen Historien der älteren Welt in den Kollektivsingular der *einen* Geschichte Eingang fanden, an der Schwelle der Moderne, war der Raum der Geschichte geografisch noch weitgehend auf

Europa und Kleinasien ausgerichtet und kulturell auf den Raum der Schrift beschränkt. Die schriftlosen Völker und Zonen der Erde galten qua Definition auch als die geschichtslosen. Seitdem hat sich der Raum der Geschichte beständig erweitert und auf den Globus als ganzen erstreckt. Die neuen Techniken der historischen Epistemologie, die sich der Archäologie und der Ethnologie, der Paläobiologie und anderen exakten Wissenschaften verdanken, haben den Rahmen der Philologie und der Textkritik so weit gesprengt, dass Besitz oder Nichtbesitz der Schrift nicht mehr über die Teilhabe an der Geschichte entscheiden. Der Raum der Geschichte, den man sich bis vor relativ kurzer Zeit noch als einen geschlossenen Kosmos vorstellen konnte, der die Taten und Leiden derjenigen Völker umschloss, die über ein *Aufschreibsystem* verfügten, fand sich plötzlich geöffnet und in die größeren Evolutionszusammenhänge der vorschriftlichen Menschheit, der Tiere, Pflanzen, Landschaften und Kontinente gestellt. Das Bild der Geschichte, wie es die Schule noch bis vor kurzem vermittelt hatte, sah plötzlich verknittert und geschrumpft aus, etwa so wie *Europa nach dem Regen* von Max Ernst.

Auch wenn die Geschichtsschreibung auf diese Herausforderungen reagiert hat, bleibt Vieles noch zu tun. Auf der Suche nach neuen Wegen, die Geschichte zu denken und zu beschreiben, sollte man die ältesten nicht übersehen. Vielleicht ist es an der Zeit, wieder Herodot zu lesen. Kaum ein anderer Autor der älteren Literatur hat so an Aktualität gewonnen wie der wundersame Geschichtsschreiber aus Halikarnass. Gleichgültig, wie weit und wie lang der Erzähler «zahlloser Geschichten» gereist und wie viel er mit eigenen Augen gesehen hat, ob er alles erforscht oder nicht doch das meiste erfunden hat – wie wenige derer, die nach ihm kamen, hat er den Kopf aus dem Treibhaus einer allzu menschlichen Geschichte herausgestreckt. Herodot, der vier Jahrhunderte vor Ovid das Los der Verbannung erfuhr, teilte mit diesem auch die Fabulierlust und den Glauben an die Götter und die Faten. Er sammelte die bewährten Rezepte der Goldgewinnung – durch Riesenameisen oder junge Mädchen mit Federn – und notierte akribisch die Hochzeitsriten, Begattungssitten und Totenkulte der Völker. Er erzählt von dem Pferdeorakel, das den Dareios auf den Thron brachte[14], und von dem Brauch der Skythen, die Herrscher mit ihren Pferden zu bestatten.[15] Hengste und Stuten, so wusste er, gehören zu den wichtigsten Akteuren der Geschichte, sie machen Könige und werden mit ihnen begraben.

Die Nachwelt hat Herodot viel gerühmt und viel gescholten. Während die einen ihn als Belletristen entlarven wollten, haben ihn die anderen für seinen Hellenozentrismus kritisiert. Nun lässt sich nicht abstreiten, dass er gelegentlich Leben und Sitten der Völker, die an den Rändern der damaligen Welt lebten, ein wenig so schildert wie ein Entomologe die Regungen und Appetite einer seltenen Käferart. Aber vielleicht ist seine kulturelle Kurzsichtigkeit weniger erheblich als seine Weitsichtigkeit in den natürlichen und außernatürlichen Dingen. Vielleicht muss man Herodot weniger gegen seine Kritiker verteidigen als vor seinen Verehrern in Schutz nehmen. Zu diesen gehörten namentlich die Humanisten wie Wolfgang Schadewaldt, der in seiner Tübinger Vorlesung den «Vater der Geschichte» (Cicero) pries: Herodot habe als Erster begriffen, dass er es «mit all diesen Dingen als von Menschen geschehenen, und damit der Geschichte als einem großen Menschen-Geschehen»[16] zu tun habe. So wäre Herodot der Erfinder einer Geschichte als Kosmos des Menschlichen gewesen, ein früher Vorläufer Vicos? Und wenn nun ein Leser von heute die Aktualität dieses antiken Autors gerade darin sähe, dass sein Blick nicht exklusiv auf die Menschen gerichtet war? Tatsächlich sollte man Herodot aus anderen Gründen lesen, als der späte Humanismus meinte: Von ihm lässt sich lernen, nicht nur das Dasein der Menschen zum Gegenstand historischen Erzählens zu machen, sondern auch das der Steine, der Wolken und der Götter. Und, warum nicht, das der Pferde.

Die Historie kennt viele verschiedene Akteure, manche sind groß und zusammengesetzt wie eine Armee aus einem Dutzend Divisionen und Tausenden von Männern mit Panzern und Schreibmaschinen, andere sind klein und unscheinbar wie eine Pille oder eine Wolke von Mikroben; manche leben viertausend Jahre lang, und andere ein paar Stunden. Letzten Endes muss jeder Historiker für sich selbst entscheiden, ob er den Pferden künftig mehr Platz in den Bildern einräumt, die er von der Vergangenheit entwirft; Pferde sind auch nur eine Sorte von

Aber was tut das Pferd hier? Joseph Beuys: Titus/Iphigenie, 1969. Foto Abisag Tüllmann.

Die Idee des Pferdes wiehert nicht: René Magritte, Quérelle des universaux, 1928.

Akteuren unter vielen. In Anbetracht dessen, als was sie im Lauf der Zeit galten und was sie in ihrer Verbindung mit den Menschen konnten, wird man freilich einräumen müssen, dass sie eine sehr spezielle Sorte von Akteuren waren: besonders schnell, besonders geschichtsträchtig und besonders schön. Auch das hat Herodot klar gesehen.

Ein Pferd stirbt

Westfalen nach dem Krieg war alles andere als eine Insel der Seligen. Der Eindruck des Friedens, die Erinnerung an das 19. Jahrhundert, sie waren Trugbilder. Die Wälder, in denen die letzten Einheiten der Wehrmacht von den Amerikanern eingekesselt worden waren, lagen voll von weggeworfenen oder oberflächlich vergrabenen Waffen und Kisten voller Munition. Trotz strengsten Verbots suchten und fanden wir, die Jungs vom Land, was als giftige Moräne des Krieges in den Wäldern lagerte. Wir legten neue, nur uns bekannte Arsenale an, und gelegentlich sprengte sich einer mit seinem Munitionsdepot in die Luft. Mein Großvater wusste von unseren Heimlichkeiten und schwieg dazu. In einer Schublade seiner Werkstatt hütete er zwei zerfetzte Geschosse aus einem Bord-MG. Ein englischer Jäger hatte ihn und seine Pferde im März '45 beim Pflügen beschossen. Er hatte sich in die Furche geworfen, die Tiere waren durchgegangen, und wie durch ein Wunder waren alle unverletzt geblieben. So sehr ich sonst auf Geschichten aus dem Krieg erpicht war, diese hörte ich nicht gern. Ich sah die krepierten und von Ackererde verklebten Geschosse und fand sie unheimlich. Eines der beiden Pferde von damals stand noch im Stall. Ich stellte mir seine Angst vor und seinen schreckensvollen Blick, wäre es tatsächlich getroffen worden, die jähe Hitze und das Blut auf seinem gelben Fell. Wie es auf dem Acker gelegen hätte, hilflos sich aufbäumend in dem Geschirr, das es immer noch mit dem anderen Tier und dem hölzernen Baum des Pfluges verband. Der Akteur im Netzwerk, sterbend.

Einmal hatte ich ein Pferd in seinem Blut gesehen. Es war eine feingliedrige, dunkelbraune Stute namens Cora, eines der schönsten Tiere,

auf denen ich als Kind gesessen habe. Meine Mutter ritt sie unter der
Woche, wenn ihr eigentlicher Besitzer, ein zu Vermögen gekommener
Bauunternehmer aus der benachbarten Großstadt, sich um seine Bag-
ger und Baustellen kümmerte. Von sanfter, geradezu humorvoller
Wesensart, pflegte Cora doch ihre kleinen Capricen. Zu diesen gehörte
die ausgeprägte Neigung, gelegentlich ihre Weide sprunghaft zu verlassen und sich ein wenig in der Nachbarschaft zu ergehen. Auf einem
dieser Spaziergänge hatte sie sich in den Stacheldraht verwickelt, den
ein Bauer, der eben dabei war, eine Schafweide neu einzuzäunen, fahr-
lässig ausgelegt hatte. Die Sehnen beider Vorderläufe waren zerrissen,
die Stute lag am Boden, das braune Fell ihrer Beine blutüberströmt,
und warf wilde, hilfesuchende Blicke um sich. Der Revierförster, der
zufällig vorbeikam, ein ehemaliger Spieß der Wehrmacht, bot an, sie
zu erschießen; der Dorfpolizist, von Nachbarn alarmiert, machte dasselbe Angebot. Es waren die Mittel ihres Besitzers, die der Verletzten
das Leben retteten. Noch am Abend hatte er einen Spezialtransport
in die damals fortschrittlichste Tierklinik organisiert, wo die Stute,
wochenlang in Trageschlaufen hängend, sorgsam kuriert wurde. Geheilt und wieder auf die Beine gebracht, kehrte sie zurück aufs Land
und führte hinter geringfügig erhöhten Zäunen ihr altes Leben weiter.
Aber das Bild des verzweifelten Tiers, das Blut im Gras und die Stimmen von Männern, die vom Erschießen sprachen, geisterten noch
lange durch meine Träume.

Wer kann es ertragen, ein Pferd in Agonie zu sehen. Das Pferd, das
tragische Tier, der Anblick seines Sterbens ist nicht auszuhalten. Das
Einknicken seiner langen Beine, sein Niedersinken in die Knie. Der
langsame Sturz des großen Körpers, das Brechen seines Auges, kein
Mensch kann das ansehen. Pferde werden erschossen, wie Soldaten;
wenn sie zu schwer verwundet sind, erhalten sie den *coup de grace*
(S. 383). Aber man vergast sie nicht, und wo dies doch geschah, in
Flandern, im Ersten Weltkrieg, passierte es ungewollt, als Kollateral-
schaden, wie man heute sagt. Den Gastod behalten die Menschen ihresgleichen und den Insekten vor.

Der Anblick der leidenden Tiere durchschlägt den Gefühlspanzer
des rauhesten Soldaten: «Die Pferde taten mir leid, die Menschen gar

nicht. Aber die Pferde taten mir leid bis zum letzten Tag.»[17] Kaum ein
Bericht aus den beiden Weltkriegen, kaum ein Tagebuch oder Briefwechsel, aus dem nicht Trauer um die Pferde spricht. Hatte nicht
schon Goethe ähnlich empfunden? «Die schwer verwundeten Tiere
konnten nicht ersterben», notierte er auf dem Feldzug in Frankreich[18],
und schilderte eindringlich die Leiden der tödlich verwundeten und
von fühllosen Menschen roh misshandelten Tiere. «Es scheint», bemerkt eine Kritikerin, «als werde das Leid in diesem Krieg beispielhaft
und sehr drastisch über die Pferde geschildert, denn entsprechende
Beispiele über menschliches Leiden finden sich kaum.»[19] Für anderthalb Jahrhunderte, so scheint es, von Goethe bis zum Zweiten Weltkrieg, war das Leiden und Sterben der Pferde tatsächlich so etwas wie
die kurrente Pathosformel für Kriegsleiden schlechthin. Sie bot sich
jedem an, der das Leiden zu Wort bringen, aber über das der Menschen schweigen wollte. Aber auch wer anklagen wollte wie Picasso,
als er «Guernica» malte, konnte auf das Bild des Pferdes nicht verzichten.

In einer knapp, fast wortkarg geschilderten Szene, kaum länger als
eine Seite, hat Thomas Hardy das Sterben eines Pferdes beschrieben.
In einer Mainacht gegen Morgen kutschiert die junge Tess Derbyfield
mit ihrem schlafenden Bruder über die engen Landstraßen Südenglands
nach Hause. Vor dem Wagen läuft der alte Wallach Prinz, der den Weg
von allein kennt, so dass Tess sich ihren Träumen hingeben kann und
nicht bemerkt, wie auch sie einschläft. Von einem plötzlichen Stoß
geweckt, vernimmt sie ein hohles Stöhnen, sieht vor sich auf der Straße
eine schwarze Masse und weiß, dass etwas Schreckliches geschehen
ist. Das Stöhnen kommt von ihrem alten Pferd, dem die spitze Deichsel der lautlos entgegenkommenden Morgenpost wie ein Speer in die
Brust gefahren ist: «und aus der Wunde schoß in einem Strom sein
Lebensblut hervor und sprudelte zischend auf die Straße». Tess, in
ihrer Verzweiflung, sucht die Wunde mit der Hand zu verschließen,
was nur zur Folge hat, dass sie über und über mit Blut bespritzt wird.
«Dann stand sie da und schaute hilflos zu. Auch Prinz stand fest und
regungslos, solange er konnte; bis er plötzlich schwer in sich zusammenfiel.»[20] Tess' Vater weigert sich, sein altes Pferd für ein paar Schil-

linge an den Abdecker zu verkaufen, und so wird der Leichnam des toten Prinz am nächsten Tag im Garten begraben. Über dem weiteren Weg der jungen Tess liegt der Schatten des toten Pferdes.

Ich habe nie ein Pferd sterben sehen. Wohl aber eines, das lange Zeit dem Tod näher war als dem Leben. Es war ein großer, starker Kaltbluthengst, ein Belgier, ein junges Tier von ungestümem Temperament und Bärenkräften. Bis zu dem Tag im Juni 1954, als er beim Mähen einer Wiese, an deren Rand eine Steinmauer die Sonnenwärme speicherte, auf den Schwanz einer schlafenden Kreuzotter trat. Es war die letzte Giftschlange, die in diesen Tälern des südlichen Westfalen jemals gesehen wurde, nach ihr sollten sich nur noch harmlose Ringelnattern und Blindschleichen zeigen. Die letzte Kreuzotter Westfalens fuhr auf wie der Leibhaftige und biss den Hengst in die Brust; er schaffte es aus eigener Kraft bis zurück ins Haus, dann stand er in seiner Box, mehr tot als lebendig, schwankend, aber unfähig sich hinzulegen, zu schwach, eine Handvoll Hafer zu fressen, zu matt, einen Schluck Wasser zu trinken. Vier Wochen stand das schwere Tier, siech, elend, von Nekrose vergiftet bis in die Haarspitzen seiner gelben Mähne; selbst der mit Großtieren erfahrene Veterinär zweifelte an seinem Überleben.[21] Der Besitzer erwachte mitten in der Nacht und ging nachsehen, ob sein Pferd noch lebte. Der Hengst, bei Nacht noch größer wirkend als bei Tage, dieser Berg von einem Pferd stand stumm in seiner Box, schwankte und starrte aus trüben Augen ins Leere. Nach vier Wochen stöhnte das Tier eines Morgens tief auf, an der Stelle, wo die Schlange zugebissen hatte, brach die Brust auf, und aus der fauligen Wunde schoss explosionsartig ein Schwall schwarzen Bluts und Eiter, mehrere Eimer voll Wundsekret. Der Hengst bewegte sich und ließ sich langsam, immer noch benommen, aus der Box führen, hinaus ins Freie, ins Licht, wo er wieder stehen blieb, geblendet und zu schwach, noch einen einzigen Schritt zu tun. Er hatte überlebt.

DANK

Für vielfältige Hinweise, Kritik und Inspiration danke ich

Daniele Dell'Agli, Sonja Asal, Stephan Askani, Veronika Askani, Achim Aurnhammer, Lina Baruch, Martin Bauer, Gerda Baumbach, Jutta Bendt, Andreas Beyer, Gottfried Boehm, Knut Borchardt, Glen Bowersock, Ulrich von Bülow, Jan Bürger, Werner Busch, Antonia Egel, Detlef Felken, Anne Rose Fischer, Jens Malte Fischer, Heike Gfrereis, Gerd Giesler, Lionel Gossman, Anna Grauvogel, Valentin Groebner, Eckart Heftrich, Klaus Heinrich, Ole Heinzelmann, Alexa Hennemann, Jakob Hessing, Walter Hinderer, Regina Hufendiek, Lorenz Jäger, Dietmar Jaegle, Robert Jütte, Joachim Kalka, Joachim Kersten, Jost Philipp Klenner, Hans Gerd Koch, Reinhart Koselleck (†), Jochen Langeheinecke, Verena Lenzen, Marcel Lepper, Wulf D. von Lucius, Jürgen Manthey, Peter Miller, Helmuth Mojem, Lothar Müller, Pia Müller-Tamm, Lutz Näfelt, Joachim Nettelbeck, Caroline Neubaur, Ute Oelmann, Norbert Ott, Stephan Opitz, Ernst Osterkamp, Reinhard Pabst, Peter Paret, Barbara Picht, Marie Louise von Plessen, Anson Rabinbach, Birgit Recki, Myriam Richter, Sandra Richter, Henning Ritter (†), Karol Sauerland, Benedicte Savoy, Stephan Schlak, Karl Schlögel, Thomas Schmidt, Heinz Schott, Ellen Strittmatter, Dirko Thomsen, Michael Tomasello, Adelheid Voskuhl, Jannis Wagner, Ulrike Wegner, Yfaat Weiss, Meike Werner, Johannes Willms, Heinrich August Winkler.

Für unermüdliche Unterstützung danke ich Lucie Holzwarth, Chris Korner, Magdalena Schanz, Jens Tremml und Christa Volmer.

All dieser intellektuellen und praktischen Unterstützung zum Trotz wäre auch dieses Buch nicht zustande gekommen ohne die Ermutigung und das kritische Verständnis von Helga und Max Raulff. Ihnen gilt mein besonderer Dank.

ANMERKUNGEN

DER LANGE ABSCHIED

1 Vgl. D. Edgerton, The Shock of the Old. Technology and Global History since 1900, London 2006, S. 32 ff.
2 M. Serres, Erfindet Euch neu! Eine Liebeserklärung an die vernetzte Welt, Berlin 2013, S. 9.
3 Vgl. E. R. Curtius, Die französische Kultur. Eine Einführung, 2. Aufl. Bern u. München 1975, S. 6 u. 28 ff.
4 J. Clair, Les derniers jours, Paris 2013, S. 135.
5 Ebda. S. 136.
6 Hegel hielt diese Vorlesung zum ersten Mal im Winter 1822/23, dann im Abstand von je zwei Jahren insgesamt noch vier Mal (WS 1824/25, 1826/27, 1828/29 und 1830/31).
7 In diversen Schriften von Alexandre Kojève, Gottfried Benn, Arnold Gehlen.
8 Vgl. A. Gehlen, Post-Histoire (Text eines unveröffentlichten Vortrags von 1962), in: H. Klages u. H. Quaritsch (Hgg.), Zur geisteswissenschaftlichen Bedeutung Arnold Gehlens, Berlin 1994, S. 885–898, hier S. 891.
9 R. Koselleck, Der Aufbruch in die Moderne oder das Ende des Pferdezeitalters, in: Historikerpreis der Stadt Münster 2003. Dokumentation der Feierstunde am 18. Juli 2003, Münster 2003, S. 23–37.
10 R. Koselleck, Der Aufbruch, S. 25.
11 Vgl. I. Babel, Mein Taubenschlag. Sämtliche Erzählungen, München 2014, S. 517 f.
12 H. Heimpel, Geschichte und Geschichtswissenschaft, in: Vierteljahrshefte für Zeitgeschichte, 5. Jg., 1/1957, S. 1–17, hier S. 17.

DER KENTAURISCHE PAKT
ENERGIE

Die Pferdehölle

1 Vgl. die elegante Skulptur von Reinhold Begas, die, 1888 geschaffen, am Gartenrand der Alten Nationalgalerie auf der Berliner Museumsinsel zu sehen ist; s. unten, S. 292 ff.

2 M. de Guérin, Der Kentaur, übertragen durch Rainer Maria Rilke, Wiesbaden 1950, S. 14 f.

3 H.-E. Lessing, Karl Drais. Zwei Räder statt vier Hufe, Karlsruhe 2010, S. 49. Vgl. auch ders., Automobilität. Karl Drais und die unglaublichen Anfänge, Leipzig 2003; ders., Die apokalyptischen Draisinenreiter, in: FAZ, 29.4.2010, S. 9; ders., Fahrräder sind die Überlebenden der Pferde, in: FAZ 30. 10. 2013, S. N4.

4 A. Mitscherlich, Reiterbuch. Bilder, Gedanken und Gesänge, Berlin 1935, S. 9 f.

5 A. Mitscherlich, Reiterbuch, S. 84.

6 A. Mitscherlich, Reiterbuch, S. 88.

7 Ibid. Im Unterschied zu Timo Hoyer, Im Getümmel der Welt. Alexander Mitscherlich – Ein Porträt, Göttingen 2008, S. 84, würde ich die Frage nach Denkmotiven, die sich auch beim späteren Mitscherlich wiederfinden, nicht mit dem Hinweis auf das Freiheitsstreben beantworten. Was das «Reiterbuch» mit den späteren, bekannten Texten des reifen Mitscherlich verbindet, ist zum einen die tiefe Skepsis angesichts der modernen Technik (vgl. Die Idee des Friedens und die menschliche Aggressivität, Frankfurt am Main 1970, S. 131 f.) und zum anderen die zunehmende Neigung zur psychohistorischen Verlustanzeige (Auf dem Weg zur vaterlosen Gesellschaft, Die Unfähigkeit zu trauern).

8 Vgl. hierzu die ausgezeichnete Studie von Silke Tenberg, Vom Arbeitstier zum Sportgerät: Zur Soziologie der Mensch-Pferd-Beziehung in der Moderne, Bachelorarbeit (Social Sciences) an der Universität Osnabrück 2011.

9 Schillers Werke, Nationalausgabe Bd. XII, S. 89–107, sowie 427–461 (Kommentar), hier S. 97.

10 L. S. Mercier, Tableau de Paris, 2 Bde., Hambourg et Neuchâtel 1781, S. 42. Diese Erstausgabe ist als Google book im Volltext digitalisiert verfügbar. Schiller las und exzerpierte die 2. Auflage (Nouvelle Edition), die achtbändig 1782–83 in Amsterdam erschien. Die vollständige deutsche Übersetzung dieser Ausgabe durch Georg Walch, Paris, ein Gemälde von Mercier, Leipzig 1783/84, scheint er, wie der Vergleich der Zitate zeigt, nicht benutzt zu haben; vgl. Werke Bd. XII, S. 427.

11 Schillers Werke (wie Anm. 1), S. 97.

12 «Paris… c'est le paradis des femmes, l'*enfer* des mules, et le purgatoire des solliciteurs», *Nouvelles récréations et joyeux devis*, Lyon 1561, S. 114.

13 J. Florio, Second Fruits, London 1591, S. 205.

14 R. Burton, The Anatomy of Melancholy, England is a paradise for women and hell for horses; Italy a paradise for horses, hell for women, as the diverb goes. Section 3, member 1, subsection 2; Reprint der Ausgabe New York 1932, ebda. 1977, Teil 3, S. 265.

15 2 Bde., Tübingen 1802.

16 Morgenblatt für gebildete Leser, Nr. 50, in Fortsetzungen vom 27.2. bis zum 12.3.1838, hier S. 197.

17 Der Bericht Amraouis, 1909 in Fès erstmals erschienen, ist vor kurzem in Frankreich neu aufgelegt worden: Idriss al-'Amraoui, Le paradis des femmes et l'enfer des chevaux. La France de 1860 vue par l'émissaire du sultan, La Tour d'Aigues 2012. Über die Umstände der Entstehung des Texts und den Einfluss Tahtàwis informiert das Vorwort von Yadh Ben Achour, S. 5–12.

18 Ebda., S. 81.

19 Ebda., S. 107.

20 A. Schopenhauer, Werke in fünf Bänden. Bd. V: Parerga und Paralipomena, 2. Band, Zürich 1991, S. 552.

21 Vgl. S. Mercier, Tableau de Paris, Les heures du jour, zit. nach D. Roche, La culture équestre de l'Occident XVIe–XIXe siècle. L'ombre du cheval, Bd. 1: Le cheval moteur, Paris 2008, S. 85 f.

22 Vgl. Roche, La culture, S. 86. Klagen über den Lärm der Großstadt finden sich in zahllosen Selbstzeugnissen von Handwerkern und Wanderarbeitern, die vom Land in die Stadt des 19. Jahrhunderts kommen; für ein Beispiel aus Wien vgl. Lenger, Metropolen, S. 236.

23 Vgl. A. Farge, Der Geschmack des Archivs, Göttingen 2011, S. 55.

24 Vgl. G. Bouchet, Le cheval à Paris de 1850 à 1914, Genève 1993, S. 45.

25 Vgl. Roche, La culture, S. 35 ff. Nach J.-P. Digard, Une histoire du cheval, Paris 2004, S. 149, wird das Niveau von 3 Millionen Pferden in Frankreich schon um 1840 erreicht und bis 1935 gehalten.

26 Vgl. Roche, La culture, S. 36.

27 Vgl. W. J. Gordon, The Horse World of London, London 1893, S. 164.

28 Vgl. C. McShane and J. A. Tarr, The Horse in the City. Living Machines in the Nineteenth Century, Baltimore 2007, S. 16.

29 Vgl. ebda.

30 So im Jahr 1866, zit. nach M. G. Lay, Die Geschichte der Straße. Vom Trampelpfad zur Autobahn, Frankfurt am Main 1994, S. 149.

31 Vgl. M. G. Lay, ebda. F. Lenger, Metropolen der Moderne. Eine europäische Stadtgeschichte seit 1850, spricht von den «schier unvorstellbare(n) Mengen von Pferdedung», die die Straßen bedeckten, solange die Omnibusse und Straßenbahnen noch von Pferden gezogen wurden (S. 168).

32 Vgl. Gordon, Horse World, S. 187.

33 Vgl. Gordon, Horse World, S. 24 f.

34 Vgl. McShane und Tarr, The Horse, S. 28.

35 Vgl. ebda.; Bouchet, Le Cheval à Paris, S. 228 ff. über die Transport- und Tötungsmethoden der Abdecker von Paris; vgl. auch Roche, La culture, S. 116.

36 McShane und Tarr, The Horse, S. 31.

37 Vgl. McShane und Tarr, The Horse, S. 33. Für Frankreich vgl. Roche, La culture, S. 70 ff.

38 Vgl. Lay, Straße, S. 91 ff.

39 Das heißt so viel wie *Achtung! Achtung!* und ist der auf der Straße gebräuchliche Warnruf vor herannahenden Kutschen, Reitern, Tieren und ähnlichen Gefahrenquellen.

40 Mercier, Tableau, S. 55.

41 Ebda., S. 56.

42 Vgl. Lay, S. 150

43 Vgl. Roche, La culture, S. 113.

44 Vgl. Lay, S. 151.

45 Vgl. McShane and Tarr, The Horse, S. 54.

46 Vgl. Roche, La culture, 96.

47 Bruno Latour hat verschiedentlich Objekte wie Türöffner und Sicherheitsgurte oder den berühmten «Berliner Schlüssel» untersucht, in denen sich ein ganzes soziales Bedingungsgefüge (oder -netz) mit einem technischen Dispositiv verbindet; vgl. B. Latour, Der Berliner Schlüssel, Berlin 1996, S. 37 ff. Als solche «Latourschen Objekte» lassen sich auch etliche Dinge aus dem Umfeld des «kentaurischen Pakts» wie z. B. Bordsteine oder Steigbügel beschreiben.

48 Vgl. Roche, La culture, S. 97; Lay, S. 93.

49 Vgl. McShane and Tarr, The Horse, S. 103 ff.

50 Vgl. ebda., S. 105 ff.
51 Vgl. Gordon, Horse World, S. 19.
52 Vgl. Chr. Gray, Where Horses Wet Their Whistles, in: New York Times, 31.10.2013, unter Hinweis auf eine Studie von Michele Bogart, Stony Brook University.
53 Vgl. ebda.
54 Bis in die erste Hälfte des 20. Jahrhunderts war Hafer in Deutschland die nach Roggen wichtigste Getreideart, weltweit lag er nach Weizen und Mais auf Platz 3; heute macht er weniger als 1 Prozent der Weltproduktion an Getreide aus.
55 Roche, La culture, S. 70.
56 Th. Veblen, Theorie der feinen Leute, München 1981, S. 111.
57 Vgl. E. Kollof, «Das Pariser Fuhrwesen», S. 202.
58 Ders., S. 206. Eine Übersicht über die Fülle der Luxuswagen des 19. Jahrhunderts bietet A. Fürger, Fahrkunst · Driving. Mensch, Pferd und Wagen von 1700 bis heute, Hildesheim 2009, hier vor allem S. 250 und 250A.
59 M. Praz, Der Garten der Erinnerung. Essays 1922–1980. Band 1, Frankfurt am Main 1994, S. 268 f.
60 Vgl. St. Longstreet, A Century on Wheels: The Story of Studebaker. A History, 1852–1952, New York 1952, S. 66 ff.
61 Vgl. J. P. Digard, Une histoire du cheval. Art, techniques, société, Paris 2004, S. 157 f.
62 Vgl. S. Giedion, Die Herrschaft der Mechanisierung, S. 191.
63 Vgl. McShane and Tarr, The Horse, S. 59
64 Dies., S. 62.
65 Vgl. dies., S. 64 f.
66 Das Londoner Tramnetz erstreckt sich 1893 über 135 Meilen; vgl. Gordon, Horse World, S. 26.
67 Vgl. Arne Hengsbach, «Das Berliner Pferdeomnibuswesen», in: Jahrbuch für brandenburgische Landesgeschichte 14 (1963), S. 87–108.
68 J.-P. Digard, S. 166.
69 Vgl. ebda., S. 167.
70 Vgl. McShane and Tarr, The Horse, S. 1: «Die Stadt des 19. Jahrhunderts bezeichnete den Höhepunkt des menschlichen Verbrauchs an Pferdekraft. Menschen allein hätten ohne die Hilfe der Pferde die gigantischen, Reichtum erzeugenden Metropolen, die in jenem Jahrhundert entstanden, weder erbauen noch bewohnen können.»
71 Vgl. Bouchet, Le cheval à Paris, S. 200. Für eine «schnelle» Geschichte der Ablösung des Pferdes durch das Automobil vgl. D. L. Lewis und L. Goldstein (Hgg.), The Automobile and American Culture, Ann Arbor 1983; für die «langsame» Geschichte Chr. M. Merki, Der holprige Siegeszug des Automobils 1895–1930. Zur Motorisierung des Straßenverkehrs in der Schweiz, Wien 2002.
72 Sein großes Buch erschien unter dem Titel *Mechanization Takes Command* zuerst auf Englisch (Oxford 1948). Es war das Verdienst Henning Ritters und seiner damaligen Mitstreiter, dass mehr als drei Jahrzehnte später endlich eine deutsche Fassung des Klassikers erscheinen konnte: Die Herrschaft der Mechanisierung. Ein Beitrag zur anonymen Geschichte. Mit einem Nachwort von Stanislaus von Moos, Frankfurt am Main 1982.
73 Vgl. Roche, La culture, S. 27.
74 Zit. nach W. Ehrenfried, «Pferde im Postdienst», in: Archiv für deutsche Postgeschichte 1 (1987), S. 5–29, hier S. 5.
75 Anders als es die Legende will, ist Henry Ford, der seit 1917 Ersatzteile zum Austausch bereit hält, nicht der Erfinder des *spare part*. Mit Austauschteilen experimentieren einzelne Hersteller von Landmaschinen, wie W. A. Woods, bereits vor der Jahrhundertwende; vgl. Giedion, S. 187.
76 P. Richter, Süddeutsche Zeitung vom 29.3.2014.

Ein Unfall auf dem Land

1 Vgl. Tenberg, Vom Arbeitstier, S. 15.
2 H. Küster, Am Anfang war das Korn. Eine andere Geschichte der Menschheit, München 2013, S. 235. Zu der Zunahme im Haferanbau dürfte allerdings weniger die Stallhaltung und -fütterung, als vielmehr die Vergrößerung der Pferdepopulationen und die Erweiterung ihrer Aufgabenkreise beigetragen haben,
3 J. Ritter, Vorlesungen zur philosophischen Ästhetik, hg. v. U. v. Bülow und M. Schweda, Göttingen 2010, S. 137.
4 G. Simmel, Philosophie der Landschaft, in: Die Güldenkammer, S. 640.
5 Ritter, Vorlesungen, S. 136; vgl. auch H. Küster, Die Entdeckung der Landschaft. Einführung in eine neue Wissenschaft, München 2012, S. 30 f.
6 W. Sombart, Die deutsche Volkswirtschaft im neunzehnten Jahrhundert und im Anfang des 20. Jahrhunderts, Berlin 1912; hier zit. nach der 5. Aufl. Berlin 1921.
7 Sombart, Volkswirtschaft, S. 4.
8 Ibid.
9 L. Börne, «Monographie der deutschen Postschnecke», in: ders., Sämtliche Schriften Bd. I, Düsseldorf 1964, S. 639–667, hier S. 640.
10 J. W. v. Goethe, Tagebücher (Hist.-krit. Ausgabe), II, 1 (1790–1800), Stuttgart u. Weimar, S. 179.
11 L. Sterne, Empfindsame Reise durch Frankreich und Italien, München o. J., S. 44 f.
12 Vgl. Wolfgang Schivelbusch, Geschichte der Eisenbahnreise, München 1977, S. 35–45.
13 Vgl. auch M. Scharfe, Straße und Chaussee. Zur Geschichte der Wegsamkeit, in: Zeit der Postkutschen, hg. v. K. Beyrer, Frankfurt am Main 1992, S. 137–149.
14 C. von Clausewitz, Vom Kriege, 19. Aufl., Bonn 1980, S. 603.
15 Ibid.
16 Clausewitz, Vom Kriege, S. 605.
17 Clausewitz, Vom Kriege, S. 261.
18 Marivaux, Die Kutsche im Schlamm, Zürich 1985, S. 19 f.
19 Vgl. L. Sterne, Das Leben und die Meinungen von Tristram Shandy, München 1974, S. 110.
20 Sombart, Volkswirtschaft, S. 4.
21 F. Kafka, Ein Landarzt, in: Gesammelte Werke in 12 Bänden, Bd. 1, Drucke zu Lebzeiten. Schriften, Tagebücher, Briefe. Kritische Ausgabe, Frankfurt am Main 1994, S. 253.
22 Zum Bild der Pferde in Kafkas «Landarzt» vgl. die Beobachtungen von Ernst Osterkamp in seinem wegweisenden Essay: Die Pferde des Expressionismus. Triumph und Tod einer Metapher, München 2010, S. 60–64.
23 G. Flaubert, Madame Bovary, übers. v. E. Edl, München 2012, S. 84.
24 G. Flaubert, Madame Bovary, S. 48.
25 G. Flaubert, Madame Bovary, S. 77.
26 Auf den «sprechenden Namen» des Arztes weist E. Edl im Kommentar zu ihrer Übersetzung hin, vgl. Madame Bovary, S. 712.
27 Ibid.
28 G. Flaubert, Madame Bovary, S. 210.
29 G. Flaubert, Madame Bovary, S. 211.
30 G. Flaubert, Madame Bovary, S. 214.
31 Hippolytos, zu Deutsch der Pferdelöser, der Sohn des Theseus und der Amazone Hyppolita, kommt bekanntlich durch einen Fahrunfall zu Tode.
32 G. Flaubert, Madame Bovary, S. 232.
33 Vgl. M. Scharfe, Die alte Straße, in: Reisekultur. Von der Pilgerfahrt zum modernen Tourismus, hg. v. H. Bausinger, K. Beyrer u. G. Korff, München 1991, S. 11–22.
34 Vgl. Th. de Quincey, The Englisch Mail-Coach and Other Essays, London, Toronto and New York 1912, S. 30–39.

35 *Taschenbuch für Pferdeliebhaber, Reuter, Pferdezüchter, Pferdeärzte und Vorgesezte groser Marställe* für das Jahr 1799, S. 56.

36 Im Hellbrunner «Monatsschlössl» südlich von Salzburg.

37 F. A. de Garsault, Traité des voitures, pour servir de supplément au nouveau parfait maréchal, avec la construction d'une berline nouvelle nommée inversable, Paris 1756.

38 Vgl. J. H. M. Poppe, Geschichte der Erfindungen in den Künsten und Wissenschaften, seit der ältesten bis auf die neueste Zeit, Bd. 3, Dresden 1829, S. 59 f.

39 J. G. Herklotz, Beschreibung einer Maschine die das Durchgehen der Reit- und Wagenpferde verhindert, Dresden 1802.

40 J. Riem, Zwei untrügliche bereits erprobte Mittel, sich beim Durchgehen der Pferde gegen alle Gefahr zu schützen, Leipzig 1805.

41 Poppe, Geschichte der Erfindungen, Bd. 3, S. 63.

42 Vgl. die «Bibliographie sportive» des Comte G. de Contades, Le driving en France. 1547–1896, Paris 1898.

43 Die Karriere der Kutsche als dramatische Kapsel wird sich fortsetzen über *Boule de suif* (1880), Guy de Maupassants Geschichte aus dem deutsch-französischen Krieg, bis zu *Stagecoach*, John Fords Western von 1939. Zu dessen enger Verwandtschaft mit Maupassants Erzählung vgl. Rieupeyrout, Der Western, S. 80 f.

44 S. Kracauer, Jacques Offenbach und das Paris seiner Zeit, Frankfurt am Main 1976, S. 38.

45 G. Flaubert, Madame Bovary, S. 318.

46 G. Flaubert, Madame Bovary, S. 320.

47 M. Praz, Der Garten der Erinnerung, Essays Bd. 1, Frankfurt am Main 1994, S. 270.

48 G. W. F. Hegel, Werke, Bd. 9: Enzyklopädie der philosophischen Wissenschaften II, Frankfurt am Main 1970, S. 173.

49 K. Bücher, Arbeit und Rhythmus, 2. Aufl. Leipzig 1899.

50 Ebda., S. 28.

51 G. Flaubert, Madame Bovary, S. 319 f.

52 L. Börne 1821, zit. nach Oeser, S. 142

53 A. Corbin, Die Sprache der Glocken. Ländliche Gefühlskultur und symbolische Ordnung im Frankreich des 19. Jahrhunderts, Frankfurt am Main 1995, S. 22.

54 A. Corbin, Die Sprache der Glocken, S. 24 f.

55 W. H. Riehl, Culturstudien aus drei Jahrhunderten, 2. Aufl., Stuttgart 1859, S. 336.

56 W. Burkert, Weisheit und Wissenschaft. Studien zu Pythagoras, Philolaos und Platon, Nürnberg 1962, S. 354 (dort auch Angaben zu den Quellen bei Nikomachos u. a.).

57 W. Burkert, Weisheit, S. 355.

58 In der Sondernummer zur Geschichte der Techniken hat die von Marc Bloch und Lucien Febvre geleitete Zeitschrift *Annales* auch die Ergebnisse einer Umfrage zu den Aufgaben und dem Schicksal der dörflichen Schmiede veröffentlicht, in der unterschiedlichste Informationen zu Fragen von Werkzeug und Brennstoff, den Funktionen des Schmiedes als Tierarzt, der Rekrutierung und Ausbildung des Metiers bis zu den sozialen Funktionen der Schmiede als Treffpunkt des Dorfes und den Chancen ihres Verschwindens oder Fortbestehens diskutiert wurden; vgl. L. Febvre, Une enquête: La forge de village, in: Annales 7. Jg. 1935, S. 603–614.

59 Vgl. W. Burkert, Einbruch des Kentauren, in ZIG VIII/3 2014, S. 83–84. Auch die nach wie vor ungeklärte Frage, wovon sich Kentauren ernähren, hätte Böcklin, den Schweizer, nicht in Verlegenheit gebracht: von Müsli natürlich, der *Haferflocken* wegen.

60 P. Kipphoff, Im Wasserbad der Gefühle, in: Die ZEIT, 23.5.2001.

Ritt nach Westen

1 Er war, wohlverstanden, der einzige Überlebende der US-Kavallerieeinheit, die im Gefecht gegen die Sioux aufgerieben worden war. Seitens der Indianer fehlte es nicht an Überlebenden, und wann immer von nun an ein Sioux hundert Jahre alt wurde, behauptete er von sich, der letzte Überlebende von Little Bighorn zu sein. Comanche, das Pferd von Captain Myles Keogh, überlebte seinen Herrn um 15 Jahre. Nach seinem Tod im Jahr 1891 wurde es ausgestopft und 1893 auf der Weltausstellung in Chicago gezeigt, bevor es nach postumer Wanderschaft über diverse Stationen und mehrfacher Erneuerung seiner von Souvenirjägern bevorzugt dezimierten Partien (Mähne und Schweif) schließlich seinen heutigen Standort im Natural History Museum der University of Kansas bezog. Vgl. D. Stillman, Mustang. The Saga of the Wild Horse in the American West, Boston u. New York 2008, S. 113, 121 ff.; J. Hembus, Western-Geschichte 1540–1894, München 1979, S. 468 ff.

2 Stillman, Mustang, S. 108; umfangreiche weitere Literatur zu Custer, Keogh und Comanche ebda., S. 317.

3 «Im Jahr nach dem Bürgerkrieg zogen 100 000 Siedler durch die Stadt S. Louis auf dem Weg nach Westen. Zwischen 1860 und 1870 strömten eine Million Amerikaner in die westlichen Territorien der Vereinigten Staaten. Viele der Indianer westlich des Mississippi waren entschlossen dieser Wanderung Widerstand zu leisten.» L. A. DiMarco, War Horse. A History of the Military Horse and Rider, Yardley 2008, S. 271.

4 Vgl. auch weiter unten, S. 108 ff.

5 Eine ähnliche Erfahrung hatte freilich auch die mittelalterliche Kavallerie schon machen müssen, als die englischen Langbogenschützen auf dem Gefechtsfeld auftauchten, deren Pfeile tatsächlich in der Lage waren, den Ansturm der Berittenen zu stoppen; vgl. John Keegan, der in seinem Klassiker Das Antlitz des Krieges (engl. The Face of Battle), Düsseldorf 1978, S. 107 ff., den Sieg der Truppen Henrys V. über die überlegene französische Reiterei auf seine militärtechnischen Voraussetzungen hin untersucht; vgl. aus jüngerer Zeit P. Edwards, Horse and Man in Early Modern England, London 2007, S. 145 ff.

6 Vgl. DiMarco, War Horse, S. 234 ff.

7 «Amerikanische Kavallerie griff im Bürgerkrieg seltener als Teil des Hauptgefechts ein, als europäische Kavallerie das in früheren Konflikten getan hatte.» DiMarco, War Horse, S. 238.

8 Vgl. hierzu Stillman, Mustang, S. 93 ff.

9 «Die Armee begriff, dass die militärische Stärke des Indianers mehr vom Pferd abhing als von jedem anderen Faktor. Die Armee tötete viele dieser Pferde, um sie den Indianern zu entziehen, und schlug die übrigen Pferde der Kriegsbeute zu.» DiMarco, War Horse, S. 278; vgl. auch S. 285 f.

10 In dem Film Little Big Man von 1970 in der Regie von Arthur Penn spielt Dustin Hoffman Jack Crabb, den Sohn eines weißen Siedlers, der bei einem Indianerstamm aufwächst und das Massaker am Washita miterlebt.

11 Vgl. Stillman, Mustang, S. 111 f.

12 Eine Ansicht, die namentlich von Maximilian zu Wied, Reise in das innere Nord-America, Coblenz 1839–41, befördert wurde.

13 Der «Plains way of life», schreibt die großartige Indianerforscherin und Boas-Schülerin Ruth M. Underhill, sei tatsächlich die rezenteste unter allen Lebensweisen der nordamerikanischen Indianer gewesen, gebunden an den Besitz von Pferden, der erst seit etwa 1600 möglich wurde: «Als diese Neuentdeckung in Gebrauch kam, war es wie die Entdeckung des Goldes in jüngerer Zeit … Der Indianer der Plains war alles andere als der typische rote Mann, er war ein modernes Produkt, ein nouveau riche.» R. M. Underhill, Red Man's America. A History of Indians in the United States, revised edition Chicago 1971, S. 144.

14 «Offenbar umfasste die Funktion des Pferdes im Kriegswesen der Indianer selten mehr als den Transport des Kriegers ins Gebiet (nicht auf den Schauplatz) der Operationen, wo er abstieg…, um den Feind zu bekämpfen oder, bevorzugt, zu überraschen. Solche indianischen Truppen waren eigentlich berittene Infanterie.» F. G. Roe, The Indian and the Horse, Norman 1955, S. 230.

15 Vgl. P. S. Martin and H. E. Wright (Hgg.), Pleistocene Extinctions: The Search for a Cause, New Haven 1967; P. S. Martin and R. G. Klein, (Hgg.), Quaternary Extinctions: A Prehistoric Revolution, Tucson 1984.

16 Vgl. R. M. Denhardt, The Horse of the Americas, Oklahoma 1948, S. 14 ff.; R. B. Cunninghame Graham, The Horses of the Conquest, Oklahoma 1949, S. 19; C. Bernand u. S. Gruzinski, Histoire du Nouveau Monde, Paris 1991, S. 67 u. 473. Zum Reitstil a la jineta vgl. weiter unten, S. 93 f.

17 Vgl. A. W. Crosby jr., The Columbian Exchange. Biological and Cultural Consequences of 1492, Westport 1972, S. 80.

18 Vgl. ebda., S. 81.

19 Ebda., S. 82.

20 Zeitgenössischen Berichten zufolge scheinen die Apachen zwischen 1620 und 1630 mit dem Reiten begonnen zu haben; um die Mitte des 17. Jahrhunderts galten sie bereits als «a typical horse people», wie es bei F. G. Roe, The Indian and the Horse, Oklahoma 1962, S. 74, heißt.

21 Vgl. S. C. Gwynne, Empire of the Summer Moon. Quannah Parker and the Rise and Fall of the Comanches, the Most Powerful Indian Tribe in American History, New York 2010, S. 29 f.

22 Zu den «Kriegen» der Indianer untereinander und der Rolle, die darin die Pferde spielten, vgl. Roe, The Indian, S. 222 f. und besonders S. 227: «Das Pferd… war nicht nur ein Mittel des Krieges, es war auch dessen Zweck. Was wir auf Englisch immer noch als ‹Kriege› bezeichnen, waren im Grunde genommen Pferderaubzüge.»

23 Vgl. Gwynne, Empire, S. 30 f.

24 Vgl. Gwynne, Empire, S. 31.

25 Vgl. Gwynne, Empire, S. 34.

26 Vgl. J. C. Ewers, The Horse in Blackfoot Indian Culture, Washington 1955, S. 1.

27 Vgl. ebda. S. 3 (Haines, Wyman, Denhardt u. a.). Roe, The Indian, kritisiert die «stray legend», welche die explosionsartige Ausbreitung der Pferde auf den Prärien Nordamerikas und den Pampas des Südens auf einzelne, entwichene Pferde der frühen Konquistadoren zurückführte und somit indirekt dazu beitrug, die Verbindung von Indianern und Pferden zu früh anzusetzen; vgl. Roe S. 38 ff.

28 Den ersten, folgenreichen Aufsatz über die Wirkung des Pferdes auf Leben und Kultur der Indianer der Great Plains veröffentlichte Clark Wissler unter dem Titel The Influence of the Horse in the Development of Plains Culture, in: American Anthropologist 16, 1 (1914), S. 1–25. Die Bibliographie der weiteren Diskussion bei E. West, The Contested Plains Indians, Goldseekers & the Rush to Colorado, Lawrence 1998, S. 345 f. Den unübertroffenen Klassiker des Genres publizierte John C. Ewers, ein Schüler Wisslers, im Jahr 1955 (The Horse in Blackfoot Indian Culture). 1941 hatte Ewers das Museum of the Plains Indian in Browning, Montana, gegründet und als Kurator betreut, eine Aufgabe, die ihn in engen Kontakt zu seinen wichtigsten Informanten, älteren Angehörigen der Blackfoot, gebracht hatte. 1964 wurde er zum ersten Direktor des neugegründeten National Museum of American History berufen.

29 Vgl. F. R. Secoy, Changing Military Patterns on the Great Plains (17th Century through Early 19th Century), Seattle 1953, S. 3 ff.

30 Vgl. die entsprechenden Karten in Secoy, Changing Patterns, S. 104–106.

31 Vgl. Ewers, The Horse, S. 13.

32 Ebda., S. 20 ff.

33 Vgl. ebda., S. 71 ff., 81 ff.

34 Vgl. die differenzierte Darstellung bei Roe, Indian, S. 188–206; West, Contested Plains, S. 64 ff.
35 Vgl. West, Contested Plains, S. 72.
36 Vgl. Ewers, The Horse, S. 9 f.
37 West, Contested Plains, S. 64 f.
38 Vgl. Gwynne, Empire, S. 138 ff.
39 W. P. Webb, The Great Plains, New York 1931, S. 183.
40 W. P. Webb, The Great Frontier, Boston 1952, S. 244.
41 Vgl. DiMarco, War Horse, S. 234 f.
42 Aus Gründen der Einfachheit vernachlässige ich an dieser Stelle eventuelle weitere Teile der Bewaffnung wie Lanzen, Säbel, Degen und Gewehre. Auch von anderen Teilen des jeweiligen Systems wie Sattel, Zaumzeug, Steigbügel wird hier einstweilen abgesehen. Zum Steigbügel vgl. unten, S. 243 ff.
43 Vgl. L. Mercier, Les écoles espagnoles dites de la Brida et de la Gineta (ou Jineta), Revue de cavalerie, Paris 1927, S. 301–315; J.-P. Digard, Le creuset moyen-oriental des techniques d'équitation, in: De la voûte céleste au terroir, du jardin au foyer. Mosaique sociographique. Textes offerts à Lucien Bernot, Paris 1987, S. 1987, S. 613–618; L. Clare, Les deux façons de monter à cheval en Espagne et au Portugal pendant le siècle d'or, in: J.-P. Digard (Hg.), Des chevaux et des hommes. Équitation et société, Lausanne 1988, S. 73–82, bietet zahlreiche Hinweise auf die französische Barockliteratur über den Umgang mit Pferden und die beiden spanischen Schulen des Reitens.
44 Vgl. oben, S. 86, Anm. 16.
45 Vgl. das klassische Werk von Steven Runciman, Geschichte der Kreuzzüge, München 1953–1960, sowie W. Montgomery Watt, Der Einfluß des Islam auf das europäische Mittelalter, Berlin 1988.
46 Vgl. D. Ph. Sponenberg, Virginia Tech, Blacksburg 2011: North American Colonial Spanish Horse, http://centerforamaricasfirsthorse.org.
47 R. Düker erinnert in einer inspirierten Studie daran, dass sich die enthusiastische Verehrung des arabischen Pferdes und die Bewunderung der arabischen Reitkunst, wie sie in Europa seit dem 18. Jahrhundert verbreitet war, im 19. Jahrhundert auf Amerika übertragen hatte, und er belegt dies durch die Aufsätze über verschiedene Schulen der Reiterei, die der Kavallerieoberst T. A. Dodge in den achtziger Jahren für Harper's Magazine verfasste. Dodge wollte die besondere Modernität und Zukunftsorientierung der amerikanischen Kavallerie darin erkennen, dass sie sich von den schwerfälligen und steifen europäischen Schulen abgewandt und der geschmeidigen Eleganz der arabischen Reiterei angenähert habe; vgl. Düker, Als ob sich die Welt in Amerika gerundet hätte. Zur historischen Genese des US-Imperialismus aus dem Geist der Frontier, Phil. Diss. Berlin 2005, edoc.hu-berlin.de, hier S. 191 ff. – Die empirisch forschende historische Hippologie beurteilt freilich die Frage des durch die Spanier übertragenen, ursprünglich maurischen Pferdewissens mittlerweile deutlich vorsichtiger und differenzierter, als es die ältere diffusionistische Schule der Anthropologie getan hat; vgl. dazu J.-P. Digard, El caballo y la equitación entre Oriente y America. Difusíon y síntesis, in: Al-Andalus allende el Atlántico, Granada 1997, S. 234–252, hier besonders S. 247.
48 Vgl. M. Watt, Einfluß, S. 34, 37–48.
49 Vgl. S. Steiner, Jewish Conquistadors, America's first cowboys? in: The American West, Sept./Okt. 1983, S. 31–37; ders., Dark and Dashing Horsemen, New York 1981.
50 Vgl. S. B. Liebman, Hernando Alonso. The First Jew on the North-American Continent, in: *Journal of Inter-American Studies*, 5/2 (1963), S. 291–296.
51 Vgl. Denhardt, The Horse, Kap. 6: El Otro Mexico, S. 87–100.
52 Steiner, Jewish Conquistadors, S. 37.
53 Vgl. I. Raboy, Der jüdische Cowboy, o. O. 1942.
54 Vgl. Preliminary List of Jewish Soldiers and Sailors who served in the Spanish-American War, American Jewish Year Book 1890/91, S. 539 f.

55 Sein Werk hängt im Mission Inn im kalifornischen Riverside; vgl. dazu K. Holm, Schlacht im Steakhaus, F. A. Z. 19.7.2010, S. 28.

56 Ihre stärkste Nachwirkung haben Remingtons Ikonen im Film, d. h. im Western erlebt; «Westernregisseure», schreibt Joe Hembus, «haben immer wieder bekannt, Remington sei die Hauptquelle ihrer optischen Inspiration» (Western-Geschichte, S. 563).

57 Th. Roosevelt, Ranch Life in the Far West, Flagstaff, Arizona, 1985

58 Vgl. E. Jusim, Frederic Remington, the Camera & the Old West, Fort Worth 1983, S. 50.

59 Vgl. Jussim, Remington, S. 81.

60 Der «rough rider» ist ursprünglich der Zureiter, der die noch wilden oder halbwilden Pferde an Sattel und Zügel gewöhnt.

61 Th. Roosevelt, The Rough Riders. A History of the First United States Volunteer Cavalry, New York 1899, hier zit. nach der 3. Aufl. 1906.

62 Th. Roosevelt, Rough Riders, S. 36; Kursivierung von mir, U. R.

63 Owen Wister, The Virginian, 1902 zuerst erschienen, gilt als erster echter Wildwest-Roman und war Theodore Roosevelt gewidmet.

64 Vgl. unten, S. 100 ff.

65 Vgl. H. Böhringer, Auf dem Rücken Amerikas. Eine Mythologie der neuen Welt im Western und Gangsterfilm, Berlin 1998, S. 38: «Der Westernfilm besiegelt das Ende des wilden Westens und hält die legendenhaft verklärte Erinnerung an ihn aufrecht ... Er erbaut das Bewußtsein Amerikas.»

66 Vgl. hierzu Düker, Als ob sich die Welt, «Teddy's Rough Riders», S. 198 ff. Übrigens stellte Roosevelt in seiner Geschichte der Rough Riders selbst den Bezug zwischen der Schließung der Frontier und der Rekrutierung seiner Männer für das, was man Amerikas ersten imperialen Krieg nennen muss, her. Die Masse des Regiments, so Roosevelt, sei tatsächlich aus dem Südwesten gekommen: «Sie kamen aus jenen vier Territorien, die erst jüngst zum Gebiet der Vereinigten Staaten hinzugekommen waren, das heißt aus einem Gebiet, das erst vor kurzem an die weiße Zivilisation gefallen war, und in denen die Lebensbedingungen noch ganz ähnliche waren wie an der *frontier*, als es noch eine *frontier* gab.» (Rough Riders, S. 14; Kursivg. von mir, U. R.).

67 «Wie es sich herausstellte», schrieb Roosevelt selbst, «kamen wir überhaupt nicht beritten zum Einsatz, so dass in diesem Punkt unsere sämtlichen Vorbereitungen umsonst waren. Ich habe das eigentlich immer bedauert. Wir dachten, wir würden wenigstens bei dem großen Feldzug gegen Havanna im Herbst als Kavallerie zum Einsatz kommen; und von Anfang an bildete ich meine Männer in Schocktaktik gegen feindliche Kavallerie aus. Nach meiner Überzeugung war das Pferd die Waffe, mit der richtiger Weise der erste Schlag geführt wurde.» (Rough Riders, S. 35).

68 Zit. nach E. Morris, The Rise of Theodore Roosevelt, New York 1979, S. 275. Eine noch stärkere Betonung der Bedeutung, die der Westen für Th. Roosevelt hatte, bei M. L. Collins, That Damned Cowboy. Theodore Roosevelt and the American West 1883–1898, New York 1989.

69 Vgl. Düker, Als ob sich die Welt, S. 35 ff.

70 Rünzler, Im Westen ist Amerika, Wien 1995, formuliert apodiktisch: «Der ‹Wilde Westen› wurde – kaum daß die Frontier, die Grenze zwischen Wildheit und Zivilisation nicht mehr bestand – zum Mythos.» (S. 10). Düker, Als ob sich die Welt, geht noch einen Schritt weiter und bezeichnet Roosevelts Rough Riders als «Versuch einer theatralisierten Fortsetzung der mythischen Geschichte» (S. 47).

71 Vgl. D. Rünzler, Im Westen, S. 13. Übrigens hatte Cody früher selbst in der zirkulären Logik gestanden, «mit einem Fuß auf der Bühne, mit dem anderen im Zeitgeschehen», wie der französische Filmhistoriker Jean-Louis Rieupeyrout schreibt (Der Western, hg. von Joe Hembus, Bremen 1963, S. 95).

72 Hembus, Western-Geschichte, S. 601.

73 Vgl. Düker, Als ob sich die Welt, S. 51.
74 Rieupeyrout, Der Western, S. 43.
75 Vgl. Hembus, Western-Geschichte, S. 196.
76 H. Melville, Moby Dick, München 1979, S. 245.
77 Zitiert bei Hembus, Western-Geschichte, S. 563.

Der Schock

1 Stauffenberg war am 1. April 1926 in das 17. Bayerische Reiterregiment in Bamberg eingetreten und besuchte 1928–29 die Kavallerie-Schule des Heeres in Hannover, die er als Sechstbester seines Jahrgangs abschloss; vgl. P. Hoffmann, Claus Schenk Graf von Stauffenberg und seine Brüder, Stuttgart 1992, S. 84 u. 95. Im Dezember 1942 erwirkte er als Major i. G. in der Organisationsabteilung des Generalstabs des Heeres die Erlaubnis, einen Ost-Freiwilligenverband aufzustellen, die den «Weg für eine Kosakenkavalleriedivision in deutschen Diensten» freimachte; so H. Meyer, Geschichte der Reiterkrieger, Stuttgart 1982, S. 188.
2 Cl. v. Stauffenberg an seine Frau Nina, Brief vom 17.9.1939, Stefan George-Archiv Stuttgart.
3 R. Kapuscinski, Die Erde ist ein gewalttätiges Paradies. Reportagen, Essays, Interviews aus vierzig Jahren, München u. Zürich 2002, S. 14 f. – In seinem 2009 auf Rumänisch erschienenen, 2013 ins Deutsche übersetzten «Buch des Flüsterns» beschreibt Varujan Vosganian dasselbe Bild eines Schlachtfelds, auf dem nach der Bergung der menschlichen Toten nur die Leichen der Pferde verblieben sind, so dass man den Eindruck haben konnte, «auf jenem Feld habe sich nicht etwa ein Krieg zwischen Menschen, sondern ein Krieg zwischen Pferden abgespielt» (S. 479). Es ist nicht auszuschließen, dass dem rumänischen Autor die Passage bei Kapuscinski bekannt war.
4 An der Vorstellung von der Reiternation ist so viel richtig, dass Polen neben der Sowjetunion über die größte Reiterei des Zweiten Weltkriegs verfügte, «die letzte Kavallerie ..., die in hergebrachter Form selbständig operierte» (Meyer, Reiterkrieger, S. 187).
5 Vgl. die Wikipedia-Seite zum Stichwort «Gefecht bei Krojanty».
6 Die polnischen Ulanen, schreibt der Historiker Janusz Piekalkiewicz, «waren keine Selbstmörder, und es ist kein Fall einer bewußt gerittenen Attacke der polnischen Kavallerie gegen Panzer bekannt. Es gab natürlich mehrfach Attacken gegen deutsche Infanterie, der gepanzerte Fahrzeuge zu Hilfe kamen, oder auch Situationen, in denen die polnische Kavallerie von Panzern angegriffen wurde. Die einzige Überlebenschance für sie bestand nur darin, in einem halsbrecherischen Manöver zu versuchen, so schnell wie möglich an den Panzern vorbeizukommen.» J. Piekalkiewicz, Pferd und Reiter im II. Weltkrieg, München 1992, S. 14.
7 Natürlich habe sich das in Wirklichkeit so nicht abgespielt, räumte Wajda in einem späteren Interview ein, es sei als Allegorie gemeint gewesen. Den meisten Zuschauern seines Films scheint diese artistische Differenz verborgen geblieben zu sein.
8 Vgl. dazu den vom Nationalmuseum Warschau herausgegebenen Katalog der Ausstellung Ross und Reiter, Polenmuseum Rapperswil 1999, hier bes. S. 17 ff., 22 ff.
9 H. Guderian, Erinnerungen eines Soldaten, Heidelberg 1951, S. 63.
10 Vgl. J. Piekalkiewicz, Pferd und Reiter, S. 65 ff.
11 Vgl. Clausewitz, Vom Kriege, S. 458, 476 u. 513: «Die Reiterei ist die Waffe der Bewegung und großen Entscheidungen; ihr Vorherrschen über das gewöhnliche Verhältnis ist also wichtig bei sehr ausgedehnten Räumen, großen Hin- und Herzügen und der Absicht großer entscheidender Schläge. Bonaparte gibt ein Beispiel davon.» (S. 513)
12 Vgl. J. Ellis, Cavalry. The history of mounted warfare, Newton Abbot u. Vancouver

1978, S. 157. Die signifikante Erhöhung der Feuerkraft der Infanterie, die zu einem allmählichen Wechsel der relativen Stärken der Waffengattungen Infanterie und Kavallerie führen sollte, wurde übrigens schon unter Friedrich II. von Preußen spürbar, wie Clausewitz, Vom Kriege, S. 514 f., notiert.

13 Éric Baratay hat in seinem Buch über die Tiere im Ersten Weltkrieg den sehr beeindruckenden Versuch unternommen, die Phänomene einer Kavallerieattacke sowohl aus der Sicht der Reiter als auch aus der der Tiere zu beschreiben; vgl. É. Baratay, Bêtes des tranchée. Des vecues oubliés, Paris 2013, S. 63 f.

14 Vgl. Meyer, Reiterkrieger, S. 196 ff.

15 Vgl. G. Craig, Königgrätz. Eine Schlacht macht Weltgeschichte, Wien 1997, S. 245 ff.

16 Vgl. M. Howard, The Franco-Prussian War. The German Invasion of France 1870–71, London 1961, S. 216.

17 Die Zahlenangaben aus dem deutsch-französischen Krieg bei DiMarco, War Horse, S. 259 ff., sprechen eine deutliche Sprache. Dass sich die vom Krieg entfesselte Gewalt manchmal bevorzugt gegen die Tiere richtet, weiß die Geschichtsschreibung seit Herodot, auch wenn sie, anders als dieser, es vorzieht, davon zu schweigen. Vgl. bei Herodot die grausame Szene (V 111 f.), in der der Knappe des Königs von Salamis mit einer Sichel dem Streitross des persischen Heerführers die Vorderbeine abschlägt. Beispiele für die Ausschaltung der Pferde durch gezielten Einsatz von Fernwaffen (Pfeilschüsse) bietet M. Kretschmar, Pferd und Reiter im Orient. Untersuchungen zur Reiterkultur Vorderasiens in der Seldschukenzeit, Hildesheim 1980, S. 428 f. Das Abschlagen der Vorderbeine des gegnerischen Pferdes feiert auch Ludwig Uhland als «Schwabenstreich» in seiner «Schwäbischen Kunde».

18 M. Howard, Franco-Prussian War, S. 157.

19 Vgl. DiMarco, War Horse, S. 261.

20 Vgl. DiMarco, War Horse, S. 289–308.

21 M. E. Derry, Horses in Society. A Story of Animal Breeding and Marketing, 1800–1920, Toronto u. London 2006, S. 102.

22 W. Churchill, Kreuzzug gegen das Reich des Mahdi, Frankfurt am Main 2008, S. 340–342.

23 Vgl. Derry, Horses in Society, S. 115.

24 P. Liman, Der Kaiser, Leipzig 1913, S. 110.

25 Vgl. Meyer, Reiterkrieger, S. 196.

26 F. von Bernhardi, Gedanken zur Neugestaltung des Kavallerie-Reglements, Berlin 1908, S. 28. Der General der Kavallerie und zeitweilige Mitarbeiter Schlieffens publizierte in den Jahren vor dem Ersten Weltkrieg neben der Denkschrift zum Kavallerie-Reglement von 1908 noch drei weitere Schriften zur Aufgabe und Zukunft der militärischen Reiterei: Unsere Kavallerie im nächsten Kriege, Berlin 1899, Reiterdienst, Berlin 1910, und Die Heranbildung zum Kavallerieführer, Berlin 1914; er wurde binnen kurzem auch ins Englische übersetzt: Cavalry in future wars, 1906, und Cavalry, 1914.

27 Bernhardi, Die Heranbildung, S. 7.

28 Bernhardi, Unsere Kavallerie, S. 6.

29 Vgl. Bernhardi, Das Heerwesen, in: Deutschland unter Kaiser Wilhelm II., Erster Band, Berlin 1914, S. 378.

30 Bernhardi, Unsere Kavallerie, S. 6.

31 DiMarco, War Horse, S. 307.

32 Vgl. T. Travers, The Killing Ground. The British Army, the Western Front, and the Emergence of Modern Warfare 1900–1918, London 1987, S. 89 ff.

33 In seiner Studie The Social History of the Machine Gun, London 1975, S. 128 ff., bringt John Ellis eine Reihe von Beispielen für Haigs unbelehrbares Festhalten an den überkommenen Doktrinen vom Einsatz der Kavallerie während des Weltkriegs. Selbst die bei einem Gespräch im Juni 1916 höflich vorgetragenen Hinweise seines Königs auf die hohen Kosten, die die massenhafte Haltung der weitgehend nutzlos

gewordenen Kavalleriepferde verursachte, drangen nicht zu Haig durch; vgl. Ellis, Machine Gun, S. 130.

34 E. Köppen, Heeresbericht, München 2004, S. 182 f.

35 Vgl. A. Hochschild, Der große Krieg. Der Untergang des alten Europa im Ersten Weltkrieg 1914–1918, Stuttgart 2013, S. 172 u. 224.

36 Zit. nach Butler, War Horses, S. 79.

37 Vgl. zusammenfassend für diese Schule D. Kenyon, Horsemen in No Man's Land. British Cavalry & Trench Warfare, Huddersfield 2011.

38 Vgl. G. Phillips, The obsolescence of the Arme Blanche and Technological Determinism in British Military History, in: War in History, IX, 1/2002, S. 39–59.

39 R. Netz, Barbed Wire. An Ecology of Modernity, Middletown 2004, S. 90.

40 Ebda., S. 87 ff.; vgl. auch Hochschild, Der große Krieg, S. 174.

41 Vgl. dazu R. Bruneau, La mission militaire française de remonte aux États-Unis pendant la Grande Guerre, in: D. Roche, Le cheval et la guerre du XVe au XXe siècle, Paris 2002.

42 G. M. Tempest, All the Muddy Horses: Giving a Voice to the «Dumb Creatures» of the Western Front (1914–1918), in: R. Pöppinghege (Hg.), Tiere im Krieg. Von der Antike bis zur Gegenwart, Paderborn 2009, S. 217–234, hier S. 218. In ihrer Dissertation The Long Face of War: Horses and the Nature of Warfare in the French and British Armies on the Western Front, New Haven 2013, ist Gene Tempest dem Schicksal der insgesamt 2,7 Millionen Pferde, die auf britischer und französischer Seite an der Westfront zum Einsatz kamen, detailliert und kenntnisreich nachgegangen. Vgl. auch S. Butler, The War Horses. The Tragic Fate of a Million Horses Sacrificed in the First World War, Wellington 2011, S. 118. Die Zahl der an der Westfront auf englischer Seite getöteten Pferde wird hier mit 256 000 angegeben (gegenüber 558 000 britischen Soldaten).

43 Vgl. Butler, War Horses, S. 101.

44 Vgl. ebda.

45 Vgl. Meyer, Reiterkrieger, S. 192.

46 Die Verbindung zu den Centenarfeiern und -trauerfeiern des Ersten Weltkriegs ist bei Studien wie denen von Baratay, Bêtes de tranchées, Paris 2013, R. Pöppinghege, Tiere im Ersten Weltkrieg. Eine Kulturgeschichte, Berlin 2014, und anderen nicht zu übersehen.

47 Animal Heroes of the Great War, London 1926.

48 Im Untertitel: An Appreciation of the Part Played by Animals During the War (1914–1918), London 1931.

49 So war der Krieg. 200 Kampfaufnahmen aus der Front, Berlin 1928, hier S. 101–106.

50 Fronterinnerungen eines Pferdes, Hamburg-Bergedorf 1929.

51 Vgl. E. M. Remarque, Im Westen nichts Neues, Berlin 1929, S. 66 ff.

52 Vor allem in englischen Karikaturen aus der Zeit des Weltkriegs erscheinen deutsche Kavallerieoffiziere und Ulanen häufig als Personifikationen einer bornierten, reaktionären und blutrünstigen Junkerkaste, Stellvertreter ihres obersten Kriegsherrn.

53 Jünger erfindet diesen Namen nicht, dennoch fällt es schwer, nicht an den Namen des Protagonisten in Kafkas Amerika-Roman, Karl Rossmann, zu denken.

54 Ernst Jünger, Kriegstagebuch, hg. von Helmuth Kiesel, Stuttgart 2010, S. 430.

55 Vgl. Jünger, Kriegstagebuch, S. 593.

56 R. Koselleck, Der Aufbruch in die Moderne oder das Ende des Pferdezeitalters, in: Historikerpreis der Stadt Münster 2003. Dokumentation der Feierstunde zur Verleihung am 18. Juli 2003, Münster 2003, S. 37. Meyer, Reiterkrieger, S. 192, nennt ähnliche Zahlen (2 750 000 Einhufer insgesamt in der deutschen Wehrmacht, von denen geschätzte 1 600 000 starben) und bezeichnet 1943 als das Jahr mit dem höchsten Einsatz von Pferden (1 380 000). Diese Zahlen decken sich mit denen bei W. Zieger, Das deutsche Heeresveterinärwesen im Zweiten Weltkrieg, Freiburg 1973, S. 415.

Auch Zieger errechnet für den Zweiten Weltkrieg eine um 5–8 Prozent niedrigere Verlustrate als die 68 Prozent des Ersten Weltkriegs. Den Pferdeeinsatz der Roten Armee schätzt Meyer, Reiterkrieger, S. 186, auf 3,5 Millionen.

57 Meyer, Reiterkrieger, S. 192. Weitere Einzelheiten zum Pferdebestand von teilmotorisierten und nichtmotorisierten Einheiten bei P. L. Johnson, Horses of the German Army in World War II, Atglen/PA 2006, S. 9 ff.

58 Zit. nach Zieger, Heeresveterinärwesen, S. 421.

59 Etwa bei K. Ch. Richter, Die Geschichte der deutschen Kavallerie 1919–1945, Stuttgart 1978.

60 Koselleck, Der Aufbruch, S. 37.

61 So bei N. Davies, White Eagle, Red Star. The Polish-Soviet War, 1919–1920, London 1983, S. 229.

62 Budjonnys erstaunlicher politischer Aufstieg seit 1920 und sein knappes Überleben der Säuberungen im Offizierskorps von 1937/38 hängt allerdings eher mit seiner Nähe zu Stalin als mit seinem Ruhm als Reiterführer zusammen.

63 Ebda., S. 268.

64 Zu dem in frühester Zeit geschmiedeten Bündnis von Adel und Reiterei existiert eine Fülle von Literatur. Zur griechischen und römischen Antike vgl. beispielsweise R. L. Fox, Die Klassische Welt, Stuttgart 2010, S. 52 ff. und passim. Über die Hippolatrie des europäischen Adels machte sich bereits Montaigne in seinem Essay «Über Streitrosse» lustig.

65 Meyer, Reiterkrieger, S. 195 f.

66 Zuerst 1947 in La Corde Raide (dt. Das Seil, 1964), dann 1960 in La Route des Flandres (dt. Die Straße in Flandern, 2003) und wieder 1989 in L'acacia (dt. Die Akazie, 1991) und 1997 in Le Jardin des Plantes (dt. Jardin des Plantes, 1998).

67 Cl. Simon, Die Akazie, Frankfurt am Main 1991, S. 283.

68 R. Barthes, Mythen des Alltags. Vollständige Ausgabe, Berlin 2010, S. 136.

69 Vgl. DiMarco, War Horse, S. 349.

Die jüdische Reiterin

1 Vgl. S. Koldehoff, Vom unbekannten Meister zum echten Rembrandt, Die Welt, 7.11.2010.

2 Julius S. Held, Rembrandt's «Polish» Rider, Art Bulletin, 26:4 (Dez. 1944), S. 246–265.

3 Handschriftl. Notiz, R. B. Kitaj Estate, zit. im Text zu der Ausstellung «R. B. Kitaj 1932–2007. Obsession» im Jüdischen Museum Berlin 2012–13.

4 Abgesehen davon, dass die Interpreten von Kitajs Werk gelegentlich Michael Podro mit Richard Wollheim verwechseln (so z. B. R. I. Cohen, The «Wandering Jew» from Medieval Legend to Modern Metaphore, in: B. Kirshenblatt-Gimblett u. J. Karp (Hgg.), The Art of Being Jewish in Modern Times, Philadelphia 2008, S. 147–175), bemerken sie auch nur ein Buch auf dem Bild, nämlich das am Fenster. Sie übersehen, dass der Reisende ein weiteres in der Linken hält (wo bei Rembrandt die Zügel liegen), und dass ein drittes instabil auf einer der Kopfstützen seines Sitzes liegt. Podro, auch das sei in diesem Kontext erwähnt, unterhielt ein inniges Verhältnis zur Eisenbahnreise. Besonders genoss er die abendliche Fahrt von Essex, wo er von 1969 bis zu seiner Emeritierung 1997 lehrte, nach London, während der er gern mitreisenden Studenten und Kollegen improvisierte Kollegs über Ausstellungen und Neuerscheinungen zur Kunstgeschichte hielt; vgl. Ch. Saumarez Smith, Professor Michael Podro (Nachruf), The Independent 1.4.2008.

5 Held, Rembrandt's Rider, S. 259.

6 Vgl. Held, Rembrandt's Rider, S. 260 ff.

7 M. Podro, The Critical Historians of Art, New Haven u. London 1982, S. 215.

8 Vgl. stlukesguild in dem Blog RIP: R. B. Kitaj auf wetcanvas.com, 27. 10. 2007.

9 F. Nietzsche: Werke. Kritische Gesamtausgabe, Siebente Abteilung, Dritter Band, Nachgelassene Fragmente, Herbst 1884 bis Herbst 1885, Berlin, New York 1974, S. 292 (36[42]).

10 Vgl. C. Battegay, Fest im Sattel. Von Herzl bis Mel Brooks: Wie die Juden aufs Pferd kamen, Jüdische Allgemeine 20. 11. 2012.

11 J. Hoberman, «How Fiercely That Gentile Rides!»: Jews, Horses, and Equestrian Style, in J. Kugelmass (Hg.), Jews, Sports, and the Rites of Citizenship, Urbana 2007, S. 31–49, hier S. 33.

12 Vgl. Hoberman, «How Fiercely», S. 39; vgl. zu diesem Thema auch M. Samuel, The Gentleman and the Jew, Westport 1950. Die Wurzeln dieses kulturellen Unbehagens könnten tief liegen: «Im frühen Israel», schreibt S. P. Toperoff, «gehörte das Pferd nie zu den gezähmten Tieren wie Esel oder Ochse. Tatsächlich war der Esel ein Symbol des Friedens, das Pferd hingegen ein Symbol des Krieges, und in der Bibel wird das Pferd immer, mit wenigen Ausnahmen (wie Jesaja 28:28), als kriegerisches Tier geschildert.», S. P. Toperoff, The Animal Kingdom in Jewish Thought, Northvale u. London 1995, S. 123.

13 Cl. Magris, Mutmaßungen über einen Säbel, München 1986, S. 63. Krasnows Porträt ist in der Tat verzeichnet, denn bekanntlich konnte Trotzki reiten und stieg in Krisenaugenblicken zu Pferd, um die Situation unter Kontrolle zu halten, verstreute oder fliehende Soldaten zusammenzuhalten und wieder ins Gefecht zu führen; vgl. O. Figes, Die Tragödie eines Volkes. Die Epoche der Russischen Revolution 1891– 1924, Berlin 1998, S. 708 u. 712.

14 F. Ph. Ingold, Dostojewski und das Judentum, Frankfurt am Main 1981, S. 40.

15 Vgl. ebda., S. 35 ff.

16 Ebda., S. 43 u. 45.

17 Vgl. ebda., S. 47 f.

18 M. Landmann, Das Tier in der jüdischen Weisung, Heidelberg 1959, S. 106 f.

19 Vgl. P. Longworth, Die Kosaken. Legende und Geschichte, Wiesbaden 1971, S. 88 u. passim. Jüngere Darstellungen sind in diesem Punkt naturgemäß kritischer; vgl. A. Kappeler, Die Kosaken: Geschichte und Legenden, München 2013. Eine Ausnahme bildet der einschlägige Wikipedia-Artikel (Stand 1.8.2015), der den traditionellen Antisemitismus der Kosaken unerwähnt lässt. Zur Geschichte der Pogrome im 19. und 20. Jahrhundert vgl. J. Dekel-Chen, D. Gaunt, N. M. Meir u. I. Bartal (Hgg.), Anti-Jewish Violence. Rethinking the Pogrom in East European History, Bloomington u. Indianapolis 2011, sowie St. Hoffman u. E. Mendelsohn (Hgg.), The Revolution of 1905 and Russia's Jews, Philadelphia 2008.

20 U. Herbeck, Das Feindbild vom «jüdischen Bolschewiken». Zur Geschichte des russischen Antisemitismus vor und während der Russischen Revolution, Berlin 2009, S. 294.

21 Vgl. ebda., S. 300 ff.

22 Ebda., S. 294; vgl. auch Kap. 4.4: Die Pogrome von Budennyjs Reiterarmee im Herbst 1920, S. 384 ff.

23 I. Babel, Tagebuch 1920, hg. u. übers. V. P. Urban, Berlin 1990, S. 55.

24 Ebda., S. 108.

25 Ebda., S. 127.

26 Ebda., S. 40.

27 Ebda., S. 66.

28 Die oft notierte Ambivalenz des Erzählers in der Reiterarmee, seine offene Bewunderung der Kosaken, ihrer Wildheit und ihres «unschuldigen» oder revolutionären Berserkertums (vgl. C. Luplow, Isaac Babel's Red Cavalry, Ann Arbor 1982, S. 38 ff.) gehört zu den literarischen Stilmitteln dieser expressionistischen Erzählungen. Dazu gehören auch Anspielungen auf die ältere, «byronistische» Tradition der Bewunderung für die freiheitsliebenden Kosaken, etwa bei Tolstoi. Im Tagebuch 1920, das

noch ohne solche Kunstgriffe auskommt, bleibt Babels Nähe zu seinem Volk, sein Mitempfinden von dessen Leiden ungebrochener spürbar. Zwar finden sich auch im Tagebuch Passagen unverhohlener Sympathie mit den Kosaken (vgl. S. 48, 104–107), aber der brüderliche Ton, in dem sie geäußert werden, hat nichts von der nietzsche-anischen «Sympathy for the devil», die sich der Erzähler der *Reiterarmee* erlaubt.
29 Ebda., S. 48.
30 Ebda., S. 124, 128.
31 Ebda., S. 78.
32 Ebda., S. 47.
33 Vgl. Longworth, Kosaken, S. 258.
34 T. Segev, Es war einmal ein Palästina. Juden und Araber vor der Staatsgründung Israels, Berlin 2005, S. 9.

EIN PHANTOM DER BIBLIOTHEK
WISSEN

Blood and speed

1 Xenophon, wegen seines Fleißes und seines klaren Stils die «attische Biene» genannt, hat neben zahlreichen historischen, politischen und philosophischen Werken auch zwei wichtige Schriften über den Umgang mit Pferden hinterlassen, Über die Reit-kunst (Peri Hippikes) und Der Reiterführer (Hipparchikos). Beide Texte, die in ver-schiedenen deutschen Übersetzungen vorliegen, beeindrucken bis heute ihren Leser durch ihr von Zuneigung und Erfahrung getragenes Verständnis für die Tiere.
2 Georg Graf Lehndorff, Handbuch für Pferdezüchter, Potsdam 1881, brachte es zu Leb-zeiten des Autors auf vier Neuauflagen, denen zwei weitere von dessen Sohn Siegfried überarbeitete folgten. Ein Reprint der 7. Auflage Berlin 1925 erschien im Jahr 2008.
3 Vgl. R. H. Dunlop u. D. J. Williams, Veterinary Medicine, St. Louis u. a. 1996, Kap. 18: The Launching of European Veterinary Education, und Kap. 19: An Increasing Demand for Veterinary Schools, S. 319–350; A. v. d. Driesch u. J. Peters, Geschichte der Tiermedizin, Kap. 4: Die tierärztlichen Ausbildungsstätten, S. 133 ff.
4 Vgl. A. Meyer über die Entwicklung der Physiologie der Bewegung, in: ders., Wissen-schaft vom Gehen, hier vor allem Kap. 4, S. 143 ff.
5 Vgl. St. Saracino, Der Pferdediskurs im England des 17. Jahrhunderts, in: Historische Zeitschrift Bd. 300 (2015), S. 341–373, hier S. 344 ff. und 371.
6 Vgl. E. Graham, The Duke of Newcastle's ‹Love (…) For Good Horses›: An Explo-ration of Meanings, in: P. Edwards et al. (Hgg.), The Horse as Cultural Icon. The Real and the Symbolic Horse in the Early Modern World, Leiden 2012, S. 31–70.
7 Jetzt in der Mr. and Mrs. Paul Mellon Collection, Upperville, Virginia.
8 Vgl. D. Roche, La gloire et la puissance. Histoire de la culture équestre, XVIe–XIXe siècle, Paris 2011, S. 217; W. Behringer, Kulturgeschichte des Sports. Vom antiken Olympia bis ins 21. Jahrhundert, München 2012, S. 204 ff.
9 G. Schreiber, Glück im Sattel oder Reiter-Brevier, Wien 1971, S. 146.
10 Als «Überlebsel» der alten Einheit behauptet sich allerdings die Wiener Hofreit-schule.
11 Diese Geschichte erzählt auch die ältere Literatur; vgl. M. von Hutten-Czapski, Die Geschichte des Pferdes, Berlin 1876, S. 546 ff.; P. Goldbeck, Entstehung und Geschichte des englischen Vollblut-Pferdes, Saarburg 1899.
12 Vgl. M. Stoffregen-Büller, Pferdewelt Europa. Die berühmtesten Gestüte, Reitschulen und Rennbahnen, Münster 2003, S. 132 ff.; W. Vamplew u. J. Kay, Encyclopedia of British Horseracing, London 2005, passim.

13 Stoffregen-Büller, Pferdewelt, S. 133.

14 Vgl. W. Behringer, Kulturgeschichte des Sports, S. 196 f.

15 Die Linien, die sie begründeten, *Herod, Eclipse* und *Matchem*, sind nach denjenigen ihrer einzigen männlichen Nachkommen benannt, die das Fortleben der jeweiligen Linie sicherten (Herod = Ururenkel von Byerley Turk, Eclipse = Ururenkel von Darley Arabian und Matchem = Enkel von Godolphin Arabian).

16 D. Defoe, A Tour Through the Whole Island of Great Britain, hg. v. P. N. Furbank u. W. R. Owens, New Haven u. London 1991, S. 32. Zur Hippophilie und Rennsportbegeisterung der englischen Könige vgl. auch Saracino, Pferdediskurs, S. 348 ff.

17 Ch. Eisenberg, «English Sports» und deutsche Bürger. Eine Gesellschaftsgeschichte 1800–1939, Paderborn 1999, S. 26.

18 Vgl. C. R. Hill, Horse Power: The Politics of the Turf, Manchester 1988.

19 O. Brunner, Adeliges Landleben und europäischer Geist, Salzburg 1949, S. 331 f.

20 Vgl. Vamplew u. Kay, Encyclopedia, S. 106 f.

21 Vgl. Eisenberg, «English sports», S. 29.

22 Vgl. Th. Veblen, Theorie der feinen Leute, Köln 1958, S. 62 ff.; zum Kult des schnellen Pferdes vgl. S. 111 ff.

23 Vgl. R. Black, The Jockey Club and its Founders, London 1893, S. 349.

24 Eisenberg, «English Sports», S. 30.

25 Ebda., S. 31.

26 Vgl. St. Deuchar, Sporting Art in Eighteenth-Century England. A Social and Political History, New Haven u. London 1988, S. 25 ff., S. 66.

27 N. Elias, Sport und Gewalt, in: N. Elias u. E. Dunning, Sport und Spannung im Prozeß der Zivilisation, Frankfurt a. M. 2003, S. 273–315, hier S. 292.

28 Vgl. Stoffregen-Büller, Pferdewelt, S. 141.

29 Vgl. W. Seitter, Menschenfassungen. Studien zur Erkenntnispolitikwissenschaft, Weilerswist 2012, Kap. AI, «Heraldik als Erkennungssystem», S. 13–33.

30 Vgl. Goldbeck, Entstehung, S. 16.

31 Vgl. H. Delbrück, Geschichte der Kriegskunst, Bd. 4: Die Neuzeit, Berlin 1962, S. 151–246; H. Meyer, Geschichte der Reiterkrieger, Stuttgart 1982, S. 176–227 (schließt eng, teilweise wörtlich an Delbrück an); L. A. di Marco, War Horse, S. 150–192.

32 Vgl. Cl. Simon, Die Straße in Flandern. Roman, übers. von E. Moldenhauer, Köln 2003, S. 160 f. Die gesamte Szene des Pferderennens, das über erotische Phantasien schließlich in die Bilder der von deutschen Jagdbombern im Sommer 1940 vernichteten französischen Kavallerieschwadron mündet, erstreckt sich über die Seiten 158–169.

33 Vgl. L. Machtan, Der Kaisersohn bei Hitler, Hamburg 2006.

34 Vgl. N. M. Fahnenbruck, «… reitet für Deutschland»: Pferdesport und Politik im Nationalsozialismus, Göttingen 2013, S. 152 ff., 236 ff.

35 Vgl. Fahnenbruch, «reitet für Deutschland», S. 170 ff.

36 «Die erste englische Sportdisziplin, die erfolgreich nach Deutschland exportiert wurde, waren Pferderennen.» Eisenberg, «English sports», S. 162.

37 Fahnenbruch, «reitet für Deutschland», S. 40; vgl. auch Eisenberg, «English sports», S. 163.

38 Vgl. F. Chales de Beaulieu, Der klassische Sport, Berlin 1942, S. 37.

39 Vgl. ders., S. 50.

40 Vgl. A. Jäger, Das Orientalische Pferd und das Privatgestüte Seiner Majestät des Königs von Württemberg, Stuttgart 1846 (Reprint Hildesheim 1983).

41 K. W. Ammon, Nachrichten von der Pferdezucht der Araber und den arabischen Pferden, Nürnberg 1834 (Reprint Hildesheim 1972), S. 37.

42 Vgl. Friedrich Wilhelm Hackländer 1816–1877, bearb. v. J. Bendt u. H. Fischer, Marbacher Magazin 81/1998, S. 21 ff. Das königliche Privatgestüt Weil wurde 1932 nach Marbach verlegt und mit dem dortigen Hof- und Landgestüt vereinigt.

43 R. von Veltheim, Abhandlungen über die Pferdezucht Englands, noch einiger Europäischen Länder, des Orients u.s.w., in Beziehung auf Deutschland, Braunschweig 1833, S. 16: «Ohne die Liebhaberei des Wettrennens, welche sich nur mit einem fortwährend rein erhaltenen Pferdestamm Orientalischer Abkunft befriedigen lässt, würde man sicher niemals Gelegenheit gehabt haben, durch eine hinreichende Anzahl ganz edler Beschäler den Landesracen ... den ... erforderlichen Anteil edlen Blutes mitzutheilen, und da solcher, wie bei allen gemischten Racen, sich allmälig verloren haben würde, darin von Zeit zu Zeit zu erfrischen.»

44 St. Széchenyi, Über Pferde, Pferdezucht und Pferderennen, Leipzig 1830 (Reprint Hildesheim 1979), S. 27; vgl. ebda. auch S. 26: «Ich weiß keine bessere und richtigere Art, unter vielen Pferden das beste heraus zu kennen, als das Rennen.»

45 Vgl. Eisenberg, «English sports», S. 166.

46 Laut Brehm schwärmte der Hof Ludwigs XV. «für große Schecken und ähnliches Pferdebarock», so dass ihn – den Geringgeschätzten – «ein Jahr später ein englischer Quäker in Paris als mißhandeltes, bösartiges Tier vom Wagen eines Holzhändlers wegkaufen konnte, um ein gottgefälliges Werk zu tun». Brehms Tierleben, 12. Band, 4. Aufl., Leipzig u. Wien 1915, S. 689.

47 A. von Arnim, Pferdewettrennen bei Berlin (1830), in: A. von Arnim, Werke in sechs Bänden, Bd. 6, Schriften, Frankfurt am Main 1992, S. 988–992, hier S. 990.

48 Vgl. Goldbeck, Entstehung, S. 8 ff.

49 Von 1660 bis 1770 sollen 160 Araber- und Berberhengste nach England eingeführt worden sein; vgl. F. Chales de Beaulieu, Vollblut. Eine Pferderasse erobert die Welt, Verden 1960, S. 55.

50 So Goldbeck, Entstehung, S. 17 unter Hinweis auf H. Goos, Die Stamm-Mütter des englischen Vollblutpferdes, Hamburg 1885; vgl. auch das Kap. «Sportfürsten» in Behringer, Kulturgeschichte des Sports, S. 184–197.

51 Vgl. oben, S. 86, 93 f.

52 Vgl. M. Jähns, Ross und Reiter in Leben und Sprache, Glauben und Geschichte der Deutschen, 2. Band, Leipzig 1872, S. 100 f., S. 152 f.

53 J. Burckhardt, Gesammelte Werke, Band III, Die Kultur der Renaissance in Italien, Darmstadt 1962, S. 197; vgl. auch Behringer, Kulturgeschichte des Sports, S. 186.

54 So zuletzt J. J. Sullivan, Blood Horses. Notes of a Sportswriter's Son, New York 2004, S. 52 f., 89; vgl. auch K. Conley, Stud. Adventures in Breeding, New York 2003.

55 Ein Reiterbildnis der Familie von Stubbs zeigt neben anderen Mitgliedern der Familie seine Mutter Susanna und seinen Onkel Jos Wedgwood zu Pferde; vgl. J. Browne, Charles Darwin, Bd. 1, London 1995, S. 7. u. S. 2 des ersten Bildtafelteils (nach S. 110).

56 Vgl. Ch. Darwin, Über die Entstehung der Arten, Stuttgart 1910 (9. unveränderte Auflage); R. J. Wood, Robert Bakewell (1725–1795), Pioneer Animal Breeder and his influence on Charles Darwin, Casopis Moravskeho (Musea Acta Musei Moraviae), LVIII, 1973, S. 231–242. Wie stark Darwin seinerseits von Agrarökonomen und Tierzüchtern rezipiert wurde, zeigt die fünf Jahre nach Erscheinen der *Origin* publizierte Schrift von R. Weidenhammer, Die landwirthschaftliche Thierzucht als Argument der Darwin'schen Theorie, Stuttgart 1864. Der Rezensent der Augsburger Allgemeinen Zeitung bemerkt 1868, Darwin habe gezeigt, «daß schon Moses vorschrieb, die Reinheit der Racen zu erhalten, daß Homer den Stammbaum der Rosse des Aeneas angibt ... und Virgil den Landwirthen eine genealogische Buchführung beim Zuchtvieh empfiehlt. Die goldenen Erfahrungen des Alterthums scheinen nicht verloren gegangen zu sein, denn Karl der Große hielt sorgsam auf Edelhengste, und selbst die Iren in der geistigen Nacht des neunten Jahrhunderts sahen auf gutes Blut bei ihrer Pferdezucht.» Nr. 15, 1868, S. 234. Vgl. auch Derry, Horses, Kap. 1, «Modern Purebred Breeding: A Scientific or Cultural Method?», S. 3–10.

57 Vgl. F. Galton, Inquiries into Human Faculty and Its Development, London 1883, S. 55.
58 B. Lowe, Breeding racehorses by the figure system, erschien, postum herausgegeben von William Allison, 1895 in London und enthält eine beeindruckende Abfolge von Fotos berühmter Pferde, aufgenommen von dem Fotografen Clarence Hailey aus Newmarket.
59 Das General Stud Book, herausgegeben von J. Weatherby, erschien erstmals 1793 und hatte bis zum Erscheinen von Lowes Werk im Jahr 1895 bereits fünf gründliche Revisionen erlebt.
60 Vgl. H. Goos, Die Stamm-Mütter des englischen Vollblutpferdes, 1885; J. P. Frentzel's Familientafeln des englischen Vollbluts. Familienweise Zusammenstellung der Stuten mit lebender weiblicher Nachzucht sowie der aus ihnen geborenen Hengste mit weiblichen zur Zucht benutzten Nachkommen unter Angabe ihrer und ihrer Mütter Rennleistungen und Register der Hengste und ihrer namhaft gemachten Töchter, Berlin 1889.
61 Vgl. etwa R. Henning, Zur Entstehung des Englischen Vollblutpferdes, Stuttgart 1901 (Reprint Hildesheim 2007).

Die Anatomiestunde

1 Vgl. D. Roche, La culture équestre, Bd. 1, Kap. 7, S. 231 ff., hier S. 258 f.
2 Vgl. D. Ashton u. D. B. Hare, Rosa Bonheur. A Life and a Legend, New York 1981, S. 88.
3 Nach Stationen in den Sammlungen von A. T. Stewart und Cornelius Vanderbilt hängt es heute im Metropolitan Museum in New York.
4 Vgl. L. Eitner, Géricault. His Life and Work, London 1982, S. 125; K. Kügler, Die Pferdedarstellungen Théodore Géricaults. Zur Entwicklung und Symbolik des Pferdemotivs in der Malerei der Neuzeit, M. A.-Arbeit Kiel 1998, S. 76.
5 So überliefert es sein erster Biograph, Ch. Clément, Géricault. Étude biographique et critique, Paris 1867, S. 104.
6 L. Eitner, Géricault, S. 133 f. nennt einige der Spekulationen, die seine plötzliche Abreise umgaben. Unklar bleibt auch, ob Géricault bis zum Schluss an den Berberpferden gearbeitet oder das Projekt schon Monate vorher aufgegeben hatte.
7 Whitney, Italy, S. 93, spricht von «some eighty-five paintings and drawings related to the Race of the Barberi Horses», die heute bekannt seien.
8 Vgl. Behringer, Kulturgeschichte des Sports, S. 219.
9 Vgl. J. W. v. Goethe, Italienische Reise, Wiesbaden 1959, S. 508 ff.
10 Vgl. Whitney, Italy, S. 113.
11 Vgl. ebda., S. 99.
12 Vgl. Eitner, Géricault, S. 128 f.
13 Der präzisen Chronologie der einzelnen Arbeitsschritte des Malers, die Whitney, Italy, S. 93 ff., rekonstruiert, ist es zu verdanken, dass dieser Phasenwechsel so deutlich erkennbar wird.
14 Vgl. Eitner, Géricault, S. 126.
15 R. Simon, L'Angleterre, in: Géricault. Dessins & estampes des collections de l'École des Beaux-Arts, hg. von E. Brugerolles, Paris 1997, S. 77–81, hier S. 80.
16 Vgl. Ashton u. Browne Hare, Rosa Bonheur, S. 83 u. 87; Brugerolles (Hg.), Géricault, S. 244.
17 Vgl. Ashton u. Browne Hare, Rosa Bonheur, S. 87.
18 Vgl. als einen Autor unter vielen, die hier zu nennen wären, I. Lavin, Passato e presente nella storia dell'arte, Turin 1994.
19 Ashton u. Browne Hare, Rosa Bonheur, S. 82, nennen M. Richard, Étude du Cheval de service et de guerre, Paris 1859, als ihre wichtigste Quelle.

20 Vgl. J. F. Debord, à propos de quelques dessins anatomiques de Géricault, in Brugerolles (Hg.), Géricault, S. 43–66, hier bes. S. 51 ff.

21 So behauptete es jedenfalls Ozias Humphry in seinem *Memoir*, das auf Gesprächen mit Stubbs aus dessen letzten Lebensjahren zurückging; vgl. M. Warner, Stubbs and the Origins of the Thoroughbred, in: M. Warner & R. Blake, Stubbs & the Horse, New Haven und London 2004, S. 101–121, hier S. 103.

22 Vgl. R. Musil, Der Mann ohne Eigenschaften, Bd. 1, Reinbek 1981, Kap. 13: «Ein geniales Rennpferd reift die Erkenntnis, ein Mann ohne Eigenschaften zu sein», S. 44 ff.

23 Ein Beispiel ist der berühmte Hengst Gimcrack, der 1764 und 1769 fünfmal den Besitzer wechselte und mehrfach gemalt wurde, u. a. auch von Stubbs; vgl. F. Russell, Stubbs und seine Auftraggeber, in: H. W. Rott (Hg.), George Stubbs 1724–1806. Die Schönheit der Tiere, München 2012, S. 78–87, hier S. 85.

24 Carlo Ruini, Stubbs' um anderthalb Jahrhunderte früherer Vorläufer in der grafischen Darstellung der Pferdeanatomie, hatte seine Tiere noch unbekümmert mit Zahlen und Buchstaben gesprenkelt; vgl. C. Ruini, Anatomia del cavallo, infermità, et suoi rimedii, Venedig 1618.

25 B. S. Albinus, Tabulae sceleti et musculorum corporis humani, Leiden 1747. Vgl. dazu O. Kase, «Make the knife go with the pencil» – Wissenschaft und Kunst in George Stubbs' ‹Anatomy of the Horse›, in: H. W. Rott (Hg.), George Stubbs 1724–1806. Die Schönheit der Tiere, München 2012, S. 43–59, hier S. 52 ff.

26 Stubbs war Anfang dreißig, als er 1857–58 die Studien anfertigte; da er keinen geeigneten Stecher fand und die Stiche selbst anfertigen musste, erschien das geplante Tafelwerk erst 1866. Es machte ihn auf der Stelle berühmt. Allerdings war er zu diesem Zeitpunkt schon ein gefragter Maler von Pferde- und Tierbildern; vgl. M. Warner, Stubbs and the Origins, sowie M. Myrone, G. Stubbs – Zwischen Markt, Natur und Kunst, in: H. W. Rott (Hg.), George Stubbs, S. 8–21.

27 Als Hintergrund wählt Stubbs einen Ockerton, der im Fall von *Whistlejacket* leicht ins Grünliche spielt – eine Nichtfarbe, die Neutralität schlechthin.

28 So Werner Busch in: Stubbs Ästhetik, in: H. W. Rott (Hg.), George Stubbs, S. 23–41, hier S. 32.

29 Vgl. etwa M. Warner, Ecce Equus. Stubbs and the Horse of Feeling, in: M. Warner & R. Blake, Stubbs & the Horse, S. 1–17, hier S. 11.

30 W. Busch, Stubbs Ästhetik, S. 39.

31 Vgl. O. Kase, «Make the Knife go with the pencil», S. 48 ff.; zu Lafosse vgl. auch S. 212.

32 Vgl. O. Kase, ebda., S. 50.

33 Vgl. U. Krenzlin, Johann Gottfried Schadow: Die Quadriga. Vom preußischen Symbol zum Denkmal der Nation, Frankfurt am Main 1991, S. 28.

34 Vgl. J.-O. Kempf, Die Königliche Tierarzneischule in Berlin von Carl Gotthard Langhans. Eine baugeschichtliche Gebäudemonographie, Berlin 2008, S. 120 ff.

35 «Die königliche Tierarzneischule wurde konsequent auf die Bedürfnisse der Kavallerie zugeschnitten und organisatorisch dem Obermarstallamt unterstellt.» Kempf, a. a. O., S. 28.

36 Vgl. M. Foucault, Die Geburt der Klinik. Eine Archäologie des ärztlichen Blicks, München 1973.

37 «Das Motiv einer umlaufenden, von Bukranien gehaltenen Girlande entstammt dem Opferbrauch des hellenistischen und römischen Kultes. Die Schädel der geopferten Tiere wurden, mit Bändern und Gehängen verziert, als sichtbares Zeichen des erbrachten Opfers an der Opferstätte aufgehangen. Dieser Schmuck wurde Bestandteil des bildnerischen Schmucks der Tempelbauten.» Kempf, Tierarzneischule, S. 179.

38 Vgl. Eitner, Géricault, S. 231.

39 Géricault hatte Stubbs' *Anatomy* früher einmal kopiert; vgl. Eitner, Géricault, S. 227, 351.

40 Die Pferde waren bei Géricaults Tod im Januar 1824 noch nicht vollständig abgezahlt und wurden sogleich für 7000 Francs verkauft; vgl. Eitner, Géricault, S. 280.

41 Eitner, Géricault, S. 235; vgl. daran anschließend Kügler, Pferdedarstellungen, S. 81.

42 Vgl. H. Alken, The National Sports of Great Britain, with Descriptions in English and French, London 1821, Tafel 6: «Doing their best»; vgl. dazu auch St. Deuchar, Sporting Art in Eighteenth-Century England, New Haven 1988, sowie Kügler, Pferdedarstellungen, S. 84 f.

43 Wer das Gegenteil behauptet, wie beispielsweise L. de Nanteuil, «L'homme et l'oeuvre», in: Géricault. No. special de Connaissance des Arts, Paris 1992, S. 14–55, hier S. 51, verschließt um der Einheit des Werkes und der Integrität des Künstlers willen die Augen. Noch blinder ist die Bewunderung von L. Mannoni, Etienne-Jules Marey. La mémoire de l'oeil, Paris 1999, S. 150. Das beste Argument zur Verteidigung Géricaults als Sportmaler bringt K. Kügler, die auf den verwischten Hintergrund hinweist und in der «transistorischen Parallelbewegung» des Malers, sprich in der Dynamisierung der Betrachterposition das eigentümlich Neue und Originelle des Bildes erkennt; vgl. Kügler, Pferdedarstellungen, S. 83.

44 Vgl. die Studie von A. Mayer, Wissenschaft vom Gehen. Die Erforschung der Bewegung im 19. Jahrhundert, Frankfurt am Main 2013, Kap. 4, S. 143 ff.; vgl. auch A. Rabinbach, The Human Motor. Energy, Fatigue and the Origins of Modernity, Princeton 1992, Kap. 4, S. 84 ff.

45 É. Duhousset, Le cheval. Études sur les allures, l'extérieur et les proportions du cheval. Analyse de tableaux représentant des animaux. Dédié aux artistes, Paris 1874; eine erweiterte Auflage erschien 1881 als: Le cheval. Allures, extérieur, proportions; vgl. auch ders., Le cheval dans l'art, in: Gazette des beaux-arts, XXVIII (1884), S. 407–423, XXIX (1884), S. 46–54.

46 Vgl. L. Mannoni, Marey, S. 205 f.; F. Dagognet, Etienne-Jules Marey. A Passion for the Trace, New York 1992, S. 138 ff.

47 Vgl. Meyer, Wissenschaft vom Gehen, S. 155 f.

48 C. C. Hungerford, Ernest Meissonier. Master in His Genre, Cambridge u. New York 1999, S. 168.

49 Vgl. H. Loyrette, Degas, Paris 1991, S. 392.

50 Vgl. Meyer, Wissenschaft vom Gehen, S. 156 f.; Hungerford, Meissonier, S. 168.

51 Sein zweites Hauptwerk, La Méthode graphique dans les sciences expérimentales, 1878 erstmals erschienen, wird 1885 vermehrt um ein Supplément sur le développement de la méthode graphique par la photographie neu aufgelegt.

52 Die Flut von Studien zu den Anfängen der visuellen Moderne, den Anfängen des Films und zur Wahrnehmungsgeschichte, welche die letzten Jahrzehnte gebracht haben, hat dazu geführt, dass ein einziger spezieller Aspekt – der Streit um die Frage, ob es im Verlauf des Galopps einen Moment gibt, in dem sich alle vier Füße des Pferdes in der Luft befinden – einen unerhörten Grad an Bekanntheit gewinnen konnte, während die restlichen 99 Prozent der Pferdegeschichte samt Gebirgen von einschlägiger Literatur *terra incognita* geblieben sind, sieht man ab von den relativ engen Kreisen der Fachleute, Forscher, Kenner und Liebhaber, die *alles* kennen.

53 Zu Marey vgl. vor allem Mannoni, Marey; zu Muybridge vgl. R. Solnit, River of Shadows. Eadweard Muybridge and the Technological Wild West, New York und London 2003.

54 Vgl. Mannoni, Marey, S. 158 f.

55 Vgl. Loyrette, Degas, S. 385.

56 Ebda. S. 464.

57 Das Pferd, schreibt Loyrette an anderer Stelle, zeigt «die anatomischen Unstimmigkeiten von ehedem, als man die Fotografien von Marey und Muybridge noch nicht kannte». H. Loyrette, Degas. «je voudrais être illustre et inconnu», Paris 2012, S. 123.

58 Vgl. D. Sutton, Edgar Degas. Life and Work, New York 1986, S. 160.

59 Tatsächlich sind dies die Details, auf die sich Degas als Kopist konzentriert; vgl. Degas. Klassik und Experiment, hg. von Alexander Eiling für die Staatliche Kunsthalle Karlsruhe 2013, S. 202 ff.

Kenner und Täuscher

1 Vgl. M. Stoffregen-Büller, Pferdewelt Europa. Die berühmtesten Gestüte, Reitschulen und Rennbahnen, Münster 2003, S. 153 f.

2 Vgl. Reflections in a Silver Spoon. A Memoir by Paul Mellon with John Baskett, New York 1992, S. 265.

3 Auch für Virginia blieb Paul Mellons neue Leidenschaft nicht folgenlos, wie James Salter bemerkt: «In den 1920er und 30er Jahren kaufte Paul Mellon, ein passionierter Jäger, weite Landstriche auf, und Freunde taten es ihm gleich. Von nun an gehörte das Land den Pferden und der Jagd, das aufgeregte, dumpfe Bellen der Hunde während der Hatz, zwischen den Bäumen tauchen die galoppierenden Pferde auf, die Reiter setzen über Steinwälle und Gräben, eine Steigung hinauf und hinab, ein wenig langsamer werdend, und dann wieder in vollem Galopp.» J. Salter, Alles was ist, Berlin 2013, S. 49.

4 Vgl. Reflections, S. 162 ff.

5 Der Katalog der Sammlung Mellon (vgl. Anm. 6) enthält zahlreiche Titel, die dem Fuchs und seinen Jägern gewidmet sind, so die Nrn. 172: Th. Smith, The Life of a Fox (1843), 181: W. C. Hobson, Hobson's Fox-Hunting Atlas (1848), 183: C. Tongue, The Fox-Hunter's Guide (1849), 330: E. Somerville and V. L. Martin, Dan Russel the Fox (1911), 324: J. Masefield, Reynard the Fox (1919) und 372: S. Sassoon Memoirs of a Fox-Hunting Man (1929).

6 Books on the Horse and Horsemanship: Riding, Hunting, Breeding and Racing, 1400–1941. A catalogue compiled by John B. Podeschi, New Haven 1981, S. IX.

7 F. H. Huth, Works on Horses and Equitation. A Bibliographical Record of Hippology, London 1887; Reprint in der Reihe Documenta Hippologica, Hildesheim u. New York 1981.

8 Vgl. Gérard de Contades, Le Driving en France 1547–1896, Paris 1898.

9 Leçons de Science hippique générale ou Traité complet de l'art de connaître, de gouverner et d'élever le Cheval, 3 Bde., Paris 1855.

10 Mennessier de la Lance, Essai, Bd. 1, S. 659.

11 Seine «Liebe zur Pferdewissenschaft, ein 18jähriges Forschen und Beobachten», setzten ihn, so Bouwinghausen, «in den Stand ..., von Jahr zu Jahr in diesem Taschenbuch nützliche Beiträge zur Erweiterung dieser Wissenschaft dem Publikum zu übergeben.» F. M. F. Bouwinghausen von Wallmerode, «Zuschrift an das Publikum», Taschenbuch (1792), 3. Aufl., Tübingen 1795, o. S.

12 Vgl. den zweiten mit Cotta abgeschlossenen Vertrag vom 29.3.1800, DLA Marbach, Cotta-Archiv, Verträge 2, Bouwinghausen.

13 S. o., Kap. 2.1. Das Königreich der Geschwindigkeit, S. 171.

14 Johann Gottfried Prizelius, Handbuch der Pferdewissenschaft zu Vorlesungen, Lemgo 1775 scheint der erste zu sein, der den Begriff zum Bestandteil eines Buchtitels macht.

15 Vgl. W. Gibson, A new Treatise on the diseases of Horses, London 1750; W. Osmer, A Treatise on the Diseases and Lameness of Horses, London 1759; J. Gaab, Praktische Pferdearzneikunde, Erlangen 1770; D. Robertson, Pferdearzneikunst, Frankfurt 1771; L. Vitet, Médecine vétérinaire, 3 Bde., Lyon 1771; C. W. Ammon, Handbuch für angehende Pferdeärzte, Frankfurt 1776.

16 Vgl. D. Roche, La gloire et la puissance. Histoire de la culture équestre, XVIe–XIXe siècle, Paris 2011, S. 217.

17 Henry Earl of Pembroke, Military Equitation, or a method of breaking Horses and teaching soldiers to ride, designed for the use of the Army, London 1778.

18 La Guérinière, dt. Übers., S. 46, Kursivierung U. R.

19 Vgl. Kempf, Tierarzneischule, S. 22.

20 A. von den Driesch u. J. Peters, Geschichte der Tiermedizin. 5000 Jahre Tierheilkunde, Stuttgart 2003, S. 126.

21 Vgl. R. Froehner, Kulturgeschichte der Tierheilkunde, Bd. 3, Konstanz 1968, S. 78.

22 Manche Werke zur Pferdekunde oder Pferdewissenschaft enthalten eigene Abschnitte über «Das Mustern der Pferde» und «Verfahren bei der Untersuchung»; als Beispiel vgl. W. Baumeister, Anleitung zur Kenntniß des Aeußern des Pferdes, 5. Aufl. Stuttgart 1863, S. 312 ff.

23 Cl. Bourgelat, *Traité de la conformation extérieure du cheval*, Paris 1768–1769, dt. Übers.: Herrn Bourgelats Anweisung zur Kenntniß und Behandlung der Pferde. Aus dem Französischen übersetzt von Johann Knobloch, 2 Bde., Prag und Leipzig 1789.

24 Claudia Schmölders erweist Bourgelat zuviel Ehre, wenn sie ihm bescheinigt, er hebe mit seinem Buch den Pferdekenner aus der Taufe (vgl. C. Schmölders, Der Charakter des Pferdes. Zur Physiognomik der Veterinäre um 1800, in: E. Agazzi u. M. Beller (Hgg.), Evidenze e ambiguità della fisionomia umana, Viareggio 1998, S. 403–422, hier S. 410). Bourgelat mag ein ambitionierter Lehrer der Pferdekunde und Schulgründer gewesen sein, doch war er weder der früheste, noch blieb er konkurrenzlos; sein großes Vorbild de Solleysel, um nur diesen zu nennen, war ihm um mehr als ein Jahrhundert vorangegangen.

25 Ebda., S. 6.

26 Vgl. E. Panofsky, The Codex Huygens and Leonardo da Vinci's Art Theory, London 1940, S. 51–58 und T. 39–48.

27 Herrn Bourgelats Anweisung, II, S. 14.

28 «Die Schönheits- und Gesundheitszeichen-Lehre», schreibt J. G. Naumann, Ueber die vorzüglichsten Theile der Pferdewissenschaft. Ein Handbuch für Officiere, Bereiter und Oeconomen, Berlin 1800, S. 24, «ist eine Wissenschaft, vermöge welcher wir fähig werden, von der Schönheit eines Pferdes, sowol nach seiner äußern Gestalt, als auch in Hinsicht auf seine Güte und Brauchbarkeit, zu urtheilen.»

29 F. Schiller, Über die ästhetische Erziehung des Menschen, 6.

30 Beispiele sind Joh. Adam Kersting, Zeichenlehre oder Anweisung zur Kenntniß und Beurtheilung der vorzüglichsten Beschaffenheit eines Pferdes. Ein Buch zur Uebersicht für Roßärzte und Pferdeliebhaber nach den bewährtesten Grundsätzen und Erfahrungen, Herborn 1804; E. Schwabe, Zeichenlehre, oder Anweisung zur Kenntniss und Beurtheilung der vorzüglichsten Beschaffenheit eines Pferdes, Marburg 1803.

31 J. G. Naumann, Ueber die vorzüglichsten Theile, S. XI.

32 St. Széchenyi, Über Pferde, Pferdezucht und Pferderennen, Leipzig und Pesth 1830, S. 128.

33 Xenophon, Über die Reitkunst. Der Reiteroberst. Zwei hippologische Lehrbücher der Antike, Heidenheim 1962, S. 22.

34 Mit Anmerkungen, Erläuterungen und Zusätzen von Joh. Friedrich Rosenzweig, Leipzig 1780.

35 Das Werk empfiehlt sich überdies durch einen «Anhang über die leichteste und einfachste Art des Englisirens und die für den Händler daraus erwachsenden Vortheile».

36 Enthüllte Geheimnisse, S. 5; zitiert nach der 3. Auflage Weimar 1840.

37 Ebda., S. 8.

38 Ebda., S. 28.

39 Ebda., S. 29. Abraham Mortgens' Konfessionen scheinen einen gewissen Erfolg beim Publikum gehabt zu haben, denn fünfzehn Jahre später, im Jahr 1839, erscheint in Tenneckers Jahrbuch, einem Nachfolger von Bouwinghausens Pferdekalender, ein *sequel* zu seinem Rezeptbuch. Wieder ist es nicht der jüdische Pferdehändler selbst, der seine Geschichte erzählt, sondern ein anderer, dem er sie mitgeteilt hat, schreibt sie für die Nachwelt auf. Diesmal ist es Tennecker selbst, der Herausgeber des Jahrbuchs, der die Rahmenerzählung signiert und die angeblichen Berichte eines gewissen Moses Aron, Pferdehändler in Berlin, überliefert. Noch weniger als der Doktor Lentin, der den seligen Abraham Mortgens nacherzählt, spart Tennecker mit antisemitischen Klischees; vgl. S. von Tennecker, Redensarten und Manieren der Pferdehändler, von Moses Aron, Pferdehändler in Berlin. Ein Anhang zu Abraham Mort-

gen's enthüllten Geheimnissen aller Handelsvortheile der Pferdehändler, in: Jahrbuch der Pferdezucht, Pferdekenntniß, Pferdehandel, die militärische Campagne-, Schul- und Kunstreiterei und Roßarzneikunst in Deutschland und den angrenzenden Ländern auf das Jahr 1839, von S. von Tennecker, 15. Jg., Weimar 1839, S. 231–472.
40 W. G. Ploucquet, Über die Hauptmängel der Pferde, Tübingen 1790, S. 4.
41 Ebda., S. 22.
42 Ebda., S. 32.
43 Ebda., S. 33.
44 Ebda., S. 35.
45 Ebda., S. 72.
46 Ebda., S. 77.

Die Forscher

1 Vgl. D. Rayfield, Lhasa war sein Traum. Die Entdeckungsreisen von Nikolai Prschewalskij in Zentralasien, Wiesbaden 1977, S. 147 f.
2 Das später nach Nikolaj Michajlowitsch benannte Tier, *equus przewalskii*, ist kein direkter Vorfahr des domestizierten Pferdes, wohl aber eine Unterart von *equus ferus*, dem Wildpferd. Seine Verbreitung beschränkt sich auf das Gebiet des dschungarischen Beckens und Teile der südwestlichen Mongolei. Zu den weiteren Unterschieden vgl. L. Boyd u. D. A. Houpt (Hgg.), Przewalski's horse: The History and Biology of an endangered Species, Albany 1994, sowie die entsprechenden Seiten des Kölner Zoos: http://www.koelner-zoo.de/takhi/Seiten/biologie-takhi_dt.html.
3 Przewalski, heißt es in einer Geschichte Westchinas, sei *taxonomically prolific* gewesen: Eine Gazelle, ein Gecko, eine Pappelart, ein Rhododendron, eine Ephedra und ein Pferd wurden nach ihm benannt. Von seinen Reisen brachte er 20000 zoologische und 16000 botanische Präparate mit. Vgl. Ch. Tyler, Wild West China. The Taming of Xinjiang, London 2003, S. 13.
4 Die beste Übersicht über die Geschichte des Przewalski-Pferdes seit seiner Entdeckung sowie über den Stand der Literatur und die einschlägige Forschung bietet die von W. Meid bearbeitete Neuauflage von S. Bökönyi, Das Przewalski-Pferd oder Das mongolische Wildpferd. Die Wiederbelebung einer fast ausgestorbenen Tierart, Insbruck 2008. Przewalskis offizielle Berichte von seinen ersten drei Forschungsreisen wurden auch ins Deutsche übersetzt (vgl. Bökönyi, S. 154); eine Zusammenfassung der vierten Reise erschien, ediert von Sven Hedin, 1922 in Leipzig.
5 Vgl. D. Schimmelpenninck van der Oye, Toward the Rising Sun. Russian Ideologies of Empire and the Path to War with Japan, Illinois 2001, Kap. 2, S. 24–41.
6 Vgl. K. E. Meyer u. S. B. Brysac, Tournament of Shadows. The Great Game and the Race for Empire in Central Asia, Washington D. C. 1999, Kap. 9, S. 223–240, besonders S. 224 f. über Typus und Charakter, den Forscher als wissenschaftlichen Eroberer und Przewalskis Vorbilder. Dazu auch R. Habermas, Born to go wild? Missionare, Forscherinnen und andere Reisende im 19. Jahrhundert, unveröff. Ms. eines Vortrags in Erfurt 2014, das mir Frau Habermas dankenswerter Weise zur Lektüre überließ; hier bes. S. 16 über den «heroischen out door Forschungsallrounder», der bereits damals «wie aus der Zeit gefallen» wirken musste.
7 Vgl. ebda., S. 33 ff.
8 Vgl. N. T. Rothfels, Bring 'em back alive: Carl Hagenbeck and exotic animal and people trades in Germany, 1848–1914, Ph. D. Harvard University 1994; L. Dittrich u. A. Rieke-Müller, Carl Hagenbeck (1844–1913). Tierhandel und Schaustellungen im Deutschen Kaiserreich, Frankfurt am Main 1998, S. 53–64.
9 Vgl. Rayfield, Lhasa, S. 261.
10 Vgl. S. Bökönyi, Das Przewalski-Pferd oder Das mongolische Wildpferd. Die Wiederbelebung einer fast ausgestorbenen Tierart, Budapest und Innsbruck 2008.

11 Reichstagsprotokoll vom 4. März 1899, http://reichstagsprotokolle.de

12 Vgl. F. Boas, The Mind of Primitive Man, New York 1911; wieder aufgenommen von B. L. Whorf, Language, Mind and Reality, Madras 1942, dt. als Sprache, Denken, Wirklichkeit, Reinbek 1963.

13 E. Strittmatter, Poetik des Phantasmas. Eine imaginationstheoretische Lektüre der Werke Hartmanns von Aue, Heidelberg 2013, S. 232.

14 Ebda., S. 233.

15 Zitiert nach M. Jähns, Ross und Reiter in Leben und Sprache, Glauben und Geschichte der Deutschen. Eine kulturhistorische Monografie, 2 Bde., Leipzig 1872, Bd. 1, S. 7.

16 Ebda., S. 12. Der engagierte Sprachpolitiker Jähns verwendet eine «gereinigte Schreibweise», die wie hier ersichtlich, die Dehnungsvokale und -konsonanten weitgehend unterdrückt (wobei er sich selbst einige «Inconsequenzen» ankreidet), behält aber, anders als die Brüder Grimm, die konventionelle Groß- und Kleinschreibung bei.

17 Ebda. S. 13.

18 Ebda., S. 36.

19 Ebda., S. 38.

20 Vgl. ebda., S. 39.

21 Zur Auswahl seitens der Grimms vgl. St. Martus, Die Brüder Grimm. Eine Biografie, Berlin 2009, S. 488 ff.

22 Ebda., S. 419–462.

23 Ebda., S. 162.

24 Das gilt freilich nur für den Bereich der deutschen Sprache und die Pferdekultur des Okzidents. Für die des Orients geht das in philologischer Hinsicht strengere Werk des Freiherrn von Hammer demjenigen von Jähns sogar noch voran; vgl. J. v. Hammer-Purgstall, Das Pferd bei den Arabern, Wien 1855–56, Reprint in der Reihe Documenta Hippologica, Hildesheim 1981.

25 Jähns, Ross und Reiter, Bd. 2, S. 329.

26 Ebda., S. 330.

27 Ebda. S. 410.

28 Ebda., S. 406 f.

29 Ebda., S. 418.

30 Vgl. ebda., S. 434–445.

31 Vgl. vor allem: Das französische Heer von der Großen Revolution bis zur Gegenwart, Leipzig 1873; Handbuch einer Geschichte des Kriegswesens von der Urzeit bis zur Renaissance, Leipzig 1880; Heeresverfassungen und Völkerleben, Berlin 1885.

32 «Wir wiszen es, wer Deutschland in den Sattel half! Ja, reiten wird es nun können ...» Jähns, Ross und Reiter, Bd. 1, S. VI.

33 Vgl. oben, Die Anatomiestunde, S. 193.

34 Vgl. Meyer, Wissenschaft vom Gehen, S. 146 ff. über den Streit der Schulen des Reitlehrers François Baucher und des Vicomte d'Aure. Zu diesen beiden vgl. auch Mennessier de la Lance, Essai, Bd. 1, S. 44–50 (d'Aure) und S. 85–91 (Baucher).

35 Vgl. Rabinbach, Human Motor, S. 133 ff.

36 Équitation, par le Commandant Bonnal, Paris 1890.

37 Ebda., S. 224.

38 Zit. nach Mannoni, Marey, S. 256.

39 Vgl. U. Raulff, Der unsichtbare Augenblick, Göttingen 1999, S. 65 ff.

40 Sofern tatsächlich er es war, dem die Zeichnungen des Codex Huygens zuzuschreiben sind.

41 Vgl. E. Panofsky, Le Codex Huygens et la théorie de l'art de Léonard de Vinci, Paris 1996, S. 23 (Panofskys Kommentar bezieht sich auf Folio 22 des Codex).

42 So Marc Bloch in seiner Besprechung von R. Lefebvre des Noettes, La force motrice animale à travers les âges, in: Revue de synthèse historique, XLI, 1926, S. 91–99, hier S. 92.

43 Vgl. R. Lefebvre des Noettes, La force motrice animale à travers les âges, Paris 1924, S. 30 f.

44 R. Lefebvre des Noettes, Le cheval de selle à travers les âges: Contribution à l'histoire de l'esclavage, 2 Bde., Paris 1931.

45 Vgl. ebda., S. 174–190.

46 Vgl. ebda., S. 185 f.

47 Vgl. ebda., S. 188. Vgl. auch ders., La «Nuit» du Moyen Age et son Inventaire, in: Mercure de France 235 (1932), Nr. 813, S. 572–599.

48 M. Bloch sprach von «une sorte de sommeil de l'invention technique», in dem die Antike gelegen habe; wie Anm. 13, S. 94.

49 Vgl. M. Bloch, wie Anm. 13, S. 94–98. 1935 kam Bloch auf den Punkt zurück (Les «inventions» médiévales, in: Annales d'histoire économique et sociale 7 (1935), S. 634–643, und bestritt den kausalen Zusammenhang zwischen verbessertem Pferdegeschirr und Einführung der Wassermühle, den Lefebvre des Noettes behauptet hatte, hielt aber dessen Hauptthese vom Konnex zwischen billiger menschlicher Arbeitskraft und technischem Erfindungsstau für weiterhin bedenkenswert. Die Wassermühle war Bloch zufolge eine antike Erfindung, die aber erst im Mittelalter zum Einsatz gelangte; vgl. ders., Avènement et conquête du moulin à eau, in: Annales 7 (1935), S. 538–563.

50 Vgl. zur Geschichte der kritischen Rezeption von Lefebvre des Noettes M.-Cl. Amouretti, L'attelage dans l'Antiquité. Le prestige d'une erreur scientifique, in: Annales E. S. C. 1991, Heft 1, S. 219–232. Die wichtigsten einschlägigen Studien auf diesem Rezeptionsweg waren die große Dissertation von P. Vigneron, Le cheval dans l'antiquité gréco-romaine, 2 Bde., Nancy 1968; J. Spruytte, Études expérimentales sur l'attelage. Contribution à l'histoire du cheval, Paris 1977; G. Raepsaet, Attelages et techniques de transport dans le monde gréco-romain, Brüssel 2002.

51 L. White jr., The Contemplation of Technology, in: ders., Machina ex deo. Essays in the Dynamism of Western Culture, Cambridge/Mass. 1968, S. 151–168, hier S. 157; vgl. dazu unten, S. 242 ff.

52 Vgl. J. A. Weller, Roman traction systems, http://www.humanist.de/rome/rts, S. 2.

53 So Schillings in einem Schreiben an den 6. Internationalen Kongress für Zoologie in Bern, zit. nach H. Gundlach, Carl Stumpf, Oskar Pfungst, der Kluge Hans und eine geglückte Vernebelungsaktion, in: Psychologische Rundschau 57, Nr. 2, S. 96–105, hier S. 99. Der ausgezeichnete Aufsatz gibt die genaue Chronologie der Ereignisse des Sommers 1904 und bringt Licht in die Hintergründe des Gelehrtenstreits um den «Klugen Hans».

54 Vgl. ebda., S. 102.

55 K. Krall, Denkende Tiere. Beiträge zur Tierseelenkunde auf Grund eigener Versuche. Der kluge Hans und meine Pferde Muhamed und Zarif, Leipzig 1912. Vgl. auch die Dokumente zum Fall des «Klugen Hans» und der «Elberfelder Pferde», die die erste in Deutschland diplomierte Landwirtin, Henny Jutzler-Kindermann zusammenstellte: Können Tiere denken? St. Goar 1996.

56 Ebda., S. 69.

57 P. Kurzeck, Ein Sommer, der bleibt, Hörbuch Berlin 2007, 4 CDs, hier CD 1.

58 Die robusteren Praktiker aus der Manege waren überzeugt, es handele sich um «Tricks», die man dem gelehrigen Pferd beigebracht habe.

59 O. Pfungst, Das Pferd des Herrn von Osten (Der kluge Hans). Ein Beitrag zur experimentellen Tier- und Menschen-Psychologie. Mit einer Einleitung von Prof. Dr. C. Stumpf, Leipzig 1907. Die englische Übersetzung: Clever Hans (The Horse of Mr. von Osten), erschien 1911 in New York und steht mittlerweile vollständig im Netz: The Project Gutenberg eBook of Clever Hans. H. Gundlach, Carl Stumpf (wie Anm. 53) zeichnet mit überzeugenden Argumenten die sonderbare Entstehungsgeschichte des Buches und beantwortet die Frage der Autorschaft.

60 «Hans can neither read, count nor make calculations. He knows nothing of coins or

cards, calendars or clocks, nor can he respond, by tapping or otherwise, to a number spoken to him but a moment before. Finally, he has not a trace of musical ability.» Pfungst, Clever Hans, S. 23.

61 Prof. Dr. Carl Stumpf, Leiter des Psychologischen Instituts der Berliner Universität, war der wissenschaftliche Betreuer des Studenten Pfungst und Leiter der Prüfungskommission, die Hans am 11. und 12.9.1904 visitierte. Näheres dazu bei Gundlach, Carl Stumpf, S. 101.

62 Vgl. Krall, Denkende Tiere, S. 7.

63 Vgl. ebda., S. 48–53.

64 Vgl. ebda., S. 59.

65 Ebda., S. 8.

66 Es handelt sich um das mehrfach zitierte Werk Kralls, Denkende Tiere (wie Anm. 55).

67 M. Maeterlinck, Die Pferde von Elberfeld. Ein Beitrag zur Tierpsychologie, in: Die neue Rundschau, XXV, 1 (1914), S. 782–820, hier S. 788.

68 Ebda.

69 Ebda., S. 801.

70 Ebda., S. 818.

71 Vgl. ebda., S. 810 f.

72 Vgl. ebda., S. 818.

73 Noch 1977 behauptete Henry Blake in Thinking with Horses, Pferde kommunizierten auf subtilere Weise als Menschen, nämlich durch «außersinnliche Wahrnehmung und Telepathie».

74 Vgl. ebda., S. 816.

75 Vgl. das sogenannte «Elberfeld-Fragment», in: F. Kafka, Nachgelassene Schriften und Fragmente I. Apparatband, hg. v. M. Pasley, Frankfurt am Main 2002, S. 71. Vgl. dazu I. Schiffermüller, Elberfelder Protokolle. Franz Kafka und die klugen Pferde, in: R. Calzoni (Hg.), «Ein in der Phantasie durchgeführtes Experiment». Literatur und Wissenschaft nach 1900, Göttingen 2010, S. 77–90.

76 Kafka, Elberfeld, S. 226 f.

77 So argumentiert etwa Schiffermüller, Elberfelder Protokolle, S. 79.

78 Vgl. G. Deleuze u. F. Guattari, Kafka. Für eine kleine Literatur, Frankfurt am Main 1975.

79 D. Grünbein, Der kluge Hans, in: Sinn und Form LIVI, 1(2014), S. 28–35.

80 R. Koselleck, Der Aufbruch, S. 23–37.

81 Ebda., S. 37.

82 Vgl. oben, S. 123 ff.

83 Vgl. A. Alföldi, Der frührömische Reiteradel und seine Ehrenabzeichen, Baden-Baden 1952, hier vor allem S. 53 u. 120 f.; ders., Die Struktur des voretruskischen Römerstaates, Heidelberg 1974.

84 J. F. Gilliam, Text für das Gedächtnisbuch Alföldi, zit. nach dem Ms. in IAS archive, Faculty, Alföldi Box I.

85 L. White jr., Medieval Religion and Technology. Collected Essays, Berkeley 1978, S. XV.

86 Vgl. M. McLuhan, Understanding Media. The Extensions of Man, London 1964, S. 192 f.

87 Siehe Xenophons Hinweise darauf, wie der Soldat seitlich und von hinten aufs Pferd springen soll in Xen. Hipp. 7, 1–2, sowie Vegetius, I, 18.

88 Dies gab schon eine frühe Überblicksgeschichte dieses reittechnisch wichtigen Instruments bereitwillig zu; vgl. R. Zschille und R. Forrer, Die Steigbügel in ihrer Formen-Entwicklung. Characterisirung und Datirung der Steigbügel unserer Culturvölker, Berlin 1896, S. 2 f.

89 Vgl. L. White junior, Die mittelalterliche Technik und der Wandel der Gesellschaft, München 1968, Kap. B., Herkunft und Verbreitung des Steigbügels, S. 25 ff.

90 Ebda., S. 31.

91 L. White jr., The Medieval Roots of Modern Technology and Science, in ders., Medieval Religion and Technology. Collected Essays, Berkeley 1978, S. 75–92, hier S. 78.

92 Vgl. W. Schivelbusch, Geschichte der Eisenbahnreise, Exkurs: Geschichte des Schocks, S. 134–141, hier S. 135.

93 Vgl. L. White jr., Die mittelalterliche Technik, S. 33 ff.

94 Ebda., S. 35.

95 In den siebziger Jahren des vergangenen Jahrhunderts waren es die Epigonen Walter Benjamins, in den Achtzigern und Neunzigern die Anhänger der *microstoria* und des *close reading*, die diese Art synthetischer Historie pflegten. Die Vorstellung, durch fromme und geduldige Versenkung ins historische Detail («Andacht zum Unbedeutenden»), zu umfassenden Deutungspanoramen zu gelangen, gehörte lange Zeit zum festen Drogenbestand der historischen Hausapotheke. Ich gestehe, dass ich selber von Zeit zu Zeit noch gern an diesem Fläschchen schnuppere.

96 P. H. Sawyer u. R. H. Hilton, Technical Determinism: The Stirrup and the Plough. Medieval Technology and Social Change by Lynn White, in: Past & Present, 24 (1963), S. 90. Ganz anders die Reaktion des Ideenhistorikers Ernst Kantorowicz, der von Whites Intuitionen begeistert war: «Er greift sich nur ein paar Punkte heraus: das Steuerruder, das Hufeisen, das Geschirr, die Bohnen und ein paar andere Dinge; aber die Cosmica, die er mit der Einführung dieser Dinge verbindet, sind erstaunlich, und sie würden englischen Historikern viel besser gefallen, weil sie ‹materieller› Art sind, als all die ‹metaphysischen› Dinge, die ich anstellen würde.» Kantorowicz an Maurice Bowra, 22.3.1962, Bowra papers, Wadham College, Oxford.

97 White, Medieval Technology, S. XIV.

DIE LEBENDIGE METAPHER
PATHOS

Napoleon

1 Zur Natur, Geschichte und Symbolik des Esels vgl. J. Person, Esel. Ein Portrait, Berlin 2013.

2 A. Rüstow, Erlenbach – Zürich 1950, S. 74.

3 Vgl. Roche, La gloire, Kap. «Art équestre, art de gouverner», S. 220 ff.

4 S. Freud, Das Ich und das Es (1923), in GW 13, S. 237–289, 9. Auflage, London 1987, S. 253.

5 Vgl. H. Blumenberg, Theorie der Unbegrifflichkeit, Frankfurt am Main 2007, S. 61.

6 Vgl. K. Pomian, Vom Sammeln. Die Geburt des Museums, Berlin 1988, S. 50 ff.

7 «Der König ist nicht König ohne sein Pferd.» Yves Grange, Signification du rôle politique du cheval (XVIIIe et XIXe siècles), in: J. P. Digard (Hg.), Des chevaux et des hommes, Avignon 1988, S. 63–82, hier S. 65.

8 S. Lewitscharoff, Blumenberg. Roman, Berlin 2011, S. 10.

9 Zum Begriff der Komposition vgl. B. Latour, Ein Versuch, das «Kompositionistische Manifest» zu schreiben, Vortrag vor der Münchner Universitätsgesellschaft am 8.2.2010, http://www.heise.de/tp/artikel/32/32069/1.html.

10 H. von Kleist, Sämtliche Werke, München und Zürich 1962, S. 576.

11 In einem solchen Schweinestall wird auch Kafkas Landarzt unvermutet auf zwei Pferde stoßen, mit denen dann der Protagonist zu seiner nächtlichen Höllenfahrt aufbrechen wird.

12 Ebda., S. 645.

13 Traeger, Der reitende Papst, S. 97.

14 Ich breche die Kleist-Lektüre hier ab, obwohl noch einiges zu der (ebenfalls apokalyptischen) Bedeutung des Pferdes als Sinnbild der Gerechtigkeit zu sagen wäre
(vgl. Traeger, Der reitende Papst, S. 102 ff.). Die Verdoppelung des Pferdes – zum
Rappen*paar* – könnte wiederum auf die Tiere der kapitolinischen Dioskuren anspie-
len; Kleist selbst gibt einen Fingerzeig auf diesen Ort, wenn er davon spricht, dass die
Rösser, nachdem der Knecht Herse die Dachbretter von dem Schweinekoben abge-
hoben hat, aus diesem *wie Gänse* hervorguckten (Kleist, SW, S. 582).

15 Ausnahmen waren Dijon und Rennes, wo «man sich zunächst damit (begnügte), nur
den sonnenköniglichen Reiter zu entfernen und dessen Pferd vorläufig stehenzulas-
sen ...» V. Hunecke, Europäische Reitermonumente. Ein Ritt durch die Geschichte
Europas von Dante bis Napoleon, Paderborn 2008, S. 284.

16 Vgl. ebda., S. 288.

17 Vgl. ebda., S. 13. «Noch zu Zeiten Cassiodors (ca. 490–580)», heißt es dort, «bildeten die römischen Reiterdenkmäler ‹riesige Herden› (‹greges abundantissimi equorum›).»

18 So wissen wir beispielsweise einiges über Caesars Reiterei und auch über die seiner
gallischen Gegner (vgl. das kuriose Werk von M.-W. Schulz, Caesar zu Pferde, Hildesheim 2009), aber wie er selbst zu Pferde gesessen hat, ist uns bildhaft nicht überliefert.

19 Vgl. Hunecke, Reitermonumente; U. Keller, Reitermonumente absolutistischer Fürsten, München 1971; J. Poeschke u. a. (Hgg.), Praemium Virtutis III. Reiterstandbilder von der Antike bis zum Klassizismus, München 2008.

20 Andere bedeutende Ausnahmen von dieser Regel sind die Reiterstandbilder von
Prinz Eugen (Fernkorn und Pönninger, 1865) auf dem Wiener Heldenplatz und von
Peter dem Großen (Falconet, 1782) auf dem Sankt Petersburger Senatsplatz.

21 Vgl. oben, S. 183, Anm. 29.

22 J. A. S. Oertel hat die Szene des Denkmalssturzes in New York 1852 gemalt.

23 Hunecke, Reitermonumente, S. 289.

24 Vgl. die ausgezeichnete Studie von D. O'Brien, After the Revolution: Antoine-Jean
Gros, Painting and Propaganda Under Napoleon, Philadelphia 2006; sowie
M. H. Brunner, Antoine-Jean Gros. Die Napoleonischen Historienbilder, Phil. Diss.
Bonn 1979.

25 Vgl. Ch. Henry, Bonaparte franchissant les Alpes au Grand-Saint-Bernard. Matériaux
et principes d'une icône politique, in: D. Roche (Hg.), Le cheval et la guerre du XVe
au XXe siècle, Paris 2002, S. 347–365.

26 Zit. nach Hunecke, Reitermonumente, S. 291.

27 So überliefert von Nicolas Villaumé, Histoire de la révolution francaise, 1864,
S. 312, wiedergegeben nach J. Burckhardt, Kritische Gesamtausgabe Bd. 28: Geschichte des Revolutionszeitalters, München und Basel 2009, S. 521.

28 J. L. Mercier in Nouveau Paris, Bd. 2, S. 374, ist derselben Ansicht wie Couthon:
«Wenn Robespierre zu Pferde gestiegen wäre, hätte er vielleicht noch einmal die
Menge mit sich gerissen.» So in der Wiedergabe durch J. Burckhardt, Revolutions-
zeitalter, S. 521.

29 Burckhardt, Revolutionszeitalter, S. 795 f. Dass Sieyès die Reitstunden nur nahm,
um, wie Johannes Willms vermutet, «neben Bonaparte *bella figura* machen zu können», darf füglich bezweifelt werden. Vgl. Willms, Napoleon. Eine Biographie, München 2005, S. 203.

30 Die Figur des historischen Verlierers, der das Spiel nicht verloren hätte, wenn er
rechtzeitig zu Pferde gestiegen wäre, verband sich für Napoleon nicht mit Robespierre, sondern mit Ludwig XVI., der dies am 20. Juni 1792, als die revolutionären
Pariser die Tuilerien erstürmten, versäumt hatte, wie der Augenzeuge des Tages an
seinen Bruder Joseph schrieb: «Si Louis XVI s'était montré à cheval, la victoire lui fût
restée.» Vgl. auch Roche, La Gloire, S. 270.

31 Napoleon habe sich an diesem Tag, so die englische Historikerin und Naturschütze-

rin Jill Hamilton, für ein größeres und höheres Reittier als sonst üblich entschieden; vgl. Hamilton, Marengo. The Myth of Napoleon's Horse, London 2000, S. 58.

32 Zit. in J. Traeger, Der reitende Papst. Ein Beitrag zur Ikonographie des Papsttums, München 1970, S. 12.

33 Willms, Napoleon, S. 225.

34 So in dem berühmten Brief an Niethammer vom 13. 10. 1806, in G.W. F. Hegel, Briefe von und an Hegel, Bd. 1, Hamburg 1952, S. 120.

35 G. W. F. Hegel, Vorlesungen über die Philosophie der Weltgeschichte, Bd. 4, Leipzig 1944, S. 930.

36 «Seine Art in der Liebschaft nur ein despotisme de plus.» So J. Burckhardt, Napoleon I. nach den neusten Quellen, in: KGA Bd. 13, Vorträge, S. 292–340, hier S. 300.

37 Vgl. Hamilton, Marengo, S. 151. Über Napoleons Pferde vgl. auch L. Merllié, Le cavalier Napoléon et ses chevaux, Paris 1980; Ph. Osché, Les chevaux de Napoléon, Aosta 2002, sowie die einschlägigen Artikel auf den Seiten von Napoleonica. Revue internationale d'histoire des deux Empires napoléoniens, hg. von der Fondation Napoléon.

38 Vgl. ebda. (unter Berufung auf Madame de Rémusat), S. 6.

39 «Napoleon ritt sans grâce, lauter Araber, parce qu'ils s'arrêtent à l'instant. Er sprengte gern steile Wege nieder und stürzte öfter, wovon man aber nicht sprach. – Auch im Kutschiren unglücklich; einst vierspännig in St. Cloud warf er an einem Gitter völlig um.» J. Burckhardt, Vorträge, S. 298. Genauso zügellos verhielt sich Napoleon bei der Jagd, die er laut Burckhardt vornehmlich um des heftigen Ritts willen liebte; vgl. ebda. S. 304. Vgl. auch Roche, La Gloire, S. 274 f.; zu Napoleons Unfällen auch Hamilton, Marengo, S. 95.

40 Vgl. Hamilton, Marengo, S. 31 f.

41 «Wie sein Generalstab und seine Dragoner übernimmt er in Ägypten die Trense und den Sattel der Mamelucken. Mehr noch, er bringt eine ganze Schwadron von Mamelucken mit nach Frankreich: die erste Kavallerieeinheit, die nach arabischer Weise reitet und diese zu einem Teil der Gefechtsordnung der französischen Armee macht.» D. Bogros, Essai d'analyse du discours français sur l'équitation arabe (1988), http://www.miscellanees.com/b/bogros04.htm

42 Vgl. ebda., S. 65 u. 70. Über die napoleonische Kavallerie und ihren Einsatz vgl. Roche, La gloire, S. 299 ff.

43 Vgl. Hamilton, Marengo, S. 91 f.; Osché, Les chevaux, S. 270.

44 Vgl. den schönen Katalog der Ausstellung Chevaux et cavaliers arabes dans les arts d'Orient et d'Occident, L'Institut du monde arabe, Paris 2002 (mit umfangreicher Bibliografie).

45 Das Bild, ehedem eine der Attraktionen der Princeton University Art Museums, ist mit dessen Renovierung vor einigen Jahren im Depot verschwunden.

46 Vgl. die Hinweise bei Th. W. Gaethgens, Das nazarenische Napoleonbildnis der Brüder Olivier, in: Geschichte und Ästhetik. Festschrift für Werner Busch, hg. von M. Kern u. a., München 2004, S. 296–312, hier S. 303.

47 Vgl. B. Baczko, Un Washington manqué: Napoléon Bonaparte, in: ders., Politiques de la Révolution francaise, Paris 2008, S. 594–693, hier S. 596 ff.

48 Vgl. ebda., S. 603.

49 Vgl. ebda., S. 604 f.

50 F. Furet, La Révolution, de Turgot à Jules Ferry, in: ders., La Révolution française, Paris 2007, S. 478.

51 In: Las Cases, Mémorial de Sainte-Hélène, hier zit. nach Baczko, Politiques, S. 681 f.

52 O. Figes, Die Tragödie eines Volkes. Die Epoche der russischen Revolution 1891 bis 1924, Berlin 1998, S. 712.

53 Ebda., S. 708.

54 Zit. nach W. Hegemann, Napoleon oder «Kniefall vor dem Heros», Hellerau 1927, S. 579.

55 Zu Tode geritten? Angesichts eines Films wie *The Man Who Shot Liberty Valance* (1962) kann davon kaum die Rede sein. James Stewart spielt hier den Anwalt, der den Revolverhelden Lee Marvin nur scheinbar mit dem Colt, in Wahrheit aber mit dem Gesetzbuch besiegt.

56 F. Kafka, Der neue Advokat, in: ders., Erzählungen, Stuttgart 1995, S. 167. Auch alle folgenden Zitate der kurzen Erzählung unter dieser Seitenangabe.

57 R. Musil, Der Mann ohne Eigenschaften, Reinbek 1981, B.1, S. 35 u. 44 f.

Der vierte Reiter

1 Vgl. die offizielle Seite der US Army Joined Force Headquarters (http://www.usstate-funeral.mdw.army.mil/military-honors/caparisoned-horse) sowie weitere Netzseiten unter Stichworten wie «Caparisoned Horse», «Riderless Horse» oder zu einzelnen Protagonisten wie Black Jack oder Sergeant York.

2 Vgl. Wikipedia, Art. «Riderless horse», zuletzt aufgerufen am 24.6.2015.

3 Vgl. W. Brückner, Roß und Reiter im Leichenzeremoniell. Deutungsversuch eines historischen Rechtsbrauches, in: Rheinisches Jahrbuch für Volkskunde Bd. 15/16 (1964/65), S. 144–209, hier S. 156, 159. Seltsamerweise sieht der Autor, obgleich er mit dem Trauerzug für J. F. Kennedy beginnt und endet (S. 144 f., 209), zwar die mit-geführten Stiefel, nicht aber deren Umkehrung. Über den Brauch, den Sattel eines Verstorbenen umzudrehen, vgl. J. von Negelein, Das Pferd im Seelenglauben und Totenkult, Zeitschrift des Vereins für Volkskunde in Berlin, Teil II, Heft 1, 1902, S. 13–25, hier S. 16.

4 Vgl. auch Handwörterbuch des deutschen Aberglaubens, hg. von H. Bächtold-Stäubli, Bd. VI, Berlin u. Leipzig 1935, Sp. 1673.

5 H. Heimpel, Die halbe Violine. Eine Jugend in der Haupt- und Residenzstadt München, Frankfurt 1978, S. 196 f.

6 Vgl. von Negelein, Seelenglauben, Teil I, Heft 4, 1901, S. 406–420, hier S. 410.

7 R. Koselleck, Zeitschichten. Studien zur Historik, Frankfurt am Main 2000, S. 101.

8 Ebda., S. 102.

9 Vgl. R. Koselleck, Der Aufbruch, S. 29: «Wer überritten werden konnte, konnte auch unterworfen werden.»

10 Vgl. N. Luhmann, Macht, Stuttgart 1975, S. 23 ff.

11 Ch. Darwin, Der Ausdruck der Gemütsbewegungen bei dem Menschen und den Tieren, Frankfurt am Main 2000, S. 143 f.

12 J. Burckhardt, Erinnerungen aus Rubens, Leipzig o. J., S. 167.

13 Der Beobachtung des Malers war nicht entgangen, dass Pferde tatsächlich besonders große und bewegliche Augen haben. Sie sind im Vergleich größer als die aller anderen Landsäugetiere und erfassen zudem einen besonders weiten Blickwinkel; vgl. M.-A. Leblanc, The Mind of the Horse. An Introduction to Equine Cognition, Cambridge/Mass. 2013, S. 126 ff.

14 Ross und Reiter. Ihre Darstellung in der plastischen Kunst. In Gemeinschaft mit Robert Diehl herausgegeben von Albrecht Schaeffer, Leipzig 1931, S. 11.

15 Vgl. S. Freud, Analyse der Phobie eines fünfjährigen Knaben, in: Ders., Gesammelte Werke Bd. VII, London 1941, S. 243–377.

16 Ebda., S. 280 ff.

17 Ebda., S. 358.

18 Ebda., S. 359.

19 Ebda., S. 370.

20 Zum Phänotypus und zur Geschichte des Desperado vgl. H. von Hentig, Der Desperado. Ein Beitrag zur Psychologie des regressiven Menschen, Berlin 1956.

21 Vgl. E. Pagels, Apokalypse. Das letzte Buch der Bibel wird entschlüsselt, München 2013, S. 12 f.

22 E. Jones, On the Nightmare, London 1949.
23 Vgl. ebda., Part III, The Mare and the Mara: A Psycho-Analytical Contribution to Etymology, S. 241–339.
24 Ebda., S. 246.
25 M. Jähns, Ross und Reiter; vgl. dazu oben, S. 223 ff.
26 Ebda., Bd. 1, S. 77, zit. bei Jones, Nightmare, S. 248.
27 Jones, Nightmare, S. 260 f.
28 Für eine behutsame Kritik an Jones und den Vergleich mit Jung, der ebenfalls den Albtraum mit dem Inzestwunsch in Verbindung bringt, aber eine andere, weniger sexuelle oder fleischliche Auffasung vom Inzest hat als Freud und Jones vgl. J. White-Lewis, In Defense of Nightmares: Clinical and Literary Cases, in: C. Schreier Rupprecht (Hg.), The Dream and the Text. Essays on Literature and Language, Albany 1993, S. 48–72.
29 J. Starobinski, Trois fureurs, Paris 1974; dt. Besessenheit und Exorzismus. Drei Figuren der Umnachtung, Berlin 1978, hier das 3. Kapitel, «Die Vision der Schläferin», S. 141–183.
30 Ebda., S. 179 f.
31 Vgl. ebda., S. 159.
32 Ebda., S. 160.
33 N. Powell, Fuseli: The Nightmare, New York 1973.
34 Starobinski, Besessenheit, S. 164.
35 Ebda., S. 162.
36 Ebda., S. 150.
37 Ebda., S. 162.
38 Ebda., S. 167.
39 Ebda., S. 172.
40 Der Ortsname ist im Manuskript schwer lesbar, ein Irrtum nicht ausgeschlossen.
41 Koselleck datierte seine Notiz mit «23 XII. 02»; das Blatt findet sich im Nachlass Reinhart Koselleck, Deutsches Dokumentationszentrum für Kunstgeschichte, Bildarchiv Foto Marburg. Ich danke Felicitas und Katharina Koselleck für ihre Hilfe bei seiner Entzifferung.
42 Zur Kategorie des Absurden bei Koselleck vgl. J.-E. Dunkhase, Kosellecks Gespenst. Das Absurde in der Geschichte, Marbach 2015, erscheint demnächst.

Die Peitsche

1 Bloodhound Gang, The Bad Touch Songtext, Teil des Refrains.
2 Auch dieser aparte Zweig der Schaulust am Sex ist keine Erfindung unserer Tage. Ulrich Pfisterer berichtet in der kunsthistorischen Studie: Kunst-Geburten. Kreativität, Erotik, Körper, Berlin 2014, S. 138, über ein Fest in Florenz im Jahr 1514, bei dem man auf der Piazza della Signoria eine Stute mit Zuchthengsten zusammensperrte und das Decken als öffentliches Spektakel zum Vergnügen von angeblich vierzigtausend Frauen und Mädchen inszenierte.
3 P. F. Cuneo, Horses as Love Objects: Shaping Social and Moral Identities in Hans Baldung Grien's Bewitched Groom (circa 1544) and in Sixteenth-Century Hippology, in: Dies. (Hg.), Animals and Early Modern Identity, Burlington/VT und Farnham 2014, S. 151–168, hier S. 159 f.; vgl. auch K. Raber, Erotic Bodies: Loving Horses, in: Dies., Animal Bodies, Renaissance Culture, Philadelphia 2013, S. 75–101.
4 J. J. Sroka, Das Pferd als Ausdrucks- und Bedeutungsträger bei Hans Baldung Grien, Zürich 2003, geht nicht so weit, den Stich explizit als Thematisierung von Sodomie zu deuten, sondern belässt es bei allgemeinen Hinweisen auf die erotische Aufladung der Szene und die Stute «als Symbol für Sexualität und die Kraft der weiblichen Verführung» (S. 112); vgl. auch ders., Das Pferd als Metapher für menschliche Triebe bei

Dürer, Baldung und Füssli, in: Opus Tesselatum, Festschrift für Peter Cornelius Claussen, Hildesheim 2004, S. 151–161.

5 Für England in der Frühen Neuzeit vgl. E. Fudge, Monstrous Acts: Bestiality in Early Modern England, in: History Today 50 (2000), S. 20–25. Nachgerade klassisch ist die Behandlung des Gegenstandes durch R. v. Krafft-Ebing, Psychopathia sexualis, 12. Aufl. Stuttgart 1903, S. 399: «Erfahrungsgemäß ist Bestialität in Kuh- und Pferdeställen kein allzu seltenes Vorkommniss … Bekannt ist die Verfügung Friedrichs des Grossen im Falle eines Cavalleristen, der eine Stute geschändet hatte: ‹Der Kerl ist ein Schwein und soll unter die Infanterie gesteckt werden.›»

6 M. Treut, Hintergründe, Homepage zu dem Film Von Mädchen und Pferden, www. maedchen-und-pferde.de/synopsis, zuletzt abgerufen am 24.6.2015.

7 H. A. Euler, Jungen und Mädchen, Pferde und Reiten, Vortrag auf der Tagung «Jugend im Wandel», Warendorf 28. 11. 1998, c:\tex\proj\hors\fn\warend98.doc, S. 1.

8 L. Rose, zit. nach K. Greiner, Was hat die denn geritten?, in: Süddeutsche Zeitung Magazin, 20.3.2015, S. 19.

9 G. Deleuze u. F. Guattari, Tausend Plateaus. Kapitalismus und Schizophrenie, Berlin 1992, S. 369.

10 Für das Folgende vgl. Herodot, Historien IV, 110–117, Stuttgart 1971, S. 292–294.

11 Ebda., IV, 113, S. 293.

12 Ebda., IV, 114, S. 293.

13 A. Mayor, The Amazons. Lives and Legends of Warrior Women across the Ancient World, Princeton 2014, S. 20. Vgl. auch R. Rolle, Amazonen in der archäologischen Realität, in: Kleist Jahrbuch 1986, S. 38–62, sowie das ebenfalls von Renate Rolle herausgegebene Begleitbuch zu der Ausstellung «Amazonen. Geheimnisvolle Kriegerinnen» in Speyer 5.9.2010 – 13.2.2011.

14 Mayor, Amazons, S. 132.

15 Ebda., S. 172

16 Vgl. ebda., S. 173.

17 W. Koestenbaum, Humiliation, New York 2011, S. 10.

18 Ebda., S. 7.

19 M. de Montaigne, Essais, Drittes Buch, 6: Über Wagen, Frankfurt am Main 1998, S. 452. Auch ein solches Symbol der Despotie ließ sich freilich umkehren und im Sinne freiwilliger Knechtschaft als Demuts- oder Verehrungsgeste gebrauchen. So beschreibt Hegel in einem Brief an den Verleger Cotta, wie der preußische König in Verlegenheit gerät, als Menschen sich freiwillig vor seinen Wagen spannen wollen. Der Hintergrund sind Unruhen in den deutschen Ländern: «Wir hier sind ruhig. Vor einigen Tagen konnte es der König kaum abhalten, daß ihm, wie er von einem Besuche von Kunstreitern wegfuhr, Leute, die sich dabei herumbefanden – oder offiziell zu reden, das Volk – die Pferde abspannte, um ihn nach Hause zu ziehen. Seine Ermahnung, sich nicht zu Tieren herabzuwürdigen, und die Versicherung, er werde dadurch genötigt, zu Fuß nach Haus zu gehen, bewirkten, daß er unter lautem Lebehoch wegfahren konnte.» Briefe von und an Hegel, hg. von J. Hoffmeister, Bd. 3 (1823–1831), 3. Auflage, Hamburg 1969, S. 341 f.

20 Vgl. Reinhard Brandt: Verkehrte Ordnung. Aristoteles und Phyllis – ein Motiv im Deutungswandel, in: NZZ 14.8.1999, S. 67.

21 Lou Andreas-Salomé: Lebensrückblick, aus dem Nachlass herausgegeben von Ernst Pfeiffer, neu durchgesehene Ausgabe, Frankfurt am Main 1968, S. 81.

22 KSA 4, S. 85.

23 KSA 10, Nr. 210, S. 77.

24 Ludger Lütkehaus hat dem berüchtigten Satz, seinem Zusammenhang und seiner möglichen literarischen Verwandtschaft mit einer Novelle Turgenjews («Erste Liebe») einen erhellenden Essay gewidmet; vgl. Lütkehaus, Nietzsche, die Peitsche und das Weib, Rangsdorf 2012.

25 Vgl. KSA 10, Nr. 367, S. 97.

26 Vgl. KSA 4, S. 86.
27 Vgl. E. Künzl, Der römische Triumph. Siegesfeiern im antiken Rom, München 1988, S. 42 f.
28 W. Matz, Die Kunst des Ehebruchs. Emma, Anna, Effi und ihre Männer, Göttingen 2014.
29 Zit. nach K. Robert, Degas, London 1982, S. 40.
30 Flaubert, Madame Bovary, S. 28.
31 Ebda., S. 449.
32 Th. Hardy, Fern vom Treiben der Menge, Berlin 1999, S. 24.
33 Ebda., S. 42.
34 L. Tolstoi, Anna Karenina, München 2009, S. 277 f.
35 Ebda., S. 292.
36 Über die Poesie der Namen, müde, kalte Dreisilber bei den Gatten, spannungsvolle Zweisilber bei den Liebhabern, wäre viel zu sagen, ebenso über einzelne Pferdenamen wie *Frou-Frou.*
37 Vgl. oben, «Ein Unfall auf dem Land», S. 66 f.
38 Tolstoi, Anna Karenina, S. 919.
39 Vgl. V. Schklowski, Leo Tolstoi, Frankfurt am Main 1984, S. 313; vgl. auch die folgenden Seiten (zur Entstehungsgeschichte des *Leinwandmessers*).
40 So lautet der Titel der klassischen Studie von Leo Marx über das Vordringen der Technik (Lokomotive, Dampfboot) in die als paradiesisch empfundene Wildnis Amerikas: L. Marx, The Machine in the Garden. Technology and the Pastoral Ideal in America, Oxford 1964.
41 Vgl. Th. Hardy, Tess. Eine reine Frau, München 2012, S. 112 ff.
42 Ebda., S. 416 ff.
43 Vgl. Tolstoi, Anna Karenina, S. 295–304.
44 Ebda., S. 302.
45 Ebda., S. 303.
46 Ebda., S. 319.
47 Ebda., S. 1152 f.
48 Ebda., S. 1172.
49 Ebda., S. 104.
50 Vgl. Starobinski, Die Skala der Temperaturen – ‹Körperlesung› in «Madame Bovary», in: Ders., Kleine Geschichte des Körpergefühls, Frankfurt am Main 1991, S. 34–72.
51 Zit. Nach Starobinski, Die Skala, S. 65.
52 J. W. v. Goethe, Die Leiden des jungen Werther, Goethes Werke (Hamburger Ausgabe) Bd. VI, Romane und Novellen I, München 1998, S. 70 f.

Turin, ein Wintermärchen

1 Der gefährliche Augenblick, so lautet der Titel des nächsten Bildbandes, den Jünger federführend betreut und der 1931 in Berlin erscheint.
2 Julia Encke hat diesen Fokus des Jüngerschen Weltkriegs-Bildbandes deutlich herausgearbeitet; vgl. Encke, Augenblicke der Gefahr. Der Krieg und die Sinne. 1914–1934, München 2006, S. 39.
3 Zur emotionalen Wirkung von Bildern tierischer Kriegsteilnehmer vgl. auch H. Kean, Animal Rights. Political and Social Change in Britain since 1800, S. 171 f.
4 S. Neitzel und H. Welzer, Soldaten. Protokolle vom Kämpfen, Töten und Sterben, Frankfurt am Main 2011, S. 85.
5 Zuerst abgedruckt in der Illustrierten Kriegszeitung der k. u. k. 32. Infanterie Truppendivision vom 10.1.1917; wieder abgedr. in J. Roth, Der sterbende Gaul, in: Werke in 6 Bänden, Bd. 1, Anhang, Köln 1989, S. 1103.

6 Vgl. beispielsweise Simon, Straße von Flandern, S. 109: «Und nach einer Weile erkannte er es: das was nicht etwa ein kantiger Haufen getrockneten Schlamms war sondern ... ein Pferd, oder vielmehr das was ein Pferd gewesen war ...»

7 Ausnahmen – vgl. o., S. 138 f., der berittene Polizist von Jerusalem – bestätigen diese Regel.

8 Vgl. seine Lesungen des ergreifenden Briefes von Rosa Luxemburg an Sophie Liebknecht (24.12.1917), in dem die Inhaftierte die Peinigung eines Büffels beschreibt, den sie als «mein armer, geliebter Bruder» anredet, sowie die berühmte Passage in Karl Kraus, Die letzten Tage der Menschheit, über die ertrunkenen Pferde des Grafen Dohna.

9 E. Lasker-Schüler, Am Kurfürstendamm. Was mich im vorigen Winter traurig machte ..., in: dies., Gesichte, 2. Aufl. Berlin 1920, S. 48–50.

10 C. Rowe, Die Mathematik der idealen Villa, Basel 1998, S. 7.

11 Vgl. Mercier, Tableau de Paris, vor allem das Kapitel «Fiacres», S. 67 ff.

12 Vgl. zu diesem Thema K. Hamburger, Das Mitleid, Stuttgart 1985; H. Ritter, Die Schreie der Verwundeten. Versuch über die Grausamkeit, München 2013; U. Frevert, Vergängliche Gefühle, Göttingen 2013, Kap. III., Mitleid und Empathie, S. 44–74.

13 In einer ersten Fassung der folgenden Passagen hatte ich nur drei Figuren bezeichnet – das geschlagene Pferd, den verwundeten Soldaten und das arbeitende Kind (vgl. U. R., Ansichten des Unerträglichen. Drei Figuren des Mitleids, Neue Zürcher Zeitung, 11.1.2014.) Auf die vierte dieser Figuren, die Waise, machte mich Ernst Halter aufmerksam, dem ich dafür Dank weiß.

14 Zu den grausigsten Vignetten in Dunants Schilderung gehört die Passage, in der die Masse der Verwundeten ein zweites Mal zerschmettert und zermahlen wird durch die Räder und Hufe der über sie hinwegfahrenden Artillerie (S. 38); doch schildert er auch die Pferde, «menschlicher als ihre Reiter», die sich bemühen, «bei jedem Huftritt sorglich die Opfer dieser wütenden und erbitterten Schlacht zu schonen» (S. 27). Seitenangaben nach der Ausgabe Zürich 1942, 4. Aufl. 1961.

15 Vgl. Geschichte der Kinderarbeit in Deutschland, Bd. 1: Geschichte, von J. Kuczynski, Bd. 2: Dokumente, von R. Hoppe, Berlin 1958.

16 E. P. Thompson, Die Entstehung der englischen Arbeiterklasse, Frankfurt am Main 1987, Bd. I, S. 378.

17 E. Halter, Johanna Spyri, Marlitt und ihr verwaistes Jahrhundert, in: Ders., Heidi. Karrieren einer Figur, Zürich 2001, S. 10.

18 Vgl. ebda., S. 12.

19 Vgl. ebda., S. 15.

20 So Queen Victoria gegenüber ihrem Innenminister, zit. nach H. Ritvo, The Animal Estate. The English and Other Creatures in the Victorian Age, Cambridge/Mass. U. London 1987, S. 126.

21 Der eigentliche Titel lautete Bill to Prevent the Cruel and Improper Treatment of Cattle, was, großzügig ausgelegt, alle Zugtiere wie Pferde, Esel und Maultiere einschloss.

22 Vgl. die mittlerweile klassische Studie von Keith Thomas, Man and the Natural World. A History of the Modern Sensibility, New York 1983, Kap. IV, Compassion for the brute creation, S. 143–191, sowie die ausgezeichnete Bremer Phil. Diss. von Mieke Roscher, Ein Königreich für Tiere. Die Geschichte der britischen Tierrechtsbewegung, Marburg 2009, S. 47 ff., sowie H. Ritvo, Animal Estate, 125 ff., und H. Kean, Animal Rights, S. 13 ff.

23 Zit. nach Roscher, Königreich, S. 51.

24 Vgl. Kean, Animal Rights, S. 20.

25 J. Bentham, An Introduction to the Principles of Morals and Legislation, London 1970, S. 283.

26 Vgl. K. Miele, Horse-Sense: Understanding the Working Horse in Victorian London, in: Victorian Literature and Culture 37 (2009), S. 129–140.

27 Vgl. Donald, Picturing Animals, S. 215–232 u. S. 347 (mit weiteren Literaturangaben).

28 Gompertz' Moral Inquiries on the Situation of Man and of Brutes, 1824 im Gründungsjahr der SPCA veröffentlicht, gilt zu Recht als Gründungsmanifest des englischen Tierschutzes und ein Haupttext aller Bewegungen zum Schutz der Natur.

29 Vgl. Roscher, Königreich, S. 111 f.; M. Zerbel, Tierschutzbewegung, in: Handbuch zur «Völkischen Bewegung» 1871–1918, hg. v. U. Puschner, München 1996, S. 546–557.

30 Vgl. S. und F. W. von Preußen, Friedrich der Große. Vom anständigen Umgang mit Tieren, Göttingen 2012, S. 77–83.

31 Den Hinweis verdanke ich Barbara Picht, die Deutung Werner Busch.

32 Chr. A. Dann, Bitte der armen Thiere, der unvernünftigen Geschöpfe, an ihre vernünftigen Mitgeschöpfe und Herrn die Menschen (1822) und ders., Nothgedrungener durch viele Beispiele beleuchteter Aufruf an alle Menschen von Nachdenken und Gefühl zu gemeinschaftlicher Beherzigung und Linderung der unsäglichen Leiden der in unserer Umgebung lebenden Thiere (1832). Beide Texte in: Wider die Tierquälerei: Frühe Aufrufe zum Tierschutz aus dem württembergischen Pietismus, hg. v. M. H. Jung, Leipzig 2002.

33 Vgl. M. H. Jung, Nachwort, in: Wider die Tierquälerei, S. 113–120, hier S. 113.

34 Dann, Bitte der armen Thiere, S. 29.

35 M. H. Jung, Die Anfänge der deutschen Tierschutzbewegung im 19. Jahrhundert, in: Zeitschrift für württembergische Landesgeschichte, Stuttgart 1997, S. 205–239, hier S. 226.

36 Vgl. ebda., S. 239.

37 Vgl. F. Th. Vischer, Noch ein vergebliches Wort gegen den himmelschreienden Thierschund im Lande Württemberg, in: Der Beobachter, Nr. 327 vom 28.11.1847. Die beiden folgenden Stücke in Nr. 328, 30. 11. 1847 und Nr. 329 vom 1.12.1847.

38 F. Th. Vischer, Briefe aus Italien, München 1908, S. 94, Brief vom 25.1.1840.

39 Ebda., S. 133 f., Brief vom 7.3.1840. In Vischers satirischem Roman Auch Einer von 1869 wird der Streit mit dem Kutscher wiederkehren, jetzt als Erlebnis dem Protagonisten der Erzählung zugeschrieben; auch andere frühere Vischersche Zornesergießungen über Hunde- und Pferdeschinder erleben hier ihre Wiederkehr; vgl. Auch Einer, Frankfurt am Main 1987, S. 35 u. 296.

40 F. Th. Vischer, Kritische Gänge, 6 Bde., NF, Stuttgart 1860–1873, Bd. 1, S. 155 f.

41 F. Th. Vischer, Noch ein Wort über Tiermißhandlung in Italien, in: ders., Kritische Gänge, Bd. 6, München 1922, S. 326–336, hier S. 326.

42 Ebda., S. 328.

43 Ebda., S. 331.

44 Vgl. Roscher, Königreich, S. 113. Wie den Katholiken wurde auch den Juden der Vorwurf gemacht, sie seien, wie die Praxis des Schächtens zeige, gegenüber den Leiden der Tiere indifferent. Allen diesen teils säkular, teils religiös motivierten Unterstellungen hat der Philosoph Michael Landmann eine entschiedene Absage erteilt; vgl. M. Landmann, Das Tier in der jüdischen Weisung, Heidelberg 1959.

45 F. Nietzsche, Werke III, München 1984, S. 835.

46 In diesem Sinne äußert sich auch der Nietzsche-Biograf Curt Paul Janz: «Nietzsche hat nie irgendeine besondere Affinität zu Tieren gezeigt, er verwendet ‹das Tier› lediglich abstrakt als das in seiner Instinktsicherheit geborgene Lebewesen als Kontrastposition gegen den durch seine moralischen Vorurteile verunsicherten und von seiner natürlichen Grundlage entfremdeten Menschen …» C. P. Janz, Friedrich Nietzsche. Biographie, Bd. 3, Die Jahre des Siechtums, München 1979, S. 34. Die Studie von Vanessa Lemm, Nietzsche's Animal Philosophy. Culture, Politics, and the Animality of the Human Being, New York 2009, bekräftigt diese Feststellung.

47 Allerdings hat Nietzsche einmal auch mit echten Tieren zu tun gehabt: Während seiner Dienstzeit bei der reitenden Artillerie im Winter 1867–68, die nach kurzem, stolzem Reiterglück auf dem «feurigste(n) und unruhigste(n) Thier der Batterie» mit

einem schweren Reitunfall Mitte März 1868 und einer langwierigen Rekonvaleszenz endete; vgl. Friedrich Nietzsche. Chronik in Bildern und Texten, hg. von R. J. Benders u. St. Oettermann, München 2000, S. 172–179.

48 So in der Überlieferung durch E. F. Podach, Nietzsches Zusammenbruch, Heidelberg 1930.

49 Vgl. das Gedicht «Turin» aus den Statischen Gedichten von 1938, dessen letzte Verse lauten: «Indes Europas Edelfäule / an Pau, Bayreuth und Epsom sog, / umarmte er zwei Droschkengäule, / bis ihn sein Wirt nach Hause zog.» Die Verdoppelung des ursprünglich einzigen Droschkengauls ergibt sich schlüssig aus reimtechnischen Gründen.

50 Davide Fino war ein Kioskbesitzer und der Hauswirt Nietzsches in Turin; U. R.

51 E. F. Podach, Nietzsches Zusammenbruch, Heidelberg 1930, S. 82.

52 Sein Buch La catastrofe di Nietzsche a Torino, Turin 1978, ist auch auf Deutsch erschienen: A. Verrecchia, Zarathustras Ende. Die Katastrophe Nietzsches in Turin, Wien 1986.

53 Vgl. Verrecchia, Zarathustras Ende, S. 261.

54 Ebda., S. 260.

55 Vgl. ebda., S. 262–272; die Ergänzungen um den Kuss und den «Bruder» S. 267. Seither findet jeder Erzähler von Nietzsches letzten Tagen in Turin den Tisch mit Anekdotenmaterial reich gedeckt und kann es seinem Narrativ überlassen, die Selektion zu steuern. Beispiele aus jüngerer Zeit sind R. Safranski, Nietzsche. Biografie seines Denkens, München 2000; P. D. Volz, Nietzsche im Labyrinth seiner Krankheit, Würzburg 1990, S. 204; L. Chamberlain, Nietzsche in Turin. An Intimate Biography, New York 1999.

56 Vgl. u. a. Janz, Friedrich Nietzsche, Bd. 3, S. 34 f.

57 F. Nietzsche an Reinhart von Seydlitz, Brief vom 13.5.1888, in: F. Nietzsche: Briefwechsel. Kritische Gesamtausgabe, Dritte Abteilung, Fünfter Band, Briefe Januar 1887 – Januar 1889, Berlin, New York 1984, S. 314.

58 Vgl. dazu oben, S. 252.

59 Vgl. F. Dostojewskij, Verbrechen und Strafe, 6. Aufl., Zürich 1994, S. 77–83.

60 Vgl. G. Pochhammer, Tierquälerei, Doping, Betrug, Süddeutsche Zeitung, 4.3.2015, S. 24

61 Zum Gebrauch des Begriffs «Erlösung» im Zusammenhang mit der Tötung kranker Haus- und Schoßtiere wäre manches zu sagen.

DER VERGESSENE AKTEUR.
HISTORIEN

Zahn und Zeit

1 Th. Hardy, Fern vom Treiben der Menge, Frankfurt am Main 1990, S. 141.

2 Für Jaspers und sein Buch von 1949 hatte Koselleck sich nie erwärmen können: Er habe es bereits bei seinem Erscheinen mit Hohn und Spott übergossen, erinnerte er sich 55 Jahre später im Gespräch; vgl. R. Koselleck und Carsten Dutt, Erfahrene Geschichte. Zwei Gespräche, Heidelberg 2013, S. 37.

3 Glen Bowersock hat in der Besprechung einer jüngst erschienenen Aufsatzsammlung zu Jaspers' «Achsenzeit» (The Axial Age and Its Consequences, hg. v. R. N. Bellah u. H. Joas, Cambridge/Mass. 2012) darauf hingewiesen, dass Hegel, auf den Jaspers sich bezieht, den Drehpunkt der Geschichte, der für ihn in der Tatsache von Christi Menschwerdung liegt, als «Angel» bezeichnet, während Jaspers von einer «Achse» spricht; vgl. G. W. Bowersock, A Different Turning Point for Mankind?, The New York

Review of Books, May 9, 2013, S. 56–58, hier S. 56. Zur Diskussion um die «Achsen-zeit» vgl. auch die ausgezeichnete Zusammenfassung von H. Joas, Was ist die Achsen-zeit? Eine wissenschaftliche Debatte als Diskurs über Transzendenz, Basel 2014.

4 K. Jaspers, Vom Ursprung und Ziel der Geschichte, München 1949, S. 37.

5 Vgl. A. Weber, Das Tragische und die Geschichte, Hamburg 1943, S. 60.

6 Ebda., S. 58 f.

7 O. Spengler, Der Streitwagen und seine Bedeutung für den Gang der Weltgeschichte, in ders., Reden und Aufsätze, München 1937, S. 148–152, hier S. 149.

8 Ebda., S. 150.

9 H. Freyer, Weltgeschichte Europas, 2 Bde., Wiesbaden 1948, Erster Band, S. 25.

10 Ebda., S. 26 und 28 f.

11 Ebda., S. 33 und 35.

12 Jaspers, Ursprung und Ziel, S. 70.

13 Ebda., S. 37; Kursivierung von mir, U. R.

14 Der schmale Band, 1939 in Leipzig erschienen, geht auf einen im Vorjahr gehaltenen Vortrag vor der Vorderasiatisch-Ägyptischen Gesellschaft zu Berlin zurück; gleich-zeitig diente er als Habilitationsschrift des Autors im Fach Klassische Archäologie an der Universität Königsberg. 1971 ist er als unveränderter Reprint in Hildesheim er-schienen. Den Hinweis auf diesen Titel verdanke ich Karl-Heinz Bohrer, der Joseph Wiesner nach dem Krieg als Lehrer im Landschulheim Birklehof erlebt hat.

15 Vgl. Wiesner, Fahren und Reiten, S. 24 und 29.

16 Ebda., S. 37.

17 Vgl. ebda., S. 34.

18 Ebda., S. 39.

19 Dies ist die Perspektive des General Bamme aus Vor dem Sturm: «Vom Standpunkte meines Metiers aus könnte ich mich sogar bis zu dem Satze versteigen, daß Welt-geschichte großen Stils, wie sie sich in Hunnen- und Mongolenzügen darstellt, immer und ewig vom Sattel herab, also, rundheraus gesagt, durch eine Art von urzuständ-lichem Husarentum gemacht worden sei.» Th. Fontane, Vor dem Sturm, RuE, Bd. 1, S. 187.

20 A. Rüstow, Ortsbestimmung der Gegenwart. Eine universalgeschichtliche Kultukri-tik, Bd. 1: Ursprung der Herrschaft, Erlenbach-Zürich 1950, S. 68. Seine Überlegun-gen zum frühgeschichtlichen Verhältnis von Boviden und Equiden schloss Rüstow übrigens mit dem bemerkenswerten Satz: «Der weltgeschichtlich entscheidende Spit-zenvertreter der Equiden ist jedoch das Pferd.» Ebda., S. 66.

21 Canetti, Masse, II, S. 10.

22 G. Deleuze und F. Guattari, Anti-Ödipus. Kapitalismus und Schizophrenie I, Frank-furt am Main 1974, S. 250.

23 P. Raulwing, Horses, Chariots and Indo-Europeans, Archaeolingua Series Minor 13, Budapest 2000, S. 61.

24 «Jaspers», schreibt Bowersock (wie Anm. 2, S. 58), «was totally innocent of archaeo-logy», was soviel heißt wie: Jaspers war vollkommen unberührt von Archäologie. Dass auch die ältere Archäologie am Heldenbild und seiner Überlieferung aus einem «fond commun de l'humanité» gearbeitet hat, bezeugt das Werk von F. Benoit, L'hé-roisation équestre, Aix-en-Provence 1954, hier S. 9.

25 Vgl. N. Di Cosmo, Inner Asian Ways of Warfare in Historical Perspective, in: ders. (Hg.), Warfare in Inner Asian History (500–1800), Leiden 2002, S. 1–20, hier S. 2–4 (mit Hinweisen auf weiterführende Literatur).

26 J. K. Fairbank, Chinese Ways in Warfare, Cambridge, Mass. 1974, S. 13.

27 D. W. Anthony, The Horse, the Wheel, and Language, Princeton 2007, S. 222.

28 Ebda., S. 223.

29 Ebda., S. 224.

30 So die Archäologin Marsha Levine, zit. nach A. Hyland, The Horse in the Ancient World, Phoenix Mill 2003, S. 3.

31 Vgl. V. Horn, Das Pferd im Alten Orient, Hildesheim 1995, S. 20 f. Zur Diskussion um die Funde aus Dereivka vgl. zuletzt H. Parzinger, Die Kinder des Prometheus. Eine Geschichte der Menschheit vor der Erfindung der Schrift, München 2014, S. 390.

32 Vgl. Anthony, The Horse, S. 205 f.: «Reiten hinterlässt nur geringe Spuren an Pferdeknochen. Aber ein Gebiss hinterlässt Spuren an den Zähnen, und Zähne überleben in der Regel sehr gut. Gebisse werden nur gebraucht, um Pferde beim Fahren oder Reiten von hinten zu lenken. Sie werden nicht gebraucht, wenn das Pferd von vorn gezogen wird ... Insofern zeigen Gebissspuren an den Zähnen an, dass geritten oder gefahren wurde. Das *Fehlen* von Gebissspuren besagt nichts, weil andere Formen der Kontrolle (Nasenriemen, Hackamore) spurlos geblieben sein können. Aber ihr *Auftreten* ist ein unfehlbares Zeichen für Reiten oder Fahren.»

33 Vgl. Anthony, The Horse, S. 220.

34 Vgl. ebda., S. 221.

35 Hyland, Ancient World, S. 5. Vgl. in ähnlichem Sinn auch Ch. Baumer, The History of Central Asia. Bd. 1: The Age of the Steppe Warriors, London 2012, S. 84 f.

36 Vgl. J. Clutton-Brock, Horse Power. A History of the Horse and the Donkey in Human Societies, Cambridge/Mass. 1992, 20 ff.; E. West, The Impact of Horse Culture, www.gilderlehrman.org/history-by-era/early-settlements/essays/impact-horse-cultures

37 J. Osterhammel, Die Verwandlung der Welt. Eine Geschichte des 19. Jahrhunderts, München 2009, S. 483.

38 R. H. Thurston, Der thierische Körper als Kraftmaschine. Aus dem Englischen von Prof. Dr. Reuleaux, in: Prometheus VI, 40–42 (1895). Der Aufsatz fasste die Hauptthesen des Buches von Thurston, The Animal as a Prime Mover, New York 1894, zusammen.

39 Vgl. F. Cottrell, Energy and Society. The Relation Between Energy, Social Change, and Economic Development, Wetport/Conn. 1955.

40 Ebda., S. 6.

41 Ebda., S. 20.

Land nehmen

1 E. Canetti, Masse und Macht, München 1994, Bd. 2, S. 48.

2 Vgl. Zedlers Wörterbuch, Art. «Soldatentestament»

3 Vgl. Pausanias, Beschreibung Griechenlands, übers. von J. H. Chr. Schubart, Berlin o. J., S. 78.

4 Vgl. Herodot, Historien, 6, 102–120.

5 Vgl. J. Dünne u. St. Günzel (Hgg.), Raumtheorie, Frankfurt am Main 2006; W. Köster, Die Rede über den «Raum». Zur semantischen Karriere eines deutschen Konzepts, Heidelberg 2002; R. Maresch u. N. Werber, Raum, Wissen, Macht, Frankfurt am Main 2002. In seiner Studie Die Geopolitik der Literatur. Eine Vermessung der medialen Weltraumordnung, München 2007, kritisierte Niels Werber die «Banalisierung des Raums» zugunsten des atopischen Kommunikationsuniversums der Medientheorie. Eine nicht-banale Theorie des Raums hätte demgegenüber, soll sie historisch aufschlussreich sein, die Vektorfunktion des Pferdes in den Blick zu nehmen.

6 So argumentiert zum Beispiel der Soziologe Markus Schroer, einer der Theoretiker, die sich in den letzten zwei Jahrzehnten gegen die kurrenten Theorien (meist Medientheorien von McLuhan bis Baudrillard) von der Vernichtung des Raums bzw. seiner Ablösung durch die Zeit gewandt haben. In seiner Habilitationsschrift Räume, Orte, Grenzen. Auf dem Weg zu einer Soziologie des Raums, Frankfurt am Main 2006, betont Schroer, dass «genau umgekehrt ... Raum durch die gegenseitige Erreichbarkeit vormals isolierter Orte erst entsteht». Insofern führten die

Medien nicht zu einem «sukzessiven Verlust des Raums», sondern zu «einer steten Raumvermehrung …, da jedes Medium zusätzliche Räume erschließt und schafft» (S. 164).

7 M. de Certeau, Kunst des Handelns, Berlin 1988, S. 218. Unter den zeitgenössischen deutschen Historikern hat, soweit ich sehe, nur Karl Schlögel konsequent und konkret die Geschichte vom Raum und wiederum den Raum von den (militärischen, ideologischen, wissenschaftlichen, künstlerischen und alltäglichen) Bewegungen her entwickelt. Seine Historik und Poetik des Raumes hat er ausgeführt in: K. S., Im Raume lesen wir die Zeit. Über Zivilisationsgeschichte und Geopolitik, München 2003, sowie in: Narrative der Gleichzeitigkeit oder die Grenzen der Erzählbarkeit von Geschichte, in: ders., Grenzland Europa. Unterwegs auf einem neuen Kontinent, München 2013. Seine «kartographische» Sicht auf die Geschichte (Im Raume lesen wir die Zeit) scheint mir mit der von mir vorgeschlagenen «vektoriellen» Sicht vollständig kompatibel. Seine in jüngster Zeit begonnene «Archäologie des Kommunismus» (unter diesem Titel München 2013) deutet in diesem Sinn Beschreibungen der Eisenbahn als Produzentin des russischen Raums und informellen Kommunikationsraum an (S. 69).

8 H. Bergson, Schöpferische Entwicklung, Jena 1912, S. 209 f.

9 Vgl. H. Bergson, Zeit und Freiheit, Jena 1920, S. 72.

10 Bergson, Schöpferische Entwicklung, S. 312. Die Übersetzung stammt von der George-Verehrerin Gertrud Kantorowicz, der Cousine des Historikers.

11 Leider ist der ansonsten ausgezeichnete Aufsatz von Jan van Brevern über «Marathon» als Erinnerungsraum gänzlich ohne *horse sense* geschrieben; das equestrische Bewegungselement taucht bei ihm nur als Gegenstand der Kritik F. Th. Vischers auf; vgl. J. v. Brevern, Bild und Erinnerungsort. Carl Rottmanns Schlachtfeld von Marathon, in: Zeitschrift für Kunstgeschichte, 71. Bd., 2008, S. 527–542.

12 De Certeau, Kunst des Handelns, S. 218.

13 Vgl. C. Schmitt, Der Nomos der Erde im Völkerrecht des Jus Publicum Europaeum, 3. Aufl. Berlin 1988, S. 16 ff. u. 48 ff.

14 Vgl. A. W. Crosby jr., The Columbian Exchange. Biological and Cultural Consequences of 1492, Westport 1972, S. 79.

15 Ebda., S. 81.

16 F. Schürmann, Herrschaftsstrategien und der Einsatz von Pferden im südwestlichen Afrika, ca. 1790–1890, in: R. Pöppinghege (Hg.), Tiere im Krieg, Paderborn 2009, S. 65–84, hier S. 83.

17 Vgl. W. W. Howard, Horrors of Armenia. The Story of an Eye-witness, New York 1896.

18 W. W. Howard, The Rush to Oklahoma, in Harper's Weekly, 18.5.1889, S. 391–394, hier S. 392.

19 Anon., The Oklahoma Land Rush, EyeWitness to History, www.eyewitnesstohistory.com (2006). Vgl. auch die beeindruckenden Schlussszenen des Films «In einem Fernen Land» (Far and Away) von 1992, den der Regisseur, Ron Howard, mit einem Panorama des Land Run von 1893 enden lässt (der entsprechende Ausschnitt auf Youtube).

20 Dies zeigt I. Hobson, Oklahoma, USA, and Kafka's Nature Theater, in: A. Flores (Hg.), The Kafka Debate. New Perspectives For Our Time, New York 1977, S. 273–278, hier S. 274 f.

21 Vgl. R. Stach, Kafka. Die frühen Jahre, Frankfurt am Main 2014, S. 451 u. 566; H. Binder, Kafka in Paris, München 1999, S. 108 ff.

22 A. von Chamisso, «Das Riesenspielzeug», in: Sämtliche Werke Bd. 1, München 1975, S. 336.

23 Zu Lynn White jr. vgl. oben, S. 242 ff.

24 Vgl. P. Edwards, Horse and Man in Early Modern England, London 2007.

25 Zu McShane und Tarr vgl. oben, S. 36 ff.

26 Zu G. M. Tempest vgl. oben, S. 420, Anm. 42.
27 Lassen wir hier die wenigen, kurzen Bemerkungen von Fernand Braudel über den «Kampf gegen die Entfernung» nicht unerwähnt: F. Braudel, Geschichte als Schlüssel zur Welt. Vorlesungen in deutscher Kriegsgefangenschaft 1941, Stuttgart 2013, S. 126 f.
28 Vgl. W. Kaschuba, Die Überwindung der Distanz. Zeit und Raum in der europäischen Moderne, Frankfurt am Main 2004, insbes. das Kap. «Fahrplan und ‹Prinzip Post›», S. 43–47; P. Borscheid, Das Tempo-Virus. Eine Kulturgeschichte der Beschleunigung, Frankfurt am Main 2004.
29 Vgl. B. Latour, Wir sind nie modern gewesen. Versuch einer symmetrischen Anthropologie, Frankfurt am Main 2008, S. 142 und 144.
30 Ebda., S. 138.
31 Ebda., S. 141 f.
32 A.-G. Haudricourt, La technologie science humaine. Recherches d'histoire et d'ethnologie des techniques, Paris 1987, S. 141. Der Aufsatz, dem das Zitat entstammt, Contribution à la géographie et à l'ethnologie de la voiture, war 1948 zuerst erschienen.
33 B. Latour, Der Berliner Schlüssel. Erkundungen eines Liebhabers der Wissenschaften, Berlin 1996, S. 76.
34 Haudricourt, La technologie, S. 141.
35 Haudricourt, La technologie, S. 142.
36 A. de Gaudemar, Haudricourt, retour à la terre, in: Libération 22.8.1996, S. 28.
36 A.-G. Haudricourt, Des gestes aux techniques. Essai sur les techniques dans les sociétés pré-machinistes, Texte inédit présenté et commenté par J.-F. Bert, Paris 2010, S. 129.
38 Vgl. M. Heidegger, Sein und Zeit, 12. Aufl., Tübingen 1972, S. 68 ff.

Das elliptische Tier

1 Die Kenntnis dieses Witzes verdanke ich Jakob Hessing.
2 R. Netz, Barbed Wire. An Ecology of Modernity, Middletown/Conn. 2004, S. 74.
3 M. Baum, «Es schlug mein Herz, geschwind zu Pferde!» Zur Poesie des Pferdemotivs in Goethes Alltag und in seinem Werk, Bucha 2004, S. 75. Paul Virilio, der die Perspektive umkehrt, sieht die Ähnlichkeit des gesattelten Pferdes «mit einem sich fortbewegenden Sitz, mit einem Möbel, einem hippomobilen Möbelstück, das im Gegensatz zum Stuhl nicht bloß den stationären, in Ruhestellung befindlichen, sondern auch den in Ortsveränderungen begriffenen Körper stützt». P. Virilio, Der negative Horizont, S. 34 f.
4 Zitiert nach E.-G. Güse u. M. Oppel (Hgg.), Goethes Gartenhaus, Weimar 2008, S. 59.
5 W. Benjamin, Kritiken und Rezensionen, Gesammelte Schriften Bd. 3, Frankfurt am Main 1972, S. 253.
6 Virilio, Der negative Horizont, S. 38.
7 Schaeffer, Ross und Reiter, S. 10.
8 Ebda.
9 Ebda., S. 11.
10 Vgl. H. Blumenberg, Löwen, Frankfurt am Main 2001.
11 Henri Michaux hat diesen Fehler zu korrigieren versucht: «Le pigeon est un obsédé sexuel» heißt es zu Beginn des Kapitels «Histoire naturelle» in: Un barbare en Asie, Œuvres complètes I, Paris 1998, S. 277–409, hier S. 353.
12 O. Weininger, Über die letzten Dinge, Wien u. Leipzig 1904, S. 125.
13 Vgl. A. Warburg, Werke in einem Band, hg. von M. Treml u. a., Berlin 2010, hier besonders der Vortrag «Der Eintritt des antikisierenden Idealstils in die Malerei der Frührenaissance» (1914), S. 281–310; vgl. auch E. H. Gombrich, Aby Warburg. Eine intellektuelle Biographie, Frankfurt am Main 1981, S. 228–245.

14 Warburg, Werke, Eintritt des antikisierenden Idealstils, S. 295.
15 Zit. nach Gombrich, Aby Warburg, S. 56.
16 Vgl. W. Hogrebe, Ahnung und Erkenntnis. Brouillon zu einer Theorie des natürlichen Erkennens, Frankfurt am Main 1996.

Herodot

1 Vgl. Behringer, Kulturgeschichte des Sports, S. 194.
2 Zu diesem Thema vgl. den Katalog der schönen Siegener Austellung «Lucian Freud und das Tier», Siegen 2015.
3 E. Kris, O. Kurz, Die Legende vom Künstler. Ein geschichtlicher Versuch, Frankfurt am Main 1980.
4 Ebda., S. 90.
5 Vgl. B. Grzimek, Und immer wieder Pferde, München 1977, S. 105 ff.
6 Lacan hat seine Überlegungen zum «Spiegelstadium» erstmals 1936 auf dem 14. Internationalen Kongress für Psychoanalyse in Marienbad vorgetragen und 1949 in erweiterter Form publiziert.
7 Vgl. Saracino, Pferdediskurs, S. 342 u. 358 f.
8 Vgl. M.-A. Leblanc, The Mind of the Horse. An Introduction to Equine Cognition, Cambridge/Mass. 2013, hier besonders Kap. 2 u. 3, S. 22–70.
9 Vgl. M. Tomasello, Eine Naturgeschichte des menschlichen Denkens, Berlin 2014.
10 Vgl. dazu oben, S. 351 ff.
11 Vgl. dazu aus jüngster Zeit Baumer, The History of Central Asia.
12 Vgl. Koselleck, Der Aufbruch, S. 37.
13 Vgl. H. Heimpel, Geschichte und Geschichtswissenschaft, S. 17.
14 Vgl. Herodot, Historien, III, 83 ff.
15 Vgl. ebda., IV, 71–73; vgl. F. Hartog, Le miroir d'Hérodote. Essai sur la représentation de l'autre, Paris 2001, S. 248, über die Pferdebegräbnisse der Skythen.
16 W. Schadewaldt, Die Anfänge der Geschichtsschreibung bei den Griechen. Tübinger Vorlesungen Band 2, Frankfurt am Main 1982, S. 128.
17 S. Neitzel u. H. Welzel, Soldaten, wie oben, S. 441, Anm. 4.
18 Goethe, Hamburger Ausgabe, Bd. 10, S. 238.
19 M. Baum, Pferdemotiv, S. 15.
20 T. Hardy, Tess. Eine reine Frau, München 2012, S. 41.
21 Zur Toxikologie und Pathologie des Vipernbisses vgl. O. Leeser, Lehrbuch der Homöopathie, Spezieller Teil: Arzneimittellehre, C: Tierstoffe, Ulm/Donau 1961, S. 211 ff.

BILDNACHWEIS

Frontispiz Alexandra Vogt: Ohne Titel, 2009, *335 unten* (Succession Picasso), *401 oben*: © VG Bild-Kunst, Bonn 2015

Seite 9 oben, 75 oben (CFO Förlaget HB), *121 unten, 129 unten, 195 oben, 215 oben, 245 unten, 293 unten, 365 unten*: aus dem Archiv des Autors

Seite 9 unten, 75 unten: Deutsches Museum Archiv, München

Seite 19 oben (Foto: Max Schirner), *175 oben, 253 unten* (Imagno/VHS-Archiv), *327 oben*: ullstein bild, Berlin

Seite 19 unten: © Robert Doisneau/Rapho: Gamma Rapho, Paris

Seite 31 oben: James Thompson/Barbara Wright: La vie et l'œuvre d'Eugène Fromentin, Courbevoie (Paris) 1987

Seite 31 unten (Archive Photos – Staatliches Museum Landsitz Tolstois Jasnaja Poljana), *165 oben* (Quint & Lox), *265 oben, 273 unten* (RIA Nowosti), *293 oben, 309 oben* (Quint & Lox): akg-images, Berlin

Seite 41 oben: Frederick S. Lightfoot: Nineteenth-Century New York in Rare Photographic Views, New York 1981

Seite 41 unten: Collection Leonard Pitt, Berkeley, CA, USA

Seite 53 oben: Clay McShane/Joel A. Tarr: The Horse in the City. Living Machines in the Nineteenth Century, Baltimore 2007

Seite 53 unten (F Rep. 290 (02) Nr. 0200033), *139 oben* (Fotograf: Otto Hagemann – F Rep. 290 (02) Nr. 0173592): Landesarchiv Berlin

Seite 63 oben: © André Kertesz: Ungarisches Museum für Fotografie, Kecskemét, Ungarn

Seite 63 unten, 309 unten: Postkarten herausgegeben von cecodi, Palaiseau

Seite 85 oben: KHM-Museumsverband, Wien

Seite 85 unten, 103 unten, 113 oben, 155 oben, 281 oben: Public Domain

Seite 95 oben: Library of Congress – Prints & Photographs Online Catalog, Washington D. C., USA

Seite 95 unten: Joseph K. Dixon: The Vanishing Race. The Last Great Indian Council, New York 1913

Seite 103 oben: Deutsche Kinemathek – Museum für Film und Fernsehen, Berlin

Seite 113 unten: David Kenyon: Horsemen in No Man's Land. British Cavalry and Trench Warfare 1914–1918, Barnsley/England 2011

Seite 121 oben: Simon Butler: The War Horses, Great Britain 2011

Seite 129 oben, 299 oben und unten, 383 unten: Ernst Jünger (Hg.): Das Antlitz des Weltkrieges. Fronterlebnisse deutscher Soldaten, Berlin 1930

Seite 139 unten: Hubertus Gaßner/Eckhart Gillen/Cilly Kugelmann: R. B. Kitaj. 1932–2007. Die Retrospektive, Bielefeld 2012

Seite 145 oben: Collection of the Tel Aviv Museum of Art, Tel Aviv/Israel

Seite 145 unten (Privatsammlung), *175 unten* (Werner Forman Archive), *245 oben* (Museum of Fine Arts, Budapest), *391 unten* (1917, Foto © RDA): Bridgeman Images, Berlin

Seite 155 unten: Radierung, koloriert (Pub. by Mary Darly, 1.1.1777): Wilhelm Busch – Deutsches Museum für Karikatur und Zeichenkunst © Wilhelm-Busch-Gesellschaft e. V., Hannover

Seite 165 unten: Judith Campbell: Die Königin reitet. Elisabeth II. und ihre Pferde, Rüschlikon-Zürich/Stuttgart/Wien 1966

Seite 185 oben: Carlo Ruini: Anatomia Del Cavallo, Infermita Et Svoi Rimedii. Opera nuoua, degna di qualsiuoglia Prencipe, & Caualiere, & molto necessaria à Filosofi, Medici, Cauallerizzi, & Marescalchi; Divisa in Dve Volvmi, Venedig 1599

Seite 185 unten: George Stubbs: The Anatomy of the Horse, New York 1976

Seite 195 unten: © Hulton-Deutsch Collection/CORBIS Images

Seite 205 oben: Franz Maximilian Friedrich Freiherr Bouwinghausen von Wallmerode (Hg.): Taschenkalender auf das Jahr [1802] für Pferdeliebhaber…(Cotta-Archiv – Foto: Chris Korner), *335 oben* (Handschriftenbestände): Deutsches Literaturarchiv Marbach

Seite 205 unten: Philippe Etienne Lafosse: Cours d'hippiatrique, ou traité complet de la médecine des chevaux: orné de soixante & cinq planches gravées avec soin, Paris 1772

Seite 215 unten: Kunstverlag Leo Stainer, Innsbruck

Seite 225 oben: Museum für Naturkunde, Berlin (Foto: Ulrich Raulff)

Seite 225 unten: Richard Lefebvre des Noëttes: L'attelage, le cheval de selle à travers les âges: contribution à l'histoire de l'esclavage, Paris 1931

Seite 237 oben und unten: Karl Krall: Denkende Tiere. Beiträge zur Tierseelenkunde auf Grund eigener Versuche; der kluge Hans und meine Pferde Muhamed und Zarif, Leipzig 1912

Seite 253 unten: © Bildarchiv Foto Marburg / Foto: Dagmar Peil

Seite 265 unten: Hans Diebow/Kurt Goeltzer: Mussolini. Eine Biographie in 110 Bildern, Berlin 1931

Seite 273 oben: Ronald Düker: Als ob sich die Welt in Amerika gerundet hätte. Zur historischen Genese des US-Imperialismus aus dem Geist der Frontier, Dissertation Humboldt-Universität zu Berlin, 2005

Seite 281 unten: Yale Center for British Art – Paul Mellon Collection, New Haven, CT, USA

Seite 319 oben: Collection Fernández Rivero, Málaga/Spanien

Seite 319 unten: Egerton Smith: The Elysium of Animals: A Dream, London 1836

Seite 327 unten (AFP – Foto: Robert François), *357 oben* (Dreharbeiten zu dem Film «The Misfits» – Foto: Ernst Haas, Kollektion: Ernst Haas): Getty Images

Seite 345 oben: action press gmbh & co. kg, Hamburg (Foto: Rex Features Ltd.)

Seite 345 unten: Ohne Titel (Karussell), um 1889 (Bleistift auf Papier – 11 x 14,1 cm), Privatbesitz Schweiz, Depositum im: Zentrum Paul Klee, Bern

Seite 357 unten: © Barbara Klemm

Seite 365 oben (Foto: Timofej Melnik – Sammlung Melnik): Deutsch-Russisches Museum Berlin-Karlshorst

Seite 373 oben: Joe Hembus: Western-Geschichte. 1540–1894. Chronologie, Mythologie, Filmographie, München und Wien 1979 (Umschlagbild)

Seite 373 unten: Courtesy Center for Creative Photography, University of Arizona, Tucson, AZ, USA – © 1991 Hans Namuth Estate

Seite *383 oben*: Hans Wahl: Goethes Gartenhaus, Leipzig 1927
Seite *391 oben*: Janusz Piekalkiewicz: Pferd und Reiter im II. Weltkrieg, Berlin 1992
Seite *401 oben*: Abisag Tüllmann (1935–1996): Joseph Beuys «Titus/Iphigenie», 1969 (s/w-Fotografien auf Barytpapier). MMK Museum für Moderne Kunst Frankfurt am Main (Schenkung der Beuys Stiftung, Basel – Inv. Nr. 1994/42. 1–46)
Seite *401 unten* (CNAC-MNAM/Bertrand Prévost): bpk – Bildagentur für Kunst, Kultur und Geschichte, Berlin

Farbtafeln

Tafel 1 (Foto: Erich Lessing), *4–5, 4 unten*, *6 Mitte* (Universal Images Group), *7* (Foto: André Held), *9 oben* (Foto: Erich Lessing), *9 unten* (Cameraphoto), *12 oben* (Foto: Erich Lessing), *12 unten-13* (Foto: Erich Lessing), *14–15* (Foto: Erich Lessing), *15 unten*, *17 unten* (The National Gallery, London), *23, 24* (Album/Prisma), *25* (Album/ Prisma), *26–27* (Foto: Erich Lessing), *27* (MPortfolio/Electa), *31 oben* (Album/Oronoz) *31 unten*: akg-images, Berlin
Tafel 2 Jean Béraud: The Victoria, ca. 1895 (Musée de la Ville de Paris, Musée Carnavalet, Paris, *16* (Privatsammlung), *18–19* (© Collection of the New-York Historical Society, USA), *22* (De Agostini Picture Library), *30* (Museum of Modern Art, New York), *32* (Privatsammlung): Bridgeman Images, Berlin
Tafel 3 (Postkarte): aus dem Archiv des Autors
Tafel 6 oben: © Egmont Ehapa Media GmbH 2014
Tafel 6 unten: Standbild aus YouTube-Video
Tafel 8: © R. B. Kitaj Estate/Astrup Fearnley Collection, Oslo
Tafel 10–11 (© The Metropolitan Museum of Art), *17 oben* (Bayerische Staatsgemäldesammlungen), *28 unten* (RMN – Grand Palais/Adélaïde Beaudoin–Titel: Esquisse pour La Courtisane moderne): bpk – Bildagentur für Kunst, Kultur und Geschichte, Berlin
Tafel 13 oben: Philippe Etienne Lafosse: Cours d'hippiatrique, ou traité complet de la médecine des chevaux: orné de soixante & cinq planches gravées avec soin, Paris 1772
Tafel 20–21: © 2015. Princeton University Art Museum/Art Resource NY/Photo Scala, Florenz (Foto: Bruce M. White. Princeton (NJ), Princeton University Art Museum)
Tafel 28–29 oben: KHM – Museumsverband, Wien
Tafel 29 unten: Archiv Bourbaki Panorama Luzern
Tafel 30: © Succession Picasso/VG Bild-Kunst, Bonn 2015

Leider war es nicht in allen Fällen möglich, die Inhaber der Rechte zu ermitteln. Wir bitten deshalb gegebenenfalls um Mitteilung. Der Verlag ist bereit, berechtigte Ansprüche abzugelten.

REGISTER

Kursive Seitenzahlen beziehen sich auf Abbildungen.

Albinus, Bernhard Siegfried 182 f.
Albrant (auch Albrecht o. Hildebrandt u. a.) 209
Alexander der Große 125, 259, 262, 268, 303, 343, 346
Alexander I. von Schottland 168
Alken, Henry 191, 199
Allenby, Edmund 125
Alonso, Hernando 94
Altdorfer, Albrecht 343
al-'Amraoui, Idriss ibn Muhamed 32
Andersen, Hans Christian 325
Anne, Königin von England 157
Apollinaire, Guillaume 226, 391
Aristoteles 288, 303, 306
Arnim, Achim von 168
Arsonval, Arsène d' 193
Auerbach, Frank 131
August-Wilhelm, Prinz von Preußen 163 f.
Austin, Stephen F. 90
Auzoux, Louis 345

Babel, Isaac 14, 141–144, 146
Bakewell, Robert 171 f.
Baldung Grien, Hans 285, 289, 301, 303, 387
Balzac, Honoré de 18, 65
Barthes, Roland 128, 304
Baudelaire, Charles 179

Baynes, Ernest Harold 122
Begas, Reinhold 292, 295
Bengel, Johann Albrecht 330
Benjamin, Walter 131, 384
Benn, Gottfried 336
Bentham, Jeremy 328
Bergson, Henri 368 f.
Bernard, Claude 193
Bernhardi, Friedrich von 115 f.
Bernini, Gian Lorenzo 256
Bertuch, Friedrich Justin 384
Beuys, Joseph 401
Bismarck, Otto von 22, 167, 229
Bläser, Gustav 291 f.
Bloch, Ernst 372
Bloch, Marc 225, 234, 246, 376
Blumenberg, Hans 250
Boas, Franz 22, 88, 224
Böcklin, Arnold 77 f., 294; *Taf. 1, 4*
Bonaparte, Lucien 258 f.
Bonheur, Rosa 177, 179 f.; *Taf. 10–11*
Bonnal, Guillaume 229 f., 232
Bonnet, Jules 304, 306
Börne, Ludwig 59 f., 74
Botticelli, Sandro 388
Bourbon-Condé, Louis Henri de 329
Bourgelat, Claude 209, 211–213
Bouwinghausen von Wallmerode, Franz Maximilian Friedrich Freiherr 205–208

455

Brando, Marlon 308
Brod, Max 371
Brunner, Otto 159
Bücher, Karl 73
Budjonny (Budennyj), Semjon
  Michailowitsch 125 f., 141, 144, 267
Burckhardt, Jacob 58, 169, 258, 275,
  361
Bürger, Gottfried August 272
Burkert, Walter 77
Burton, Robert 30
Busch, Werner 184

Calandrelli, Alexander 292
Canetti, Elias 351, 361
Casas, Ramon 319
Castres, Edouard Taf. 29
Cavendish, William 151, 396
Certeau, Michel de 368 f.
Cheny, John 170
Chmelnyzkyj, Bogdan 140, 144
Churchill, Winston 112, 272, 274
Cicero 255, 400
Clair, Jean 13
Clausewitz, Carl von 61 f., 368
Cody, Bill (Buffalo Bill) 99–101
Cohen, Myron 360 f., 363
Colet, Louise 316
Colt, Samuel 91
Contades, Gérard de 203
Conway, Terry 199
Corbin, Alain 74, 77
Cortés, Hernán 94
Cotta, Johann Friedrich 206
Cottrell, Fred 358
Courbet, Gustave Taf. 17
Couthon, Georges 257, 259
Couture, Thomas 306; Taf. 28–29
Crane, Walter Taf. 14–15
Cromwell, Oliver 162, 266
Crosby, jr. Alfred W. 370
Cruikshank, George 319
Cuneo, Pia F. 289 f.
Curling, Henry 328
Custer, George Armstrong 83, 89 f.

D'Alembert (Jean-Baptiste le Rond) 211
Dann, Christian Adam 330, 332
Dante Alighieri 30, 58
Dareios I., König von Persien 343, 346,
  367, 399
Darly, Mary 155
Darwin, Charles 172, 274, 276, 315
Daumier, Honoré 380, Taf. 31

David, Jacques Louis 177, 189, 256 f.,
  259 f., 263 f., 266 f., 284; Taf. 22
Dawson, David Taf. 32
Defoe, Daniel 158
Degas, Edgar 152–154, 156, 192, 194,
  310; Taf. 8–9
Delacroix, Eugène 177
Delaroche, Paul 264
Delbrück, Hans 229
Deleuze, Gilles 241, 297, 351
Demeny, Georges 231
Denikin, Anton Iwanowitsch 14
Denon, Vivant 262
Derrida, Jacques 305
Des Périers, Bonaventure 30
Diepenbeek, Abraham van 151
Digard, Jean-Pierre 48
Disraeli, Benjamin 145,
Dizengoff, Meir 155
Doisneau, Robert 19
Donatello 388
Dostojewski, Fjodor Michailowitsch 137,
  325, 327
Drais, Karl 26
Ducos, Pierre Roger 259
Duhousset, Émile 191
Dunant, Henri 323
Dunlop, John Boyd 67
Dyck, Anthonis van Taf. 17

Eastwood, Clint 277
Edison, Thomas 98, 100
Edwards, Peter 374
Eisenberg, Baron d' 216
Eitner, Lorenz 179
Eliot, T. S. 131
Elisabeth II., Königin von England 165,
  393
Elmore, Adam 190
Engels, Friedrich 324
Erskine, Thomas 326
Estabrook, Howard 103
Evelyn, John 178

Feuerbach, Anselm 294
Fiammingo, Paolo 307; Taf. 28–29
Fino, Davide 336 f.
Fino, Ernesto 337
Flaubert, Gustave 18, 65–67, 71 f., 74,
  308, 312, 316, 363
Florio, John 30
Fontane, Theodor 312, 350
Ford, John 101, 267, 273
Foucault, Michel 39

Franz I., König von Frankreich 43
French, John 117, 126
Frentzel, J. P. 173
Freud, Lucian 393–395, 396; *Taf. 32*
Freud, Sigmund 248, 276 f.
Freyer, Hans 348–350
Freytag, Gustav 229
Frick, Henry Clay 132
Friedrich II. (der Große), König von
    Preußen 110, 188, 209, 211
Friedrich Wilhelm II., König von
    Preußen 187 f.
Friedrich Wilhelm III., König von
    Preußen 254

Friedrich Wilhelm IV., König von
    Preußen 166, 291
Frisch, Max 18
Fromentin, Eugène 177
Furet, François 266
Füssli, Heinrich 280, 282, 284 f., 287,
    293

Galton, Francis 172
Gambart, Ernest 177
Gardanne, Gaspard Amédée 259
Garrick, David 159
Gaudemar, Antoine de 377
Gehlen, Arnold 14, 398
Georg I., König Georg I. 158
Georgs III., König von England 183, 256;
    Taf. 18–19
Géricault, Théodore 153 f., 176–180,
    189–191, 194; *Taf. 12, 13, 16*
Giedion, Siegfried 46, 50
Goethe, Johann Wolfgang von 24, 60,
    178, 383, 384, 404
Gogh, Vincent van 374, 380; *Taf. 31*
Gogol, Nikolai Wassiljewitsch 137, 325,
    337
Gompertz, Lewis 329
Goos, Hermann 173
Goya, Francisco de 295 f.
Grimm, Jacob und Wilhelm 227, 235 f.,
    278
Grisone, Federigo 200, 396
Gros, Antoine-Jean 177, 256, 260
Grünbein, Durs 241
Grzimek, Bernhard 395 f.
Guattari, Félix 297, 351
Guderian, Heinz 107, 348
Guérin, Maurice de 25
Guérinière, François Robichon de la 156,
    200, 210 f.

Gustav Adolf, König von Schweden 162
Gutenberg, Johann Gensfleisch 98
Guy, Constantin 179

Hackländer, Friedrich Wilhelm 166
Hagenbeck, Carl 223
Haig, Douglas 116–118, 126
Hannibal 264
Hardin, Garrett 58
Hardy, Thomas 308, 310, 313, 341
Harlow, George Henry *145*
Hartmann von Aue 224, 226
Haudricourt, André-Georges 376 f.
Haussmann, Georges-Eugène 176
Hays, John Coffee 91
Hegel, Georg Wilhelm Friedrich 13 f., 18,
    73, 240, 259, 366, 387
Heidegger, Martin 272, 378
Heimpel, Hermann 18, 147, 270, 397 f.
Heinrichs IV., König von Frankreich 255
Held, Julius 132
Helmholtz, Hermann von 193
Herklotz, J. G. 71
Herodot 297 f., 300 f., 311, 327, 367,
    399 f., 400, 402
Herzl, Theodor 136
Hessing, Jakob 140
Hickock, (Wild) Bill 100
Hitler, Adolf 164, 267
Hoberman, John 136
Hofmannsthal, Hugo von 272, 387
Hogarth, William 309, 328 f.
Hooper, John 44
Hoover, Herbert 270
Hopper, Edward 184
Howard, William Willard 371
Hume, Willie 67
Hunecke, Volker 256
Huss, Georg Martin 44
Huston, John 308
Huth, Frederik H. 202
Huzard, Jean Baptiste 203
Hyland, Ann 354

Ibsen, Henrik 305
Immermann, Karl 69
Ingold, Felix Philipp 137
Ingres, Jean-Auguste-Dominique 182
Innis, Harold A. 374
Iriye, Akira 374

Jabotinsky, Wladimir Zeev 146
Jahnn, Hans Henny 289
Jähns, Max 226–229, 282

Jakob I., König 157, 168
Jakowlew, Wassili *Taf. 23*
Janz, Curt Paul 337
Jaspers, Karl 344, 346 f., 349–351, 353
Johann Ohneland, König von England 168
Johannes auf Patmos 278
Johannes III. Sobieski, König von Polen 107
Johannes XXIII., Gegenpapst 69
Johannsen, Ernst 122
Johnson, Lyndon B. 270
Johnson, Samuel 328
Jones, Ernest 282 f.
Jung, Carl Gustav 200
Jung, Martin 220, 330
Jünger, Ernst 26 f., 122, 299, 317 f., 320, *383*

Kafka, Franz 65, 240 f., 268, 351, 361–368, 371 f., 374
Kant, Immanuel 254 f., 368
Kapuscinski, Ryszard 105
Karl der Große, römisch-deutscher Kaiser 18, 264, 398
Karl I., König von England 157, 168
Karl II., König von England 157, 161
Kennedy, John F. 269, 271, *281*
Keogh, Myles 80
Kimon von Athen 202
Kipphoff, Petra 78
Kitaj, Ronald Brooks 131–136, *139*, 144; *Taf. 8*
Kitchener, Lord Herbert 114
Klee, Paul *345*
Kleeberg, Franciszek 108
Kleist, Heinrich von 251 f., 254, 337
Klemm, Barbara *357*
Knapp, Albert 330
Koestenbaum, Wayne 302
Kollof, Eduard 32, 45
Kommerell, Max 384
Köppen, Edlef 117
Koselleck, Reinhart 14, 123 f., 129, 204, 241, 272, 274, 286, 295, 344, 346, 397
Krall, Karl 236, 239
Krasnow, Pjotr Nikolajewitsch 136 f.
Kraus, Karl 321
Kris, Ernst 394 f.
Kroeber, Alfred L. 88
Kubrick, Stanley 384
Kurz, Otto 394

Lacan, Jacques 396
Lafosse, Philippe Etienne 184, 186, 205, 212; *Taf. 13*
Landmann, Michael 138
Landseer, Edwin 177, 329
Landseer, Thomas 177
Langhans, Carl Gotthard 187 f., *195*
Lasker-Schüler, Else 321
Latours, Bruno 374 f.
Lawrence, David Herbert 23
Lefebvre des Noëttes, Richard 225, 232–235, 246
Lehndorff, Georg Graf 149
Lenin, Wladimir Iljitsch 267
Lentin, C. F. 216
Leonardo da Vinci 213, 231
Lessing, Gotthold Ephraim 323
Lessing, Hans-Erhard 26
Lichnowsky, Mechthilde *335*
Lichtenberg, Georg Christoph 69
Liman, Paul 115
Lincoln, Abraham 269
Lippmann, Gabriel 193
Livingstone, David 222
Lobato, Angela 302
Lodge, Cabot 99
Lowe, Bruce 172 f.
Ludwig I., König von Bayern 367
Ludwig XIV., König von Frankreich 256
Ludwig XV., König von Frankreich 168
Luhmann, Niklas 274

Maeterlinck, Maurice 239 f.
Magris, Claudio 136
Magritte, René *401*
Mahan, Alfred Thayer 98
Malaparte, Curzio 321
Marc Aurel 253, 255
Marc, Franz *Taf. 26–27*
Marey, Etienne-Jules 192–194, 229–232
Marshall, Benjamin 199
Martin, Richard 326
Marx, Karl 18, 50, 94
Mathevon de Curnieu, Charles Louis Adélaïde Henri 203
Matz, Wolfgang 308
Maulbertsch, Franz Anton 294 f.
Mauss, Marcel 376
Max, Gabriel von 395
May, Karl 22
Mayor, Adrienne 300
McCullers, Carson 308
McLuhan, Marshall 242 f., 374
McShane, C. 38, 47, 374

Meissonier, Ernest 177, 191–194
Mellon, Andrew 199
Mellon, Mary 200
Mellon, Paul 198–202
Melville, Herman 101
Mennessier de la Lance, Gabriel-René 202–204
Menzel, Adolph 180, 187, 192
Mercer, Hugh 263
Mercier, Louis-Sébastien 29 f., 33–35, 40, 45, 322
Meyer, F. J. L. 30
Meyer, Heinz 123
Michelangelo 179
Michelet, Jules 15
Mills, John 22, 328
Mitscherlich, Alexander 26 f.
Mix, Thomas Edwin 101
Mohamed IV., Sultan 32
Mohammed Ahmed 112
Mohr, Erna 223
Montaigne, Michel de 209. 302
Moore, John 122
Mopurgo, Michael 23, 120, 122
Mortgens, Abraham 216 f.
Mortimer, John Hamilton 281
Murat, Joachim 110, 262
Musil, Robert 268
Mussolini, Benito 164, 265, 266
Muybridge, Eadweard 192–194, 229, 231 f.

Namuth, Hans 373, 381
Napoleon Bonaparte 14, 65, 108, 110, 125, 189, 254, 256–264, 266–268, 398
Napoleon III. Bonaparte 32
Netz, Reviel 118, 382
Niekisch, Ernst 26
Nietzsche, Friedrich 13, 16, 135 f., 259, 267, 304–307, 322, 333 f., 336–338, 347, 351, 356, 380

O'Kelly, Denis 181
Oertel, Johannes Taf. 18–19
Oetinger, Friedrich Christoph 330
Oñate, Juan de 86
Osten, Wilhelm von 236, 237, 238 f.
Osterhammel, Jürgen 356

Panofsky, Erwin 231
Peckinpah, Sam 101
Peixotto, Irving 96
Pembroke, Henry Herbert Earl of 210

Phyllis 303 f.
Picasso, Pablo 335, Taf. 30–31
Piranesi, Giovanni 253
Platon 394
Plinius 394 f.
Ploucquet, Wilhelm Gottfried 218
Pluvinel, Antoine de 156, 210
Podach, Erich Friedrich 336
Podeschi, John B. 201
Podro, Michael 131 f., 134 f., 139
Pollaiulo, Antonio 388
Pollard, James 191
Pomian, Krzysztof 249
Poppe, Johann H. M von 70 f.
Porter, Edwin S. 100
Pound, Ezra 131
Poussin, Nicolas 197
Powell, Nicolas 284
Praz, Mario 45, 72
Proust, Marcel 297
Prschewalski (Przewalski), Nikolai Michailowitsch 221 f.
Pulteney, William 326
Pythagoras 76 f.

Quincey, Thomas de

Raabe, Charles 229 f., 230
Radetzky von Radetz, Josef Wenzel 253
Raffael 179
Ranney, William T. 263, 266; Taf. 20–21
Rauch, Josef Christian Daniel 292
Raulwing, Peter 352
Reagan, Ronald 270
Rée, Paul 304
Regnault, Jean-Baptiste 177
Remarque, Erich Maria 122
Rembrandt Harmenszoon van Rijn 132–135; Taf. 7
Remington, Frederic 96–98, 101 f.; Taf. 6
Reuleaux, Franz 356
Rice, Condoleeza 11
Richard Löwenherz, König von England 168
Richental, Ulrich 68
Riehl, Wilhelm Heinrich 76
Riem, J. 71
Rieupeyrou, Jean-Louis 101
Ritter, Joachim 59
Robespierre 257 f., 260
Roche, Daniel 45
Rode, Bernhard 189
Röntgen, Wilhelm Conrad 231
Roosevelt, Franklin D. 270

Roosevelt, Theodore 96–99, 101
Roth, Joseph 321
Rottmann, Carl 367–369; *Taf. 14–15*
Rousseau, Jean-Jacques 303, 325 f.
Rowe, Colin 321
Rowlandson, Thomas 199
Rubens, Peter Paul 151, 159, 275 f., 294; *Taf. 24, 25*
Ruffo, Giordano 200, 209
Ruggles, Wesley *103*
Rühmkorf, Peter 227
Ruini, Carlo *185*
Runge, Philipp Otto 305 f.
Rüstow, Alexander 248, 351

Sade, Donatien A. F. Marquis de 35
Salomé, Lou 304
Schadewaldt, Wolfgang 400
Schadow, Johann Gottfried 187
Schaeffer, Albrecht 276, 385 f.
Schauwecker, Franz 122
Schiller, Friedrich 29 f., 214, 266
Schillings, Carl Georg 235
Schmitt, Carl 251, 315, 369
Schnitzler, Arthur 305
Schopenhauer, Arthur 34, 322, 325
Schukow, Georgi Konstantinowitsch 267, 273; *Taf. 23*
Schürmann, Felix 370
Segantini, Giovanni *Taf. 5*
Segev, Tom 146
Serres, Michel 12, 392
Seydlitz, Reinhart 110, 337
Shapira, Avraham *155*
Shelley, Percy Bysshe 328
Sidari, Théodore 22
Sieyès, Emmanuel Joseph 258 f.
Simmel, Georg 59, 343
Simon, Claude 128, 162, 321
Slevogt, Max 294
Solleysel, Jacques de 210 f.
Sombart, Werner 59, 64
Spengler, Oswald 16, 347–350, 356, 377
Stalin, Josif Wissarionowitsch 267
Stanford, Leland 193
Stanislaus II., König von Polen 132
Starobinski, Jean 284
Stauffenberg, Claus von 104
Stendhal 18
Sterne, Laurence 60
Stevenson, Robert Louis 18
Storm, Theodor 272, 279 f.
Strittmatter, Ellen 224

Stubbs, George 167, 180–186, 189 f., 199, 226, 256, 380
Studt, Conrad von 235
Széchenyi, Stephan 167, 214

al-Tahtawi, Rifa'a Rafi'a 32
Taine, Hippolyte 267
Tarr, J. A. 38, 47, 374
Tattersall, Richard 166
Taubenheim, Wilhelm von 166
Tempest, Gene Marie 374
Terraine, John 118
Thompson, Edward Palmer 324
Thurston, Robert Henry 356
Toland, Gregg 273
Tolstoi, Leo 18, 22, 31, 159, 247, 308, 312–314, 316
Toynbee, Arnold J. 374
Traeger, Jörg 254
Treitschke, Heinrich von 229
Treut, Monika 296 f.
Trotzki, Leo (Lew) Dawidowitsch 136, 266 f.
Trumpeldor, Joseph 146
Tschechow, Anton Pawlowitsch 137
Tuaillon, Louis *139*, 292
Turgenjew, Iwan Sergejewitsch 137, 247
Turing, Alan 396
Turner, William 10, 323 f.
Twain, Mark 23

Veblen, Thorstein 45, 160
Veltheim, Röttger von 166
Vernet, Claude Joseph 177, 256
Veronese, Paolo 285; *Taf. 27*
Verrecchia, Anacleto 336
Vico, Giambattista 400
Victoria, Königin 67, 111, 158, 177
Virilio, Paul 385
Vischer, Friedrich Theodor 331–334

Wagner, Richard 325
Wajda, Andrzej 107, *113*
Wanamaker, Rodman *95*
Wandelaar, Jan 182 f.
Warburg, Aby 131 f., 231, 388 f.
Washington. George 263 f., 266, 269
Watt, James 51
Wayne, John 79, 387
Weatherby, James 171
Webb, Walker Prescott 91 f.
Weber, Alfred 346 f., 349 f.
Weber, Max 160

Wedekind, Frank 305
Weininger, Otto 305, 387
Weller, Judith 235
Wereschtschagin, Wassili Wassiljewitsch 96
Wesley, John 328
White jr., Lynn 234, 242, 244, 246, 374
Wiesner, Joseph 350
Wilbuschewitz, Manja 146
Wilbusky, Jacob 96
Wilhelm I. von Württemberg 166
Wilhelm II., Deutscher Kaiser 52

Wilhelm IV., Herzog von Bayern 343
Wind, Edgar
Wissler, Clark 88
Wister, Owen 102
Woroschilow, Kliment Jefremowitsch 141

Xenophon 147, 203, 214, 394, 396

Zapata, Emiliano 265
Zola, Emile 35